ÇA S'EST PASSÉ COMME ÇA

Du même auteur

Il faut tout un village pour élever un enfant, Denoël, 1996.
Civiliser la démocratie, Desclée de Brouwer, 1998 ; rééd., 2008.
Mon histoire, Fayard, 2003 ; rééd. « J'ai lu », 2004.
Le Temps des décisions : 2008-2013, Fayard, 2014 ; rééd. Le Livre de
    Poche, 2016.

Hillary Rodham Clinton

ÇA S'EST PASSÉ COMME ÇA

Traduit de l'anglais (États-Unis)
par Perrine Chambon, Lise Chemla,
Odile Demange, Karine Lalechère,
Julie Sibony et Samuel Todd.

Fayard

Couverture : Ô Majuscule
Photographie : © Mario Testino

Cet ouvrage est la traduction intégrale,
publiée pour la première fois en France,
du livre de langue anglaise :
WHAT HAPPENED
édité par Simon & Schuster, New York, en septembre 2017.

ISBN : 978-2-213-70598-9

Dépôt légal : septembre 2017

Je dédie ce livre à l'équipe qui m'a soutenue tout au long de l'année 2016, et a œuvré infatigablement en faveur d'une Amérique meilleure, plus juste et plus forte.

Soyez assurés qu'être votre candidate a été l'un des plus grands honneurs de ma vie.

Si tu es fatigué, continue d'avancer.
Si tu as peur, continue d'avancer.
Si tu as faim, continue d'avancer.
Si tu veux goûter à la liberté, continue d'avancer.

Harriet Tubman

Note de l'auteur

Je vais vous raconter ce qui est arrivé.

Ce que j'ai vu, ressenti et pensé durant ces deux années, que je compte parmi les plus intenses de ma vie.

Comment je me suis retrouvée à ce carrefour de l'histoire américaine et comment j'ai continué d'avancer après le choc de la défaite ; comment j'ai retrouvé les choses et les gens qui me sont les plus chers, comment j'ai repris confiance en l'avenir, comment j'ai cessé de ressasser le passé.

Je vais aussi expliquer ce qui est arrivé à mon pays, pourquoi il est si profondément divisé, et ce que nous pouvons faire pour y remédier.

Je n'ai pas toutes les réponses ; ce que vous allez lire n'est pas un rapport exhaustif sur l'élection présidentielle de 2016. Ce n'est pas à moi de l'écrire – je manque par trop de distance et je suis trop impliquée dans cette histoire. Ce livre est un récit, *mon* récit. Je veux surtout lever le voile sur une expérience faite d'exaltation, de joie, d'humilité, d'exaspération et de confusion absolue.

Il n'a pas été facile de coucher les mots sur le papier. Lorsque j'étais candidate à la présidence, je pensais chaque jour aux millions de personnes qui comptaient sur moi. L'idée de les décevoir m'était insupportable. C'est pourtant ce qui s'est passé. Et je devrai vivre avec cet échec jusqu'à la fin de mes jours.

Dans ce livre, j'évoque de nombreux épisodes de la campagne que j'aimerais pouvoir effacer en remontant la bobine. Si les Russes pouvaient s'infiltrer dans mon subconscient, ils découvriraient une sacrée liste ! Mais j'évoque aussi des moments dont je compte me souvenir toute ma vie ; par exemple, le jour où ma petite-fille d'un an et demi est entrée en trombe dans la salle alors que je répétais mon discours pour la Convention démocrate, et mon émotion, quelques heures plus tard, lorsque je suis montée sur scène pour le prononcer : j'étais la première femme à être investie par un grand parti politique pour le représenter aux élections présidentielles américaines.

J'écris aussi sur des personnes qui m'ont inspirée : ce pasteur de Caroline du Sud qui m'a parlé d'amour et de gentillesse, les habitants qui ont fait bloc dans une ville empoisonnée par le plomb, ces volontaires infatigables qui ont tout donné dans l'espoir d'un avenir meilleur. Je donne également mon point de vue sur les grands défis avec lesquels je me débats depuis des dizaines d'années, et qui revêtent aujourd'hui une nouvelle urgence : les questions du genre, de la prétendue race, des classes, qui travaillent notre vie politique, et la nécessité de reconnaître l'autre si nous voulons assurer la cohésion nationale.

Je me suis efforcée de tirer les leçons de mes erreurs. Comme le lecteur le constatera, elles sont nombreuses – et j'en porte l'entière responsabilité.

Mais elles n'expliquent pas tout. On ne peut pas comprendre ce qui s'est passé en 2016 sans évoquer la guerre de l'information engagée sans vergogne par le Kremlin, l'intervention sans précédent du directeur du FBI au cours du processus électoral, cette presse qui clamait bien haut que mes e-mails étaient le problème numéro un de notre pays, et cette colère et cette rancœur qui imprègnent tant notre culture.

Je sais bien que certains refusent de se confronter à ces vérités. Et ils s'y refusent d'autant plus que c'est moi qui les y invite. Mais il est important de rectifier le tableau : saurons-nous soigner notre démocratie et la protéger ? Parviendrons-nous, en tant que citoyens, à combler les fossés qui nous séparent ? Les leçons que nous tirerons de cette année 2016 seront sans doute décisives pour répondre à ces questions. C'est pourquoi je veux que mes petits-enfants et les générations qui viennent sachent ce qui s'est vraiment passé. Il faut rétablir la vérité. C'est notre responsabilité devant l'histoire – et face à un monde inquiet.

J'évoquerai aussi les jours douloureux qui ont suivi l'élection. On m'a si souvent demandé : « Comment arrivez-vous encore à vous lever le matin ? » Chaque jour, les journaux remuaient le couteau dans la plaie, ravivée par telle révélation, tel scandale. J'étais folle de rage en constatant que l'image de mon pays se dégradait dans le monde ; exaspérée que des Américains vivent dans la peur de perdre leur assurance-santé pour que les super-riches puissent bénéficier d'une nouvelle baisse d'impôt. Dans ces moments-là, j'avais envie de me jeter sur un coussin, d'y enfouir ma tête et de hurler.

Mais, peu à peu, je me suis sentie mieux – ou en tout cas moins mal. J'ai beaucoup réfléchi, beaucoup écrit, un peu prié, un peu ronchonné, et, enfin, j'ai pu rire à nouveau de bon cœur. Je me suis longuement promenée dans les bois avec mon mari, en compagnie de Tally et Maisie, nos chiens, qui prenaient les choses beaucoup mieux que nous. Je me suis entourée d'amis et j'ai regardé des émissions télévisées dont on me parlait depuis des années, ainsi qu'une bonne dose de HGTV[1]. Et, surtout, j'ai passé du temps en compagnie de mes merveilleux petits-enfants : j'ai rattrapé mon retard en lectures du soir, et j'ai comblé ma frustration d'avoir dû renoncer à toutes les « chansons du bain » pendant ces longs mois de campagne. C'est sûrement ce qu'on appelle « prendre soin de soi » – j'ai découvert que c'est assez génial.

À présent, lorsqu'on me demande comment je vais, je réponds : en tant qu'Américaine, je n'ai jamais été aussi inquiète – mais, personnellement, je vais bien.

Ce livre est le récit de cette trajectoire. Son écriture a été cathartique. J'ai revécu toutes mes colères et mes peines. Parfois, j'ai dû m'arrêter, m'allonger, fermer les yeux et faire le vide en moi. Mais la difficulté tient aussi à une autre raison : je ne compte plus les jours où, installée à la table de ma cuisine pour écrire, j'ai été interrompue par un flash info à sensation. Je secouais alors la tête en soupirant, dépitée, puis reprenais mon stylo rouge et revoyais ma copie.

Je me suis efforcée de faire la paix avec les souvenirs douloureux et de retrouver la joie qui régnait autour de moi, plus souvent qu'on ne le pense, durant la campagne. Jusqu'ici, pour des raisons que je tente d'expliquer, je me croyais tenue à la prudence en public : une funambule avançant sans filet. Aujourd'hui, je baisse la garde.

Quand j'ai eu fini d'écrire, je me suis sentie à nouveau en état de faire face à l'avenir. J'espère que, lorsque vous en lirez les dernières lignes, vous serez dans la même disposition d'esprit.

---

1. La Home and Garden Television (HGTV) est une chaîne câblée de télévision américaine. Elle est dédiée à la décoration, à l'aménagement d'intérieur et à l'entretien de la maison et du jardin. (*Toutes les notes sont des traducteurs.*)

Je serai toujours fière d'avoir été choisie comme candidate par le Parti démocrate et d'avoir réuni sur mon nom 65 844 610 voix. Ce chiffre – supérieur à celui obtenu par tous les autres candidats à la présidentielle depuis l'origine, à l'exception de Barack Obama – prouve que la bassesse que nous avons affrontée en 2016 ne dit pas tout de notre pays.

Je veux remercier tous ceux qui m'ont accueillie chez eux, dans leur entreprise, leur école ou leur église durant ces deux longues années trépidantes ; toutes les petites filles et tous les petits garçons qui se sont jetés à mon cou ou m'ont tapé dans la main de toute leur force ; et, au-delà, toutes les personnes courageuses, audacieuses, issues de toutes les générations, dont l'amour et la force m'ont permis de mener une vie si gratifiante dans ce pays que j'aime. Grâce à elles, en dépit de tout, j'ai le cœur content.

J'ai choisi d'ouvrir ce livre par une citation attribuée à l'une d'elles : Harriet Tubman. Il y a vingt ans, j'ai assisté à une pièce de théâtre consacrée à sa vie, jouée par une troupe d'enfants dans son ancienne maison d'Auburn (New York). Comme ils se passionnaient pour cette femme si courageuse et si déterminée qui, contre vents et marées, guidait les esclaves vers la liberté ! Malgré les obstacles, elle n'a jamais cessé de croire en ce credo simple mais tellement puissant : Continue d'avancer ! Ce mot d'ordre vaut pour nous tous aujourd'hui.

En 2016, le gouvernement américain a décidé que Harriet Tubman serait le nouveau visage du billet de 20 dollars. S'il fallait une preuve que l'Amérique peut encore se ressaisir, elle est là.

Ça doit être difficile. Sinon, n'importe qui le ferait.
C'est la difficulté qui en fait le prix.

Une équipe hors du commun[1]

---

1. Film réalisé par Penny Marshall en 1992.

Persévérance

Ce qui ne nous tue pas nous rend plus fort.

Friedrich Nietzsche (et Kelly Clarkson)

Y aller

Inspire à fond. Sens l'air te remplir les poumons. Il faut le faire. Il faut montrer au pays que notre démocratie fonctionne encore, même si ça te fait mal. Expire. Tu hurleras plus tard.

Je me tiens devant la porte, au sommet des marches qui descendent vers la tribune, et j'attends que l'on nous invite, Bill et moi, à rejoindre nos places. J'imagine que je suis n'importe où, sauf ici. À Bali, peut-être ? Bali, ça serait super.

La tradition veut que Bill et moi, en qualité d'ancien président et d'ancienne première dame, assistions à la prestation de serment du nouveau président. J'avais hésité pendant des semaines. John Lewis n'y allait pas. Cette grande figure du mouvement des droits civiques, membre du Congrès, estimait que l'accumulation de preuves d'ingérence russe dans le processus électoral privait le président élu de toute légitimité. D'autres membres du Congrès avaient décidé de suivre son exemple et de boycotter un président élu qu'ils jugeaient clivant. Un grand nombre de mes supporters et de mes meilleurs amis m'exhortaient également à rester chez moi.

Ils savaient qu'être assise à la tribune et voir Donald Trump prêter le serment qui faisait de lui notre commandant en chef serait une terrible épreuve pour moi. J'avais inlassablement fait campagne pour que cela n'arrive jamais. J'étais convaincue qu'il représentait un danger indéniable et immédiat pour notre pays et pour la planète. Et voilà que le pire était advenu. Il était sur le point de prononcer son serment d'investiture.

De surcroît, après la campagne mesquine qu'avait menée Trump, je risquais fort de me faire huer ou accueillir aux cris de « Qu'on la mette en taule ! ».

Je me sentais pourtant tenue d'être là. Le transfert pacifique du pouvoir est une des traditions essentielles de notre pays. J'avais vanté ses mérites aux quatre coins du monde quand j'étais secrétaire d'État, espérant voir de plus en plus de pays se rallier à notre modèle. Si j'y croyais sincèrement, je devais laisser mes sentiments de côté et y aller.

Bill et moi avions pris l'avis des Bush et des Carter. George W. et Jimmy avaient été parmi les premiers à m'appeler après l'élection, ce qui m'avait profondément touchée. En fait, George m'avait appelée quelques minutes seulement après la fin de mon discours de défaite et avait attendu de bonne grâce au bout du fil que j'aie serré mon équipe de campagne et mes supporters dans mes bras une dernière fois. Et au cours de notre conversation, il avait suggéré que nous prenions le temps d'aller manger un burger un jour prochain. Je crois que c'est la manière texane de dire « je comprends ce que vous ressentez ». Jimmy et lui savaient ce qu'on éprouve quand on s'expose aux yeux de tout le pays et Jimmy n'ignorait rien de la douleur cinglante du rejet. Nous avons compati réciproquement pendant un moment. (« Jimmy, il ne pouvait rien arriver de pire. – Je sais, Hillary. ») Personne n'ignorait que ces anciens présidents n'étaient pas des fans de Donald Trump, lequel s'était montré particulièrement abject avec Jeb Bush, le frère de George. Assisteraient-ils tout de même à l'investiture ? Oui.

Leur attitude m'a donné le courage nécessaire. Nous y serions, Bill et moi.

C'est ainsi que je me suis retrouvée le 20 janvier devant la porte du Capitole, attendant d'être annoncée. Quel long voyage pour arriver jusqu'ici ! Je n'avais plus que quelques pas à faire. J'ai pris le bras de Bill et je l'ai serré, réconfortée de l'avoir à mes côtés. J'ai inspiré profondément et j'ai franchi la porte avec le plus grand sourire que j'aie réussi à m'arracher. Nous étions assis à la tribune, à côté des Bush, que nous avions retrouvés à l'intérieur du bâtiment quelques minutes auparavant. Nous avions pris des nouvelles de nos filles et de nos petits-enfants respectifs, bavardant comme si c'était un jour ordinaire. George et Laura nous avaient mis au courant de l'évolution de la santé des parents de George, l'ancien président George H. W. et Barbara, qui avaient été hospitalisés récemment, mais qui, heureusement, allaient mieux.

Alors que nous attendions à nos places l'arrivée du président élu, j'ai repensé à ce jour incroyable, vingt-quatre ans auparavant, où Bill avait prêté serment pour la première fois. Le moment n'avait pas dû être facile pour George H. W. et Barbara, mais ils s'étaient montrés remarquablement courtois. Le président sortant avait laissé dans le Bureau ovale une lettre à l'intention de Bill, qui est sûrement l'un des textes les plus respectables et les plus patriotiques que j'aie jamais lus. « Votre succès aujourd'hui est celui de notre pays. Je vous encourage de toutes mes forces », avait-il écrit. Nous avions fait de notre mieux pour manifester la même bienveillance envers George W. et Laura, huit ans plus tard. En cet instant, je m'efforçais d'adopter une attitude comparable à l'égard du nouveau président. Comme je l'avais dit dans mon discours de défaite, il méritait qu'on ait l'esprit ouvert et qu'on lui donne la chance de diriger le pays.

J'ai également pensé à Al Gore, qui avait assisté stoïquement à l'investiture de George W. en 2001, alors qu'il avait obtenu un plus grand nombre de voix que lui. Cinq membres de la Cour suprême avaient décidé du résultat de cette élection. Al Gore avait dû avoir du mal à l'encaisser. J'étais, me suis-je rendu compte, en train d'inventer un nouveau passe-temps : imaginer la souffrance des précédents perdants aux élections. John Adams, notre deuxième commandant en chef, avait subi l'affront d'être le premier président à manquer sa réélection, battu par Thomas Jefferson en 1800. Il avait tout de même pris une petite revanche vingt-cinq ans plus tard avec l'élection de son fils John Quincy. En 1972, George McGovern avait laissé quarante-neuf États sur cinquante à Richard Nixon – nous avions collaboré de près, Bill et moi, à la campagne de McGovern, et conservons des souvenirs indélébiles de cette défaite. N'oublions pas non plus William Howard Taft, dont Teddy Roosevelt avait fait son dauphin. Quatre ans plus tard, en 1912, Teddy avait estimé que Taft ne faisait pas l'affaire et s'était présenté comme candidat d'un troisième parti, divisant les votes et provoquant l'élection de Woodrow Wilson. Cela n'avait pas pu être indolore non plus.

Puis Bill m'a touché le coude et je suis revenue au présent.

Les Obama et les Biden étaient devant nous. J'ai imaginé le président Obama assis dans la limousine présidentielle à côté d'un homme parvenu au pouvoir en partie en racontant des mensonges sur le lieu de naissance de Barack et en l'accusant de ne pas être américain. À un moment, pendant les cérémonies de la journée, nous avons, Michelle et moi, échangé un regard contrit qui disait : « Tu arrives à y croire, toi ? » Huit ans auparavant, en ce jour d'un froid mordant où Barack avait prêté serment, nous avions la tête pleine de projets, de possibilités. Aujourd'hui, il ne nous restait qu'à faire bonne figure et à attendre que ça passe.

Le président élu a enfin fait son entrée. Je connaissais Donald Trump depuis des années, mais jamais je n'aurais imaginé le voir sur les marches du Capitole prêter serment comme président des États-Unis. Trump avait été une figure incontournable de la scène new-yorkaise du temps où j'étais sénatrice – à l'image d'un certain nombre de magnats de l'immobilier de la ville, en plus extravagant et en plus m'as-tu-vu. En 2005, il nous avait invités à son mariage avec Melania à Palm Beach, en Floride. Comme nous n'étions pas amis, j'avais supposé qu'il souhaitait rassembler le plus grand nombre possible de têtes connues. Bill ayant une conférence à faire dans la région ce week-end-là, nous avions décidé d'y aller. Pourquoi pas ? Je m'attendais à ce que ce soit du grand spectacle, amusant, tapageur, et je ne m'étais pas trompée. J'ai assisté à la cérémonie, puis j'ai retrouvé Bill pour la réception qui se tenait dans la résidence de Trump à Mar-a-Lago. Nous nous sommes fait photographier en compagnie des mariés, et nous nous sommes éclipsés.

L'année suivante, Trump a participé avec d'autres New-Yorkais en vue à une vidéo parodique pour le dîner de l'Association des correspondants parlementaires ayant lieu à Albany, l'équivalent, à l'échelle de l'État, du bien plus célèbre dîner de l'Association des correspondants de la Maison-Blanche. Le scénario était le suivant : on avait volé ma figure de cire au musée Madame Tussauds sur Times Square, je devais la remplacer et faire semblant d'être une statue tandis que plusieurs célébrités défilaient devant moi et parlaient. Le maire de New York, Mike Bloomberg, déclarait ainsi que je faisais un travail du tonnerre au Sénat – avant d'envisager en plaisantant de se présenter aux présidentielles de 2008 comme candidat autofinancé. Quand Trump apparaissait, il s'extasiait : « Vous êtes superbe. Incroyable. Je n'ai jamais rien vu de tel. Les cheveux sont magnifiques. Le visage impeccable. Vous savez, je suis convaincu que vous feriez un tabac à la présidence. Personne ne vous arriverait à la cheville. » La caméra reculait alors pour révéler qu'en réalité ce n'était pas à moi que Trump s'adressait, mais à sa propre statue de cire. Sur le moment, on avait trouvé ça drôle.

Quand Trump a annoncé sa candidature bien réelle en 2015, j'ai cru à une nouvelle blague. À cette date, cet abonné aux « unes » des magazines *people* s'était transformé en excentrique de droite, sujet à une obsession incurable, indécente et chimérique à propos du certificat de naissance du président Obama. Cela faisait plusieurs dizaines d'années qu'il flirtait avec la politique, mais on avait du mal à le prendre au sérieux. Il me faisait penser à ces vieillards qui racontent à qui veut les entendre que le pays va à vau-l'eau – jusqu'au jour où les gens ont commencé à l'écouter.

Il était impossible d'ignorer Trump – les médias ne parlaient que de lui. Il m'a paru important de dénoncer son fanatisme, ce que j'ai fait très tôt et sans relâche, dès qu'il s'est mis à traiter les immigrants mexicains de violeurs et de dealers, c'est-à-dire le jour même de l'annonce de sa candidature. Mais c'est seulement quand je l'ai vu dominer un débat face à un certain nombre de candidats républicains de talent – non pas en avançant des idées brillantes ou des arguments puissants, mais en lançant des attaques vicieuses qui vous laissaient bouche bée – que j'ai compris que ce n'était peut-être pas une farce.

À présent il était là, la main sur la Bible, promettant de sauvegarder, protéger et défendre la Constitution des États-Unis. Et c'était nous, les dindons de la farce.

Il s'est mis à pleuvoir, et ceux qui nous entouraient se sont débattus avec les légers ponchos de plastique qu'on nous avait distribués. En coulisse, j'avais conseillé à Bill de mettre son imperméable. Il faisait inhabituellement chaud, et Bill ne pensait pas en avoir besoin. Finalement, il a été content de le porter – une petite victoire d'épouse en cette journée atroce. Les ponchos avaient beau être affreux, ils auraient pu être pires encore. On m'avait dit que, vus sous un certain angle, les ponchos blancs du premier lot qui avait été livré ressemblaient à des capuchons du Ku Klux Klan et qu'un organisateur de la cérémonie au regard aiguisé les avait promptement fait remplacer.

Le discours du nouveau président a été sombre et dystopique. À mes oreilles, c'était un hurlement sorti des entrailles d'un nationaliste blanc. Sa phrase la plus mémorable concernait le « carnage américain », une expression frappante qui aurait été plus à sa place dans un film d'horreur que dans un discours d'investiture. Trump traçait le portrait d'un pays amer, brisé, que je ne reconnaissais pas.

Je savais qu'il nous restait des défis concrets à relever et j'en avais abondamment parlé pendant la campagne électorale : l'inégalité des revenus et la concentration croissante du pouvoir des entreprises, les menaces persistantes du terrorisme et du changement climatique, le coût croissant des dépenses de santé, la nécessité de créer davantage d'emplois, et des emplois meilleurs, face à l'accélération de l'automatisation. La classe moyenne américaine s'était vraiment fait avoir. La crise financière de 2008-2009 lui avait coûté de nombreux emplois et l'avait privée de toute sécurité. On pouvait avoir l'impression que, en plus, personne n'aurait jamais à rendre de comptes. Un sentiment d'aliénation gagnait un large éventail d'Américains, allant des électeurs blancs attachés à une culture traditionnelle et déstabilisés par la rapidité des mutations sociales aux Noirs qui avaient le sentiment que leur vie n'avait aucune valeur pour leur pays, sans oublier les « Dreamers[1] » et les citoyens musulmans patriotes que l'on traitait comme des intrus dans leur propre pays.

Trump était très fort pour remuer le couteau dans leurs plaies. Mais il avait tort sur de nombreux points. On avait enregistré sous la présidence d'Obama soixante-quinze mois de croissance de l'emploi d'affilée et les revenus des 80 % de la population les plus modestes commençaient enfin à augmenter. Vingt millions de citoyens supplémentaires bénéficiaient d'une assurance-maladie grâce à l'Affordable Care Act[2], le plus grand succès législatif de l'administration sortante. Les taux de criminalité restaient historiquement bas. Notre armée était toujours, et de loin, la plus puissante du monde. Il s'agit là de faits certains, vérifiables. Or Trump, face au monde entier, prétendait le contraire – comme il l'avait fait tout au long de sa campagne. Il ne semblait pas sentir et encore moins apprécier l'énergie et l'optimisme que j'avais relevés en parcourant le pays.

En écoutant Trump, j'avais presque l'impression que la vérité n'existait plus. Cette impression n'a pas changé.

Mon prédécesseur au Sénat, Daniel Patrick Moynihan, avait coutume de dire : « Tout le monde a droit à sa propre opinion, mais pas à ses propres faits. » Être en désaccord sur des politiques et des valeurs est une chose, prétendre que 2 + 2 = 5 et le faire avaler à des millions d'Américains en est une autre. Quand l'homme le plus puissant du pays dit : « Ne croyez pas ce que vous voyez, ne croyez pas les experts, ne croyez pas les chiffres, croyez-moi, un point c'est tout », il crée une terrible brèche dans une société démocratique libre telle que la nôtre. Comme l'écrit Timothy Snyder, professeur d'histoire

---

1. Il s'agit de jeunes sans-papiers qui réclament leur intégration en vertu du « Dream Act », une loi prévoyant la régularisation des enfants arrivés très jeunes aux États-Unis, mais rejetée à cinq voix près en 2010. Obama leur a accordé par décret, en juin 2012, non pas la citoyenneté, mais la possibilité d'obtenir un permis de travail.

2. Aussi connue sous le nom d'Obamacare, cette loi sur la protection des patients et l'accessibilité des soins constitue le principal volet de la réforme du système de protection sociale mise en place sous la présidence d'Obama.

à Yale, dans son livre *De la tyrannie : Vingt leçons du xxe siècle* :
« Abandonner les faits, c'est abandonner la liberté. Si rien n'est vrai,
nul ne peut critiquer le pouvoir faute de base pour le faire. Si rien
n'est vrai, tout est spectacle[3]. »

Prétendre définir la réalité est un trait fondamental de l'autoritarisme. C'est ce que les Soviétiques ont fait en effaçant les opposants
politiques des photographies historiques. C'est ce qui se passe dans
1984, le célèbre roman de George Orwell, quand un tortionnaire lève
quatre doigts et envoie des décharges électriques jusqu'à ce que son
prisonnier en voie cinq, comme il le lui ordonne. L'objectif est de
vous faire douter de la logique et de la raison et de semer la méfiance
à l'égard de ceux-là mêmes à qui nous devrions pouvoir nous fier :
nos dirigeants, la presse, les experts qui cherchent à orienter la politique publique en s'appuyant sur des faits, nous-mêmes. Pour Trump,
il s'agit simplement, comme si souvent, d'affirmer sa domination.

Cette tendance n'a pas commencé avec lui. En 2007, Al Gore a
écrit un livre intitulé *La Raison assiégée*. En 2005, Stephen Colbert
a inventé le mot *truthiness*, une vérité née des tripes plus que du
cerveau, pour dénoncer la manière dont Fox News transformait la
politique en une zone de ressentiments furieux coupée des faits. Les
responsables politiques que Fox News a aidés à accéder au pouvoir
ont joué leur rôle, eux aussi. Le stratège républicain Karl Rove a
notoirement écarté les esprits critiques qui appartenaient à ce qu'il a
appelé – une expression qui se voulait insultante – « la communauté
réalité », les prétendant incapables de comprendre que « nous sommes
un empire maintenant, et lorsque nous agissons, nous créons notre
propre réalité[4] ».

Trump a cependant porté la guerre contre la vérité à de nouveaux sommets. S'il se levait demain et déclarait que la Terre est
plate, sa conseillère Kellyanne Conway pourrait très bien défendre
cette thèse sur Fox News comme un « fait alternatif » et beaucoup
de gens le croiraient. Voyez ce qui s'est passé quelques semaines
après le début de sa présidence, quand Trump a faussement accusé le
président Obama de l'avoir mis sur écoute, une allégation largement
et promptement tournée en ridicule. Un sondage ultérieur a établi
que 74 % des républicains n'en pensaient pas moins que c'était au
moins probablement vrai.

---

3. Trad. de P.-E. Dauzat, ouvrage à paraître chez Gallimard en octobre 2017.
4. In *Le Monde*, 5 sept. 2008.

Le discours d'investiture de Trump s'adressait directement aux millions d'Américains qui se sentent menacés et frustrés, voire désespérés, dans une économie et une société en mutation. Beaucoup de gens cherchaient un bouc émissaire. Trop d'entre eux voyaient le monde comme un jeu à somme nulle et étaient convaincus que leurs compatriotes qu'ils considéraient comme « les autres » – les gens de couleur, les immigrés, les femmes, les LGBT, les musulmans – n'avaient pas gagné l'argent qu'ils possédaient et l'avaient forcément obtenu aux dépens d'autrui. La souffrance et l'exclusion économiques étaient réelles, la souffrance psychique aussi. Cela produisait un mélange toxique, explosif.

Je n'avais pas été aveugle à la force de cette colère. Pendant la campagne, nous avions relu, Bill et moi, un livre de 1951, *The True Believer* (« Le Vrai Croyant ») d'Eric Hoffer, qui explore les fondements psychologiques du fanatisme et des mouvements de masse et dont j'ai conseillé la lecture à mes principaux collaborateurs. Au cours de ma tournée de campagne, j'ai exposé des idées qui devaient, à mon sens, répondre à un certain nombre des causes profondes de mécontentement et contribuer à améliorer la vie de tous les Américains. Mais je ne pouvais – et ne voulais – pas rivaliser avec mon adversaire en attisant la rage et les ressentiments de la population. Cela me paraît dangereux. Cela incite les dirigeants désireux d'exploiter cette rage à blesser les gens plus qu'à les soutenir. Et puis, ce n'est pas mon genre, voilà tout.

Peut-être est-ce pour cela que Trump était en train de prononcer le discours d'investiture tandis que, moi, j'étais assise dans la tribune.

Qu'aurais-je dit si j'avais été à sa place ? J'aurais eu du mal à trouver des mots à la hauteur d'un tel moment. J'aurais probablement rédigé un million de brouillons. Mes malheureux rédacteurs de discours ne m'auraient précédée que de quelques pas pour remettre à l'opérateur du téléprompteur la clé USB où aurait figuré la dernière version de mon texte. Mais j'aurais été heureuse de pouvoir dépasser les rancœurs de la campagne, de tendre la main à tous les Américains, quel qu'ait été le candidat de leur choix, et d'offrir une vision de réconciliation nationale, d'opportunités partagées et de prospérité pour tous. Être la première femme à prononcer ce serment aurait été un honneur extraordinaire et je ne prétendrai pas ne pas avoir rêvé de vivre cet instant – pour moi, pour ma mère, pour ma fille, pour sa fille, pour les filles de toutes les mères, et pour nos fils.

Au lieu de quoi, le monde écoutait la fureur intacte du nouveau président. J'ai repensé à la regrettée Maya Angelou lisant un de ses poèmes à la première cérémonie d'investiture de Bill. « Ne sois pas marié à jamais à la peur, éternellement accouplé à la barbarie », nous avait-elle exhortés. Qu'aurait-elle dit si elle avait pu entendre ce discours ?

Puis c'est arrivé : il était devenu notre président.

« Quelle sacrée merde ! » aurait, paraît-il, lancé George W. avec son franc-parler texan habituel. Je n'aurais pu dire mieux.

Nous avons gravi l'escalier pour quitter la tribune et regagner l'intérieur du Capitole, serrant des mains au passage. J'ai aperçu sur le côté un homme que j'ai pris pour Reince Priebus, responsable du Comité national républicain et nouveau directeur de cabinet de la Maison-Blanche. Quand je suis arrivée à son niveau, nous avons échangé une poignée de main et quelques banalités. Ce n'est que plus tard que je me suis aperçue que ce n'était absolument pas Priebus. C'était Jason Chaffetz, alors représentant de l'Utah au Congrès, un Javert en herbe qui avait fait un foin de tous les diables à propos de mes e-mails et de la tragédie de Benghazi en Libye, en 2012. Plus tard, Chaffetz a posté une photo de cette poignée de main accompagnée de cette légende : « Si content qu'elle ne soit pas présidente. Je l'ai remerciée de nous avoir rendu ce service et lui ai souhaité bonne chance. L'enquête se poursuit. » Quelle classe ! J'ai bien failli lui tweeter en réponse : « À vrai dire, je vous ai pris pour Reince. »

La journée s'est poursuivie dans un mélange confus de rencontres avec de vieux amis et d'efforts pour éviter de croiser le regard de ceux qui avaient proféré des énormités à mon sujet pendant la campagne.

Je suis tombée sur Ruth Bader Ginsburg, juge à la Cour suprême, qui marchait à pas lents mais déterminés. Si je l'avais emporté, elle aurait pu profiter d'une agréable retraite. Désormais, j'espérais qu'elle resterait en fonction aussi longtemps qu'il serait humainement possible.

Au déjeuner du Capitole, assise à la table qui nous avait été attribuée, j'ai partagé mes regrets avec Nancy Pelosi, membre du Congrès et présidente démocrate de la Chambre des représentants, qui est, selon moi, une des personnalités politiques les plus avisées et les plus efficaces de Washington. Nous lui devons beaucoup pour avoir mobilisé les voix en faveur de l'Affordable Care Act en 2010 dans des conditions presque impossibles et pour avoir défendu ce qui est juste, qu'elle soit membre de la majorité ou de l'opposition. Les républicains l'ont diabolisée pendant des années parce qu'ils savent qu'elle fait avancer les choses.

Le sénateur de l'Arizona, John McCain, est venu me serrer dans ses bras. Il avait l'air presque aussi accablé que moi.

La nièce d'un haut fonctionnaire de la nouvelle administration Trump m'a abordée pour se présenter et me chuchoter à l'oreille qu'elle avait voté pour moi, mais que c'était un secret.

Ryan Zinke, membre du Congrès et futur secrétaire à l'Intérieur de Trump, est venu me saluer avec sa femme. C'était un peu surprenant de la part d'un homme qui m'avait traitée d'« Antéchrist » en 2014. Sans doute l'avait-il oublié, parce qu'il ne brandissait ni gousses d'ail, ni pieux de bois, ni je ne sais quels autres accessoires censés repousser l'Antéchrist. En revanche, moi, je n'avais pas oublié. « Vous savez, lui ai-je rappelé, je ne suis pas vraiment l'Antéchrist. » Désarçonné, il a marmonné qu'il n'avait pas vraiment voulu dire ça. Voilà une chose que j'ai apprise au fil des ans : si les gens trouvent très facile de proférer des horreurs sur moi dans mon dos, ils ont beaucoup plus de mal à les répéter en me regardant droit dans les yeux.

J'ai discuté avec Tiffany Trump de ses projets d'études de droit. J'ai plaisanté avec le sénateur républicain John Cornyn sur les résultats, bien meilleurs que prévu, que j'avais obtenus dans son État du Texas. Pendant le déjeuner, loin des regards de ses supporters en colère, le président a prononcé quelques mots et il nous a remerciés d'être venus, Bill et moi. Et puis, enfin, nous avons pu partir.

J'ignorais alors que la première controverse de la nouvelle administration avait déjà commencé, à propos des effectifs du public de la cérémonie d'investiture. Comme toujours, le National Park Service américain a rapidement publié des photos de l'événement. Cette fois, le nouveau président a contesté ces documents photographiques qui révélaient la présence d'une foule modeste et a exigé du Park Service qu'il confirme le mensonge voulant qu'il y ait eu un monde fou. Cela contredisait ce que nous avions tous pu constater de nos propres yeux. Depuis la tribune, j'avais la même vue que Trump. Et contrairement à lui, je pouvais comparer cette image à celles de toutes les cérémonies d'investiture qui s'étaient déroulées depuis 1993. J'ai compris pourquoi il était à ce point sur la défensive. La différence était flagrante.

Pour être ridicule, cet épisode n'en donnait pas moins un premier avertissement : nous vivions dans « le meilleur des mondes ».

Si l'investiture du vendredi avait été le pire moment, le samedi a été le meilleur.

J'avais décidé de rester chez moi à Chappaqua dans l'État de New York et de ne pas assister à la Marche des femmes contre le nouveau président. Un dilemme de plus. Je mourais d'envie de rejoindre la foule et de crier avec elle. Mais il me paraissait important que de nouvelles voix occupent le devant de la scène, surtout ce jour-là. Il y a tant de jeunes femmes formidables prêtes à jouer des rôles plus importants dans notre vie politique. Je ne voulais en aucun cas détourner l'attention de toute l'énergie qui montait de la base. Ma participation à cette manifestation aurait inévitablement entraîné des commentaires politiques nauséabonds.

Je suis donc restée sur mon canapé à suivre, ravie, les reportages des différentes chaînes sur les masses humaines qui défilaient dans plusieurs dizaines de villes des États-Unis et du monde entier. Des amis me décrivaient, tout excités, les rames de métro bondées et les rues grouillantes d'hommes et de femmes de tous âges. J'ai fait défiler Twitter et envoyé bonnes ondes et messages de reconnaissance.

La Marche des femmes a été la plus grande manifestation de l'histoire américaine. Des centaines de milliers de gens se sont rassemblés dans des villes comme New York, Los Angeles et Chicago. Et ils ont aussi été plusieurs millions à s'exprimer dans des lieux comme le Wyoming et l'Alaska. À Washington, les effectifs ont largement éclipsé ceux de la foule rassemblée la veille pour assister à l'investiture de Trump. Et tout s'est déroulé pacifiquement. Voilà peut-être ce qui arrive quand on laisse les manettes aux femmes.

Nous étions très loin de ce qui s'était passé la première fois que les femmes avaient marché sur Washington, la veille de l'investiture de Woodrow Wilson en 1913. Des milliers de suffragettes avaient descendu Pennsylvania Avenue en réclamant le droit de vote, avec parmi elles Alice Paul, Helen Keller et Nellie Bly. Des hommes faisaient la haie, bouche bée et goguenards, avant de former une foule en colère. La police n'était pas intervenue et plusieurs dizaines de manifestantes avaient été blessées. Cette violence avait attiré l'attention de toute la nation sur la cause des suffragettes. Le préfet de police avait été renvoyé. Le Congrès avait organisé des audiences. Et sept ans plus tard, le Dix-Neuvième Amendement de la Constitution avait été ratifié, accordant aux femmes le droit de vote.

Près d'un siècle plus tard, les progrès avaient été nombreux, mais notre nouveau président nous rappelait douloureusement le chemin restent à parcourir. Voilà pourquoi des millions de femmes (et un nombre considérable d'hommes favorables à leurs idées) descendaient dans la rue.

Je dois avouer que cette journée m'a inspiré des sentiments ambivalents. Dans le monde entier, j'avais vu depuis des années des femmes prendre la tête de mouvements populaires, assumer le pouvoir pour elles-mêmes et pour leurs communautés, obliger des armées en guerre à s'asseoir à la table des négociations, réécrire le destin de nations. Observait-on dans les rues de notre propre pays les premiers frémissements d'une volonté comparable ? C'était impressionnant, comme je l'ai écrit sur Twitter en fin de journée.

D'un autre côté, je ne pouvais que me demander où s'étaient cachés ces sentiments de solidarité, d'indignation et de passion lorsque la campagne était encore en cours.

Depuis novembre, plus d'une vingtaine de femmes – de tous âges, mais surtout entre 20 et 30 ans – m'avaient abordée dans des restaurants, des théâtres et des magasins pour me prier de les excuser de ne pas avoir voté ou de ne pas en avoir fait davantage pour soutenir ma campagne. Je réagissais par des sourires forcés et des hochements de tête crispés. Un jour, une femme âgée a traîné sa fille adulte par le bras pour l'obliger à me parler et lui a ordonné de me présenter ses excuses pour s'être abstenue de voter – elle a obtempéré, tête baissée, contrite. J'avais envie de la regarder droit dans les yeux et de lui demander : « Vous n'avez pas voté ? Comment avez-vous pu faire ça ? Vous avez renoncé à votre responsabilité de citoyenne au plus mauvais moment ! Et maintenant vous voudriez que *moi*, je *vous* réconforte ? » Bien sûr, je n'ai rien dit de tout cela.

Ces gens me demandaient une absolution que, tout simplement, je ne pouvais pas leur donner. Nous devons tous assumer les conséquences de nos décisions.

Depuis l'élection, il n'avait pas manqué de jours où je n'étais franchement pas d'humeur à pardonner à quiconque, pas plus qu'à moi-même. J'étais – je suis encore – inquiète pour notre pays. Il y a quelque chose qui cloche. Comment soixante-deux millions de citoyens ont-ils pu voter pour un homme qu'ils ont entendu se vanter sur une vidéo d'avoir commis des agressions sexuelles à répétition ? Comment un homme pouvait-il s'en prendre aux femmes, aux immigrés, aux musulmans, aux Mexicano-Américains, aux prisonniers de guerre, aux handicapés – et être accusé de surcroît, dans son activité professionnelle, d'arnaquer d'innombrables petites sociétés, entrepreneurs, étudiants et personnes âgées – et n'en être pas moins élu à la fonction la plus importante et la plus puissante du monde ? Comment pouvons-nous accepter en tant que nation que d'innombrables milliers d'Américains soient privés de leur droit de suffrage par des lois restrictives[5] ? Pourquoi les médias ont-ils jugé bon de présenter la controverse à propos de mes e-mails comme un des épisodes politiques majeurs depuis la fin de la Seconde Guerre mondiale ? Comment ai-je pu laisser faire cela ? Comment l'avons-nous pu ?

Et pourtant, malgré toutes mes préoccupations, en regardant la Marche des femmes à la télé, je n'ai pu m'empêcher de me laisser emporter par la joie du moment et d'avoir l'impression que l'indéniable vitalité de la démocratie américaine se réaffirmait sous nos yeux. Mon fil Twitter se remplissait de photos de manifestantes brandissant des pancartes drôles, poignantes, indignées :

« TOUT VA MAL, MÊME LES INTROVERTIS SONT DANS LA RUE ! »

« 90 ANS ET JE MORDS ENCORE ! »

« LA SCIENCE N'EST PAS UN COMPLOT LIBÉRAL[6]. »

Un adorable petit garçon portait ce message autour du cou : « J'AIME LA SIESTE MAIS JE RESTE ÉVEILLÉ. »

J'ai aussi vu des jeunes filles brandissant des citations de mes discours datant des périodes les plus diverses : « LES DROITS DE LA FEMME SONT LES DROITS DE L'HOMME. » « JE SUIS PUISSANTE ET PRÉCIEUSE. » En ce week-end difficile, ces mots me remontaient le moral.

Les gens qui défilaient dans les rues envoyaient un message qui s'adressait à moi et à nous tous : « Ne renoncez pas. Ce pays vaut la peine qu'on se batte pour lui. »

Pour la première fois depuis l'élection, je reprenais espoir.

---

5. Il s'agit des « voter suppression laws » adoptées par plusieurs États, qui exigent que les électeurs présentent une pièce d'identité avec photo (permis de conduire, passeport, puisqu'il n'existe pas de carte d'identité aux États-Unis). Les électeurs potentiellement les plus touchés par cette mesure sont les étudiants, les pauvres et les membres des minorités.

6. Le libéralisme aux États-Unis est une philosophie politique située à gauche qui vise à concilier la liberté individuelle avec le principe de la justice et qui participe, dans ses origines, de l'esprit des Lumières.

Continue.
Aucun sentiment n'est définitif.

Rainer Maria Rilke

Vaillance et reconnaissance

Le 9 novembre, il faisait froid à New York, et il pleuvait. Les gens qui se pressaient sur les trottoirs se retournaient sur le passage de ma voiture. Certains pleuraient. D'autres levaient la main ou le poing en signe de solidarité. Des enfants en bas âge étaient soulevés à bout de bras par leurs parents. Ce jour-là, au lieu de m'électriser, leur image me brisait le cœur.

Mon équipe avait fait des pieds et des mains pour trouver une salle où je pourrais prononcer mon discours de défaite. Il avait fallu renoncer à l'atrium du grand Jacob K. Javits Convention Center où nous avions espéré organiser une fête de la victoire. À 3 heures et demie du matin, après être allée visiter un certain nombre d'endroits, notre équipe d'éclaireurs[1] est entrée dans le hall du New York Hotel de Midtown, à Manhattan, pas très loin de là où je logeais avec ma famille. Ils ont demandé au concierge de réveiller le directeur en l'appelant chez lui et, à 4 heures et demie, ils ont commencé à préparer une des salles de bal de l'hôtel pour un événement dont tout le monde avait espéré qu'il n'aurait jamais lieu. J'ai appris par la suite que c'était dans ce même hôtel que Mohamed Ali était venu se reposer après avoir perdu un championnat du monde des poids lourds en quinze rounds âprement disputés contre son rival Joe Frazier en 1971. « Je n'ai jamais voulu perdre, jamais pensé que ça m'arriverait, mais ce qui compte, c'est comment on

---

1. L'« advance staff » est chargé de toute la logistique afférente aux apparitions de personnalités politiques et arrive sur les lieux avec plusieurs heures, voire plusieurs jours d'avance.

perd, a dit Ali le lendemain. Je ne pleure pas. Que mes amis ne pleurent pas. » Si cette réplique figurait dans un film, personne ne la croirait vraie.

Ce matin-là, nous portions du violet, Bill et moi, en hommage au bipartisme (bleu plus rouge égale violet). La nuit précédente, j'avais espéré remercier le pays en blanc – la couleur des suffragettes – sur une scène qui aurait repris la forme des États-Unis sous une vaste verrière. (Nous n'avions reculé devant rien en matière de symbolisme.) Mon tailleur blanc est resté dans mon sac et j'ai sorti celui, gris et violet, que j'avais eu l'intention de porter pour mon premier voyage à Washington en tant que présidente élue.

À la fin de mon discours, j'ai échangé autant d'accolades que possible dans la salle de bal. Une foule d'amis et de membres dévoués de mon équipe de campagne s'y pressait, et de nombreux visages étaient baignés de larmes. J'étais calme, j'avais les yeux secs et l'esprit clair. Il fallait que j'aille jusqu'au bout de cette matinée, que je sourie, que je sois forte pour les autres et que je montre à l'Amérique que la vie continuait et que notre république tiendrait bon. Après une existence passée sous les regards de l'opinion, je ne manquais pas de pratique. Je porte mon sang-froid comme une armure, pour le meilleur ou pour le pire. J'avais à maints égards l'impression de m'être entraînée depuis des dizaines d'années à cette dernière prouesse de maîtrise de soi.

Pourtant, chaque fois que j'étreignais un nouvel ami en pleurs – ou ravalant stoïquement ses larmes, ce qui était presque pire –, je devais lutter contre une vague de tristesse qui menaçait de m'engloutir. À chaque pas, j'avais l'impression d'avoir déçu tout le monde. Et c'était le cas.

Bill, Chelsea et son mari, Marc, étaient à côté de moi, comme ils l'avaient été de bout en bout. Tout comme Tim Kaine et sa femme, Anne Holton, d'une gentillesse et d'une force incroyables dans ces circonstances désolantes. J'avais choisi Tim comme colistier parmi un certain nombre d'excellents candidats parce qu'il avait l'expérience des fonctions exécutives, qu'il avait été un maire, un gouverneur et un sénateur brillant, qu'il jouissait d'une réputation parfaitement méritée de correction et de bon jugement, et que, ayant été missionnaire, il parlait couramment espagnol. En tant que vice-président, il aurait été un partenaire efficace, soucieux de vérité. En outre, je l'aimais beaucoup.

Après avoir serré des gens dans mes bras et souri si longtemps et avec une telle détermination que j'en avais mal aux joues, j'ai demandé à mes principaux collaborateurs de regagner notre quartier général de Brooklyn et de vérifier que tout le monde allait bien. Un dernier salut à la foule, un dernier au revoir à Tim et Anne, un rapide baiser à Chelsea et Marc – qui savaient l'un comme l'autre ce que j'éprouvais sans que j'aie besoin de le leur dire –, puis Bill et moi sommes montés à l'arrière d'un monospace du Secret Service qui a démarré.

J'ai enfin pu cesser de sourire. Nous n'avons pas beaucoup parlé. De temps en temps, Bill répétait ce qu'il avait dit toute la matinée : « Je suis tellement fier de toi. » À quoi il ajoutait à présent : « Tu as fait un grand discours. Il restera dans l'histoire. »

C'était adorable de sa part, mais je n'avais pas grand-chose à lui répondre. Je me sentais complètement, intégralement lessivée. Et je savais que, avant d'aller mieux, j'irais encore plus mal.

Le trajet de Manhattan à notre maison de Chappaqua dure à peu près une heure. Nous habitons au bout d'une rue tranquille plantée d'arbres, et toutes mes angoisses s'évanouissent habituellement quand j'entre dans l'impasse. J'adore notre vieille maison et je la retrouve toujours avec joie. Elle est chaleureuse, colorée, remplie d'objets d'art, et toutes les surfaces disponibles sont couvertes de photos des gens que j'aime le plus au monde. Ce jour-là, la vue de notre grille d'entrée m'a inspiré un profond soulagement. Je n'avais qu'une envie : rentrer, me changer pour une tenue confortable et, peut-être, ne plus jamais répondre au téléphone.

J'avoue que je ne garde guère de souvenirs de la fin de cette journée. J'ai enfilé presque tout de suite un pantalon de yoga et une polaire. Nos deux adorables chiens m'ont suivie de pièce en pièce et, à un moment, je suis sortie avec eux, simplement pour respirer l'air froid et humide. De temps en temps, je regardais les infos, mais j'éteignais la télé presque immédiatement. La question qui tournait en boucle dans ma tête était : « Pourquoi est-ce que ça s'est passé comme ça ? » Heureusement, j'avais assez de bon sens pour savoir que me lancer dans l'autopsie de la campagne en cet instant était à peu près ce que je pouvais m'infliger de pire.

Il n'est jamais facile de perdre, mais perdre une course que vous avez vraiment cru gagner est consternant. Je me rappelle quand Bill n'a pas réussi à se faire réélire gouverneur de l'Arkansas en 1980. Cet échec l'avait tellement accablé que j'avais dû aller à l'hôtel où se tenait la réception de la soirée électorale pour parler à ses supporters en son nom. Ensuite, pendant un bon moment, il avait été tellement déprimé qu'on aurait pu croire qu'il ne s'en remettrait jamais. Je ne suis pas comme ça. Je continue à avancer. Ce qui ne m'empêche pas de mijoter et de ruminer. Je me repasse le film encore et encore, mettant le doigt sur chaque erreur – surtout celles qui sont de mon fait. Quand j'ai le sentiment d'avoir été injustement traitée, je deviens folle et me demande comment riposter.

Ce premier jour, j'étais simplement épuisée et vide. L'heure des comptes sonnerait plus tard.

À un moment, nous avons dîné. Nous avons parlé sur Face-Time avec nos petits-enfants, Charlotte, deux ans, et son petit frère, Aidan, né en juin 2016. J'étais rassurée de voir leur mère. Je savais que Chelsea souffrait avec moi et cette idée ajoutait à mon désarroi, mais ses petits nous remontent toujours le moral instantanément. Nous nous sommes franchement délectés d'eux, ce jour-là et les suivants.

Le plus important peut-être a été que, ayant à peine fermé l'œil la nuit précédente, je me suis allongée sur notre lit en milieu de journée pour une bonne et longue sieste. Je me suis couchée tôt ce soir-là et j'ai fait la grasse matinée le lendemain. Je pouvais enfin me le permettre.

Ce premier jour, j'ai évité le téléphone et ma boîte de réception. Je supposais, à juste titre, qu'elle contenait une avalanche de messages, et je n'étais pas vraiment en mesure de supporter cela – de supporter la gentillesse et la peine de tous, leur perplexité et leurs théories sur où et pourquoi nous avions échoué. Je m'y plongerais plus tard. Pour l'instant, nous avions maintenu le monde à distance, Bill et moi. Je rendais grâce au ciel une nouvelle fois d'avoir un mari d'aussi bonne compagnie non seulement dans les moments de bonheur, mais aussi aux heures de tristesse.

Je doute que beaucoup de ceux qui liront ces lignes soient amenés à perdre un jour une élection présidentielle. (Bien que certains aient peut-être déjà fait cette expérience : salut, Al, salut, John, salut, Mitt, j'espère que vous allez bien.) Mais, à un moment ou un autre de notre vie, nous subissons tous une perte. Nous affrontons tous une profonde déception. Voici ce qui m'a aidée pendant une des périodes les plus difficiles de ma vie. Cela vous aidera peut-être aussi.

Après ce premier jour d'abattement, j'ai commencé à reprendre contact avec le monde extérieur. J'ai répondu à une tonne d'e-mails, j'ai rappelé les gens qui m'avaient téléphoné. C'était douloureux. Si l'on a tendance à s'isoler quand on souffre, ce n'est pas pour rien. Il peut être pénible d'en parler, pénible de percevoir de l'inquiétude dans la voix de nos amis. De plus, dans mon cas, nous souffrions tous. Chacun était terriblement inquiet – pour moi, pour lui-même, pour l'Amérique. Il m'arrivait souvent de finir par réconforter mes interlocuteurs au lieu que ce soit l'inverse. Mais, tout de même, ces liens me faisaient du bien. Je savais que l'isolement n'était pas sain et qu'en cet instant, plus que jamais, j'avais besoin de mes amis. J'avais conscience que retarder ces conversations ne ferait que les rendre plus difficiles. Et je tenais absolument à remercier tous ceux qui m'avaient aidée pendant ma campagne et à m'assurer qu'ils tenaient le coup.

Ce qui m'aidait le plus était qu'on me dise « Je n'en suis que plus déterminé à me battre », « J'augmente mes dons », « J'ai déjà commencé à faire du bénévolat », « Je poste plus de messages sur Facebook ; je ne veux plus me taire ». Et surtout : « J'envisage moi-même de me présenter. »

Hannah, une jeune femme qui avait été une de mes organisatrices sur le terrain dans le Wisconsin, m'a envoyé ce message quelques jours après ma défaite :

> Les deux derniers jours ont été très éprouvants. Mais quand je pense à ce que j'ai ressenti mardi matin, où j'ai passé une heure à pleurer parce que j'étais convaincue que nous allions élire notre première présidente, je sais que nous ne pouvons pas renoncer. Même si ces derniers jours m'ont arraché des larmes d'une autre nature, votre assurance et votre grâce m'ont poussée à rester forte. Je sais que, même si nous sommes tous assommés par ce qui s'est passé, nous nous relèverons. Et pendant les prochaines années, nous serons plus forts que jamais et nous continuerons à nous battre pour ce qui est juste. D'une nasty woman[2] à une autre.

---

2. « Sale bonne femme. » Allusion à l'expression utilisée par Donald Trump pour répondre à une attaque de Hillary Clinton pendant un débat et dont un certain nombre

Comme je m'étais beaucoup inquiétée à l'idée que les jeunes qui avaient participé à ma campagne soient découragés par ma défaite, apprendre que c'était loin d'être le cas m'a profondément soulagée. Et regonflée. S'ils étaient capables de continuer, j'en serais capable moi aussi. Et peut-être que si je montrais que je ne renonçais pas, d'autres trouveraient le courage de continuer à se battre, eux aussi.

Je tenais particulièrement à ce que tous ceux qui avaient participé à ma campagne sachent combien je leur en étais reconnaissante et à quel point j'étais fière d'eux. Ils avaient consenti de nombreux sacrifices au cours des deux dernières années, mettant dans certains cas leur vie privée entre parenthèses, sillonnant le pays et travaillant de longues heures sans même gagner tant que ça. Ils n'avaient jamais cessé de croire en moi, de croire en eux et de croire à la vision du pays que nous nous efforcions de promouvoir. À présent, un certain nombre d'entre eux ne savaient pas qui leur verserait leur prochain salaire.

J'ai immédiatement pris deux initiatives. J'ai décidé d'écrire et de signer personnellement des lettres aux 4 400 membres de mon équipe de campagne. Heureusement, Rob Russo, qui s'occupait de ma correspondance depuis des années, a accepté de superviser cette entreprise. Et j'ai veillé à ce que nous puissions payer tout le monde jusqu'au 22 novembre et financer leur assurance-maladie jusqu'à la fin de l'année.

Le vendredi qui a suivi l'élection, nous avons donné une réception dans un hôtel de Brooklyn proche de notre siège de campagne. Vu les circonstances, elle a été étonnamment réussie. Il y avait un orchestre du tonnerre – qui comprenait certains des musiciens qui avaient joué au mariage de Chelsea et Marc en 2010 – et on se bousculait sur la piste de danse. C'était un peu comme une veillée funèbre irlandaise : la fête au milieu de la tristesse. Qu'on ne vienne pas dire que l'équipe de « Hillary for America[3] » ne s'est pas serré les coudes quand il le fallait. Pour aider à détendre l'atmosphère, le bar offrait des boissons à volonté.

Une fois que tout le monde avait bien transpiré, j'ai pris le micro pour les remercier. Ils m'ont tous répondu en criant : « Merci à *toi* ! » Franchement, je n'aurais pu rêver avoir une équipe plus sympa et plus bosseuse. Je leur ai dit qu'il ne fallait surtout pas que cette

de féministes ont fait un slogan et un titre de fierté.
3. « Hillary pour l'Amérique » : slogan de campagne de Hillary Clinton.

défaite les éloigne de la politique, les dissuade de se lancer dans de futures campagnes avec autant de cœur et de passion que dans la mienne. Je leur ai rappelé les échecs électoraux de ma jeunesse, dont celui de Gene McCarthy aux primaires démocrates de 1968 et de George McGovern en 1972 – et les raclées qu'avaient encaissées les démocrates avant que le vent tourne en 1992. Nous avions tenu bon. Je comptais sur eux pour qu'ils en fassent autant.

Je leur ai aussi annoncé que j'avais un petit cadeau pour eux. UltraViolet, un groupe de défense des droits des femmes, avait fait livrer 1 200 roses rouges chez moi ce jour-là et je les avais fait emballer et apporter à cette réception. Elles étaient disposées en tas près des sorties. « Je vous en prie, prenez-en quelques-unes en rentrant chez vous ce soir, ai-je dit à tout le monde. Songez à l'espoir qu'elles incarnent, à l'amour et à la reconnaissance que tant de gens à travers tout le pays éprouvent pour vous. »

C'était l'écho d'un moment antérieur. Mon équipe avait passé le mercredi et le jeudi à ranger notre siège de campagne à Brooklyn, se nourrissant de pizzas envoyées par des supporters de tout le pays. Nos voisins d'immeuble avaient scotché sur les portes des ascenseurs des affiches disant : « MERCI POUR CE QUE VOUS AVEZ FAIT. » Lorsque les membres de mon équipe ont emporté les derniers cartons de notre siège de campagne, ils ont été accueillis par une foule d'enfants accompagnés de leurs parents. Les enfants avaient couvert les trottoirs de messages à la craie : « GIRL POWER ! » « STRONGER TOGETHER ! » « LOVE TRUMPS HATE ! » « PLEASE DON'T GIVE UP ! »[4] Quand mes collaborateurs échevelés sont sortis un par un pour la dernière fois, les enfants leur ont tendu des fleurs. Une dernière manifestation de gentillesse d'un quartier qui nous en avait déjà tant donné.

Au cours des quelques semaines qui ont suivi, j'ai cessé de faire semblant d'être de bonne humeur. J'étais profondément troublée et inquiète pour notre pays. Je savais que la correction et l'honneur m'obligeaient à me taire et à tout accepter avec élégance, mais, intérieurement, je bouillais. Le commentateur Peter Daou, qui avait collaboré à ma campagne de 2008, a bien rendu ce que j'éprouvais,

---

4. « LE POUVOIR AUX FILLES ! » « PLUS FORTS ENSEMBLE » « L'AMOUR L'EMPORTE SUR LA HAINE » « S.V.P. NE RENONCEZ PAS ! » Profitons-en pour rappeler que le verbe « to trump » signifie battre, surpasser, d'où d'infinies possibilités de jeux de mots...

en tweetant : « Si Trump l'avait emporté par 3 millions de voix, perdu le collège électoral par 80 000 et si la Russie avait piraté le RNC[5], les républicains auraient *bloqué l'Amérique*. » Je n'ai pas exprimé mes sentiments en public. En revanche, dans l'intimité, je ne m'en suis pas privée. Quand j'ai appris que Donald Trump avait évité un procès pour fraude contre sa Trump University en versant 25 millions de dollars, j'ai hurlé devant l'écran de mon téléviseur. Quand j'ai vu que les banquiers de Wall Street se bousculaient dans son équipe alors qu'il m'avait inlassablement accusée d'être à leur botte, j'ai bien failli balancer la télécommande contre le mur. Et quand j'ai entendu dire qu'il avait nommé directeur de la stratégie à la Maison-Blanche Steve Bannon, un des principaux partisans de l'alt-right[6], qui inclut, aux dires de certains, des nationalistes blancs, j'y ai vu une catastrophe de plus dans une série déjà interminable.

La Maison-Blanche est une terre sacrée. Franklin D. Roosevelt avait suspendu au-dessus de la cheminée de la salle à manger officielle une plaque portant une citation tirée d'une lettre que John Adams avait envoyée à sa femme pendant la seconde soirée qu'il avait passée dans la Maison-Blanche construite depuis peu : « Je prie le ciel de répandre toutes ses bénédictions sur cette demeure et sur tous ceux qui l'habiteront à l'avenir. Puissent seuls des hommes honnêtes et sages régner sous ce toit. » J'ose espérer qu'Adams n'aurait rien trouvé à redire à la présence d'une femme sage – et j'ai peine à imaginer ce qu'il dirait s'il pouvait voir qui se promène en ces lieux.

J'ai commencé à recevoir une avalanche de lettres envoyées de tout le pays, dont certaines si poignantes que, après en avoir lu quelques-unes, j'ai dû les mettre de côté et aller faire un tour pour en digérer le contenu. Rauvin, originaire du Massachusetts et étudiante en troisième année de droit, m'écrivait comment elle imaginait que ses amies et camarades repenseraient à ce moment-là :

> *Le 8 nov. 2016, nous avons éprouvé un sentiment de désolation, d'impuissance et de déception sans précédent. Nous avons pleuré. Mais ensuite, nous avons redressé les épaules, nous nous sommes soutenues réciproquement et nous nous sommes mises au travail. Nous avons avancé, encore et encore, nous rappelant que*

---

5. Comité national républicain.
6. La « droite alternative ». Il s'agit d'un mouvement radical d'extrême droite.

*jamais, jamais nous n'accepterions d'éprouver à nou-
veau ce que nous avons éprouvé ce jour-là. Et bien que
notre colère et notre déception nous aient nourries, elles
ne nous ont pas consumées, elles ne nous ont rendues
ni cyniques ni cruelles. Elles nous ont rendues fortes.
Et un jour, un jour, l'une de nous franchira ce plafond
de verre, le plus haut, le plus difficile à franchir. Et ce
sera grâce à notre travail, à notre détermination et à
notre résilience. Mais ce sera aussi grâce à vous. Vous
verrez...*

Elle ajoutait en post-scriptum : « Si je peux me permettre de vous
recommander quelques remèdes : la compagnie de vos amis et de
votre famille, bien sûr, mais aussi la première saison de *Friday Night
Lights,* la nouvelle saison de *Gilmore Girls*, le disque de la BO de
Hamilton, un plat de macaronis au fromage de Martha Stewart, un
bon bouquin, un verre de vin rouge. » Excellents conseils !

Holly, du Maryland, m'a écrit pour me transmettre d'autres idées
pleines de bon sens :

> *J'espère que vous dormirez aussi longtemps que vous
> en avez envie et que vous porterez vos sneakers toute
> la journée. Allez vous faire masser et prenez le soleil.
> Dormez dans votre propre lit et faites de longues prome-
> nades avec votre mari. Rigolez avec votre petite-fille et
> chantez « Meunier tu dors » à votre petit-fils... Respirez.
> Demandez-vous uniquement si vous préférez des fraises
> ou des myrtilles avec votre petit-déjeuner, et quel livre du
> Dr Seuss vous voudriez lire à vos petits-enfants. Écoutez
> le vent, ou Chopin.*

Debbie, une amie texane, m'a envoyé un poème pour me remonter
le moral. Un ami de son père l'avait écrit quand ils avaient travaillé
pour Adlai Stevenson, deux fois candidat à la présidence, qui venait
de se faire battre à plates coutures par Dwight Eisenhower dans les
années 1950. Je dois avouer qu'il m'a fait pouffer de rire :

> *L'élection est finie,
> On connaît le résultat.
> La volonté du peuple*

S'est clairement exprimée.
Rassemblons-nous ;
Foin de toute amertume.
Je serrerai ton Éléphant dans mes bras ;
Quant à toi, baise-moi le cul[7].

Pam du Colorado m'a envoyé une boîte contenant mille grues en origami pliées à la main et reliées par une ficelle. Au Japon, m'expliquait-elle, un millier de grues en papier sont un puissant symbole d'espoir et les accrocher chez soi porte bonheur. Je les ai suspendues sous mon porche. J'avais grand besoin de tout ce qui pourrait me porter chance et me donner de l'espoir.

J'ai essayé de cesser de me croire obligée de faire bonne figure et de rassurer les autres en faisant semblant de tenir parfaitement le coup. Je savais que je finirais par remonter la pente, mais les premières semaines, les premiers mois même, ont été franchement difficiles. Et sans aller jusqu'à vider mon sac dans l'oreille de tous ceux qui croisaient mon chemin, je répondais honnêtement quand on me demandait comment je m'en sortais. « Ça va aller, disais-je, mais pour le moment c'est dur. » Si j'étais d'humeur rebelle, je répondais : « Meurtrie, mais debout », une citation d'« Invictus », le poème préféré de Nelson Mandela. Si les dernières nouvelles de Washington incitaient mes interlocuteurs à me témoigner leur sympathie, il m'arrivait d'avouer que ce qui se passait me rendait folle. D'autres fois, je me dérobais : « Je ne suis pas vraiment en état de parler de ça. » Tout le monde comprenait.

Je laissais aussi les autres faire des choses pour moi. Ça ne me venait pas facilement, mais, comme me l'a fait remarquer Chelsea : « Maman, les gens ont envie d'être utiles – ils ont besoin que tu les laisses faire. » De sorte que quand une amie m'a annoncé qu'elle allait m'envoyer un carton rempli de ses livres préférés... qu'un ami m'a signalé sa venue le week-end même, si ce n'était que pour faire un tour ensemble... et qu'une autre a décidé de m'emmener voir une pièce, que j'en aie envie ou non... je ne protestais pas, je ne discutais pas. Pour la première fois depuis des années, je n'avais pas besoin de consulter un agenda chargé et pouvais répondre « Oui ! » sans hésiter.

---

7. Rappelons que Stevenson était démocrate et que l'éléphant est l'emblème du Parti républicain.

J'ai beaucoup pensé à ma mère. Dans le fond, j'étais soulagée qu'une nouvelle et amère déception lui ait été épargnée. Malgré tous ses efforts pour me le cacher, je savais qu'elle avait eu du mal à encaisser ma défaite de justesse à l'investiture démocrate face à Barack Obama en 2008. En même temps, elle me manquait terriblement. J'aurais voulu pouvoir m'asseoir à côté d'elle, lui tenir la main et lui confier tous mes soucis.

Des amis me chantaient les louanges du Xanax et ne tarissaient pas d'éloges sur leurs psychothérapeutes. Des médecins m'ont confié n'avoir jamais prescrit autant d'antidépresseurs dans toute leur carrière. Mais ce n'était pas mon genre. Ça ne l'a jamais été.

Je préférais faire du yoga avec mon prof, Marianne Letizia, surtout des exercices de respiration. Si vous n'avez jamais pratiqué la respiration alternée, ça vaut la peine d'essayer. Asseyez-vous en tailleur, la main gauche sur la cuisse et la main droite sur votre nez. Tout en respirant profondément à partir du diaphragme, placez votre pouce droit sur votre narine droite et l'annulaire et l'auriculaire sur la gauche. Fermez les yeux et bouchez votre narine droite, en respirant lentement et profondément par la gauche. Puis bouchez les deux narines et retenez votre souffle. Expirez par la narine droite. Faites ensuite l'inverse : inspirez par la droite, bouchez-la et expirez par la gauche. Cette pratique, m'a-t-on expliqué, permet d'oxygéner à fond l'hémisphère cérébral droit, siège de la créativité et de l'imagination, aussi bien que celui situé à gauche, qui contrôle la raison et la logique. Inspirez et expirez, et répétez ce cycle complet plusieurs fois. Vous vous sentirez plus calme, plus concentré. Ça peut paraître idiot, mais, pour moi, ça marche.

Je ne me suis pas contentée de faire du yoga et de respirer : j'ai aussi bu ma part de chardonnay.

J'ai passé du temps en pleine nature. Le lendemain de mon discours de défaite, nous sommes allés, Bill et moi, visiter un arboretum proche de chez nous. Il faisait un temps idéal pour flâner – frais, mais pas glacial, avec un parfum d'automne dans l'air. Perdus dans nos pensées, nous avons croisé une jeune femme qui se promenait avec sa petite fille de trois mois sur son dos et son chien à ses pieds. Elle s'est s'arrêtée pour nous saluer, un peu gênée, mais m'a dit que c'était plus fort qu'elle – elle tenait à m'embrasser, elle en avait vraiment besoin. Et j'ai constaté que j'en avais très envie, moi aussi. Plus tard dans la journée, elle a posté sur Facebook une photo de nous qui n'a pas tardé à devenir virale. Le mème « HRC in the Wild[8] » était né.

Tout au long des mois de novembre et de décembre, nous avons régulièrement enfilé nos chaussures de marche, Bill et moi, pour battre la campagne, essayant de comprendre peu à peu les raisons de ma défaite, de mettre le doigt sur ce que j'aurais pu mieux faire et de réfléchir à ce qu'allait devenir l'Amérique à présent. Nous avons aussi passé pas mal de temps à discuter du menu du soir ou du film que nous regarderions après le dîner.

Je me suis lancée dans des projets. En août 2016, nous avions acheté la maison d'à côté : un ranch classique qui nous avait toujours plu, avec sur l'arrière un jardin contigu au nôtre. L'idée était d'avoir toute la place nécessaire pour Chelsea, Marc, leurs enfants, nos frères et leur famille, ainsi que nos amis. Par ailleurs, brûlant un peu les étapes, je m'étais demandé comment loger les nombreux collaborateurs qui accompagnent le président dans ses déplacements. Nous avions commencé à réaménager la maison tranquillement en septembre et en octobre, mais, la campagne battant son plein, nous n'avions pas souvent eu le temps d'y penser. Du temps, j'en avais à revendre à présent. J'ai passé des heures à étudier des plans avec l'entrepreneur et avec mon amie Rosemarie Howe qui est décoratrice d'intérieur : échantillons de peinture, mobilier, un portique pour les enfants dans le jardin. Au-dessus de la cheminée, j'ai suspendu une banderole de suffragette vintage que Marc m'avait donnée et qui réclamait « LE DROIT DE VOTE POUR LES FEMMES ». Au salon, nous avons accroché un tableau représentant le lâcher de ballons multicolores de la Convention nationale démocrate. Nous avions adoré ces ballons, Bill surtout. Le souvenir de temps plus heureux.

Quand Thanksgiving est arrivé, les travaux étaient finis. Ce matin-là, j'ai fait le tour de la maison pour vérifier que tout était en ordre avant que nos amis et notre famille ne viennent dîner. À un moment, alors que je me trouvais sur le porche d'entrée, j'ai aperçu des gens rassemblés au coin de la rue autour d'une série de petites pancartes colorées fichées dans le sol sur lesquelles était écrit « MERCI ». Les enfants du quartier les avaient fabriquées pour moi, les décorant de fleurs, d'arcs-en-ciel et de drapeaux américains. C'était une des nombreuses manifestations de gentillesse – pas seule-

---

8. « Hillary dans la nature ».

ment d'amis ou d'êtres chers, mais aussi de parfaits inconnus – qui ont rendu ces premiers mois plus supportables.

Depuis notre départ de la Maison-Blanche, nous avions pris l'habitude d'accueillir chaque année pour Thanksgiving toute une bande d'amis de Chelsea qui ne rentrent pas chez eux pour cette fête ou qui, étant originaires d'autres pays, ont envie de découvrir un Thanksgiving américain dans toute sa splendeur. Nous sommes toujours vingt ou trente autour de longues tables pliantes décorées de feuilles, de pommes de pin et de bougies – des décorations basses pour ne pas boucher la vue aux convives et permettre à tout le monde de bavarder sans entrave. Nous commençons le repas par le bénédicité, puis nous faisons un tour de table, Bill et moi, demandant à chacun ce qui lui a inspiré de la reconnaissance au cours de l'année écoulée. Quand mon tour est venu, j'ai exprimé ma gratitude pour l'honneur d'avoir pu me présenter à la présidence et la chance d'avoir une famille et des amis qui m'avaient aussi bien soutenue.

De retour dans notre vieille maison, prise d'un accès d'énergie débordante qui incitait nos chiens à filer à toutes pattes chaque fois que j'entrais dans une pièce, j'ai entrepris de ranger tous les placards. Je téléphonais à des amies, insistant pour qu'elles viennent chercher une paire de chaussures qu'elles avaient admirée un jour, ou un chemisier dont j'étais persuadée qu'il leur irait parfaitement. Comme il m'arrive souvent d'être une amie casse-pieds, la plupart d'entre elles savaient à quoi s'attendre. J'ai aussi collé dans des albums des masses de photos restées en désordre, jeté des piles de vieilles revues et de coupures de presse jaunies et trié près d'un million de cartes de visite qu'on m'avait données au fil des ans. Chaque tiroir impeccable, chaque objet rangé à la place qui lui était destinée, m'inspirait la satisfaction de penser que j'avais rendu mon univers un tout petit peu plus ordonné.

Certains de mes amis me poussaient à prendre des vacances, et nous sommes effectivement partis avec Chelsea, Marc et nos petits-enfants passer quelques jours à la Mohonk Mountain House, un de mes endroits favoris dans le nord de l'État de New York. Mais, après vingt mois de voyages incessants dans le cadre de ma campagne – et quatre années à jouer les globe-trotters en tant que secrétaire d'État –, j'avais surtout envie de rester paisiblement chez moi.

J'ai essayé de me perdre dans les livres. Notre maison en est pleine et nous n'arrêtons pas d'en acheter. Comme ma mère, j'aime les romans policiers et suis capable de les lire d'une traite. Parmi les auteurs que j'ai préférés ces derniers temps, je peux citer Louise Penny, Jacqueline Winspear, Donna Leon et Charles Todd. J'ai fini les quatre romans napolitains d'Elena Ferrante et j'ai adoré cette histoire d'amitié féminine. Nos étagères fléchissent sous le poids de livres d'histoire et de politique, et plus particulièrement de biographies de présidents. Mais, au cours de ces premiers mois, je n'y trouvais aucun intérêt. Je revenais aux textes qui m'avaient inspiré joie ou réconfort par le passé, à l'image des poèmes de Maya Angelou :

Vous pouvez m'abaisser en remplissant l'histoire
De vos mensonges tordus et amers,
Vous pouvez me piétiner dans la boue
Et pourtant, comme la poussière, je me lèverai...

Vous pouvez me fusiller de vos mots,
Vous pouvez me déchiqueter de vos yeux,
Vous pouvez me tuer de votre haine,
Et pourtant, comme l'air, je me lèverai.

En ces cruels jours de décembre, alors que mon cœur saignait encore, ces mots m'ont aidée. Les dire tout haut me donnait de la force. Je pensais à Maya, à sa voix riche, puissante. Ce qui s'était passé ne l'aurait pas pliée d'un millimètre.

Je suis allée voir des spectacles à Broadway. Rien de mieux qu'une comédie musicale pour vous faire oublier vos soucis pendant quelques heures. L'expérience m'a appris que même une pièce médiocre est capable de vous distraire. Et les musiques de ces spectacles sont les meilleures bandes-son qu'on puisse imaginer pour les temps difficiles. Vous croyez être triste ? Écoutez ce que Fantine des *Misérables* a à en dire !

Mon spectacle new-yorkais préféré, et de loin, ne se donnait pas à Broadway : c'était le récital de danse de Charlotte. Qu'y a-t-il de plus charmant que de regarder un groupe de fillettes de deux ans se tortiller et glousser en essayant de danser toutes ensemble ? Certaines étaient très concentrées (comme ma petite-fille), d'autres voulaient absolument parler à leurs parents assis dans la salle, et l'une d'elles a jugé bon de s'asseoir par terre pour retirer ses chaussures en plein numéro. C'était une adorable pagaille. En regardant Charlotte et ses amies rire, tomber et se relever, j'ai senti frémir en moi un sentiment que j'avais du mal à définir. Puis j'ai compris ce que c'était : du soulagement. J'avais été prête à consacrer intégralement les quatre ou huit années à venir à mon pays. Cela aurait exigé un prix. Combien de spectacles de danse, d'histoires du soir et d'expéditions à l'aire de jeux aurais-je manqués ? Tout cela m'était rendu. C'était mieux qu'une compensation. C'était l'essentiel.

Chez nous, j'ai regardé toutes les émissions de télé que Bill avait enregistrées à mon intention. Nous avons dévoré successivement tous les anciens épisodes de *The Good Wife, Madam Secretary, Blue Bloods* et *NCIS : Los Angeles*, dont Bill soutient mordicus que c'est la meilleure des enquêtes spéciales. J'ai aussi, enfin, vu la dernière saison de *Downton Abbey*. Cette série me rappelle toujours la nuit que j'ai passée à Buckingham Palace en 2011 lors de la visite officielle du président Obama, dans une chambre située juste sous la pièce du balcon depuis lequel la reine salue la foule. J'avais l'impression de vivre un conte de fées.

Le samedi qui a suivi l'élection, j'ai allumé « Saturday Night Live ». Une fois de plus, Kate McKinnon a commencé son émission en m'imitant. Elle s'est assise devant un piano à queue et a joué « Hallelujah », la chanson d'une beauté envoûtante écrite par Leonard Cohen, mort quelques jours auparavant. J'ai eu l'impression qu'en chantant elle refoulait ses larmes. Moi aussi, en l'écoutant.

> *I did my best, it wasn't much*
> *I couldn't feel, so I tried to touch*
> *I've told the truth, I didn't come to fool you*
> *And even though it all went wrong*
> *I'll stand before the lord of song*
> *With nothing on my tongue but hallelujah.*

> *J'ai fait de mon mieux, ce n'était pas grand-chose*
> *Ne pouvant pas sentir, j'ai cherché à toucher*
> *J'ai dit la vérité, je ne suis pas venu te duper*
> *Et même si tout s'est mal passé*
> *Je me tiendrai devant le seigneur du chant*
> *Sans rien d'autre aux lèvres qu'alléluia.*

À la fin, Kate-Hillary s'est tournée vers la caméra et a dit : « Je ne renonce pas, ne renoncez pas non plus. »

J'ai beaucoup prié. Je vois déjà les cyniques lever les yeux au ciel. Mais j'ai prié, c'est un fait, et avec plus de ferveur que jamais. La romancière Anne Lamott a écrit un jour que les trois prières essentielles qu'elle connaît sont : « À l'aide ! », « Merci ! » et « Wow ! ». Vous pouvez deviner à laquelle j'ai eu recours l'automne dernier. J'ai prié pour arriver à dépasser la tristesse et la déception de ma défaite ; à continuer à espérer, à être sincère et à ne pas céder au cynisme et à l'amertume ; et pour trouver un nouvel objectif, ouvrir un nouveau chapitre, ne pas passer le restant de ma vie comme la Miss Havisham des *Grandes Espérances,* perdue dans ma maison à ressasser ce qui aurait pu arriver.

J'ai prié pour que mes pires craintes au sujet de Donald Trump ne se réalisent pas, pour que la vie des gens, l'avenir de l'Amérique, ne soient pas pires mais meilleurs, pendant sa présidence. Je prie encore pour cela, et saurai faire bon usage de tout le soutien que vous pourrez m'apporter.

J'ai aussi prié pour la sagesse. J'ai bénéficié du concours de Bill Shillady, le pasteur de l'Église méthodiste unie qui avait pris part au mariage de Chelsea et Marc et célébré l'office funèbre de ma mère. Pendant la campagne, il m'avait envoyé quotidiennement des prières, aujourd'hui rassemblées dans son livre *Strong for a Moment Like This.* Le 9 novembre, il m'a adressé un commentaire, d'abord paru sur le blog du pasteur Matt Deuel, que j'ai relu plusieurs fois avant la fin de la semaine. Ce passage en particulier m'a profondément émue :

> *Nous sommes vendredi, mais dimanche viendra.*
> *Ce n'est pas la prière que j'avais espéré écrire. Ce n'est pas la prière que vous aviez souhaité recevoir aujourd'hui.*
> *Si le Vendredi saint représente peut-être l'image la plus cruelle d'un vendredi, la vie regorge de vendredis.*
> *Pour les apôtres et pour les disciples du Christ du premier siècle, le Vendredi saint incarnait le jour où tout s'était écroulé. Tout était perdu. Et même si Jésus a annoncé à ses apôtres que le temple serait rebâti le troisième jour... ils l'ont trahi, renié, pleuré, fui et se sont*

*cachés. Ils ont fait à peu près tout ce qu'on peut faire,
hormis accepter le vendredi et leur situation avec sérénité.*

*Vous faites l'expérience d'un vendredi. Mais dimanche
viendra !*

*La mort sera détruite. L'espoir reviendra. Avant cela,
pourtant, nous devons traverser les ténèbres et l'apparente
désespérance du vendredi.*

J'ai téléphoné au pasteur Bill et nous avons longuement parlé.

J'ai relu un de mes livres préférés, *Le Retour de l'enfant prodigue*
du prêtre hollandais Henri Nouwen. C'est un texte auquel je suis
revenue à maintes reprises pendant des moments difficiles de ma vie.
Vous connaissez sans doute la parabole du plus jeune de deux fils
qui erre et pèche et finit par rentrer chez lui. Il est accueilli avec
amour par son père, mais avec rancune par son frère aîné, qui est
resté à la maison et a servi leur père honorablement pendant que
son cadet faisait les quatre cents coups. Peut-être parce que je suis
l'aînée de ma famille et que j'ai toujours agi en bonne fille, dans
l'esprit du scoutisme, je me suis en tout cas toujours identifiée au
grand frère de la parabole. Comment aurait-il pu ne pas être exaspéré
de voir son frère dévoyé accueilli comme si de rien n'était ? Il a dû
avoir l'impression que toutes ses années de labeur et d'accomplissement de son devoir ne comptaient pas. Mais le père a demandé
au frère aîné : « Est-ce que je ne me suis pas bien occupé de toi ?
Est-ce que tu n'as pas été proche de moi ? N'as-tu pas été à mon
côté, à apprendre et à travailler ? » Ces choses-là sont leur propre
récompense.

C'est une histoire d'amour inconditionnel – l'amour d'un père,
et celui *du* Père, toujours prêt à nous aider, malgré nos faux pas,
malgré nos chutes. Elle me rappelle mon propre père, un homme
dur, taciturne, mais qui a toujours su me faire comprendre combien j'étais importante à ses yeux. « Je n'apprécierai pas forcément
toujours ce que tu fais, m'avait-il dit, mais je t'aimerai toujours. »
Quand j'étais petite, je lui proposais des scénarios abracadabrants
pour le mettre à l'épreuve : « Et si je dévalisais un magasin ? Et si
j'assassinais quelqu'un ? Tu m'aimerais toujours ? » Il me répondait :
« Bien sûr ! Je serais déçu et triste, mais je t'aimerai toujours. »
Une ou deux fois en novembre dernier, j'ai pensé : « Alors, papa, et
si je perds une élection que j'aurais dû gagner et que je laisse une
brute incompétente devenir président des États-Unis ? Tu m'aimeras

toujours ? » Cet amour inconditionnel est le plus beau cadeau qu'il m'ait fait, et j'ai essayé de le transmettre à Chelsea et maintenant à Charlotte et à Aidan.

Nouwen voit une autre leçon dans la parabole du fils prodigue : une leçon de reconnaissance. « Je peux choisir d'être reconnaissant, même quand mes émotions sont étouffées par la souffrance et le ressentiment, écrit-il. Je peux choisir de parler de bonté et de beauté, même si mon regard intérieur cherche encore quelqu'un à blâmer, ou quelque chose à détester. Je peux choisir d'écouter les voix qui pardonnent et regarder les visages qui sourient, même si j'entends encore des paroles de vengeance et que je vois encore des grimaces de haine[9]. »

C'est à nous de choisir d'être reconnaissant, même quand les choses tournent mal. Nouwen appelle cela la « discipline de la reconnaissance ». Pour moi, il s'agit de ne pas seulement être reconnaissant des bonnes choses, parce que c'est facile, mais de l'être aussi des choses difficiles. Être reconnaissant même de nos défauts parce que, en définitive, ils nous rendent plus forts en nous donnant la possibilité de nous dépasser.

Je devais être reconnaissante de l'expérience d'humilité que m'apportait ma défaite électorale. L'humilité peut être une vertu très douloureuse. Dans la Bible, saint Paul nous rappelle que nous voyons tous de façon confuse, comme dans un miroir, à cause de nos limites qui doivent nous rendre humbles. C'est pour cela que la foi – l'assurance des choses espérées et la conviction des choses invisibles – exige qu'on se lance. C'est à cause de nos limites et de nos imperfections que nous devons aller au-delà de nous-mêmes, afin d'atteindre Dieu et de nous atteindre les uns les autres.

Les jours ont passé, novembre a cédé la place à décembre et, alors que cette période atroce, désespérante et pénible prenait fin, j'ai commencé à retrouver ma gratitude. J'ai ressenti les effets positifs de toutes ces promenades, de tout ce sommeil ; j'étais plus calme, plus forte. Je me suis surprise à envisager de nouveaux projets qui me tentaient. Je me suis mise à accepter des invitations à des événements qui me tenaient à cœur : un dîner du Planned Parenthood, le sommet de Women in the World et le gala de Vital Voices[10] rendant

---

9. Trad. de Rolande Bastien, Québec, Bellarmin, 1995, p. 116.
10. Planned Parenthood est la plus grande association de planning familial des États-Unis.

hommage aux femmes responsables politiques et aux militantes du monde entier, ainsi que des réunions avec des étudiants de Harvard, Wellesley et Georgetown. Ces publics débordaient d'énergie et de résolution. J'absorbais cette force par tous les pores de ma peau et commençais à penser davantage à l'avenir qu'au passé.

Women in the World organise un sommet annuel rassemblant des femmes politiques, des militantes et actrices de changement du monde entier pour échanger des idées et essayer de créer un monde meilleur pour les femmes et les filles.
Vital Voices Global Partnership est une ONG qui travaille avec des femmes exerçant des responsabilités politiques dans les domaines de l'autonomisation économique des femmes, de leur participation à la vie politique et des droits de l'homme.

Fais ce que ton cœur te dit de faire – tu seras critiqué de toute façon.
Quoi que tu fasses, on te donnera tort.

Eleanor Roosevelt

Compétition

Nous devons seulement essayer. Le reste n'est pas notre affaire.

T. S. Eliot[1]

---

1. « East Coker », in *Quatre quatuors*, trad. de Pierre Leyris, *Poésie*, Paris, Seuil, 1969, p. 183.

Accepter d'essayer

Je me suis présentée aux élections présidentielles parce que je me pensais capable d'exercer correctement cette fonction. Je pensais que, de tous les candidats potentiels, j'étais la personne qui avait le plus d'expérience dans ce domaine, qui pouvait se targuer du plus grand nombre de réalisations majeures et qui présentait les propositions les plus ambitieuses, mais aussi les plus réalisables, tout en ayant le tempérament nécessaire pour faire avancer les choses à Washington.

L'Amérique s'en sortait mieux que tous les autres grands pays, mais les inégalités restaient trop fortes et la croissance économique trop faible. Notre diversité était un atout en matière de créativité et de vitalité, mais la rapidité des mutations sociales et économiques aliénait ceux qui estimaient que tout allait trop vite et trop loin, et qui se sentaient exclus. Notre position internationale était forte, mais nous devions faire face à un mélange détonant de terrorisme, de mondialisation et de progrès technologiques qui alimentaient les deux premiers.

Je jugeais que mon expérience à la Maison-Blanche, au Sénat et au département d'État me donnait les qualités requises pour relever ces défis. J'étais mieux préparée que quiconque. J'avais des idées pour rendre notre pays plus fort et améliorer la vie de millions d'Américains.

Bref, je pensais que je ferais une sacrément bonne présidente.

Et pourtant, on ne cessait de me demander : « Pourquoi veux-tu être présidente ? Pourquoi ? Non mais franchement – pourquoi ? » Le sous-entendu étant que cela devait cacher quelque chose, une sombre ambition, une soif répréhensible de pouvoir. Personne pourtant ne cherchait à psychanalyser Marco Rubio, Ted Cruz ou Bernie Sanders pour comprendre pourquoi ils se présentaient. On trouvait ça normal. Alors que s'agissant de moi, si l'on jugeait ma candidature inévitable – les gens étaient convaincus que je me présenterais quoi qu'il advienne –, on la trouvait tout de même bizarre, et l'on cherchait des explications cachées.

J'y ai beaucoup réfléchi après l'élection. Peut-être est-ce parce que je suis une femme et que nous ne sommes pas habitués à ce que des femmes se présentent aux présidentielles. Peut-être est-ce parce que mon style de leadership n'était pas dans l'esprit du temps. Peut-être est-ce parce que je ne me suis jamais franchement exprimée à ce sujet.

Permettez-moi donc de commencer par le commencement et de vous dire comment et pourquoi j'ai pris la décision de me présenter.

« Tu risques de perdre, m'a dit Bill. – Je sais, ai-je répondu, je risque de perdre. »

Le premier problème était d'ordre historique. Il est extrêmement difficile pour un parti, quel qu'il soit, de conserver la Maison-Blanche plus de huit années d'affilée. Ce n'est arrivé qu'une fois à l'époque moderne, quand George H. W. Bush a succédé à Ronald Reagan en 1989. Et depuis la victoire en 1836 du vice-président Martin Van Buren qui avait succédé à Andrew Jackson, aucun démocrate non encore en place n'a réussi à succéder à un président de son parti ayant accompli deux mandats successifs.

Depuis la crise financière de 2008-2009, la colère et les ressentiments contenus restaient forts, et bien que la crise se soit produite sous une administration républicaine, le redressement amorcé sous les démocrates avait été trop lent.

S'y ajoutait le phénomène de la « lassitude Clinton ». Les experts soupiraient déjà à l'idée que l'élection allait se jouer entre deux dynasties : les Clinton et les Bush.

Sans oublier le fait que j'étais une femme. Dans l'histoire de notre pays, aucune femme n'avait jamais obtenu l'investiture d'un grand parti, et *a fortiori* remporté la présidence. Il est facile de perdre de vue l'importance de ce facteur, mais, quand on prend le temps de se demander ce que cela signifie et quelles peuvent en être les raisons, cela donne à réfléchir.

C'était un jour glacial de l'automne 2014 et cela faisait déjà des mois que nous avions la même conversation, Bill et moi. Devais-je me présenter aux primaires pour la deuxième fois ? Le cas échéant, beaucoup de gens de talent étaient prêts à rejoindre ma campagne. La presse et la majorité de la classe politique partaient du principe que j'étais déjà candidate. Certains s'étaient si bien laissé convaincre par la caricature me présentant comme une femme assoiffée de pouvoir qu'ils ne pouvaient même pas imaginer que je puisse prendre une autre décision. Pour ma part en revanche, j'étais capable d'envisager bien d'autres voies.

Je connaissais déjà l'amertume de la défaite. Tant qu'on ne l'a pas éprouvée, il est difficile de se faire une idée de la douleur viscérale qu'on éprouve quand on voit la situation vous échapper et qu'on ne sait pas comment la redresser ; puis le coup brutal au moment où les résultats tombent enfin ; la déception inscrite sur les visages de vos amis et de vos supporters. Les campagnes politiques sont des entreprises collectives où plusieurs milliers d'individus coopèrent pour un objectif commun ; mais, en définitive, c'est une aventure éminemment personnelle, solitaire même. Ce n'est pas seulement votre nom sur un bulletin de vote. C'est vous, et nul autre, qui êtes adopté ou désavoué pour vous-même.

La lutte contre Barack Obama aux primaires de 2008 avait été serrée et âpre. Il avait obtenu finalement le plus grand nombre de délégués, un élément capital, mais le total de nos votes populaires ne présentait qu'un dixième de centile d'écart. Je n'en avais eu que plus de mal à accepter ma défaite et à mobiliser la bonne humeur nécessaire pour faire énergiquement campagne en sa faveur. Ce qui m'avait sauvée était le respect que m'inspirait Barack et ma conviction qu'il serait un bon président, décidé à faire progresser nos valeurs communes. Cela m'avait rendu les choses beaucoup plus faciles.

Avais-je vraiment envie de me relancer dans une course aussi éprouvante ?

Depuis mon départ de la politique, j'avais mené une vie formidable. J'avais rejoint Bill et Chelsea au bureau de la Fondation Clinton, que Bill avait transformée en une grande entreprise humanitaire au moment où il avait quitté le pouvoir. Cela me permettait de me livrer à mes passions et d'exercer de l'influence en échappant à la bureaucratie et aux chamailleries mesquines de Washington. J'admirais ce que Bill avait construit et j'étais ravie que Chelsea ait choisi de mettre sa connaissance de la santé publique et son expérience du secteur privé au service de la Fondation afin d'en améliorer la gestion, la transparence et les résultats après une période de croissance rapide.

À la Conférence internationale sur le sida de Barcelone en 2002, Bill avait eu un entretien avec Nelson Mandela sur la nécessité de faire baisser de toute urgence le prix des médicaments contre le VIH et le sida en Afrique et dans le reste du monde. Estimant être en bonne position pour donner un coup de main, Bill avait entrepris de négocier des accords avec des laboratoires pharmaceutiques et des gouvernements afin de réduire considérablement le prix des médicaments et de lever des fonds pour les financer. Plus de 11,5 millions de personnes dans plus de 70 pays ont désormais accès à des traitements meilleur marché contre le VIH et le sida. Aujourd'hui, parmi tous les malades dont ces médicaments assurent la survie dans les pays en développement, plus de la moitié des adultes et 75 % des enfants bénéficient du travail de la Fondation Clinton.

Après s'être remis d'un pontage coronarien en 2004, Bill s'est associé à l'American Heart Association pour créer l'Alliance for a Healthier Generation[1], qui a contribué à assurer à plus de 20 millions d'élèves de plus de 35 000 écoles américaines une alimentation plus saine et davantage d'activité physique. L'Alliance a passé des accords avec les grandes sociétés de boissons pour réduire de 90 % le nombre de calories des produits disponibles dans les établissements scolaires et a conclu un accord de partenariat avec l'initiative Let's Move[2] de Michelle Obama.

La Fondation se bat aussi contre l'épidémie de consommation d'opioïdes aux États-Unis, elle aide plus de 150 000 petits fermiers d'Afrique à augmenter leurs revenus, et assure l'approvisionnement en énergie propre des populations insulaires des Caraïbes et du Pacifique.

En 2005, Bill a lancé la Clinton Global Initiative, un nouveau modèle humanitaire pour le XXIe siècle, qui a rassemblé des responsables des milieux économiques, gouvernementaux et associatifs pour prendre des mesures concrètes dans toutes sortes de domaines, de l'accès à l'eau potable à l'amélioration de l'efficacité énergétique en passant par la mise à disposition de prothèses auditives au profit d'enfants sourds. Les conférences annuelles ont attiré l'attention sur les programmes les plus sensationnels et sur leurs résultats. Il n'était pas question de se contenter de belles paroles : il fallait agir

---

1. Alliance pour une génération en meilleure santé.
2. « Bougeons-nous ! » Programme lancé en 2013 par Michelle Obama pour lutter contre l'obésité infantile en favorisant les activités physiques dans les établissements scolaires.

concrètement. Au terme de douze ans, les membres de la CGI et de ses filiales, CGI America et CGI International, avaient lancé plus de 3 600 campagnes propres à améliorer la vie de plus de 435 millions de personnes dans plus de 180 pays.

Parmi les plus grands succès de la CGI, on peut mentionner l'envoi de 500 tonnes de fournitures et d'équipements médicaux en Afrique de l'Ouest à destination de ceux qui combattaient l'épidémie d'Ebola, et sa contribution à la levée de 500 millions de dollars pour soutenir les petites entreprises, les fermes, les écoles et les services médicaux à Haïti. Aux États-Unis, sans que les contribuables aient à mettre la main à la poche, la CGI a contribué au lancement d'un étonnant partenariat sous la direction de la Carnegie Corporation de New York afin de réaliser l'objectif fixé par le président Obama d'embaucher 100 enseignants supplémentaires de science, de technologie, d'ingénierie et de mathématiques. Elle a également soutenu la création du plus important fonds privé d'infrastructure – 16,5 milliards de dollars investis par des fonds de pension des fonctionnaires, sous l'égide de l'American Federation of Teachers (AFT) et des North America's Building Trades Unions (NABTU) – qui a créé plus de 100 000 emplois et assuré la formation professionnelle de 250 000 travailleurs chaque année.

Quand j'ai rejoint la Fondation en 2013, je me suis associée à Melinda Gates et à la Fondation Gates pour lancer une initiative appelée No Ceilings: The Full Participation Project (« Pas de plafonds : le projet pleine participation »), destinée à promouvoir dans le monde entier les droits et les chances des femmes et des filles. J'ai également créé un programme intitulé Too Small to Fail (« Trop petits pour échouer »), pour rappeler l'importance de faire la lecture aux bébés et aux tout-petits, de parler et de chanter avec eux pour aider leur cerveau à se développer et à acquérir du vocabulaire. Chelsea et moi avons par ailleurs lancé un réseau rassemblant les grandes organisations de préservation de la faune sauvage pour protéger les éléphants d'Afrique en danger des braconniers. Aucun de ces programmes n'était tenu d'obtenir de bons scores dans les sondages, ni de s'afficher sur des autocollants. Il fallait simplement qu'ils apportent au monde un changement réel, mesurable. Après des années passées dans les tranchées politiques, c'était à la fois rafraîchissant et gratifiant.

L'expérience m'avait appris que, si je me représentais à l'élection présidentielle, tout ce que nous avions pu faire, Bill et moi, Fondation comprise, serait soumis à un examen minutieux et à d'innombrables critiques. C'était un sujet d'inquiétude, mais j'étais loin d'imaginer que cette organisation humanitaire largement respectée serait aussi brutalement calomniée et attaquée. Pendant des années, la Fondation et la CGI avaient été soutenues aussi bien par des républicains que par des démocrates. Des organismes indépendants, chargés de la surveillance d'associations humanitaires comme CharityWatch, GuideStar et Charity Navigator, attribuaient à la Fondation Clinton un excellent classement pour sa réduction des frais généraux et pour ses effets positifs mesurables. CharityWatch lui mettait un A, Charity Navigator lui accordait quatre étoiles et GuideStar lui avait remis la médaille de platine. Mais rien de tout cela n'a pu mettre un terme aux violentes attaques partisanes qui se sont déchaînées contre la Fondation pendant la campagne.

Si j'ai consacré autant de lignes à la Fondation, c'est parce qu'une analyse publiée récemment dans la *Columbia Journalism Review* a montré que, pendant la campagne, la Fondation Clinton a fait l'objet de deux fois plus de commentaires que n'importe lequel des scandales de Trump, et qu'ils ont presque tous été négatifs. Cela m'exaspère. Comme l'a dit Daniel Borochoff, fondateur de CharityWatch : « Si Hillary Clinton ne se présentait pas à la présidence, on considérerait la Fondation Clinton comme l'une des plus grandes organisations humanitaires de notre génération. » Je pense que c'est exactement ce qu'elle est et ce qu'elle continuera à être, et je suis fière d'en faire partie.

En 2013 et 2014, parallèlement à mon travail au sein de la Fondation, j'ai consacré un certain temps à la rédaction d'un ouvrage intitulé *Le Temps des décisions*[3], consacré à mon expérience de secrétaire d'État. C'était un gros volume – plus de 700 pages sur la politique étrangère ! – mais il restait un certain nombre d'histoires que j'avais renoncé à raconter et beaucoup d'autres choses que j'avais envie de dire. Si je ne me présentais pas à la présidence, je pourrais écrire d'autres livres. Je pourrais peut-être aussi enseigner et passer du temps avec des étudiants.

Qui plus est, comme de nombreux anciens responsables gouvernementaux, j'ai découvert que des organisations et des entreprises souhaitaient que je vienne leur parler de mes expériences et partager mes réflexions sur le monde – et qu'elles étaient disposées à me payer

---

3. *Le Temps des décisions*, Paris, Fayard, 2014.

grassement pour le faire. Je continuais à prononcer de nombreux discours bénévolement, mais l'idée de pouvoir gagner très confortablement ma vie sans avoir à travailler pour une seule société ou à siéger dans des conseils d'administration me tentait. C'était également l'occasion de rencontrer des gens intéressants.

Je me suis adressée aux publics les plus divers : agents de voyage et concessionnaires automobiles, médecins et entrepreneurs en technologie, épiciers et conseillers de camps de vacances. J'ai aussi parlé à des banquiers. Le plus souvent, je racontais des anecdotes sur mes expériences de secrétaire d'État et répondais à des questions concernant les points chauds de la planète. J'ai dû répéter au moins cent fois ce qui s'était passé en coulisse au moment de l'opération qui avait permis d'éliminer Oussama Ben Laden. Il m'arrivait aussi de rappeler combien il était important d'ouvrir davantage de portes aux femmes, dans le monde entier comme dans les entreprises américaines. J'ai rarement cédé à l'esprit de parti. Ce que j'avais à dire intéressait mes auditoires, mais ne présentait pas d'intérêt médiatique particulier. Un certain nombre d'organisations souhaitaient que mes discours soient purement privés, et j'ai respecté leur volonté : elles payaient pour bénéficier d'une expérience exclusive. Cela me permettait de dire franchement ce que je pensais de certains dirigeants mondiaux qui auraient pu en prendre ombrage s'ils l'avaient appris. (C'est à vous que je pense, Vladimir.)

Plus tard, mes adversaires ont inventé des fables invraisemblables quant aux propos abominables que j'avais certainement tenus derrière des portes closes et ont prétendu que, si j'étais présidente, je serais à jamais à la botte des mystérieux banquiers qui avaient financé mes interventions. J'aurais dû m'en douter. L'indépendance dont j'avais fait preuve au Sénat – et plus particulièrement mes mises en garde précoces sur la crise des prêts hypothécaires, mes votes contre les réductions fiscales de Bush et mes positions en faveur d'une régulation financière, entre autres sur la suppression de la niche fiscale pour les fonds spéculatifs dont on savait qu'ils rapportaient des intérêts – retirait tout fondement à ces attaques. Et je ne pensais pas que beaucoup d'Américains aient pu croire que j'avais bradé toute une vie de principes et de plaidoyers pour de l'argent, si importante que soit la somme. Quand vous savez pourquoi vous faites quelque chose, et que vous savez aussi que vous n'avez rien à cacher ni à vous reprocher, vous avez tendance à supposer que tout le monde voit les choses comme vous. C'était une erreur. Le fait que de nombreux anciens membres du gouvernement avaient touché de fortes sommes pour prononcer des discours n'aurait pas dû me conduire à penser que je pouvais en faire autant sans qu'on m'en fasse grief. J'aurais dû comprendre, surtout après la crise financière de 2008-2009, que cela donnerait une mauvaise image de moi et éviter tout ce qui était lié de près ou de loin à Wall Street. Je ne l'ai pas fait. C'est ma faute.

Il s'agit d'une des erreurs dont il sera question dans ce livre. J'ai essayé de livrer un récit honnête des moments où je n'ai pas fait ce qu'il fallait, où je n'ai pas été à la hauteur, et de ce que je ferais différemment si je pouvais revenir en arrière. Ce n'est ni facile, ni plaisant. Mes erreurs me brûlent intérieurement. Mais comme le dit Mary Oliver, une de mes poétesses préférées, si nos erreurs nous donnent envie de pleurer, le monde n'a vraiment pas besoin de ça.

La vérité est que nul n'est parfait. Telle est la nature humaine. Mais nous ne devrions pas nous définir par nos seules erreurs. Nous devrions être jugés sur la totalité de notre travail et de notre vie. Bien des problèmes n'ont pas de solution tranchée et ce qui apparaît aujourd'hui comme une bonne décision peut se présenter différemment dix ou vingt ans plus tard, à travers le prisme d'une situation nouvelle. Quand on fait de la politique, c'est encore plus compliqué. Nous voulons tous – et la presse politique l'exige – un scénario qui tend à faire des gens des saints ou des pécheurs. Vous êtes vénéré ou vilipendé. Et il n'est pas d'histoire politique plus juteuse que celle du saint démasqué comme pécheur. Une caricature en deux dimensions est plus facile à digérer qu'un être de chair et de sang.

Pour un candidat, pour un leader ou pour n'importe qui en fait, la question qui se pose n'est pas « As-tu des défauts ? », mais « Que fais-tu pour lutter contre tes défauts ? ». Tires-tu des leçons de tes erreurs pour pouvoir faire mieux à l'avenir ? Ou rejettes-tu le laborieux travail d'amélioration de soi, préférant éreinter les autres pour pouvoir affirmer qu'ils sont aussi mauvais, voire pires, que toi ?

J'ai toujours cherché à appliquer la première solution. Et, dans l'ensemble, notre pays en a fait autant au cours de sa longue marche vers une union plus parfaite.

Donald Trump, en revanche, fait exactement le contraire. Au lieu de reconnaître ses erreurs, il se déchaîne, il rabaisse et insulte les autres – passant souvent à l'attaque en les accusant de faire ce que lui-même a fait ou s'apprête à faire. Ainsi, sachant que la Fondation Donald J. Trump n'est guère qu'une tirelire personnelle, il fera volte-face et accusera, sans le moindre fondement, la très respectée

Fondation Clinton d'être corrompue. La méthode n'est pas dénuée de toute logique. Pour Trump, si tout le monde se retrouve dans la boue avec lui, il n'est pas plus sale que les autres. Il n'a pas besoin de faire mieux, si tous les autres font pire. Je pense que c'est pour cela qu'il semble prendre plaisir à humilier son entourage. Et il a dû être ravi quand Marco Rubio a cherché à rivaliser avec lui en lançant des attaques personnelles grossières pendant les primaires. Cela a évidemment causé plus de tort à Rubio qu'à Trump. Comme Bill le dit souvent : « Ne te bats jamais contre un cochon dans la boue. » Ils ont des sabots fendus, ce qui leur donne une meilleure adhérence, et ils adorent se salir. Malheureusement, la stratégie de Trump est efficace. Quand les gens commencent à se persuader que tous les responsables politiques sont des menteurs et des escrocs, celui qui est vraiment corrompu échappe aux regards, et le cynisme grandit.

Mais je vais trop vite en besogne. Revenons en 2014 et à ma décision de me présenter aux présidentielles.

J'ai déjà parlé de mon travail à la Fondation, de mon livre et de mes discours, mais la meilleure partie de ma vie après mon départ du gouvernement – et probablement le motif le plus convaincant pour que je ne me présente *pas* – a été, et de loin, mon nouveau rôle de grand-mère. Je l'ai adoré plus encore que je ne l'aurais cru. Nous nous sommes surpris, Bill et moi, à profiter de n'importe quel prétexte pour aller à Manhattan afin de pouvoir faire un saut chez Chelsea et Marc et voir la petite Charlotte, née en septembre de cette année-là. Nous sommes devenus les baby-sitters, les lecteurs de livres et les compagnons de jeu les plus enthousiastes du monde. Et le plaisir s'est doublé avec l'arrivée d'Aidan en juin 2016.

Si je me présentais aux élections, j'allais devoir mettre tout cela – cette nouvelle vie géniale – en veilleuse et regrimper sur la corde raide de la politique nationale. Je n'étais pas sûre d'avoir envie de le faire.

Ma famille m'a apporté un soutien incroyable. Si je voulais me présenter, elle serait là pour moi à 100 %. Chelsea avait fait campagne sans ménager sa peine en 2008, s'affirmant comme une représentante idéale et m'assurant une précieuse écoute. Bill sait mieux que n'importe qui sur terre quelles sont les qualités requises pour le poste de président. Il était persuadé que j'étais la personne la plus capable d'exercer cette fonction et refusait obstinément d'admettre que ce n'étaient que les propos d'un mari amoureux.

Les obstacles n'en étaient pas moins redoutables. Certes, j'avais quitté le département d'État avec une cote de popularité parmi les plus élevées jamais enregistrées dans la vie publique – un sondage du *Wall Street Journal* et de NBC News en janvier 2013 m'accordait 69 % d'opinions favorables. J'étais également la femme la plus admirée du monde, à en croire le sondage Gallup annuel. C'était le bon vieux temps !

Mais je savais que ce taux d'approbation tenait en partie au fait que des républicains avaient accepté de travailler avec moi quand j'étais secrétaire d'État et faisaient l'éloge de mon travail. Ils avaient dirigé leurs attaques contre le président Obama et m'avaient laissée relativement tranquille. Par ailleurs, les services de presse qui avaient suivi mes activités au cours de ces années s'intéressaient réellement au travail diplomatique et aux questions dont je m'occupais, raison pour laquelle ils m'accordaient une couverture médiatique de fond, généralement exacte qui plus est. Je savais que ce serait différent si je me représentais aux élections. Et, comme le disait Bill – un jugement confirmé par l'histoire –, l'éternel désir de voir le pays changer rendrait difficile la victoire de n'importe quel démocrate, *a fortiori* celle d'une démocrate comme moi, étroitement liée à l'administration sortante.

En 2014, la cote de popularité du président Obama avait peiné à décoller au-dessus de 40 %. Malgré tous les efforts de l'administration, le redressement économique restait anémique, et les salaires et les revenus réels de la plupart des Américains stagnaient. L'administration avait bâclé le lancement des nouveaux marchés de la santé, pièce maîtresse de la réalisation législative emblématique du président, l'Affordable Care Act. Une nouvelle organisation terroriste, Daesh, s'emparait de territoires en Irak et en Syrie et décapitait des civils en direct sur Internet. S'y ajoutait une terrifiante épidémie d'Ebola en Afrique que de nombreux Américains inquiets voyaient déjà aux portes des États-Unis. Heureusement, l'administration Obama a réagi rapidement pour consolider notre nouveau système de santé publique et soutenir la lutte contre Ebola en Afrique de l'Ouest. Ce qui n'a pas empêché des militants conservateurs de mettre en garde inlassablement – et sans la moindre preuve – contre les terroristes de Daesh qui, porteurs du virus Ebola, s'infiltreraient par notre frontière sud. Une triple théorie du complot alimentée par la droite.

Pendant la période qui a précédé les élections de mi-mandat de 2014, nous avons activement fait campagne à travers tout le pays,

Bill et moi, pour soutenir les démocrates en place dont le siège était menacé et les challengers qui avaient une chance de l'emporter. Tard dans la nuit, nous comparions nos notes sur la colère, le ressentiment et le cynisme que nous observions, et sur les attaques républicaines brutales qui les nourrissaient.

Depuis des années, les responsables républicains attisaient les peurs et les déceptions de la population. Ils étaient prêts à saboter le gouvernement pour empêcher le président Obama de réaliser son programme. Pour eux, le dysfonctionnement n'était pas un bug, c'était une fonctionnalité. Ils savaient que plus l'image de Washington serait mauvaise, plus les électeurs rejetteraient l'idée que le gouvernement puisse être un jour une force de progrès efficace. Ils pouvaient empêcher la plupart des améliorations de se faire, puis en tirer profit parce que les gens étaient mécontents que rien ne se fasse. Et quand un vrai progrès était réalisé, comme l'élargissement de l'assurance maladie, ils prenaient un malin plaisir à le mettre en pièces, au lieu de l'améliorer. Dans la mesure où un grand nombre de leurs électeurs devaient leurs informations à des sources partisanes, les républicains avaient trouvé le moyen d'être récompensés en permanence de créer l'impasse que les électeurs disaient détester.

On ne pouvait plus se dissimuler le succès de cette stratégie. En 2014, en Géorgie et en Caroline du Nord, j'ai fait campagne pour deux candidates intelligentes, bourrées de talent, à l'esprit indépendant, qui auraient dû avoir de bonnes chances de l'emporter : Michelle Nunn et la sénatrice Kay Hagan. Les deux courses ont été extrêmement serrées de bout en bout. Mais, plusieurs jours avant le scrutin, un observateur politique perspicace de Géorgie m'a confié avoir vu des sondages privés qui révélaient que Nunn et d'autres démocrates dévissaient. Les républicains exploitaient les peurs suscitées par Daesh et Ebola pour effrayer les électeurs et semer le doute sur la capacité des démocrates, femmes qui plus est, à faire preuve de la fermeté nécessaire sur les questions de sécurité nationale.

Dans plusieurs États, les républicains ont fait passer un spot associant des images de secouristes en combinaison de protection luttant contre Ebola et des photos du président Obama en train de jouer au golf. On y songe aujourd'hui avec ironie, alors que, à la présidence, Donald Trump passe près de 20 % de son temps sur ses luxueux terrains de golf personnels. Il m'arrive de m'interroger : si on additionne le temps qu'il consacre au golf, à Twitter et aux chaînes d'info câblées, que reste-t-il ?

Bill m'a parlé d'une conversation particulièrement troublante qu'il avait eue avec un vieil ami qui vit dans les monts Ozarks, tout au nord de l'Arkansas. Il était devenu une espèce en danger dans cet État – un démocrate progressiste resté loyal. Bill l'a appelé pour lui demander s'il estimait que le sénateur Mark Pryor, qui avait déjà accompli deux mandats, avait des chances d'être réélu. Mark était un démocrate modéré qui portait un nom lui ouvrant toutes les portes de la politique locale. (Son père, David, était une légende dans l'Arkansas, car il avait été membre du Congrès, gouverneur et sénateur.) Mark avait voté en faveur de l'Obamacare parce qu'il estimait que tout le monde méritait d'avoir accès aux soins de bonne qualité dont lui-même avait bénéficié dans sa jeunesse, quand il avait été atteint d'un cancer. Notre ami lui avait répondu qu'il n'en savait rien, et Bill et lui avaient estimé que la meilleure façon d'en avoir le cœur net était d'aller interroger le propriétaire d'un magasin rural au fond des Ozarks, où quelque deux cents personnes qui vivaient dans les bois venaient régulièrement faire leurs provisions et parler politique.

Quand notre ami est revenu, il a appelé Bill et lui a répété ce que lui avait dit le patron de ce magasin : « Vous savez, j'ai toujours soutenu Clinton, et j'aime beaucoup Mark Pryor. C'est un chic type et il est correct avec tout le monde. Il n'empêche qu'on va donner le Congrès aux républicains. » Cet homme n'était pas un imbécile. Il savait que les républicains ne feraient rien *pour* lui, ni pour ses voisins. Mais il trouvait que les démocrates n'avaient pas été à l'écoute, eux non plus. « Et au moins, les républicains ne feront rien *contre* nous, a-t-il ajouté. Les démocrates veulent confisquer mon fusil et m'obliger à assister à un mariage gay. »

Évidemment, le jour de l'élection, Mark s'est fait laminer par Tom Cotton, un des membres les plus à droite du Congrès. N'allez pas croire que les électeurs tournaient le dos à la politique défendue par Mark et d'autres démocrates – en fait, lors du même scrutin, ils ont approuvé une augmentation du salaire minimum dans l'Arkansas. Mais la politique d'identité culturelle et le ressentiment étaient plus forts que les faits, la raison et l'expérience personnelle. C'était comme si le « Brexit » s'était imposé en Amérique avant même d'être voté au Royaume-Uni, ce qui ne présageait rien de bon pour 2016. Notre parti avait peut-être remporté le vote populaire à cinq des six dernières élections présidentielles, mais le paysage politique de la course de 2016 commençait à paraître pour le moins préoccupant.

À tous ces sujets d'inquiétude s'ajoutait le fait évident et incontournable que j'allais avoir 68 ans. Si je me présentais et que je l'emportais, je serais la personne la plus âgée à exercer la présidence depuis Reagan. Je pouvais m'attendre à des avalanches de spéculations, envahissantes, grossières, insidieuses, concernant ma santé – et toutes les autres sphères de ma vie. Mais, contrairement aux rumeurs persistantes que forgeaient et répandaient les médias de droite, ma santé était excellente. Je m'étais parfaitement remise de la commotion cérébrale dont j'avais été victime à la fin de 2012. Et le monde entier pouvait constater que je n'avais aucun mal à suivre le rythme d'un calendrier de déplacements exténuant. J'admirais les gens comme Diana Nyad qui à 64 ans avait fait la première traversée à la nage entre Cuba et la Floride sans cage à requins. Quand elle avait enfin touché terre, elle avait donné trois conseils : ne renoncez jamais. Vous n'êtes jamais trop vieux pour réaliser vos rêves. Et même si quelque chose ressemble à un sport individuel, c'est un travail d'équipe. Toute une philosophie de vie !

Mais, tout de même, était-ce à cela que j'avais envie de consacrer mon temps ? Voulais-je vraiment reprendre place devant le peloton d'exécution de la politique nationale pendant plusieurs années, d'abord pendant la campagne électorale, puis, si tout se passait bien, à la Maison-Blanche ? Certains de mes plus chers amis – parmi lesquels mes conseillères de longue date, anciennes directrices de cabinet de la Maison-Blanche et du département d'État, Maggie Williams et Cheryl Mills – m'affirmaient que ce serait de la folie. Bien d'autres gens dans ma situation avaient renoncé à concourir : du général Colin Powell à Mike Bloomberg, sans oublier Mario Cuomo, gouverneur de l'État de New York, qui avait été si près de se présenter qu'un avion l'attendait sur le tarmac pour le conduire dans le New Hampshire quand il avait finalement décidé que « non ».

Alors pourquoi l'ai-je fait ?

Je l'ai fait parce que, après avoir retranché toutes les raisons plus ou moins insignifiantes de ne pas se présenter – les maux de tête, les obstacles en tout genre –, ce qui restait était trop important pour que j'y renonce : la possibilité de faire le plus de bien qu'il me serait donné de faire au cours de toute mon existence. En une seule journée à la Maison-Blanche, vous pouvez en faire davantage pour plus de gens qu'en plusieurs mois partout ailleurs. Nous devions bâtir une économie qui ne laisserait personne sur le carreau, et une société d'intégration qui respecterait tout le monde. Nous devions affronter de graves menaces contre la sécurité nationale. Ces questions occupaient déjà mon esprit en permanence, et elles exigeraient toutes un président fort, compétent. Je savais que je tirerais le maximum de chaque minute. Une fois que j'ai commencé à voir les choses sous cet angle, je n'ai plus pu m'arrêter.

Et il se trouve que la personne qui m'avait donné l'occasion d'être secrétaire d'État allait jouer, une fois encore, un rôle décisif.

Un mois après mon départ du département d'État en 2013, Barack et Michelle nous avaient invités, Bill et moi, à venir dîner avec eux en privé dans leur résidence de la Maison-Blanche. Nous avions parlé tous les quatre de nos enfants, et de l'expérience singulière de leur éducation dans un lieu aussi exposé aux regards que la Maison-Blanche. Nous avions discuté de la vie après le Bureau ovale. Barack et Michelle envisageaient vaguement de s'installer un jour à New York, comme nous l'avions fait. Cette perspective paraissait encore très lointaine. Nous nourrissions tous de grands espoirs pour le second mandat de Barack. Il y avait encore tant de tâches inachevées, aussi bien aux États-Unis que dans le reste du monde. Nous étions finalement restés à bavarder jusqu'à une heure avancée de la nuit. Si (du temps des journées houleuses de 2008) nous avions pu avoir un aperçu de cette soirée, nous aurions eu peine à y croire.

Au cours de l'année suivante, nous sommes restés régulièrement en contact, le président et moi. Il m'a réinvitée à déjeuner dans le courant de l'été, et nous nous sommes installés sur la terrasse du Bureau ovale pour manger un jambalaya. J'ai l'impression qu'il était un tout petit peu jaloux de ma liberté retrouvée, ce qui me rappelait opportunément combien cette fonction vous dévore. Nous avons encore déjeuné ensemble au printemps suivant. Nous consacrions une partie de notre temps à parler travail, et notamment à évoquer les défis de politique internationale qu'il affrontait au cours de ce second mandat. Mais peu à peu, alors que 2013 cédait la place à 2014, nos conversations ont porté plus fréquemment sur la politique intérieure.

Le président Obama n'ignorait rien des difficultés qui attendaient les démocrates. Il n'avait jamais considéré que sa réélection allait de soi, et s'il avait remporté une victoire écrasante en 2012 (légitimement, qui plus est), il savait que la survie de son héritage dépendait en grande partie d'une victoire démocrate en 2016. Il m'a fait clairement comprendre que je représentais selon lui la meilleure chance pour que notre parti conserve la Maison-Blanche et pérennise nos réalisations, et il voulait que je ne tarde pas à me préparer. Je savais que le président Obama pensait le plus grand bien de son vice-président, Joe Biden, et était également proche de plusieurs autres candidats potentiels ; sa confiance avait d'autant plus d'importance à mes yeux. Nous avions des différences de style comme de fond, mais, pour l'essentiel, nous partagions les mêmes valeurs et les mêmes objectifs politiques. Nous nous considérions l'un comme l'autre comme des progressistes pragmatiques décidés à faire avancer le pays malgré l'opposition implacable d'un Parti républicain conquis par la frange conservatrice radicale du Tea Party et qui était devenu l'esclave des milliardaires qui soutenaient ce mouvement. Je partageais le sentiment d'urgence du président sur les enjeux de 2016, mais n'étais toujours pas entièrement convaincue de l'opportunité de ma candidature.

Comme j'avais déjà pu le constater quand il avait insisté pour me confier le poste de secrétaire d'État et n'avait pour ainsi dire pas accepté que je refuse, le président Obama est un avocat persuasif et persévérant. Durant l'été 2013, David Plouffe, son ancien directeur de campagne, qui avait œuvré à ma défaite en 2008, m'a proposé de me prodiguer toute l'aide et tous les conseils qu'il pourrait pour préparer la suite de ma carrière après mon départ du département d'État. Je l'ai invité chez moi à Washington et j'ai rapidement compris pourquoi le président s'était autant appuyé sur lui. Il connaissait vraiment son sujet. Nous nous sommes retrouvés en septembre 2014, quand il est revenu me présenter les mesures à prendre pour mettre sur pied une campagne présidentielle victorieuse. Il m'a parlé longuement de stratégie, de données, de personnel et de calendrier. Je l'ai écouté attentivement, bien décidée, si j'entrais en lice, à éviter les erreurs qui avaient plombé ma précédente candidature. Plouffe a insisté sur l'importance primordiale du facteur temps, même si cela pouvait paraître difficile à croire, plus de deux ans avant le scrutin. En fait j'étais, selon lui, déjà en retard et il m'a exhortée à me mettre en route immédiatement. Il avait raison.

J'ai toujours considéré les campagnes politiques comme un mal nécessaire si l'on veut gouverner, la seule chose qui ait une vraie valeur. Je ne suis pas politicienne de nature. Je suis nettement meilleure qu'on ne veut bien le dire généralement, mais je suis beaucoup plus à l'aise pour parler des autres que de moi-même. J'ai ainsi été une épouse d'homme politique, une auxiliaire et un membre du gouvernement efficace, mais il a bien fallu que je m'adapte quand je suis devenue candidate. Heureusement, j'adore rencontrer des gens, écouter, apprendre, bâtir des relations, travailler sur des mesures politiques et essayer de résoudre des problèmes. J'aurais été ravie de rencontrer les 320 millions d'Américains un par un. Malheureusement, ce n'est pas ainsi que se font les campagnes.

Finalement, j'en suis revenue à ce qui compte le plus pour moi. Chez les méthodistes, on nous apprend à « faire tout le bien que nous pouvons ». Je savais que, si je me présentais et l'emportais, je pourrais faire beaucoup de bien et aider énormément de gens.

Cela fait-il de moi une ambitieuse ? Sans doute. Mais pas dans le sens négatif que l'on donne souvent à ce terme. Je n'ai pas voulu accéder à la présidence pour exercer un pouvoir en soi, mais afin de faire tout mon possible pour aider à résoudre des problèmes et préparer le pays pour l'avenir. Croire qu'on devrait être président est certainement audacieux, mais je l'ai cru.

J'ai commencé à téléphoner à des spécialistes de politique, à lire d'épais classeurs remplis de notes et à dresser des listes de problèmes qui exigeaient plus ample réflexion. Je m'interrogeais avec passion sur tout ce que nous pourrions entreprendre pour rendre notre économie plus forte et plus juste, pour améliorer le système d'assurance-maladie et en élargir la couverture, rendre l'université plus accessible et les programmes de formation professionnelle plus efficaces, et nous attaquer aux grands défis, comme le changement climatique et le terrorisme. J'avoue que j'adorais ça.

J'ai discuté avec John Podesta, un vieil ami qui avait été directeur de cabinet de Bill à la Maison-Blanche et était également un proche conseiller du président Obama. Si je décidais de rempiler, j'aurais besoin de son aide. John m'a promis que, si je me présentais, il quitterait la Maison-Blanche et prendrait la direction de ma campagne. Il pensait que nous pourrions très rapidement mettre sur pied une équipe fantastique. Un groupe de base dynamique baptisé Ready for Hillary (« Prêts pour Hillary ») ralliait déjà des soutiens. Tout cela était très rassurant.

J'ai repensé à ce qui m'avait poussée à me présenter au Sénat la première fois. C'était à la fin des années 1990 et les démocrates de New York m'exhortaient à être candidate, alors que je refusais opiniâtrement. Aucune première dame n'avait jamais fait une chose pareille. De surcroît, je ne m'étais plus présentée à aucune élection depuis que j'avais été présidente du conseil d'étudiants à Wellesley College.

Je m'étais rendue un jour dans une école de l'État de New York avec la championne de tennis Billie Jean King pour un événement associé à la promotion d'une émission spéciale de HBO sur les femmes dans le sport. Au-dessus de nos têtes, une grande banderole annonçait le titre du film, *Dare to Compete* (« Oser se battre »). Avant mon discours, la capitaine de l'équipe de basket du lycée m'avait présentée. Elle s'appelait Sofia Totti. Au moment où nous échangions une poignée de main, elle s'était penchée vers moi et m'avait chuchoté à l'oreille : « Osez vous battre, Mme Clinton. Osez vous battre. » Cela avait été un déclic. Depuis des années, j'exhortais les jeunes femmes à y aller, à participer, à défendre leurs convictions. Comment pouvais-je hésiter à en faire autant ? Quinze ans plus tard, je me posais la même question.

Il n'y a pas eu de moment clé où j'ai déclaré : « J'y vais ! » Nous avons terminé l'année 2014, Bill et moi, en prenant des vacances dans la belle maison de nos amis Oscar et Annette de la Renta en République dominicaine. Nous avons nagé, bien mangé, joué aux cartes et réfléchi à l'avenir. Au moment où nous sommes rentrés, j'étais prête à me lancer.

L'argument le plus décisif est aussi le plus difficile à formuler tout haut : j'étais convaincue que Bill et Barack avaient raison quand ils disaient que je ferais une meilleure présidente que n'importe qui d'autre.

Et puis, je pensais gagner. Je savais que les républicains s'étaient beaucoup plus éloignés du centre vital de la politique américaine que les démocrates, ainsi que l'ont abondamment montré des politologues indépendants. Mais j'étais encore convaincue que notre pays était fondamentalement raisonnable. Les générations qui nous avaient précédés avaient affronté des crises bien plus graves que tout ce que nous avons pu subir, de la guerre de Sécession à la Grande Dépression, de la Seconde Guerre mondiale à la guerre froide, et elles avaient réagi en élisant des dirigeants sages et compétents. Les Américains se sont rarement laissé attirer par les extrêmes ou séduire par l'idéologie, et quand ils l'ont fait, cela n'a jamais duré. Malgré l'absurdité de leurs processus respectifs d'investiture, les deux grands partis politiques ont presque toujours réussi à éliminer les candidats les plus extrémistes. Avant 2016, nous n'avions encore jamais élu de président refusant de manière flagrante de respecter les règles de base de la démocratie et de la décence. Si j'étais la candidate la plus qualifiée, si j'avais de bonnes idées pour l'avenir, si je me défendais correctement pendant la campagne et dans les débats et prouvais que j'étais capable de travailler à la fois avec les républicains et avec les démocrates, j'étais en droit de penser que je pourrais être élue et gouverner efficacement.

Voilà pourquoi je me suis présentée.

S'il y a des choses que je regrette à propos de la campagne de 2016, la décision de me présenter n'en fait pas partie.

J'ai ouvert ce chapitre par quelques vers du poème de T. S. Eliot, « East Coker », que j'ai toujours aimé :

> *Il n'y a ici que la lutte pour recouvrer ce qui fut perdu ;*
> *Retrouvé, reperdu : et cela de nos jours, dans des conditions*
> *Qui semblent impropices. Mais peut-être ni gain ni perte.*
> *Nous devons seulement essayer. Le reste n'est pas notre affaire*[4].

La première fois que j'ai lu ces vers, quand j'étais adolescente, à Park Ridge dans l'Illinois, ils ont touché une corde sensible au fond de moi, peut-être dans ce recoin où de vagues souvenirs ancestraux de mineurs gallois et anglais tenaces étaient enfouis aux côtés d'histoires à demi comprises de l'enfance de privation et d'abandon de ma mère. « Nous devons seulement essayer. »

J'avais repensé à ce poème quelques années plus tard, en 1969, quand mes camarades de fac de Wellesley m'avaient demandé de prendre la parole à notre remise de diplômes. Nous étions nombreuses à être consternées et désillusionnées par la guerre du Vietnam et par l'injustice raciale qui régnait en Amérique, par les assassinats de Martin Luther King et de Robert F. Kennedy, et par notre impuissance apparente à modifier l'orientation de notre pays. Ma paraphrase avait donné à l'élégant vers d'Eliot une petite touche Midwest : « Nous devons seulement essayer, ai-je dit à mes condisciples, encore, et encore, et encore ; pour regagner ce que nous avons déjà perdu. »

Au cours de la cinquantaine d'années qui s'est écoulée depuis, l'idée qu'il faut « accepter d'essayer », que l'on gagne ou que l'on perde, est devenue une véritable devise pour ma famille et moi. Que l'on cherche à gagner une élection, à faire adopter un texte de loi

---

4. T. S. Eliot, « East Coker », in *Quatre quatuors*, in *Poésie, op. cit.*, p. 183.

qui aidera des millions de gens, à nouer une amitié ou à sauver un mariage, le succès n'est jamais assuré. Mais il faut essayer. Encore, et encore, et encore.

Quand je mourrai, je veux être entièrement consumé, car plus dur je travaille,
plus je vis. La vie n'est pas pour moi une « flamme éphémère ».
C'est un splendide flambeau que je détiens provisoirement ;
et je veux le faire brûler avec le plus d'éclat possible
avant de le transmettre aux générations futures.

George Bernard Shaw

Se lancer

On pourrait penser que ma campagne électorale a commencé par une vidéo percutante diffusée sur Internet et filmée en avril 2015 devant ma maison à Chappaqua. Ou bien par mon discours officiel de candidature en juin de la même année sur Roosevelt Island dans l'État de New York. Mais, en fait, je crois qu'elle a débuté par quelque chose de beaucoup plus ordinaire : un bol de burritos dans un Chipotle.

Si vous vous demandez de quoi je parle, c'est sans doute que vous ne consacrez pas beaucoup de temps au cirque des infos sur Internet et les chaînes câblées. Cela s'est passé le 13 avril 2015 à Maumee, dans l'Ohio. Le Chipotle était un point de ravitaillement entre l'État de New York et l'Iowa, où se tient le premier caucus du pays. Nous avions tenu à faire ce déplacement en toute discrétion. Pas de presse, pas de foule. Seulement moi, quelques membres de mon équipe et des agents du Secret Service. Nous nous étions entassés dans un énorme minibus noir que j'appelle « Scooby », parce qu'il me rappelle la Machine mystérieuse de *Scooby-Doo* (le nôtre a un charme moins déjanté, mais nous l'aimons bien tout de même), et avions pris la route pour ce voyage de plus de 1 500 kilomètres. J'avais une masse de notes à lire et une longue liste d'appels à passer. J'avais aussi googlé toutes les stations de la NPR de Westchester à Des Moines – autrement dit, j'étais parée pour un long trajet en voiture.

À Maumee, nous nous sommes arrêtés pour déjeuner sur le parking d'un centre commercial, au bord de l'autoroute. J'ai commandé un bol de burritos au poulet accompagné de guacamole. Nick Merrill, mon attaché de presse pendant mes déplacements, s'est moqué de moi parce que je le mangeais à la cuillère, au lieu de me servir des chips. Ma présence n'a suscité aucune réaction dans ce restaurant. En fait, personne ne m'a reconnue ! Quelle bénédiction !

Mais, dès que des représentants de la presse l'ont appris, ils ont réagi comme si un OVNI s'était posé dans l'Ohio et qu'un extraterrestre était entré dans un Chipotle. CNN a diffusé des images floues de la caméra de vidéosurveillance du restaurant qui donnaient vaguement l'impression que nous étions en train de cambrioler une banque. Le *New York Times* a publié une analyse de mon repas, jugé plus sain que les menus habituels du Chipotle, avec moins de calories, moins de graisses saturées et de sel. (Bonne pioche pour le *Times* ; cette fois, il a vraiment marqué des points sur CNN.) Toute cette histoire n'avait aucun sens. Pour paraphraser un vieux dicton, il arrive qu'un bol de burritos ne soit qu'un bol de burritos.

Et je me suis bientôt retrouvée dans l'Iowa, l'État qui m'avait réservé une troisième place humiliante en 2008. Je tenais à ce que cette première visite se fasse sans tralala, à l'image du reste de ce déplacement. J'écouterais plus que je ne parlerais, comme au début de ma première campagne pour le Sénat dans l'État de New York. Matt Paul, mon nouveau directeur de campagne dans l'Iowa, qui connaissait cet État par cœur car il avait passé des années à travailler pour le gouverneur Tom Vilsack et pour le sénateur Tom Harkin, m'approuvait. Les habitants de l'Iowa voulaient faire la connaissance de leurs candidats et ne pas se contenter de les écouter discourir. Et c'était exactement ce que je voulais, moi aussi.

Quand Donald Trump a commencé sa campagne, il paraissait certain de détenir les réponses à toutes les questions. Il n'avait aucune base idéologique hormis une estime de soi démesurée, qui abolissait tout espoir d'apprendre ou de mûrir. Aussi ne jugeait-il pas utile d'écouter quiconque sinon lui-même.

Mon approche était toute différente. Après avoir passé quatre ans à sillonner le monde en tant que secrétaire d'État, je voulais me reconnecter aux problèmes qui empêchaient les familles américaines de dormir et les entendre parler directement de leurs espoirs d'avenir. J'avais évidemment un certain nombre d'idées et de principes de base, mais je désirais entendre ce que les électeurs avaient à dire afin d'élaborer de nouveaux projets en accord avec la réalité de leur vie et du pays.

Une des premières personnes que j'ai rencontrées dans le New Hampshire, un autre État où les primaires se tiennent précocement, m'en a donné une parfaite illustration. Pam était une grand-mère d'une bonne cinquantaine d'années, aux cheveux gris, avec sur le visage l'expression de ceux qui portent de lourdes responsabilités. Elle travaillait dans une entreprise de meubles qui existait depuis cent onze ans, que je suis allée visiter à Keene. Nous avons discuté des mesures susceptibles de favoriser le développement des petites entreprises, mais Pam avait d'autres soucis en tête. Sa fille était devenue accro aux antalgiques après avoir accouché d'un petit garçon, point de départ d'une longue lutte contre la toxicomanie. Les services de protection infantile avaient fini par appeler Pam, pour lui annoncer que son petit-fils risquait d'être placé. Soutenue par son mari, John, elle avait accepté de s'occuper du petit. Pam se retrouvait ainsi avec un enfant sur les bras, un rôle qu'elle pensait avoir définitivement abandonné bien des années auparavant.

Elle n'était pas du genre à se plaindre. Elle avait agi par amour et ne demandait qu'à prendre la relève, d'autant plus qu'à présent sa fille se faisait soigner. Mais elle était inquiète. Dans la ville, de nombreuses familles connaissaient le même genre de problèmes. Le New Hampshire enregistrait plus de morts par overdose que par accidents de la route. Le nombre d'héroïnomanes qui fréquentaient les centres de soins avait augmenté de 90 % au cours de la dernière décennie. Quant aux médicaments vendus sur ordonnance, leur hausse était de 500 %.

Je ne découvrais pas ce problème. À l'époque, nous avions parmi nos amis, Bill et moi, trois familles qui avaient perdu des enfants, des jeunes adultes, à la suite de la consommation d'opioïdes. (Malheureusement, ce nombre est entre-temps passé à cinq.) L'un d'eux était un jeune homme charismatique qui travaillait au département d'État tout en faisant ses études de droit. Un de ses amis lui avait offert des comprimés, il les avait avalés, était allé se coucher le soir et ne s'était plus jamais réveillé. D'autres avaient consommé de la drogue en même temps que de l'alcool et avaient été victimes d'un arrêt cardiaque. À la suite de ces tragédies, la Fondation Clinton s'était associée à Adapt Pharma, pour proposer dans tous les lycées et établissements d'enseignement supérieur des États-Unis des doses gratuites de naloxone (Narcan), un antidote des opioïdes qui peut sauver des vies en évitant les overdoses.

Au cours de ce premier déplacement dans le New Hampshire, dans une cafétéria du centre de Keene, un médecin à la retraite est intervenu pour poser cette question : « Que pouvez-vous faire pour lutter contre l'épidémie de consommation d'opioïdes et d'héroïne ? » Le terme d'épidémie faisait froid dans le dos, mais c'était le mot juste. En 2015, plus de 33 000 personnes étaient mortes d'overdose d'opioïdes. Si l'on additionne les chiffres de 2014, ces substances ont tué plus d'Américains que la totalité de la guerre du Vietnam. Les ressources disponibles pour assurer les soins nécessaires avaient peine à suivre, et les parents sacrifiaient leurs économies pour financer la désintoxication de leurs enfants. Certains, qui avaient déjà tout essayé en vain, appelaient la police pour dénoncer leurs propres enfants.

Et pourtant, la toxicomanie n'attirait guère l'attention du pays, pas plus à Washington que dans les médias nationaux. Moi-même, je n'y avais pas vu un sujet de campagne avant d'entendre des histoires comme celle de Pam dans l'Iowa et dans le New Hampshire.

J'ai réuni mon équipe politique pour définir une stratégie au plus vite. Mes conseillers se sont déployés. Nous avons organisé des réunions publiques, qui nous ont livré d'autres témoignages du même genre. Dans le New Hampshire, un conseiller en toxicomanie a demandé à tous ceux qui étaient dans la salle et avaient subi les effets de cette épidémie de lever la main. Presque toutes les mains se sont levées. Une femme en cure de désintoxication m'a dit : « Nous ne sommes pas des méchants qui essaient de devenir bons. Nous sommes des malades qui essaient de guérir. »

Pour l'aider à y parvenir, elle et des millions d'autres, nous avons élaboré un plan destiné à élargir l'accès aux soins, à améliorer la formation des médecins et des pharmaciens qui délivrent des médicaments sur ordonnance, à réformer le système pénal pour que les drogués non violents soient accueillis dans des centres de désintoxication plutôt qu'en prison, et à veiller à ce que tous les services médicaux d'urgence d'Amérique disposent de naloxone, qui n'est pas loin d'être un médicament miracle.

Cette expérience est devenue un modèle de fonctionnement de ma campagne au cours de ces premiers mois. Les gens se succédaient, me faisant part des difficultés qu'affrontaient leurs familles : l'endettement étudiant, le coût élevé des médicaments et des primes d'assurance, les salaires trop bas pour permettre de conserver le mode de vie auquel la classe moyenne est habituée. Je m'appuyais sur ces conversations pour infléchir les politiques qu'était en train de mettre au point notre équipe au quartier général de Brooklyn. Je voulais que mon atelier politique soit audacieux, novateur, bosseur et, surtout, sensible aux besoins concrets des gens. Jake Sullivan, mon directeur de la planification politique au département d'État, Ann O'Leary, une de mes conseillères de longue date qui partageait ma passion pour les enfants et la politique de santé, et Maya Harris, une vieille routière de la défense des droits civiques, ont mis sur pied et dirigé une équipe formidable.

Vous pouvez comparer cette approche à la méthode Trump. Quand les médias ont enfin commencé à s'intéresser à l'épidémie de toxicomanie, il a sauté sur le sujet et l'a exploité pour faire croire que l'Amérique allait à vau-l'eau. Mais, dès qu'il est devenu président, il a tourné le dos à tous ceux qui avaient besoin d'aide en réduisant les fonds consacrés aux traitements.

La presse avait souvent l'air de s'ennuyer aux tables rondes où se déroulaient ces conversations. Nos détracteurs prétendaient que ces réunions étaient soigneusement mises en scène, étroitement contrôlées. Personnellement, je ne m'y ennuyais pas. Je voulais parler *avec* les gens, et non leur parler. Et j'ai appris beaucoup de choses. Pour moi, c'était un élément essentiel de la course à la présidence telle que je la concevais.

Au cours des longs mois passés à peser le pour et le contre de ma candidature, j'avais beaucoup réfléchi au genre de campagne que je souhaitais mener. Je la voulais évidemment différente de celle que j'avais entreprise lors de mon échec à la primaire de 2008 face à Barack Obama. J'ai étudié les points forts de Barack, et mes points faibles. J'avais encore bien plus d'enseignements à tirer de l'énergique campagne que le président avait faite en 2012 et qui lui avait permis d'obtenir sa réélection contre Mitt Romney avec une avance confortable, malgré une économie encore languissante. Ses deux campagnes comptaient parmi les meilleures de l'histoire. J'y ai prêté toute l'attention qu'elles méritaient.

Mon premier déplacement très sobre dans l'Iowa reflétait certaines des leçons que j'avais gardées en tête au moment de définir ma propre organisation. En 2008, on m'avait reproché d'être arrivée dans l'Iowa comme une reine, d'avoir tenu de grands meetings et d'avoir agi comme si ma victoire était acquise. Cette présentation, tant de moi que de notre campagne, m'avait toujours paru injuste ; nous pensions que je pourrais l'emporter malgré la présence de nombreux candidats de talent, mais nous n'avions certainement jamais cru que l'Iowa était un terrain conquis d'avance. Nous avions même admis que ce n'était pas un premier scrutin idéal pour moi et passé une bonne partie de 2007 à essayer de trouver le moyen de nous en sortir au mieux. La critique n'avait pas moins fait mouche et je l'avais prise au sérieux. Cette fois, j'étais décidée à me présenter en outsider, et à éviter de donner toute impression d'arrogance.

Je voulais également m'appuyer sur les meilleurs éléments de ma tentative de 2008, et plus particulièrement sur la combativité de nos campagnes dans l'Ohio et la Pennsylvanie, où j'avais réussi à forger un lien avec les électeurs de la classe ouvrière, qui se sentaient invisibles dans l'Amérique de George W. Bush. J'avais dédié ma victoire à la primaire de l'Ohio à tous ceux « qui ont été envoyés au tapis, mais ont refusé d'être KO, à tous ceux qui ont trébuché, mais se sont relevés, à tous ceux qui travaillent dur et ne renoncent jamais ». Je voulais réinsuffler cet esprit dans ma campagne de 2016, tout en y intégrant les leçons les plus utiles des victoires d'Obama.

Nous avons cherché à donner le ton juste avec ma vidéo d'annonce de candidature. On y voyait une série d'Américains discutant avec animation des nouveaux défis qu'ils affrontaient : deux frères qui créaient une petite entreprise, une maman qui préparait sa fille pour son premier jour de maternelle, un couple qui se mariait. Je faisais ensuite une brève apparition, expliquant que je me présentais aux élections présidentielles pour aider les Américains à réussir et à rester en tête, et que je travaillerais dur pour remporter chaque voix. Le sujet de cette campagne, disais-je, ne sera pas moi et mes ambitions. Ce sera vous et les vôtres.

Il y avait d'autres leçons à mettre en application. En 2008, la campagne d'Obama avait été très en avance sur la nôtre dans l'utilisation des analyses de données pour tracer le profil des électeurs, les cibler et tester des messages. Elle s'était concentrée inlassablement sur l'organisation de sa base et sur la recherche de l'adhésion des délégués, éléments décisifs de l'investiture. Obama et ses collaborateurs avaient aussi mis sur pied une organisation de campagne « sans cinéma », qui avait largement su éviter les luttes intestines pernicieuses et les fuites.

Nous nous sommes entretenus, John Podesta et moi, avec le président Obama et David Plouffe sur la manière de constituer une équipe susceptible de reproduire leur succès. Plouffe était un grand admirateur de Robby Mook, que j'ai fini par choisir comme directeur de campagne. Robby avait impressionné David en m'aidant à gagner contre toute attente – et contre lui – dans le Nevada, l'Ohio et l'Indiana en 2008. Dans ces trois États, il avait conçu des programmes de campagne agressifs et s'était battu âprement pour chaque voix. Puis il était allé diriger la campagne très risquée mais victorieuse de mon ami Terry McAuliffe au poste de gouverneur de Virginie. Robby avait le vent en poupe – il était jeune, mais, comme Plouffe, remarquablement discipliné et très pondéré, avec une passion pour les données et un vrai talent d'organisateur.

Huma Abedin, ma conseillère de confiance depuis des années que je tiens en haute estime, serait directrice adjointe de campagne. Comme le président Obama faisait l'éloge de ses sondeurs Joel Benenson et John Anzalone, et de David Binder, son spécialiste en groupes de réflexion, je les ai embauchés tous les trois, en même temps qu'un ancien de l'équipe d'analyse de données d'Obama, Elan Kriegel. Navin Nayak a rejoint l'équipe pour coordonner tous ces éléments d'enquête d'opinion. Voilà comment ça marche : les sondeurs appellent un panel de gens pris au hasard et se renseignent sur ce qu'ils pensent des candidats et d'un certain nombre de sujets. Les groupes de réflexion rassemblent une poignée de gens dans une pièce pour une discussion approfondie qui peut durer plusieurs heures. Quant aux équipes d'analyse de données, elles réalisent un grand nombre d'enquêtes téléphoniques, traitent des masses de données complémentaires touchant la démographie, la consommation, ainsi que des résultats de sondages, et intègrent aussi tous ces chiffres dans des modèles complexes censés prédire le comportement des électeurs. Toutes ces méthodes sont des éléments fondamentaux des campagnes modernes.

Pour nous aider à cibler nos messages et à réaliser des spots de campagne, j'ai engagé Jim Margolis, un ancien de l'équipe d'Obama, professionnel très respecté, et Mandy Grunwald, qui nous avait accompagnés, Bill et moi, depuis notre première campagne nationale en 1992. Ils ont collaboré avec Oren Shur, mon directeur des médias payants, et plusieurs agences de pub pleines de talent et de créativité. Je pensais que l'association entre Jim et Mandy tirerait le meilleur des deux univers. C'est ce que je recherchais dans toutes mes décisions de recrutement : allier les meilleurs talents disponibles des campagnes d'Obama à d'excellents pros que je connaissais déjà. Cette dernière catégorie incluait Dennis Cheng, qui avait collecté plusieurs centaines de millions de dollars pour ma campagne de réélection au

Sénat en 2006 et pour ma campagne présidentielle de 2008, avant de contribuer à convaincre des donateurs de financer la Fondation Clinton. Elle incluait également Minyon Moore, l'une des responsables politiques les plus expérimentées de la politique démocrate, ancienne collaboratrice de la Maison-Blanche sous la présidence de mon mari, et Jose Villarreal, un directeur d'entreprise qui avait travaillé avec moi au département d'État et nous avait rejoints pour occuper le poste de trésorier de ma campagne.

En constituant mon équipe, je m'étais concentrée sur deux éléments délicats : trouver le juste équilibre avec le président Obama et sa Maison-Blanche et – roulement de tambour, s'il vous plaît – améliorer mes relations avec la presse.

La question de l'équilibre avec le président Obama n'avait rien de personnel. Les quatre années que j'avais passées au sein de son cabinet nous avaient appris à nous apprécier et à nous faire confiance. Il n'y a pas beaucoup de gens au monde qui savent ce qu'être candidat à la présidence ou vivre à la Maison-Blanche représente. Nous avions ces expériences en commun, ce qui créait un lien spécial entre nous. Quand le président a fini par faire adopter la réforme de l'assurance-maladie pour laquelle je m'étais battue si longtemps et si énergiquement, j'ai été folle de joie et l'ai serré dans mes bras avant une réunion dans la salle de crise de la Maison-Blanche. Après son premier débat brutal avec Mitt Romney en 2012, j'avais cherché à lui remonter le moral en lui montrant une image retouchée sur Photoshop de Big Bird attaché à la voiture familiale de Mitt. (Romney avait promis de réduire considérablement le financement du PBS[1] et prenait notoirement la route avec son chien sur le toit de sa voiture.)

« Je t'en prie, regarde cette image, souris, et garde ce sourire à portée de main, ai-je dit au président.

– On va y arriver, avait-il répondu. Continue simplement à empêcher le monde de tomber en morceaux pendant encore cinq semaines. »

Maintenant que nous avions changé de rôles, que j'étais la candidate et lui mon premier supporter, il fallait que je parvienne à négocier la tension entre continuité et changement. D'un côté, je croyais profondément en tout ce qu'il avait accompli pendant sa présidence et tenais absolument à éviter qu'un républicain soit en mesure de tout défaire. Nous avions quelques sujets de désaccord, certes, par

---

1. Public Broadcasting Service : réseau public de télévision.

exemple la Syrie, le commerce, et l'attitude à avoir face à une Russie agressive, mais dans l'ensemble j'étais prête à défendre son bilan, à essayer de m'appuyer sur ses réalisations et à écouter son avis. Il m'appelait de temps en temps pour me faire part de ses réflexions. « N'essaie pas de jouer la femme branchée, tu es grand-mère, me taquinait-il. Sois toi-même et continue à faire ce que tu fais. » J'étais fière d'avoir le soutien de Barack et, presque tous les jours, je disais à des auditoires à travers tout le pays qu'on était loin de lui accorder le mérite auquel il avait droit pour avoir remis notre pays sur pied après la pire crise financière depuis la Grande Dépression.

En même temps, il restait de graves problèmes à résoudre en Amérique, et une partie de ma mission de candidate consistait à montrer que je les avais repérés et que j'étais prête à m'y atteler. Cela m'obligeait inévitablement à mettre le doigt sur certains domaines où les efforts de l'administration Obama avaient été insuffisants, même si cette impuissance était essentiellement due aux manœuvres d'obstruction des républicains.

Le numéro d'équilibrisme était périlleux, comme il l'aurait été pour le vice-président Biden ou n'importe quel ancien membre de l'administration Obama. Si je n'arrivais pas à trouver le bon dosage, je risquais de paraître déloyale ou de faire figure de candidate du *statu quo*, deux éventualités aussi préjudiciables l'une que l'autre.

Au cours d'une des premières séances de travail de notre nouvelle équipe, dans une salle de réunion située au vingt-neuvième étage d'un bâtiment administratif de Manhattan, Joel Benenson a présenté les résultats de son enquête d'opinion préalable. Selon lui, deux « points névralgiques » influenceraient certainement la vision des Américains sur cette élection : la pression économique et l'impasse politique. La situation économique était indéniablement meilleure qu'au lendemain de la crise financière, mais les revenus n'étaient pas repartis à la hausse pour la plupart des familles, si bien qu'elles avaient encore le sentiment que leurs progrès étaient fragiles et risquaient de voler en éclats à tout moment. Et les gens en étaient venus à considérer les dysfonctionnements de Washington comme un élément majeur du problème. Ils n'avaient pas tort. J'avais été aux premières loges pour le constater et je savais qu'il serait très difficile d'y remédier – bien que je tienne à préciser que j'avais sous-estimé la hargne avec laquelle mes adversaires m'accuseraient injustement d'être responsable d'un système déficient. Au fil des ans, j'avais collaboré avec succès aux côtés des républicains sur un certain nombre de sujets.

J'avais des idées très précises en tête pour priver de leurs sources de financement non transparentes ceux qui voulaient s'en servir pour créer une impasse politique. Et je pensais que nous avions de bonnes chances de faire des progrès. Restait le problème suivant : trouver une manière convaincante de parler de la souffrance des Américains et de leur insatisfaction à propos de la situation du pays sans renforcer les critiques républicaines contre l'administration Obama, ce qui serait contre-productif et tout simplement injuste.

Selon Joel, j'étais en position de force. Dans les « swing states[2] », 55 % des électeurs avaient une opinion favorable de moi, contre à peine 41 % d'avis défavorables. Les électeurs avaient apprécié que je travaille avec Obama après avoir perdu les primaires en sa faveur en 2008. Ils y voyaient une marque de loyauté et de patriotisme. Ils trouvaient aussi que j'avais fait du bon boulot comme secrétaire d'État et la plupart estimaient que j'étais prête à assumer la présidence. Mais, bien que je n'aie cessé d'être sous les regards du public depuis des dizaines d'années, ils ne savaient pas grand-chose de ce que j'avais fait, et moins encore des raisons pour lesquelles je l'avais fait. C'était à la fois un défi et une chance. Alors que mon nom était presque universellement connu, j'allais devoir me présenter aux électeurs comme si c'était la première fois – non pas comme un prolongement de Bill Clinton ou de Barack Obama, mais comme une responsable politique à part entière, avec ma propre histoire, mes propres valeurs, ma propre vision.

S'y ajoutaient quelques signaux d'alerte inquiétants. Si ma cote de popularité était élevée, seuls 44 % des électeurs disaient me faire confiance pour être leur porte-parole à Washington. Autrement dit, certains me respectaient, mais n'étaient pas sûrs que je me battrais pour eux. J'étais bien décidée à changer cette impression. La raison qui m'avait poussée à entrer en politique était la possibilité d'améliorer la vie des enfants et des familles, et je devais à présent le faire comprendre à tous.

Il y avait encore autre chose : je devais éviter d'être à nouveau confrontée aux difficultés que j'avais rencontrées par le passé avec les journalistes politiques. Au fil des ans, ma relation avec la presse politique s'était transformée en cercle vicieux. Plus elle s'en prenait

---

2. Les « swing states » sont les États qui ne sont traditionnellement acquis à aucun camp, à la différence des fiefs démocrates ou républicains, et dont les électeurs sont donc susceptibles de faire basculer le vote dans un sens ou dans l'autre.

à moi, plus j'étais sur mes gardes, ce qui l'incitait à redoubler de critiques. Je savais que, si je voulais que les choses évoluent en 2016, il fallait que j'essaie de modifier cette dynamique et que je m'efforce d'établir des échanges plus ouverts et plus constructifs. Les précédents ne manquaient pas. Quand j'étais sénatrice, je m'étais étonnamment bien entendue avec les journalistes new-yorkais, qui ne sont pourtant pas des tendres. Et je m'étais vraiment prise d'affection pour les journalistes attachés au département d'État, dont la plupart se consacraient à la politique étrangère depuis des années. Nous discutions facilement, nous prenions la route ensemble, nous avons visité Angkor Vat au Cambodge, dîné sous une tente bédouine en Arabie saoudite, dansé en Afrique du Sud et partagé des aventures aux quatre coins du monde. Dans l'ensemble, leur couverture avait été équitable et, quand j'en jugeais autrement, ils étaient ouverts à mes critiques. Je voulais essayer d'établir le même genre de rapports avec les journalistes politiques qui couvraient ma campagne. Je savais qu'ils étaient soumis à des pressions constantes pour écrire des articles qui inciteraient les internautes à cliquer et à retweeter, et que les papiers négatifs se vendaient mieux que les autres. J'étais donc sceptique. Mais ça valait la peine de tenter le coup.

Pour m'assister dans ce domaine, j'ai recruté Jennifer Palmieri, une professionnelle calée qui avait de solides relations dans la presse. Jennifer avait travaillé pour John Podesta à la Maison-Blanche pendant l'ère Clinton et au Center for American Progress, un think tank démocrate. Tout récemment, elle avait été directrice de communication du président Obama à la Maison-Blanche. Le président adorait Jennifer, et moi aussi. J'ai demandé à Kristina Schake, une ancienne proche conseillère de Michelle Obama, puis à Christina Reynolds, qui avait travaillé sur les campagnes de John Edwards et d'Obama, de la seconder. Elles ont été rejointes par Brian Fallon, secrétaire de presse national, diplômé de la célèbre école de communication Chuck Schumer et ancien porte-parole du département de la Justice, et par Karen Finney, ancienne présentatrice de MSNBC[3] qui avait autrefois travaillé pour moi à la Maison-Blanche. Quand nous nous sommes réunies pour la première fois, Jennifer, Kristina et moi, j'ai donné libre cours à deux décennies d'exaspération contre la presse. Bouclez vos ceintures, leur ai-je dit. Ça va déménager. Mais j'étais prête à suivre toutes leurs recommandations pour partir sur de meilleures bases.

---

3. Chaîne câblée d'informations en continu.

Mon équipe rapprochée commençant à se constituer, nous avons cherché à mettre sur pied une organisation capable de tenir la distance. Les campagnes présidentielles sont comme des start-up sous stéroïdes. Il faut rassembler des sommes énormes dans de très brefs délais, embaucher une équipe gigantesque, la déployer à travers tout le pays et élaborer un système de traitement de données complexe à partir de zéro ou presque. Le candidat est obligé de gérer tout cela en respectant un calendrier de campagne épuisant qui l'oblige à être presque quotidiennement à plusieurs centaines ou milliers de kilomètres de son siège.

En 2008, j'avais eu une super-équipe de bosseurs. Mais j'avais laissé couver des rivalités internes et n'avais pas créé de chaîne de commandement parfaitement claire avant qu'il ne soit trop tard. Pourtant, nous avions été si près de l'emporter... J'ai juré que, cette fois, ça se passerait autrement.

J'étais décidée à avoir les meilleures données, les organisateurs de campagne les plus nombreux, le plus vaste réseau de collecte de fonds et les relations politiques les plus solides. J'ai été ravie que Beth Jones, une administratrice très compétente qui travaillait à la Maison-Blanche, ait accepté d'être directrice de mes opérations de campagne. Pour diriger nos efforts d'organisation et de rayonnement, je me suis adressée à trois pros de la politique : Marlon Marshall, Brynne Craig et Amanda Renteria. J'ai également embauché des organisateurs expérimentés pour s'occuper des premiers États, essentiels, où se dérouleraient les primaires. En plus de Matt Paul dans l'Iowa, il y avait Mike Vlacich, qui a joué un rôle important dans la réélection de mon amie sénatrice Jeanne Shaheen dans le New Hampshire, et a pris la tête de mes efforts pour y battre Trump en novembre. Emmy Ruiz en faisait également partie : elle a contribué à nous mener à une victoire au caucus du Nevada, avant de se rendre dans le Colorado pour les présidentielles proprement dites et nous aider à gagner aussi dans cet État. Enfin, j'ai accueilli à bord Clay Middleton, qui avait longtemps été l'assistant du membre du Congrès Jim Clyburn et nous a aidés à remporter une victoire écrasante à la primaire en Caroline du Sud.

Pour insuffler un esprit d'innovation à cette campagne, nous avons pris les conseils d'Eric Schmidt, l'ancien PDG de Google, et d'autres grands responsables des nouvelles technologies, et recruté des ingénieurs de la Silicon Valley. Stephanie Hannon, une ingénieure chevronnée, a été la première femme à exercer les fonctions de directrice des techniques informatiques lors d'une campagne présidentielle majeure. J'ai engagé l'un des anciens assistants du président Obama, Teddy Goff, pour prendre en main tout le secteur numérique, en collaboration avec ma conseillère de longue date Katie Dowd et Jenna Lowenstein de la Liste EMILY[4]. Ils avaient tous du pain sur la planche avec une candidate d'une ignorance crasse en nouvelles technologies, mais j'ai promis d'être bonne fille et de participer à tous les chats sur Facebook, et à toutes les tempêtes de tweets et interviews Snapchat qu'ils me recommanderaient.

Pour être sûre de constituer l'équipe la plus diverse jamais réunie pour une campagne présidentielle, j'ai fait venir Bernard Coleman, qui a été le premier directeur de la diversité, pour qu'il veille à respecter une parfaite parité hommes-femmes et embauche plusieurs centaines de gens de couleur, y compris à des postes de haute responsabilité.

Nous avons installé notre siège à Brooklyn et le bureau n'a pas tardé à grouiller de jeunes de moins de 30 ans, idéalistes et prêts à enchaîner les nuits blanches. Notre quartier général ressemblait à un hybride entre start-up des nouvelles technologies et cité U. J'ai participé à un certain nombre de campagnes depuis 1968, et franchement, c'était la plus collégiale et la plus collaborative que j'aie jamais vue.

Alors, comment ça a marché ?

Eh bien, nous n'avons pas gagné.

Mais je peux dire sans la moindre réserve que j'ai été extrêmement fière de mon équipe. Ils ont tous bâti une organisation du tonnerre dans les premiers États à voter et m'ont aidée à remporter le caucus de l'Iowa, malgré une situation démographique défavorable, ainsi que celui du Nevada, sans oublier la primaire de Caroline du Sud. Pour l'élection présidentielle proprement dite, ils ont recruté 50 000 bénévoles de plus que pour la campagne d'Obama en 2012 et ont contacté les électeurs cinq millions de fois de plus. Les membres de mon équipe ont encaissé coup sur coup sans jamais se dégonfler, ils ne se sont jamais chamaillés et n'ont jamais cessé de croire en notre cause. Cela ne veut pas dire qu'il n'y ait pas eu de désaccords ni de débats sur un certain nombre de questions. Il y en a eu, évidemment – c'était une campagne, bon sang ! Mais, même le soir de notre défaite écrasante à la primaire du New Hampshire ou pendant les pires jours de la controverse sur mes e-mails, personne n'a flanché.

_____

4. Comité d'action américain qui défend les candidatures de femmes progressistes pro-choix.

Ai-je déjà dit que nous avions fini par remporter le vote populaire national avec une avance de près de trois millions de voix ?

C'était un groupe génial. Et je ne parle pas seulement des plus hauts responsables. Tous ces jeunes qui se bousculaient autour des bureaux à notre siège de Brooklyn, abattant d'interminables journées de travail... tous ces organisateurs de terrain qui étaient le cœur et l'âme de la campagne... toute l'équipe d'éclaireurs qui ont vécu sans défaire leur valise pendant deux ans, organisant et montant des manifestations dans tout le pays... des bénévoles de tous âges, de toutes origines – un plus grand nombre d'Américains ont donné davantage de leur temps en 2016 que pour toute autre campagne électorale de l'histoire américaine. Mon équipe regorgeait de gens dévoués qui ont accepté de laisser leur famille et leurs amis pour se rendre dans des endroits inconnus, frapper aux portes, passer des coups de fil, recruter des bénévoles et persuader les électeurs. Ils travaillaient comme des fous tout en jonglant avec leurs autres relations, en accueillant des nouveau-nés et en s'acquittant de toutes sortes d'obligations familiales. Deux de mes jeunes assistants en communication, Jesse Ferguson et Tyrone Gayle, ont continué à travailler pour la campagne tout en suivant de lourdes thérapies contre le cancer, sans jamais se départir de leur dévouement ni de leur sens de l'humour.

Certains de mes moments préférés pendant la campagne ont été ceux où des bénévoles s'approchaient de moi alors que je serrais des mains lors des bains de foule qui suivaient les rassemblements. Ils me chuchotaient à l'oreille que notre organisateur local faisait un boulot formidable ou à quel point notre équipe accueillait chaleureusement ceux qui voulaient offrir leur aide, et que cet enthousiasme était contagieux. Ces petits mots illuminaient ma journée. Qu'un aussi grand nombre de ces jeunes aient décidé de rester en politique et de poursuivre la lutte malgré notre défaite m'inspire une grande joie et une grande fierté.

Cela dit, *évidemment*, la campagne ne s'est pas déroulée comme prévu. J'ai fini par tomber dans un grand nombre des pièges qui m'avaient inquiétée et que j'avais cherché à éviter dès le départ. Une partie de ces erreurs était de mon fait, certes, mais une autre, tout aussi importante, était due à des forces qui échappaient à mon contrôle.

Malgré mon intention de faire campagne comme un challenger combatif, je suis devenue l'inévitable favorite du simple fait d'attentes démesurées, avant même d'avoir serré ma première main ou prononcé mon premier discours.

La controverse sur mes e-mails a rapidement fait de l'ombre à notre travail et nous a condamnés à adopter une posture défensive dont nous ne sommes jamais vraiment parvenus à nous défaire. J'en reparlerai abondamment plus loin, et je me bornerai à dire ici qu'une erreur stupide et isolée s'est transformée en un scandale qui a défini et détruit toute ma campagne, grâce à un mélange toxique d'opportunisme partisan, de batailles de territoire entre services, d'imprudence du directeur du FBI, d'incapacité de ma part à donner une explication compréhensible par tous de cette embrouille, et de couverture médiatique qui, par son simple volume, a fait croire aux électeurs qu'il s'agissait, et de loin, de la question la plus importante de la campagne. La plupart des gens auraient été incapables de dire de quoi il s'agissait réellement et comment les allégations me présentant comme une menace pour la sécurité nationale étaient compatibles avec le soutien que m'accordaient des spécialistes respectés de cette même sécurité nationale, tant parmi les militaires que parmi les civils, même républicains ou libéraux. Ils n'en retiraient pas moins l'impression que j'avais fait quelque chose de très, très mal.

Une des conséquences a été que, d'emblée, j'ai renoué avec la relation difficile que j'avais coutume d'avoir avec la presse, me refermant comme une huître et cherchant à éviter les interviews qui n'avaient d'autre but que de me coincer, à un moment où je voulais que le pays me redécouvre. Je voyais ma cote de popularité s'effondrer et les pourcentages de mécontentement ou de méfiance grimper, tandis que mon message sur tout ce que je voulais faire en tant que présidente était bloqué ou englouti.

D'autres déceptions s'y sont ajoutées. En 2008, les détracteurs m'avaient éreintée en me prétendant inaccessible aux électeurs et en me reprochant d'éviter de livrer campagne comme la tradition le voulait, avec de fortes poignées de main et des sourires devant les caméras. Cette fois, ils ont fait l'inverse et ont ridiculisé mes séances d'écoute en petits comités. « Où sont les rassemblements ? Pourquoi est-elle incapable de mobiliser des foules ? » demandaient-ils. Cette question de l'« enthousiasme » n'a jamais vraiment disparu, même quand nous avons attiré des masses de gens.

À part dans l'Iowa et le Nevada, où nous avions mis sur pied des organisations de grande envergure, les caucus m'ont donné du fil à retordre, exactement comme la fois précédente. En raison de leur structure et de leurs règles, ils favorisent les militants les plus engagés, prêts à passer de longues heures à attendre d'être comptabilisés.

Cette particularité donnait un avantage à Bernie Sanders, candidat de la gauche insurgée. En revanche, j'avais l'avantage aux primaires, où le vote se fait à bulletin secret, où l'on peut voter toute la journée comme dans une élection ordinaire, et où le taux de participation est largement supérieur. La différence a été particulièrement évidente dans l'État de Washington, qui organise à la fois un caucus et une primaire. Bernie a remporté le caucus en mars, et moi la primaire en mai, avec trois fois plus de votants. Malheureusement, la plupart des délégués étaient désignés sur la base du caucus.

En définitive, tout cela n'a pas eu grande importance une fois que j'ai obtenu un nombre de délégués largement supérieur en mars. Ce qui comptait en revanche et qui a eu un effet durable, c'est que la présence de Bernie dans la course m'a accordé moins d'espace et de visibilité pour mener la campagne progressiste et pugnace qui m'avait permis de remporter l'Ohio et la Pennsylvanie en 2008.

Un conseil que le président Obama m'a répété tout au long de la campagne était qu'il nous fallait davantage de discipline en matière de message, et il avait raison. En 1992, Bill s'était appuyé sur James Carville et Paul Begala pour l'aider à définir son message victorieux et ils avaient veillé à ce que tous les membres impliqués dans la campagne – le candidat compris – n'en dévient pas d'un iota, jour après jour après jour. En 2016, ma campagne a bénéficié de l'aide d'un grand nombre de brillants stratèges qui m'ont aidée à définir un message, « Stronger Together » (« Plus forts ensemble »), reflétant mes valeurs et ma vision, et contrastant clairement avec les idées de Trump. Peut-être ce slogan n'a-t-il pas été assez accrocheur pour briser le mur de commentaires négatifs à propos de mes e-mails – rien peut-être ne l'aurait pu –, mais c'était la cause que je voulais défendre. Et quand les électeurs ont été en mesure de m'entendre directement, à la convention et pendant les débats, les sondages ont révélé qu'ils appréciaient ce qu'ils entendaient.

Il est vrai, cependant, que nous avons eu du mal à nous arrêter à ce message. Mes conseillers étaient en présence d'une candidate – moi – qui tenait souvent à dire quelque chose de neuf, au lieu de rabâcher encore et toujours le même discours de campagne. En outre, plus que dans toute autre course électorale dont je garde le souvenir, les événements s'employaient à nous infliger coup sur coup, sans discontinuer : de la controverse des e-mails à WikiLeaks en passant par les tueries et les attentats terroristes. Aucun jour n'était « normal », et la presse ne voulait pas couvrir les discours « normaux ». Ce qu'elle voulait, c'était se délecter du plus grand nombre possible de conflits et de scandales. Aussi la tâche était-elle ardue quand il s'agissait de faire passer un message cohérent.

Si vous prenez tout cela en compte, je pense que vous aurez l'image d'une campagne qui – comme toutes celles de l'histoire – possédait à la fois de grandes forces et de réelles faiblesses. Il y a d'importantes leçons à tirer de ce que nous avons bien fait et de ce que nous avons mal fait. Mais je rejette entièrement l'idée que cette campagne ait été exceptionnellement imparfaite ou dysfonctionnelle. C'est faux, un point c'est tout. Mon équipe a dû lutter contre de violents vents contraires pour obtenir les voix populaires, et sans l'intervention dramatique du directeur du FBI dans les derniers jours, je crois que, malgré tout, nous aurions remporté la Maison-Blanche. Des experts en politique m'ont critiquée vertement pour avoir tenu de tels propos, et certains de mes supporters eux-mêmes ont admis être de mon avis tout en estimant que j'aurais mieux fait de ne pas le dire. Si c'est votre cas, j'espère tout de même que vous poursuivrez votre lecture et jugerez ma réaction avec équité.

Depuis l'élection, je me suis demandé je ne sais combien de fois si j'avais tiré de mauvaises leçons de l'expérience de 2008. Avais-je mené la guerre précédente au lieu de me concentrer sur l'évolution majeure qu'avait connue notre politique ?

On a beaucoup parlé de la trop grande dépendance supposée de ma campagne à l'égard du big data à la Obama, aux dépens de l'instinct politique viscéral plus traditionnel et de la confiance dans les hommes et femmes de terrain. C'est une autre critique que je récuse. Il est indéniable que certains de nos modèles étaient faux – comme ceux de tout le monde, y compris des médias, des responsables de campagne de Trump, de tout le monde –, sans doute parce que les supporters de Trump refusaient de parler aux sondeurs ou ne répondaient pas sincèrement sur leurs intentions, ou parce que certaines personnes ont changé d'avis en cours de route. Il est également exact que, comme toutes les grandes organisations, nous aurions pu prêter une oreille plus attentive au feed-back de ceux qui étaient sur le terrain. On ne peut pas dire que nous n'avons pas cherché à le faire. Mon équipe était constamment en contact avec les responsables locaux, et j'avais des amis de confiance qui m'envoyaient des rapports des quatre coins du pays. Un important groupe d'habitants de l'Arkansas – les Arkansas Travelers – s'est même déployé dans presque tous les États. Je crois qu'ils nous ont aidés à remporter la victoire sur le fil à la primaire du Missouri et ils ont été pour moi une source régulière d'informations et de perspectives. Il est vrai que tous les « precinct leaders[5] » et tous les présidents du parti à travers le pays réclament qu'on leur accorde plus d'attention et de ressources. Tantôt ils ont raison, tantôt ils ont tort. Ce ne sont pas des décisions qu'on peut prendre à l'aveuglette. Il faut se laisser guider par les meilleures données dont on dispose. Il ne s'agit pas de choisir entre les deux méthodes. On a besoin de l'une comme de l'autre : des données *et* du bon vieil instinct politique. Je suis persuadée que, pour pouvoir aller de l'avant, les démocrates ne doivent pas renoncer aux données, mais en obtenir de *meilleures*, les exploiter plus efficacement, remettre en question toutes les hypothèses et s'adapter inlassablement. Et aussi écouter attentivement ce que les gens disent et essayer d'évaluer correctement leurs propos.

Cependant, puisque je parlais plus haut du fait de mener la guerre précédente, je crois devoir reconnaître que je n'ai pas compris la rapidité avec laquelle le sol se dérobait sous nos pieds. Il s'agissait du premier scrutin auquel s'appliquait intégralement le désastreux arrêt de la Cour suprême *Citizens United* de 2010, autorisant des dons politiques illimités, tandis que le Voting Rights Act de 1965 n'était plus en vigueur, à la suite d'une autre décision regrettable prise par la Cour en 2013[6]. Je menais une campagne présidentielle traditionnelle avec une politique soigneusement réfléchie et des coalitions constituées minutieusement, alors que Trump présentait une émission de téléréalité qui attisait habilement et impitoyablement la colère et le ressentiment des Américains. Je prononçais des discours où j'expliquais comment résoudre les problèmes du pays. Il vitupérait sur Twitter. Les démocrates respectaient les règles et faisaient tout leur possible pour ne pas heurter la presse politique. Les républicains jetaient toutes les règles aux orties et cherchaient par tous les moyens à attirer l'attention des médias. Et bien que j'aie obtenu plusieurs millions de voix d'avance, c'est lui qui est assis dans le Bureau ovale.

Les promesses et les périls de ma campagne se sont conjugués par une belle journée de juin 2015, chaude et ensoleillée, où j'ai officiellement annoncé ma candidature en prononçant un discours devant des milliers de supporters sur Roosevelt Island, une île de l'East River de New York. Aujourd'hui, ces événements font presque l'effet d'un retour

---

5. Le « precinct leader » ou « precinct captain » est le premier échelon clé du parti ; il est chargé de mobiliser l'électorat. Un « precinct » est une circonscription électorale qui rassemble environ 400 électeurs. Il s'agit donc vraiment d'une structure de base.

6. Le « Voting Rights Act » interdisait aux États d'exiger des prérequis pour voter, tels qu'une preuve que les électeurs sachent lire et écrire.

en arrière délicieusement suranné à une ère révolue de la politique – une époque où la politique et la politesse étaient encore des atouts, et non des handicaps. Mais, tout de même, ce jour plein d'espoir et de joie sur Roosevelt Island restera à jamais un de mes meilleurs souvenirs.

Pendant les semaines qui avaient précédé ce discours, j'avais vu et revu avec mon équipe ce que j'allais dire et sous quelle forme. Je n'ai jamais été très forte pour résumer ma vie, ma vision du monde et mon programme en quelques petites phrases bien senties. De plus, j'étais consciente que, étant la première femme à se présenter sérieusement à la présidence, je ne ressemblais guère aux candidats qui m'avaient devancée dans l'histoire de notre pays. Je ne pouvais m'appuyer sur aucun précédent et les électeurs n'avaient aucun cadre de référence auquel s'accrocher. Il était grisant de mettre le pied en *terra incognita*, certes ; mais son caractère *incognita* la rendait, par définition, incertaine. Et si j'éprouvais ce sentiment, je pouvais me douter que de nombreux électeurs étaient encore plus circonspects.

Je savais également que, tout en étant la première femme à avoir de vraies chances d'accéder à la Maison-Blanche, je ne risquais guère de passer pour une révolutionnaire déterminée à changer le monde. Cela faisait trop longtemps que j'occupais la scène nationale, et mon tempérament était trop pondéré pour cela. J'espérais en revanche que ma candidature – et, si tout se passait bien, ma présidence – seraient considérées comme un nouveau chapitre de la longue lutte progressiste pour rendre notre pays plus juste, plus libre et plus fort, repoussant ainsi un programme de droite franchement effrayant. Il m'était difficile dans ce cadre d'éviter de paraître briguer un troisième mandat après ceux d'Obama. C'était politiquement dangereux, car je risquais d'être considérée comme la candidate de la continuité plus que du changement, mais, au moins, c'était honnête. Je pensais aussi qu'inscrire ma candidature dans la grande tradition de mes ancêtres progressistes aiderait les électeurs à accepter et à adhérer à la nature inédite de ma campagne.

De sorte que, quand Huma m'a proposé de lancer la campagne sur Roosevelt Island, ainsi nommée d'après Franklin Delano, j'ai su que c'était le bon choix. Je suis une immense admiratrice des Roosevelt. La première de la liste sera toujours Eleanor, une première dame constamment en croisade, une militante progressiste qui n'a jamais cessé de dire ce qu'elle pensait et se fichait pas mal de ce que les gens en pensaient. Ses aphorismes m'accompagnent constamment : « Quand j'ai le cafard, je me mets au travail. » « Une femme est comme un sachet de thé. On ne mesure sa force que quand elle est plongée dans l'eau bouillante. » Il y avait eu une petite tempête à Washington dans les années 1990, quand un journal avait prétendu que j'organisais des séances de spiritisme à la Maison-Blanche pour communiquer directement avec l'esprit d'Eleanor. (Je ne l'ai pas fait, mais je dois avouer que j'aurais bien aimé discuter avec elle de temps en temps.)

Je suis également fascinée par le mari d'Eleanor, Franklin, et par son oncle Teddy. J'ai été scotchée à la télévision en 2014 quand PBS a diffusé le documentaire en sept parties de Ken Burns sur les trois Roosevelt. J'ai été particulièrement frappée par les parallèles entre ce qu'avait dû affronter Teddy comme président dans les premières années du xxᵉ siècle, quand la révolution industrielle avait bouleversé la société américaine, et la situation dans laquelle nous nous trouvions en ce début du xxiᵉ siècle. Dans un cas comme dans l'autre, une évolution technologique révolutionnaire, des inégalités de revenus massives et le pouvoir excessif des entreprises avaient provoqué une crise sociale et politique. Teddy avait réagi en brisant les puissants monopoles, en faisant voter des lois pour protéger les travailleurs et préserver l'environnement. Sans doute était-il républicain, mais pour lui *Progressiste* s'écrivait avec un *P* majuscule. C'était par ailleurs un politicien avisé qui a réussi à repousser, sur sa gauche, les revendications de populistes en colère qui cherchaient à aller encore plus loin en direction du socialisme et, sur sa droite, des conservateurs prêts à laisser les requins de l'industrie et de la finance accumuler encore plus de richesse et de pouvoir.

Teddy avait trouvé le juste équilibre et l'avait baptisé le Square Deal (« L'accord équitable »). J'adorais cette expression, et plus je réfléchissais aux défis qui attendaient l'Amérique dans les années qui ont suivi la crise financière de 2008-2009, plus j'avais le sentiment que nous avions besoin d'un nouveau « Square Deal ». Nous devions retrouver notre équilibre, nous attaquer aux forces qui avaient laminé notre économie et protéger les familles qui travaillaient dur et avaient subi de plein fouet les effets de l'automatisation, de la mondialisation et des inégalités. Nous devions manifester le talent politique nécessaire pour endiguer la rapacité incontrôlée tout en désamorçant les impulsions les plus destructrices du populisme résurgent.

Les jours difficiles où nous étions sur la route et où la lecture des informations nous donnait l'impression de nous prendre un coup de poing dans la figure, je me rappelais ce que Teddy disait de ceux d'entre nous qui descendent dans l'arène : « Ce n'est pas la critique qui compte », mais le concurrent qui « se bat courageusement ; qui se trompe, qui échoue encore et encore, parce qu'il n'est pas d'effort sans erreur ni défaut ; mais qui se bat vraiment pour que les choses se fassent… qui au mieux finit par connaître le triomphe de la réussite suprême, et au pire, s'il échoue, échoue au moins en ayant beaucoup osé ».

Je trouvais aussi une source d'inspiration dans le programme du New Deal de Franklin Roosevelt des années 1930, qui avait sauvé le capitalisme de lui-même après la Grande Dépression, et dans sa vision d'une Amérique humaine, progressiste et internationaliste. Le Four Freedoms Park, qui se trouve à l'extrémité arborée de Roosevelt Island, commémore les quatre libertés universelles que FDR avait proclamées pendant la Seconde Guerre mondiale : la liberté de parole et de culte, la nécessité d'être libéré du besoin et de la peur. C'est un lieu pittoresque d'où l'on a une vue imprenable sur la ligne d'horizon de New York. Annoncer ma candidature ici me paraissait opportun.

Les tout derniers jours ont été marqués par une avalanche de notes sur des projets de texte et de réécriture de lignes en compagnie de Dan Schwerin, mon rédacteur de discours de longue date, qui travaillait avec moi depuis le Sénat. Au fil de la campagne, il serait rejoint par Megan Rooney, une merveilleuse rédactrice qui avait passé quatre ans à sillonner le monde avec moi quand j'étais au département d'État, avant d'entrer à la Maison-Blanche pour travailler sur les discours du président Obama. Malgré tous nos efforts, le 13 juin, quand le jour s'est levé, je n'étais pas encore tout à fait satisfaite. J'ai relu la fin de la page 4, le moment clé du texte, où j'étais censée dire : « Voilà pourquoi je me présente à la présidence. » Ce qui suivait, « pour que notre économie soit au service de vous, et de tous les Américains », était vrai et important. C'était le fruit de longues délibérations et de longs débats avec mes principaux conseillers, qui avaient connu leur point culminant quelques jours auparavant autour de la table de ma salle à manger de Washington. Exaspérée, j'avais reposé un brouillon, déclaré que j'en avais plus qu'assez de tous ces slogans et de ces petites phrases et rappelé que je me présentais vraiment pour mettre l'économie au service de tout le monde. Pourquoi ne pas dire ça, tout simplement, et en finir ?

Mais il manquait quelque chose – une envolée émotionnelle, le sentiment que nous prenions le départ pour une aventure collective, pour assurer notre destinée commune. Je me suis rappelé une note que nous avions reçue, Dan et moi, quelques jours plus tôt, de la part de Jim Kennedy, un grand ami qui manie les mots habilement. Il avait médité sur une ligne du discours des « Quatre Libertés » de Roosevelt : « Notre force réside dans notre unité d'objectif. » L'Amérique est une famille, avait noté Jim, et nous devrions tous nous épauler. En cet instant, j'étais loin d'imaginer que l'élection se transformerait en lutte entre la politique clivante de Donald Trump et ma vision d'une Amérique « plus forte ensemble ». Mais il me semblait judicieux d'appeler à une communauté d'objectif, de répéter aux Américains que ce qui nous unit est bien plus important que ce qui nous divise.

J'ai pris mon stylo à bille et, développant les propos de Jim, j'ai écrit : « Il peut nous arriver de ne pas être d'accord, de nous quereller, de trébucher et de tomber ; mais nous, les Américains, nous donnons le meilleur de nous-mêmes quand nous nous relevons mutuellement, quand nous nous épaulons. Comme ma famille, notre famille américaine possède le plus de force quand nous chérissons ce que nous avons en commun et luttons contre ceux qui cherchent à nous séparer. »

Quelques heures plus tard, j'étais à la tribune sous le soleil aveuglant de juin, devant les visages exaltés de supporters qui m'acclamaient. J'ai aperçu des enfants perchés sur les épaules de leurs parents. Des amis me souriaient depuis la première rangée. Bill, Chelsea et Marc rayonnaient de fierté et d'amour. L'estrade reprenait la forme de notre logo de campagne : un grand H bleu traversé d'une flèche rouge en son centre. Tout autour d'elle, une marée humaine applaudissait, hurlait, agitait des drapeaux américains.

Je me suis accordé un instant de réflexion : « C'est bien réel. Je me présente à la présidence et je vais gagner. » Puis j'ai pris la parole. J'avais du mal à lire le téléprompteur avec le soleil dans les yeux, mais je connaissais bien mon texte. C'était un long discours, bourré de propositions politiques et d'idées élaborées au cours des mois précédents, en écoutant des gens comme Pam dans le New Hampshire. Tout le monde n'aime pas ça. Mais j'estimais que c'était le genre de discours qu'on attend d'un candidat à la fonction la plus importante du monde : sérieux, substantiel, honnête sur les défis qui nous attendaient, et plein d'espoir sur notre capacité à les relever.

Je me suis permis quelques pointes d'humour : « Je ne suis peut-être pas la plus jeune candidate en lice, ai-je dit, mais je serai la plus jeune présidente de l'histoire des États-Unis. » J'ignorais alors qu'en réalité je *serais* la plus jeune de tous les candidats, puisque je me présenterais contre Bernie Sanders et Donald Trump, tous deux septuagénaires.

J'ai été satisfaite de l'accueil réservé à ce discours. Le journaliste Jon Allen, qui me suivait depuis des années, a déclaré : « Clinton a parfaitement exposé cette histoire de vision. » Jared Bernstein, ancien premier conseiller économique de Joe Biden, l'a intelligemment présenté comme un « programme de reconnexion » (ça m'a beaucoup plu) visant à « conjuguer croissance économique et prospérité des familles de la classe moyenne et à faibles revenus ».

Mais c'est E. J. Dionne, un de mes commentateurs politiques préférés, qui a eu la réaction la plus stimulante – et, rétrospectivement, la plus troublante. « Hillary Clinton fait un pari et elle lance un défi. Le pari est que les électeurs prêteront davantage attention à ce qu'elle peut faire pour eux qu'à ce que ses opposants diront d'elle », a écrit E. J. Dionne. « Quant au défi, il s'adresse à ses adversaires républicains : peuvent-ils dépasser les fadaises antigouvernementales et promesses de baisses d'impôts pour présenter des contrepropositions valables aux infirmières, aux routiers, aux ouvriers d'usine et aux serveurs dont Clinton a fait les héros du récit de Roosevelt Island sur la grâce sous pression[7] ? »

Nous savons aujourd'hui que j'ai perdu ce pari – non pas parce qu'un républicain est venu présenter une contreproposition plus convaincante aux électeurs de la classe moyenne, mais parce que Donald Trump a fait autre chose : il a fait appel aux instincts les plus vils de notre caractère national. Il a également fait de fausses promesses en feignant d'être dans le camp des travailleurs. Comme l'a déclaré plus tard Michael Bloomberg à la Convention nationale démocrate : « Je suis new-yorkais et je sais reconnaître un arnaqueur quand j'en vois un. » Moi aussi.

Comme cela m'arriverait souvent dans les grands moments au cours de la campagne, j'ai terminé mon discours en parlant de ma mère, Dorothy, décédée en 2011. Elle avait vécu jusqu'à 92 ans, et je pensais souvent à tous les progrès auxquels elle avait assisté au cours de sa longue existence – des progrès acquis parce que des générations d'Américains n'avaient cessé de se battre pour des causes qu'ils savaient justes. « Je regrette que ma mère ne soit pas restée avec nous plus longtemps, ai-je dit. Je regrette qu'elle n'ait pas pu voir Chelsea devenir mère, elle aussi. Je regrette qu'elle n'ait pas connu Charlotte. Je regrette qu'elle n'ait pas pu voir l'Amérique que nous allons bâtir ensemble. » J'ai regardé la foule, puis j'ai levé les yeux vers la ligne d'horizon de New York, de l'autre côté de l'eau, j'ai souri et j'ai poursuivi : « Une Amérique où un père peut dire à sa fille : oui, tu peux devenir tout ce que tu veux – même présidente des États-Unis. »

---

7. Allusion à une expression d'Ernest Hemingway définissant le courage comme « la grâce sous pression ».

Le temps est la monnaie de ta vie. C'est toi qui la dépenses.
Ne laisse pas les autres la dépenser à ta place.

Carl Sandburg

24 heures de la vie
d'une candidate

Une campagne présidentielle est un marathon qui se court à la cadence d'un sprint d'un bout à l'autre. Chaque jour, chaque heure, chaque moment compte. Mais les journées sont tellement nombreuses – près de 600 dans le cas de la campagne 2015-2016 – qu'il faut faire attention à ne pas s'épuiser avant la ligne d'arrivée.

Le président Obama a lourdement insisté sur ce point alors que je m'apprêtais à me lancer dans la course. Il m'a rappelé que, lors de notre affrontement en 2008, nous nous étions souvent retrouvés dans les mêmes hôtels de l'Iowa ou du New Hampshire. Il se souvenait que son équipe avait déjà fini de dîner et s'apprêtait à se mettre au lit lorsque, lui et moi, nous arrivions tout juste, exténués. Mais le lendemain matin, quand il se réveillait, j'étais déjà repartie avec mon équipe depuis longtemps. Bref, il trouvait que nous avions tiré sur la corde. « Hillary, m'a-t-il dit, cette fois-ci tu dois te ménager. Travaille dur, mais surtout intelligemment. » À chacune de nos entrevues, il me le répétait, et incitait John et Huma à me le rappeler.

J'ai essayé de suivre son conseil. Après tout, il avait remporté non pas une, mais deux campagnes. Ma méthode a fini par tenir en deux mots : routine et joie. Dès le début, j'ai mis en place un certain nombre de routines pour que mon équipe itinérante et moi-même restions en forme et aussi productifs que possible pendant ce qui serait, sans doute, une des choses les plus difficiles que nous n'aurions jamais à entreprendre. Nous nous efforcions aussi tous de savourer au maximum chaque moment tel qu'il se présentait à nous, de trouver de la joie et du sens dans le train-train de la campagne. Il ne s'est pas écoulé un jour sans que ce soit le cas.

Depuis l'élection, ma vie et ma routine se sont profondément transformées. Pourtant, je chéris encore bien des instants de ce long et parfois étrange voyage. Beaucoup d'images que j'ai cherché à capturer et mémoriser en chemin sont rapportées dans ce chapitre – tout comme une foule de détails sur ce que pouvait être une journée type : ce que je mangeais, qui s'occupait de ma coiffure et de mon maquillage, l'organisation de mes matinées.

Cela peut sembler bizarre, mais on m'interroge sans cesse sur ces habitudes. L'explication que je préfère est celle de Philippe Reines, mon conseiller de longue date, qui imitait Trump lors de nos répétitions pour les débats. Il appelle ça le « Principe du panda » : les pandas vivent leur vie. Ils mangent des bambous. Ils s'amusent avec leurs petits. Mais, allez savoir pourquoi, les gens adorent les observer en espérant qu'il se passe quelque chose, n'importe quoi. Il a ainsi suffi qu'un bébé panda éternue pour qu'une vidéo devienne virale.

D'après la théorie de Philippe, je suis comme un panda. Des tas de gens sont démangés par l'envie de savoir comment je vis. Il faut dire que j'adore en effet passer du temps en famille et me prélasser au soleil, tout comme un panda. Et si je ne raffole pas des bambous, j'aime manger.

Je peux comprendre. Nous avons tous envie de connaître les petites manies des personnes qui gouvernent notre pays, que ce soit la passion de Ronald Reagan pour les bonbons gélifiés, ou la collection de broches de Madeleine Albright.

Dans cet esprit, si ça vous est déjà arrivé de vous demander à quoi pouvait ressembler une journée dans la vie d'un candidat à la présidence – ou de vous poser une question du genre « Est-ce que Hillary Clinton, mettons… déjeune, comme n'importe qui ? » –, ce qui suit est pour vous.

6 heures du matin : je me réveille, parfois après avoir appuyé sur le bouton « snooze » pour voler encore quelques minutes de sommeil. Il paraît que ça ne fait que vous fatiguer davantage – il y a eu des études sur ce sujet –, mais, sur le moment, ça paraît la meilleure idée du monde.

Aussi souvent que possible, nous organisons mon emploi du temps pour que je puisse dormir dans mon lit à Chappaqua. Souvent, ce n'est simplement pas faisable, ce qui a pour conséquence que je me réveille dans une chambre d'hôtel. Ça ne me dérange pas ; j'arrive à dormir n'importe où. Il m'arrive de dormir comme un loir pendant un atterrissage mouvementé. Mais il n'y a rien de tel que de se réveiller chez soi.

Bill et moi avons acheté cette maison en 1999 parce que nous étions tombés amoureux de la chambre à coucher. Haute d'un étage et demi, elle a un plafond voûté et des fenêtres sur trois côtés. Lors de notre première visite, Bill avait déclaré que nous nous réveillerions toujours de bonne humeur dans un endroit pareil, avec toute cette lumière et la vue sur le jardin autour. Il ne s'était pas trompé.

Un des murs arbore un portrait aux couleurs vives de Chelsea quand elle avait 17 ou 18 ans, et des photos de famille et de nos amis sont réparties un peu partout dans la pièce. Nous avons adoré le papier peint de notre chambre à la Maison-Blanche – jaune avec des fleurs pastel –, si bien que je l'ai déniché pour le faire poser aussi dans celle-ci. Nos tables de chevet croulent sous les piles de livres que nous sommes en train de lire ou espérons lire bientôt. Depuis des années, nous tenons à jour une liste de toutes nos lectures, à laquelle Bill, fidèle à lui-même, a ajouté un système de notation. Les meilleurs volumes ont droit à trois étoiles.

Une fois réveillée, je consulte mes e-mails et lis la prière du matin du révérend Bill Shillady qui m'attend généralement dans ma boîte de réception. Je m'accorde ensuite quelques minutes de contemplation pour organiser mes pensées et fixer mes priorités du jour.

Puis vient le moment du petit-déjeuner. Quand je suis chez moi, je descends le prendre à la cuisine. En déplacement, je me le fais monter dans ma chambre. Comme il est difficile de prévoir exactement ce que je mangerai et à quelle heure de la journée puisque nous sommes toujours en mouvement, le petit-déjeuner joue un rôle crucial. Le plus souvent, j'opte pour des blancs d'œufs brouillés et des légumes. Quand il y en a, j'ajoute des piments jalapeños frais, sinon, des sauces mexicaine et piquante. Je suis une adepte du café noir et du thé noir bien infusé. Par ailleurs, je bois un grand verre d'eau chaque matin et continue à en boire tout au long de la journée, car je n'arrête pas de prendre l'avion et l'on s'y déshydrate facilement.

Pendant le petit-déjeuner, je m'attaque à la montagne de coupures de presse et de fiches de synthèse que mon équipe m'a envoyées pour lecture dans la nuit. Si je suis chez moi, Oscar Flores, un vétéran de la Marine et un ancien de la Maison-Blanche qui officie à présent comme notre intendant de résidence, m'imprime tout sur papier. Je jette aussi un dernier coup d'œil au planning de la journée, un vrai chef-d'œuvre de logistique. Les membres de mon équipe – Lena Valmoro, ma précieuse planificatrice depuis l'époque où j'étais sénatrice, qui a également travaillé avec moi au département d'État ; Alex Hornbrook, mon directeur de planning qui avait rempli cette fonction déjà auprès du vice-président Biden ; et Jason Chung, directeur des éclaireurs – sont capables de faire des miracles. Ils jonglent habilement avec les dates et les lieux afin de créer, tels des magiciens, des événements sans le moindre accroc. Il n'est pas rare que je les appelle le soir depuis l'avion en plein atterrissage et leur dise : « Il faut entièrement revoir le programme de demain pour caser un État et deux événements supplémentaires. » Ils répondent invariablement : « Pas de problème. »

Si Bill est là, il y a des chances qu'il dorme encore. C'est un couche-tard ; et moi une lève-tôt. Mais parfois il se réveille en même temps que moi et, dans ce cas, nous buvons notre café ensemble en lisant les journaux (nous en recevons quatre : le *New York Times*, le *New York Daily News*, le *New York Post* et le *Journal News*, notre quotidien local) et discutons de notre programme respectif pour la journée. Ces rituels ne diffèrent sans doute pas de beaucoup de ceux se déroulant au même moment chez nos voisins, sauf qu'en l'occurrence l'un de nous deux a été président des États-Unis et l'autre fait campagne pour le devenir.

J'essaie de trouver le temps pour une séance de yoga ou quelques exercices de musculation et de cardio. Chez moi, je m'entraîne dans une vieille grange rouge que nous avons transformée en salle de sport et en bureau pour Bill, avec un espace réservé au Secret Service dans l'ancien grenier à foin. Je n'arrive pourtant pas à la cheville de Ruth Bader Ginsburg, qui soulève de la fonte et enchaîne des séries de pompes et de planches deux fois par semaine. Sa discipline est impressionnante ; la mienne plus indulgente. Mais, si elle parvient à trouver le temps et l'énergie de faire de l'exercice régulièrement, je peux bien y arriver aussi (tout comme vous !). Quand je suis en déplacement, j'ai un mini-rituel de gymnastique que j'ai désormais éprouvé dans des chambres d'hôtel aux quatre coins du pays.

Ensuite viennent la coiffure et le maquillage. Il y a très longtemps, dans une très lointaine galaxie, me faire coiffer et maquiller était un petit plaisir que je m'offrais de temps en temps. Mais devoir y passer tous les jours rend la chose très rébarbative.

Fort heureusement, j'ai une brigade de choc qui me facilite beaucoup la tâche. Deux coiffeurs new-yorkais me chouchoutent depuis des années : John Barrett, dont le salon se trouve à Manhattan, et

Santa Nikkels, qui a un petit salon cosy à quelques minutes de chez moi à Chappaqua. L'un comme l'autre sont extraordinaires... même si beaucoup de gens sont restés perplexes en apprenant, lorsque mes e-mails ont été rendus publics, que j'avais régulièrement « rendez-vous avec Santa[1] ».

Quand je suis à New York et que j'ai besoin d'un coup de main pour me maquiller, je fais appel à Melissa Silver (qui m'a été recommandée par Anna Wintour, la rédactrice en chef de *Vogue*, qui avait compris en me voyant à un événement que j'avais vraiment besoin d'aide).

Pendant mes déplacements de campagne, j'ai une équipe mobile : Isabelle Goetz et Barbara Lacy. Isabelle est française et toujours pleine d'entrain ; elle ne se déplace pas en marchant, mais en dansant. Elle me coiffe par intermittence depuis le milieu des années 1990, ce qui veut dire que nous avons traversé ensemble un bon nombre de styles capillaires. Barbara, comme Isabelle, est perpétuellement joyeuse. À part s'occuper de moi pendant la campagne, elle est maquilleuse pour des films de cinéma et des séries télé telles que *Veep*. Certes, je ne souhaite pas être comparée à Selina Meyer en aucune façon, mais on ne peut pas nier que Julia Louis-Dreyfus est magnifique[2].

Pendant que tout ce petit monde s'affaire autour de moi, je passe en général des coups de fil ou lis mes fiches préparatoires pour la journée. Cette heure-là est précieuse, et il m'arrive ainsi d'y prévoir des rendez-vous téléphoniques avec des membres de mon équipe pour discuter de notre stratégie électorale ou d'une nouvelle proposition politique. Ils ont l'habitude de parler avec le sèche-cheveux en bruit de fond. Isabelle et Barbara font de leur mieux pour avancer dans ces conditions, jusqu'au moment où elles me demandent d'arrêter de bouger, *s'il vous plaît*[3].

Au début de la campagne, elles s'occupaient de mon look environ une fois par semaine, ainsi que pour les grands événements comme des débats télévisés. Le reste du temps, j'essayais de me coiffer et de me maquiller toute seule. Les photos ne mentent pourtant pas, et

---

1. Santa Claus, ou plus familièrement Santa tout court, est le nom du père Noël en anglais.
2. *Veep* est une série télévisée américaine dans laquelle la comédienne Julia Louis-Dreyfus incarne Selina Meyer, une ancienne sénatrice devenue vice-présidente des États-Unis.
3. En français dans le texte.

puisque j'étais mieux lorsqu'elles s'en étaient occupées à ma place, j'ai fini par avoir recours à elles quotidiennement. Quand elles m'accompagnent en voyage, Isabelle et Barbara ne sont jamais très loin, prêtes à intervenir pour une dernière retouche avant une interview ou un débat. À chaque atterrissage, Isabelle se précipite vers moi avec une bombe de laque à la main et Barbara me vaporise le visage avec un brumisateur d'eau minérale. « L'air est tellement sec dans les avions ! » se lamente-t-elle, après quoi elle en profite pour asperger tous ceux qui se trouvent dans les parages, y compris parfois les agents du Secret Service.

J'admire leur talent et j'apprécie le résultat de leur travail sur moi, mais j'ai du mal à accepter qu'il faille autant d'efforts, simplement pour exister en tant que femme dans la sphère publique. Un jour, j'ai calculé le nombre d'heures passées à me faire coiffer et maquiller pendant la campagne et suis parvenue à un total d'environ six cents heures, soit vingt-cinq journées ! J'étais tellement abasourdie que j'ai refait le calcul pour vérifier que je ne m'étais pas trompée.

Il ne m'arrive guère d'être jalouse de mes collègues masculins, mais je le deviens quand je pense qu'il leur suffit de prendre une douche, de se raser et d'enfiler un costume pour être prêts à faire une apparition publique. Les rares fois où je suis sortie en public sans maquillage, j'ai fait la une des journaux. Alors je soupire et je continue à m'asseoir dans ce fauteuil en rêvant d'un futur où les femmes publiques ne seront pas obligées de se maquiller si elles n'en ont pas envie et où personne n'y trouvera à redire dans un cas comme dans l'autre.

Après les préparatifs beauté vient le moment de m'habiller. Quand j'étais candidate au Sénat en 2000, puis à l'investiture pour la présidence en 2008, j'avais en quelque sorte un uniforme : un tailleur-pantalon sobre, souvent noir, avec une touche de couleur dessous. J'avais choisi cette tenue parce que j'aime les tailleurs-pantalons : ils me donnent un sentiment de professionnalisme, d'être fraîche et dispo. Et puis, ils me permettaient d'éviter le risque de me faire photographier en contre-plongée sous une jupe quand j'étais assise sur une scène ou que je montais un escalier, les deux choses m'étant arrivées du temps où j'étais première dame (après ça, j'ai suivi l'exemple d'une des héroïnes de mon enfance, la détective Alice des romans policiers jeunesse, qui menait souvent ses enquêtes en pantalon ; « Je suis bien contente d'avoir mis un pantalon ! » s'exclamait-elle dans *Alice et les Chats persans*, après avoir escaladé une poutre à la poursuite d'un chat rare). Je trouvais aussi que c'était une bonne idée de faire comme mes collègues masculins, qui portent à peu près la même chose tous les jours. En tant que femme candidate à la présidence, j'aimais ce signal visuel qui marquait à la fois une différence avec les hommes, sans trop sortir des sentiers battus. En même temps, un uniforme était une technique anti-distraction : puisqu'il n'y avait pas grand-chose à dire sur mes tenues vestimentaires, peut-être les gens s'intéresseraient-ils davantage au contenu de mes propos.

En 2016, j'ai eu envie de m'habiller de la même façon que dans la vie normale, et de ne pas devoir trop y réfléchir. J'ai la chance d'avoir un atout particulier : des relations avec des couturiers américains qui m'ont aidée à trouver des tenues susceptibles de s'adapter à diverses occasions, sous tous les climats. L'équipe de chez Ralph Lauren a créé le tailleur blanc que j'ai mis pour accepter la nomination de mon parti, et les tailleurs-pantalons successivement rouge, blanc et bleu que j'ai portés lors des trois débats avec Trump. Une quinzaine de couturiers américains ont dessiné des tee-shirts afin de soutenir ma campagne et ont même organisé un défilé pour les présenter à la Fashion Week de New York.

Certaines personnes aiment mon style vestimentaire, d'autres non. Ce sont les risques du métier. Alors, puisqu'on ne peut pas plaire à tout le monde, autant choisir ce qui me convient : c'est ma théorie, en tout cas.

Quand je pars en déplacement plusieurs jours d'affilée, j'essaie de rester très organisée, mais j'emporte toujours trop de bagages. Je prends toujours plus de tenues qu'il ne m'en faut, au cas où le temps tournerait, où je me renverserais quelque chose dessus, où une groupie enthousiaste me laisserait une trace de rouge à lèvres sur l'épaule après une accolade exubérante. Huma, qui s'y connaît pour ce qui est de rester élégante en travaillant vingt heures par jour, s'efforce de me coacher. C'est elle qui me signale que j'ai mis deux boucles d'oreille différentes, par exemple, ce qui s'est déjà produit plus d'une fois. J'ai aussi tendance à embarquer beaucoup trop de lecture : pendant un moment, je remplissais toute une valise à roulettes de notes de synthèse et de mémos politiques. Oscar m'aide à faire entrer tout ça dans les voitures. Parfois, Bill, stupéfait de la quantité d'affaires que j'emporte, me demande si j'ai prévu de quitter le foyer conjugal.

Une fois les coffres chargés, le mari embrassé et les chiens cajolés, nous nous mettons en route.

L'aéroport qui nous sert de plaque tournante est celui de Westchester County, non loin de notre maison. J'essaie de me tenir à une règle qui veut que nous ne décollions jamais avant 8 heures et demie les jours où j'ai dormi chez moi. Tous les membres de mon équipe ont au moins une heure de voiture pour rentrer chez eux depuis l'aéroport, et nous nous posons souvent tard le soir. Un départ à 8 h 30 signifie que tout le monde peut dormir un minimum.

Pendant les primaires et le début de la campagne présidentielle, mon équipe de voyage était réduite. Elle comprenait Huma, Nick Merrill, ma directrice des déplacements Connolly Keigher ; Sierra Kos, Julie Zuckerbrod et Barbara Kinney, qui filmaient et photographiaient la vie quotidienne de la campagne, et un détachement du Secret Service qui consistait généralement en deux agents, parfois trois. S'ajoutait à cela un panel tournant de personnel supplémentaire en fonction du programme de la journée : les plumes qui écrivent mes discours, certains conseillers politiques, des organisateurs locaux. À la fin de la campagne, l'équipe était bien plus volumineuse – tout comme l'avion.

Quelques mots sur le Secret Service. Bill et moi bénéficions d'une protection rapprochée depuis 1992, dès le moment où il a été désigné candidat démocrate officiel à la présidence. Il a fallu un certain temps pour s'y habituer, mais, au bout de vingt-cinq ans, ça a fini par sembler normal ; et, pour leur rendre justice, il faut dire que les agents se mettent en quatre afin de se rendre le plus discrets possible. Ils parviennent à la fois à s'effacer et à déployer une vigilance féroce. Ces agents sont chez nous vingt-quatre heures sur vingt-quatre, sept jours sur sept. Quand je quitte la maison pour aller faire un saut au marché ou un tour en ville, quelques-uns d'entre eux m'accompagnent. Ils se tiennent en retrait, afin de me laisser mon espace vital, si bien qu'il m'arrive d'oublier qu'ils sont là, ce qui est précisément leur but. Je suis heureuse de la relation que nous avons bâtie au fil des années avec nombre de ces hommes et femmes dévoués. Nous avons aussi été amenés à côtoyer leur épouse ou époux et leurs enfants, à l'occasion de la fête que Bill et moi organisons tous les ans à Noël pour notre personnel et leur famille ; il m'est aussi arrivé de croiser des membres de leur entourage pendant nos déplacements de campagne.

Quand Bill et moi sommes de sortie, que ce soit pour aller au théâtre à Manhattan ou dans le Nevada pour un meeting, le Secret Service passe à la vitesse supérieure. Ils planifient tout à l'avance pour s'assurer de connaître chaque endroit prévu sur le planning comme leur poche. Toutes les entrées et les sorties, les routes d'accès les plus rapides et, au cas où, des itinéraires bis et les hôpitaux les plus proches. Ils organisent le convoi officiel, vérifient les antécédents des gens que nous sommes censés rencontrer, et travaillent en lien avec la police locale à chaque étape du parcours. C'est un boulot considérable, et ils s'en acquittent à la perfection.

Le seul point qui me gêne dans ce déroulement, c'est la taille du convoi. Je comprends bien en quoi c'est nécessaire, mais ça me rend folle de voir les gens bloqués dans un embouteillage créé par ma faute. Le problème se pose de façon particulièrement aiguë quand je suis en campagne : fermer des autoroutes est le meilleur moyen de me faire détester par tout le monde, ce qui est l'inverse exact du but recherché. Pour cette raison, je demande toujours à la voiture de tête d'éviter d'allumer son gyrophare et sa sirène quand c'est possible. Je dois aussi avouer, à ma grande honte, que je passe mon temps à commenter la conduite des chauffeurs, ce qui est assez gonflé de la part de quelqu'un qui n'a quasiment pas touché un volant depuis vingt-cinq ans. Dieu merci, les agents sont trop bien élevés pour m'envoyer balader !

Lors d'une journée de campagne type, après avoir quitté la maison, notre convoi de deux ou trois voitures se gare sur le tarmac, pile au pied de l'avion. Ce service porte-à-porte est à la fois un impératif sécuritaire et un luxe extrêmement appréciable. Pendant les primaires et le début de la campagne proprement dite, nous utilisions de petits avions de neuf ou dix places. Les journalistes qui nous suivaient avaient le leur, ce qui requérait encore un niveau de coordination supplémentaire. Pour la suite, nous avons fini par affréter un Boeing 737 suffisamment grand pour tout le monde, avec le slogan « Stronger Together » peint sur la carlingue et des logos *H* à l'extrémité de chaque aile.

Cet avion a été notre maison pendant des mois. La plupart du temps, il fonctionnait à merveille, mais, naturellement, il y a eu quelques petits ratés. Un jour, nous étions à Little Rock et devions nous rendre à Dallas. L'appareil avait un problème mécanique, si bien qu'on nous en a envoyé un autre. Pendant qu'on patientait sur le tarmac, mon équipe est descendue se dégourdir les jambes. J'ai décidé d'en profiter pour faire un somme après une série de journées éreintantes. Quelques heures plus tard je me suis réveillée et j'ai demandé : « Ça y est, on est arrivés ? » En fait, nous n'avions pas bougé. Il y a des moments dans une longue campagne où l'on perd toute notion du temps et de l'espace.

Au fil des mois, nous avons eu plusieurs stewards et hôtesses de l'air différents. Ils étaient tous excellents, mais ma préférée était Elizabeth Rivalsi. Elle avait une formation de nutritionniste et nous concoctait de délicieux plats à base de produits frais dans sa cuisine du Queens, qu'elle nous servait ensuite à bord : salades de saumon, nuggets de poulet panés à la poudre d'amande, soupes aux poivrons mexicaines. Son plus grand succès, à la surprise générale, fut des brownies à la farine de pois chiche. Elle avait aussi un panier rempli d'amuse-gueules de tout genre, qu'elle garnissait régulièrement de nouvelles trouvailles. C'était une petite aventure chaque fois qu'on embarquait et qu'on vérifiait le stock. J'ai un faible pour les biscuits apéritifs en forme de petits poissons de la marque Pepperidge Farm et ai été ravie d'apprendre que 55 d'entre eux équivalaient seulement à 150 calories : pas si mal ! Un jour, Liz nous a apporté quelque chose que je n'avais jamais goûté jusque-là : ces mêmes biscuits, mais aromatisés. Nous nous sommes fait passer le sachet pour savoir s'ils étaient meilleurs que les originaux nature. Certains membres de mon équipe ont jugé que oui, en quoi ils avaient clairement tort.

Comme vous avez sans doute pu le constater, nous prenions la nourriture au sérieux. Quelqu'un nous a un jour demandé de quoi nous parlions pendant les longs trajets en avion : « De bouffe ! » avons-nous répondu en chœur. C'est drôle à quel point on attend le prochain repas avec impatience quand on est perpétuellement en voyage. En 2008, nous nous étions beaucoup nourris de junkfood ; je me souviens d'innombrables pizzas parsemées de tranches de piment jalapeño qu'on nous livrait jusque dans l'avion. Cette fois-ci, j'étais bien décidée à ce que nous ayons tous une alimentation plus saine. J'ai demandé à des amis de me recommander de bonnes choses faciles à transporter. Quelques jours plus tard, des cargaisons de saumon en boîte et de barres énergétiques des marques Quest et Kind sont arrivées chez moi, que nous avons transférées à bord dans de grands sacs en toile. Quand il faisait froid, les barres Quest durcissaient au point qu'on ne pouvait plus mordre dedans ; on s'asseyait alors dessus pendant quelques minutes pour les ramollir, avec autant de dignité qu'il est possible d'en conserver dans de telles circonstances.

N'empêche qu'il m'arrivait de temps en temps d'engloutir un bon burger et des frites dont je savourais chaque bouchée.

Nous étions plusieurs à rajouter de la sauce piquante partout. J'en raffole depuis 1992, quand j'ai acquis la conviction que ça renforçait le système immunitaire, comme des études l'ont bel et bien prouvé depuis. Nous étions toujours en quête de nouvelles variantes. Une de mes favorites est la Ninja Squirrel Sriracha. Julie, la vidéaste, est revenue de ses vacances au Bélize avec quatre petites bouteilles de la meilleure sauce piquante qu'aucun d'entre nous avait jamais goûtée : celle de la marque Marie Sharp's. La recette aromatisée au piment rouge « habanero » a tout de suite eu notre préférence. Chacun à notre tour, nous accaparions discrètement cette bouteille avant de la rendre d'un air penaud quand nous étions démasqués. Au bout du compte, nous nous sommes aperçus qu'il suffisait d'en commander davantage, et la paix est revenue.

Il y avait, par ailleurs, ce que nous mangions lors de nos déplacements aux quatre coins du pays. Nous avions nos endroits de prédilection : un restaurant cubain près de l'aéroport à Miami, des plats libanais à emporter à Detroit, les cafés au lait et au miel contenant de la lavande d'une boulangerie de Des Moines. À la grande foire agricole de l'Iowa, sous la canicule du mois d'août, j'ai dû boire environ quatre litres de citronnade. Nick m'a aussi tendu une côte de porc piquée sur une brochette, que j'ai dévorée. Quand nous sommes remontés dans l'avion, je lui ai dit : « Je veux que tu saches que je n'ai pas mangé cette côte de porc parce que c'était requis politiquement. Je l'ai mangée parce qu'elle était succulente. » Il s'est contenté d'un hochement de tête silencieux pendant qu'il continuait à engloutir son propre butin : un « funnel cake » rouge écarlate[4].

Par une soirée torride à Omaha, dans le Nebraska, j'ai été prise d'une envie irrépressible d'esquimau glacé : le genre le plus basique, juste une glace à la vanille enrobée d'une couche de chocolat. Connolly a téléphoné à un de nos éclaireurs, qui est gentiment allé en acheter dans une épicerie du coin et nous les a apportés dans l'avion alors que nous nous apprêtions à décoller. Nous l'avons remercié et nous sommes jetés dessus avant qu'ils n'aient le temps de fondre.

Un des endroits que je préfère pour boire et manger est The Hotel au Kirkwood Center de Cedar Rapids, dans l'Iowa. Il est tenu par des étudiants de l'école hôtelière du Kirkwood Community College,

---

4. Le « funnel cake » est une sorte de beignet géant composé de lanières de pâte frite entortillées, qu'on trouve beaucoup dans les fêtes foraines américaines. Le « red velvet funnel cake » en est une variante à laquelle du cacao (ou un colorant artificiel) vient donner une teinte rouge vif.

qui font un boulot remarquable. Lors d'une de nos premières visites, j'ai commandé une vodka-Martini avec des olives, en précisant que je la voulais la plus froide possible. Cecile Richards, l'irréductible présidente du Planned Parenthood, était avec moi et en bonne Texane a insisté pour qu'on me la prépare avec la « Tito's Handmade Vodka », fierté de la ville d'Austin. Le résultat était délicieux. Depuis, chaque fois qu'on descend au Kirkwood, le serveur m'apporte un Tito's Martini frappé, avec des olives, sans même que j'aie besoin de passer commande.

En voyage, nous ne plaisantons pas avec les fêtes et les anniversaires. Nous décorons l'intérieur de l'avion pour Halloween et Noël, et nous avons toujours quelques gâteaux d'anniversaire en réserve. Comme nous ne pouvons pas allumer de bougies – pour des raisons de sécurité évidentes –, l'intéressé est censé faire semblant et souffle sur des bougies éteintes. Histoire de peaufiner la blague, nous avons même trouvé une application iPhone qui simule un briquet, laquelle nous a également servi pour « allumer » le chandelier à neuf branches que nous avions à bord pendant la fête de Hanoukka.

Tout le monde sait qu'il est particulièrement difficile de me prendre par surprise le jour de mon anniversaire, mais, en 2016, mon équipe a réussi à introduire, en cachette, un gâteau dans ma suite à Miami et à se rassembler en silence dans le salon pendant que j'étais au téléphone dans la chambre. Quand je suis sortie, ils m'ont fait à la fois une peur bleue et une grande joie grâce à un « happy birthday » entonné à tue-tête et un gâteau au chocolat nappé d'un glaçage turquoise. Comme il était encore très tôt, nous avons emporté le gâteau dans l'avion pour le manger plus tard. La veille au soir, nous avions déjà fêté cette occasion ensemble avec un concert d'Adele. Ça n'aurait pas pu être plus parfait !

Mon équipe et moi avons partagé d'importantes tranches de vie pendant l'année et demie que nous avons passée sur la route. Des familles se sont transformées. Des bébés sont nés. Des parents et des amis chers ont disparu. Certaines personnes se sont fiancées, d'autres séparées. Nous avons trinqué ensemble lorsque Lorella Praeli, notre directrice des relations avec la communauté latino-américaine, a prêté serment pour devenir citoyenne américaine. Quelques semaines après le début de la campagne, nous sommes plusieurs à avoir fait le voyage jusqu'à New Haven, dans le Connecticut, afin de nous trémousser sur la piste de danse au mariage de Jake Sullivan avec Maggie Goodlander. Nous étions souvent loin de chez nous, sous pression, à donner le maximum de nous-mêmes pour emporter la victoire – si bien que nous nous serrions les coudes. Nous avons fini par connaître les petites habitudes et préférences de chacun. Souvent, le soir, nous nous réunissions dans ma chambre, où nous commandions à manger pour pouvoir discuter de la couverture médiatique de la journée écoulée, ou passer en revue le programme du lendemain. Nous avons regardé les Jeux olympiques ensemble, ainsi que les débats des primaires républicaines. Les deux nous ont arraché des exclamations – bien que pour des raisons différentes.

Il nous arrivait d'avoir des mouvements d'impatience entre nous – quand nous étions énervés, épuisés, découragés –, mais, par ailleurs, nous nous faisions rire, nous nous annoncions les mauvaises nouvelles avec ménagement, gardions notre sang-froid et restions toujours concentrés sur le chemin qu'il restait à parcourir.

C'était éreintant. Pas drôle du tout, parfois. Mais c'était aussi merveilleux.

Chaque jour de la campagne était rempli d'événements en tout genre : meetings, tables rondes, interviews, levées de fonds, des OTR (pour « off-the-record », c'est-à-dire des visites surprises dans des magasins, des parcs, des bibliothèques, des écoles, des hôpitaux… un peu partout vraiment).

Après avoir atterri dans une ville, nous courions d'un événement à un autre. Parfois notre temps de trajet entre chaque épisode se montait à plus d'une heure. Pour mettre à profit ces temps morts, j'enchaînais les interviews radio par téléphone, ou bien j'appelais Charlotte sur FaceTime, maintenant qu'elle était à peu près en âge d'avoir une conversation avec moi. Je poussais des hourras en la regardant tournoyer dans son tutu, nous chantions des chansons ensemble, et je lui envoyais des baisers avant de raccrocher et filais vers le prochain événement.

Les meetings sont quelque chose de complètement à part. C'est grisant d'entendre une foule vous acclamer. C'est grisant de l'entendre acclamer vos idées. Mais je dois admettre que, malgré le nombre de fois où j'ai eu devant moi une marée humaine, ça reste toujours un peu intimidant. Nos meetings étaient bigarrés, bouillonnants et joyeux ; le genre d'endroit où vous pouviez arriver avec votre mère centenaire ou votre fils d'un an. J'adorais voir les posters faits maison que les gamins brandissaient avec un grand sourire. Un des avantages majeurs de notre logo de campagne (le *H* barré d'une flèche) était que n'importe qui pouvait le dessiner, même les plus petits. Nous voulions que les enfants étalent de grandes feuilles sur la table de leur cuisine, s'emparent de marqueurs et de feutres à paillettes, et se lâchent. Nous avons reçu des tas de créations artisanales à notre quartier général de campagne, et en avons tapissé les murs.

Pour la musique de nos meetings, nous avions choisi beaucoup d'artistes féminines inspirantes – Sara Bareilles, Andra Day, Jennifer Lopez, Katy Perry et Rachel Platten – ainsi que des morceaux de Marc Anthony, Stevie Wonder, Pharrell Williams et John Legend and the Roots. Nous adorions entendre la foule entonner ces chansons en chœur. Encore aujourd'hui, je ne peux pas écouter « Fight Song », « Roar » ou « Rise Up » sans être saisie d'émotion.

Certaines personnes venaient à plusieurs de nos meetings. Parfois, je finissais par les connaître. Une femme prénommée Janelle est venue avec son mari et sa fille à un meeting dans l'Iowa avec Katy Perry pour tête d'affiche, le premier d'une longue série que la chanteuse avait accepté de faire pour moi. Janelle s'était fabriqué une pancarte qui disait : « TREIZIEME CHIMIO HIER. PLUS QUE TROIS. ENTENDEZ-MOI RUGIR[5] ! » Elle était en train de se battre contre un cancer du sein. Bill était là, et nous sommes allés nous présenter à elle pour entamer une longue discussion. Pendant les onze mois qui ont suivi, je l'ai revue à de nombreuses reprises. Elle venait me rendre visite pendant la campagne, m'a tenue au courant de sa santé, et sa fille me racontait comment se passait son CE1. À chaque fois, Janelle me quittait en me donnant rendez-vous le jour de mon investiture. Je lui répondais que je la prendrais au mot et qu'elle avait intérêt à être là. Pour mon deuxième débat contre Trump à Saint-Louis, je l'ai invitée à faire partie du public.

Mon équipe m'amenait des petits groupes de gens en coulisse juste avant que je monte sur scène, et ces brèves conversations étaient souvent très enrichissantes. J'ai rencontré beaucoup de femmes octogénaires et nonagénaires qui me confiaient à quel point elles étaient impatientes de pouvoir enfin voter pour une femme à l'élection présidentielle. Nombre d'entre elles avaient sorti leur plus beau tailleur-pantalon et leur collier de perles pour l'occasion. Je m'imaginais dans trente ans, me mettant sur mon trente-et-un pour aller écouter mon candidat. Ruline Steininger en faisait partie : elle était allée jusqu'à se déplacer pour moi lors du caucus de l'Iowa alors qu'elle

---

5. Allusion aux paroles de la chanson « Roar » de Katy Perry.

avait 102 ans et m'a laissé clairement entendre qu'elle avait la ferme intention d'être là pour me donner sa voix le jour de l'élection. Et elle a tenu parole.

Lors d'un événement dans une immense salle omnisports du New Hampshire, je me suis éclipsée dans une pièce à part avant de prendre la parole, où je suis tombée sur un groupe de personnes qui travaillaient dans des écoles publiques. Il y avait parmi elles un certain Keith, bibliothécaire, qui m'a raconté son histoire. Keith s'occupait de sa mère qui était atteinte de la maladie d'Alzheimer. Comme il n'avait pas les moyens de lui payer un centre de soins de jour ou un aide-soignant à domicile, il était obligé de l'amener tous les matins au travail. J'en suis restée estomaquée. Il avait la gorge un peu nouée en me parlant, et j'ai eu la gorge un peu nouée en l'écoutant ; je l'ai remercié de m'avoir fait partager son histoire. Plus tard, j'ai demandé à mon équipe politique, qui planchait déjà sur des projets concernant la prise en charge des personnes âgées et la recherche sur la maladie d'Alzheimer, de voir encore plus grand.

Dans les foules de supporters derrière les barrières des meetings, j'ai été confrontée à un phénomène des campagnes politiques modernes qui a pris une ampleur considérable depuis 2008 : le selfie. Plus rien n'arrête le selfie. C'est devenu la nouvelle façon de marquer les moments qu'on vit ensemble. Et, soyons clairs, si vous me croisez quelque part et que vous voulez un selfie avec moi, tant que je ne suis pas au téléphone ou en train de courir à mon prochain rendez-vous, je le ferai volontiers. Mais je pense que les selfies ont un prix. Et si on se parlait, plutôt ? Vous avez quelque chose à dire ? Ça m'intéresse de l'entendre (pourvu que ce ne soit pas foncièrement insultant : moi aussi j'ai mes limites). Je serais curieuse d'apprendre votre nom, d'où vous venez et comment va la vie pour vous. Ça, c'est du réel. Un selfie, en revanche, est tellement impersonnel… même si ça repose le poignet par rapport aux autographes, désormais obsolètes.

Les tables rondes étaient un type d'événement très particulier. Comme je l'ai déjà évoqué, elles me donnaient l'occasion d'entendre les gens s'exprimer dans un cadre qui les mettait à l'aise. Parfois, ces discussions étaient éprouvantes. J'ai rencontré à Las Vegas une petite fille de 10 ans qui a pris une profonde inspiration avant de raconter d'une voix tremblante à quel point elle était terrifiée que ses parents soient expulsés, car ils étaient sans-papiers. Toutes les personnes présentes avaient envie de la prendre dans leurs bras, mais c'est moi qui ai eu cette chance. Elle est venue s'asseoir sur mes genoux et je lui ai dit à l'oreille ce que je disais à Chelsea quand elle avait des angoisses, enfant : « Ne t'inquiète pas. Laisse-moi m'inquiéter à ta place. » Et aussi : « Tu es très courageuse. »

Aussi souvent que possible, on essayait de garder du temps pour des OTR, que ce soit des visites sur des sites emblématiques ou dans des entreprises locales. Quand on était en retard, c'étaient les premières choses qu'on éliminait du planning : raison de plus pour ne pas les annoncer à l'avance, histoire de ne décevoir personne si l'on devait finalement annuler. Pour ma part, les OTR que je préférais avaient lieu dans n'importe quel endroit vendant des jouets, des vêtements ou des livres pour enfants. J'en profitais pour faire le plein de cadeaux pour Charlotte et Aidan et les nouveau-nés de mes amis ou de mon équipe. Je rapportais aussi des petits souvenirs à Bill : des cravates, des chemises, des boutons de manchette, une montre. Rien ne peut lui faire plus plaisir qu'un bel objet fabriqué par un artisan quelque part en Amérique. C'est ce qu'il préfère au monde.

Les levées de fonds étaient pour moi des événements un peu plus compliqués. Même après toutes ces années, j'ai encore du mal à demander de l'argent aux autres. J'ai du mal à demander à quelqu'un de monter une opération de soutien chez lui ou dans son entreprise. Mais tant que la réforme sur le financement des campagnes politiques ne sera pas votée par le Congrès et confirmée par la Cour suprême, si vous voulez mener une campagne nationale viable, il n'y a pas moyen d'y couper : vous serez obligé d'organiser une sérieuse collecte de fonds, sur Internet, par téléphone, par e-mail et en personne. Et je réfute l'idée qu'il ne serait pas possible de le faire tout en gardant son intégrité et son indépendance. Bernie Sanders m'a attaquée parce que je collectais de l'argent auprès de gens qui travaillaient dans la finance. Mais je lui ai rappelé que le président Obama avait levé davantage de fonds auprès de Wall Street que n'importe qui d'autre avant lui, ce qui ne l'a pas empêché d'imposer de nouvelles règles très strictes afin de minimiser les risques et de prévenir d'autres krachs financiers à l'avenir. J'aurais fait de même, et mes donateurs le savaient.

J'étais très reconnaissante envers tous ceux qui donnaient de l'argent pour ma campagne ou qui nous aidaient à en collecter. Nous veillions à dépenser chaque penny à bon escient. Mon équipe pourra témoigner que Robby Mook en particulier était franchement radin sur les frais de déplacement et les fournitures de bureau. Un budget pour les petits creux ? Certainement pas. Achetez vos chips vous-mêmes.

Une chambre d'hôtel pour soi tout seul ? Hors de question. Trouvez-vous un camarade de chambrée. Et pendant que vous y êtes, prenez le bus plutôt que le train. Tout le monde y mettait du sien : notre équipe chargée de la levée de fonds, qui travaillait sans relâche ; notre équipe de campagne nationale, qui vivait et travaillait avec un budget serré ; moi, qui sillonnais le pays de long en large pour participer à des galas de soutien ; et nos donateurs, qui ouvraient leur portefeuille pour nous apporter leur solidarité et leur aide financière. Notre campagne a été soutenue par plus de trois millions de donateurs. La contribution moyenne se situait un peu en dessous de 100 dollars. Et cette campagne a été la première de tous les temps pour laquelle la majorité des donateurs étaient en fait des donatrices. Pour nous, c'était un signe fort.

Parfois, il s'agissait juste de passer un excellent moment. Par une magnifique soirée d'été, Jimmy et Jane Buffett ont donné un concert pour nous dans leur maison des Hamptons, sur Long Island. C'était la première fois que Jimmy soutenait publiquement un candidat à la présidence, et il avait envie de marquer le coup. C'est ainsi que Jon Bon Jovi, Paul McCartney et lui se sont retrouvés à faire un bœuf ensemble sous une tente illuminée de guirlandes scintillantes, tandis que tout le monde dansait sur la pelouse, sous les étoiles. C'était magique.

Mais mes événements de prédilection étaient ceux avec des enfants. Ils s'asseyaient par terre en tailleur, s'affalaient dans des fauteuils ou à côté de moi sur un canapé, et je répondais à leurs questions. « Qu'est-ce que vous préférez dans cette campagne ? » Rencontrer des enfants comme vous. « Quel est votre président favori ? » Avec tout l'amour que j'ai pour Bill et le président Obama, c'est Abraham Lincoln. « Que comptez-vous faire pour protéger la planète ? » Réduire notre empreinte carbone, investir dans les énergies propres, protéger la faune et la flore et lutter contre la pollution. Les enfants m'écoutaient avec le plus grand sérieux et rebondissaient par d'autres questions. C'est le type de public que j'aime. Parfois ils me confiaient aussi leurs soucis personnels, par exemple la mort d'un animal domestique ou la maladie d'un grand-parent. Beaucoup voulaient savoir ce que je ferais contre le harcèlement à l'école, ce qui me donnait encore plus envie de devenir présidente ; mon initiative intitulée Better Than Bullying (« Mieux que le harcèlement ») n'attendait qu'à être mise en œuvre.

J'avais beaucoup de respect pour le pool de presse qui voyageait avec nous. Pour la plupart, il se composait de journalistes qui étaient « embedded », c'est-à-dire qui nous suivaient en permanence pendant toute la campagne. On a donc fini par bien se connaître, eux et nous. Beaucoup étaient de jeunes trentenaires, de sorte que cette mission était pour eux une énorme opportunité. Ils avaient des journées de travail aussi longues et difficiles que les nôtres. Certains vétérans nous rejoignaient aussi sur des tronçons de voyage plus courts. Des présentateurs vedettes et des éditorialistes de renom débarquaient de temps en temps pour enregistrer une interview et prendre le pouls du terrain, mais ils ne s'éternisaient jamais.

Les journalistes du pool itinérant nous posaient des questions coriaces ; ils étaient insatiables, et je ne pouvais que les admirer pour cela. À de rares exceptions près, ils étaient aussi très professionnels ; cependant, je ne peux pas dire que nous étions parfaitement à l'aise ensemble. Comme je m'en explique ailleurs dans ce livre, j'ai tendance à considérer les journalistes avec une certaine prudence, et j'ai souvent le sentiment qu'ils s'intéressent un peu trop à des sujets mal choisis. Je comprends que la couverture médiatique d'une campagne électorale doive se préoccuper de la compétition entre les candidats, mais, de nos jours, elle est presque exclusivement consacrée à ça, et pas aux questions qui comptent le plus pour notre pays et pour la vie des gens. C'est une tendance qui n'a fait que s'empirer au fil des années et qui ne peut être mise sur le compte des seuls médias : la façon dont nous consommons l'information a changé, il faut désormais générer le plus de clics possible à tout prix, ce qui encourage le sensationnalisme. Pourtant, les journalistes ont leur part de responsabilité.

Cela étant dit, je les respectais. De temps en temps, nous sortions tous dîner ou boire un verre ensemble, et nous avions de longues conversations en off sur toutes sortes de sujets. Je leur apportais dans le fond de l'avion des bonbons de Halloween et des parts de gâteau d'anniversaire. Parfois ils faisaient rouler dans le couloir des oranges sur lesquelles ils avaient noté des questions au marqueur indélébile, en essayant d'atteindre mon siège à l'avant de l'appareil. Pendant les vols de nuit, il nous arrivait de mettre de la musique et d'ouvrir le vin et la bière. Quand l'un d'entre eux était malade ou confronté à des problèmes familiaux – ce qui arrive au cours d'une longue campagne –, je demandais à Nick de me tenir au courant. Des idylles sont même nées entre certains journalistes – ça aussi, ça arrive au cours d'une longue campagne – et, comme j'adore jouer les entremetteuses, j'étais toujours ravie d'apprendre ce genre de scoop. Je me réjouissais également qu'il y ait une majorité de femmes parmi les journalistes qui nous suivaient. Pendant la présidentielle de 1972, le pool qui accompagnait les candidats avait été surnommé « les gars du bus ». En 2016, c'étaient « les filles de l'avion ».

Beaucoup de jours et de nuits ont fini par se ressembler et se confondre au fil de la campagne. Vous seriez surpris du nombre de fois où nous devions nous interroger les uns les autres pour savoir si la veille, nous avions été en Floride ou en Caroline du Nord. Il n'était aussi pas rare que deux personnes répondent en même temps, mais par des États différents. Néanmoins, certaines journées nous ont marqués plus que d'autres, pour le meilleur ou pour le pire.

Une des meilleures a été celle du 2 novembre 2016 : 7e et ultime rencontre de la World Series de base-ball, le soir où l'équipe des Chicago Cubs est entrée dans l'histoire. Nous étions en Arizona pour un de nos derniers meetings. Mais quel meeting ! Plus de 25 000 personnes avaient fait le déplacement. Avant de monter sur scène, j'ai demandé des nouvelles du match. C'était la première moitié de la sixième manche. Les Cubs menaient tout juste 5 à 3 contre les Cleveland Indians. Gloups.

Comme tout fan des Cubs, j'avais suivi les play-offs et la série finale en croisant les doigts. J'ai commencé à regarder les matchs des Cubs avec mon père quand j'étais petite, assise sur ses genoux ou par terre au pied de son fauteuil. On les encourageait derrière notre écran, on gémissait, et à la fin de la saison on se disait : « L'an prochain, on gagnera la finale ! » (Histoire d'atténuer ma déception, je suis aussi devenue fan des Yankees, ce qui ne m'apparaissait pas comme une trahison puisqu'ils ne faisaient pas partie de la même ligue[6].)

Il y avait aussi d'autres fans dans mon équipe, à commencer par Connolly, qui, comme moi, a grandi dans une banlieue de Chicago.

---

6. Les Chicago Cubs font partie de la National League et les New York Yankees de l'American League. Les dix meilleurs clubs de ces deux ligues (cinq dans chaque) s'affrontent tous les ans pour le titre ultime au sein de la « Major League Baseball » (Ligue majeure de base-ball) : après avoir franchi les « play-offs » (séries éliminatoires), les deux finalistes disputent la « World Series » (Série mondiale), qui se joue au meilleur de sept matchs, chaque match étant découpé en neuf manches (ou plus, en cas d'égalité). Les New York Yankees détiennent à ce jour, et de loin, le record de victoires. Les Chicago Cubs, eux, n'avaient pas gagné depuis 1908.

Elle trimballait partout un gigantesque drapeau frappé d'un W et, à chaque victoire des Cubs qui les rapprochait de leur premier titre en World Series depuis cent huit ans, elle le suspendait à la cloison de l'avion ou s'en enveloppait comme d'une cape[7]. Chaque fois que c'était possible, nous regardions les matchs ensemble, en retenant notre souffle.

Ce soir-là en Arizona, dès la fin du meeting, la première question que j'ai posée fut : « Qui a gagné ? » Toujours personne. Le score était de 6 partout dans la neuvième manche. Nous n'étions qu'à un quart d'heure de voiture de l'hôtel, mais cela voulait dire qu'on risquait de rater la fin du match. Hors de question ! Philippe, qui nous accompagnait sur la dernière ligne droite de la campagne, a allumé son iPad, et nous nous sommes tous agglutinés autour de lui, plantés sur un îlot de gazon au milieu du parking. Capricia Marshall, une de mes amies proches et ancienne directrice du protocole au département d'État, était là aussi. Elle est originaire de Cleveland et c'est une grande fan des Indians, si bien que les noms d'oiseaux fusaient.

Après une angoissante interruption pour cause de pluie, le match a repris avec des prolongations ; nous n'avions toujours pas bougé du parking. Quand les Cubs ont réussi leur dernier retrait dans la deuxième moitié de la dixième manche pour battre les Indians 8 à 7, je n'ai jamais vu Connolly plus heureuse. J'ai attrapé un coin de son drapeau W, nous l'avons tendu entre nous et nous avons pris un million de photos. Après quoi nous sommes rentrés à l'hôtel, avons commandé à manger dans ma suite et regardé le résumé des meilleurs moments du match ; en particulier le sauvetage décisif du lanceur de relève Mike Montgomery, qu'il avait accompli avec un grand sourire aux lèvres, comme s'il avait l'intime conviction qu'il était sur le point d'exaucer tous nos rêves.

Une journée beaucoup moins drôle fut le 11 septembre 2016, le jour où j'ai fait un malaise au mémorial de Ground Zero. Il est très important pour moi de commémorer cette date solennelle, si bien que je n'envisageais pas de rater la cérémonie. Pourtant, je ne me sentais pas bien du tout. J'avais des quintes de toux depuis plus d'un mois, que je pensais dues à des allergies. J'avais consulté mon médecin, le Dr Lisa Bardack, le 9 septembre. Elle m'avait dit que j'avais en

---

7. Les Chicago Cubs ont pour tradition de faire flotter sur leur stade un immense drapeau blanc frappé de la lettre W (pour « win » : victoire) chaque fois qu'ils remportent un match à domicile.

réalité une pneumonie, et que je ferais bien de prendre quelques jours de repos. Je lui ai répondu que c'était impossible. Alors elle m'a prescrit de puissants antibiotiques et j'ai maintenu mon programme, notamment l'enregistrement l'après-midi même du célèbre talk-show parodique « Between Two Ferns » (« Entre deux fougères ») de Zach Galifianakis. Le lendemain, je me suis également tenue à ce qui était prévu : une séance de préparation au débat. Le dimanche, à mon arrivée au mémorial, il y avait un soleil de plomb. J'avais mal à la tête. Vous connaissez la suite.

Ironie du sort, en arrivant sur place, l'une des premières personnes sur qui je suis tombée était le sénateur Chuck Schumer, un ami et ancien collègue. « Hillary ! s'est-il exclamé. Comment vas-tu ? Moi, je me relève d'une pneumonie ! » À ce moment-là, tout le monde ignorait encore que je souffrais de cette même maladie, si bien que sa remarque sortait vraiment de nulle part. La différence entre Chuck et moi était que lui n'avait pas eu à faire d'apparitions publiques pendant qu'il était mal fichu. Il m'a expliqué qu'il avait suivi les consignes de son médecin et était resté cloîtré chez lui toute une semaine. Avec le recul, je me rends compte que j'aurais dû en faire de même. Au lieu de quoi, je me suis retrouvée à devoir parader devant les caméras après avoir quitté l'appartement de ma fille – où j'étais allée me reposer – pour rassurer le monde sur mon état de santé.

Heureusement, la plupart de mes souvenirs de campagne new-yorkais sont bien plus joyeux.

Avant la primaire dans l'État de New York, j'ai arpenté en long et en large les cinq arrondissements de la ville. J'ai joué aux dominos à Harlem, bu du thé aux perles dans le Queens, tenu un meeting sur le site historique de Snug Harbor à Staten Island, goûté le légendaire cheesecake de chez Junior's à Brooklyn, pris le métro dans le Bronx (après avoir peiné à faire reconnaître ma MetroCard par le lecteur du tourniquet, comme n'importe quel passager lambda), et dégusté une glace chez Mikey Likes It dans le quartier du Lower East Side de Manhattan. Alors que j'attaquais ma glace, un journaliste anglais qui faisait partie du pool de presse ce jour-là m'a crié : « Y a combien de calories là-dedans ? » Toutes les personnes présentes, y compris ses confrères, se sont mises à le huer en réaction, moi plus fort que tout le monde. En fin de compte, nous avons remporté la primaire de New York avec 16 points d'écart.

Toujours à New York, j'ai participé à l'émission « Saturday Night Live » et enregistré cette fameuse interview pour la série « Between

Two Ferns », sans doute l'une des expériences les plus surréalistes de ma vie. C'est une chose étrange pour un politicien que d'être invité dans une émission parodique. Votre boulot n'est pas d'être drôle ; d'ailleurs, vous n'êtes pas drôle, surtout comparé aux comiques dont c'est le métier, alors inutile d'essayer. Votre boulot, c'est au contraire de rester imperturbable, ce qui n'est pas très compliqué, surtout pour moi qui en gros passe ma vie à devoir composer avec tout ce qui se présente. L'essentiel, c'est d'être partant. Et, heureusement, je suis partante pour pas mal de choses. Pour le sketch de « Saturday Night Live », ils m'ont proposé de jouer le personnage de « Val la barmaid », qui servirait à boire à une Hillary interprétée par Kate McKinnon. Ils m'ont demandé si j'accepterais de chanter « Lean On Me » avec elle et j'ai dit que oui, bien que je chante terriblement mal. (Pendant quelques semaines après la diffusion de l'émission, les gens que je croisais sur la campagne m'interpellaient aux cris de « Salut Val ! ».) Pour « Between Two Ferns », quand Zach Galifianakis m'a dit : « Je vais mettre un masque de gorille et arriver par-derrière comme pour vous faire peur, ça vous va ? », j'ai répondu : « Bien sûr. » Pourquoi pas ? Après tout, on n'a qu'une vie.

J'ai aussi participé à la New York City Pride Parade de 2016. Des années plus tôt, en 2000, j'avais été la première « First Lady » de l'histoire à m'afficher à une Gay Pride. Cette fois-ci, nous avions un gros contingent de supporters de la campagne Hillary for America qui défilait en bloc derrière une banderole « Love Trumps Hate ». Et la foule des New-Yorkais nous acclamait avec ferveur.

Mais, surtout, Bill et moi avons accueilli la naissance de notre petit-fils, Aidan, le 18 juin 2016 au Lenox Hill Hospital dans l'Upper East Side de Manhattan. C'était une journée radieuse, sous un ciel quasiment sans nuages. Un présage, peut-être, de sa personnalité : je n'ai jamais vu de petit garçon aussi joyeux.

On peut difficilement demander plus à une ville.

Il y a une dernière catégorie de journées que je voudrais décrire, parce qu'elles ne ressemblent à aucune autre : les séances de préparation aux débats.

Le rôle de mon équipe de préparateurs est de me mettre à l'épreuve pour que je ne sois jamais prise au dépourvu au moment du vrai débat. C'est la même équipe, dirigée par Ron Klain, Karen Dunn et Jake, qui m'a aidée à me préparer pour la totalité des douze débats. Ron est avocat, et c'est aussi un stratège politique chevronné qui a officié à la Maison-Blanche sous mon mari et sous Obama. Karen, avocate également, a travaillé pour moi au Sénat, et plus tard pour le président Obama. Et enfin Jake, qui connaissait par cœur l'intégralité des mesures de notre programme, était un ancien champion de joutes oratoires universitaires. Tous les trois avaient déjà aidé le président Obama à se préparer pour ses débats. Ils étaient assistés de deux infatigables collaboratrices, Sara Solow et Kristina Costa, afin de me compiler d'épais dossiers de synthèse sur des centaines de sujets. Fan de fournitures scolaires depuis toujours, je jonglais allègrement avec les chemises et les intercalaires, un bouquet de Stabilo multicolores à la main. J'ai passé des soirées entières à réviser dans des chambres d'hôtel aux quatre coins du pays ou à la table de ma cuisine. À la fin, je connaissais sur le bout des doigts les positions de tous mes adversaires... dans certains cas, mieux qu'eux-mêmes.

La plupart de nos séances de préparation avaient lieu au Doral Arrowwood, un hôtel près de chez moi, dans le comté de Westchester. D'autres membres de mon équipe se joignaient alors à nous : les consultants de ma campagne, Joel Benenson, Mandy Grunwald et Jim Margolis ; Tony Carrk, notre directeur des recherches, qui avait déjà coaché Obama par le passé ; et Bob Barnett, qui avait participé à la préparation aux débats des candidats démocrates depuis Walter Mondale[8]. Nous nous retrouvions à midi et travaillions jusque tard le soir. Nous répétions des échanges particuliers, affinions des réponses et tentions de prévoir à l'avance des répliques clés qui contribueraient à orienter la couverture médiatique du débat, même si, bien souvent, les passes d'armes les plus musclées sont les plus imprévisibles. Les cuisines de l'hôtel nous fournissaient un buffet qui était regarni tout au long de la journée : sandwiches, salades, fruits, bagels et soupes de poulet. Il y avait aussi un congélateur plein d'esquimaux glacés goût Oreo que nous n'arrêtions pas de vider, et l'hôtel de remplir. À n'importe quel moment où vous leviez les yeux, il y avait toujours quelqu'un en train d'en manger un, ou qui venait de reposer le bâtonnet et l'emballage devant lui.

Ces séances m'ont aidée à me préparer émotionnellement à ce qui fait partie des moments les plus importants d'une campagne. Un débat présidentiel est comme une pièce de théâtre. Ou un match de boxe. Ou une opération chirurgicale à hauts risques. Choisissez votre

---

8. Candidat démocrate face au président sortant Ronald Reagan lors de l'élection présidentielle de 1984.

métaphore préférée. Un seul faux pas – un roulement d'yeux, un lapsus – peut sceller votre défaite. Pendant les séances de préparation, je m'entraînais à garder mon sang-froid pendant que mes collaborateurs me bombardaient de questions retorses. Ils déformaient mon bilan politique passé. Ils m'attaquaient sur ma personnalité. Parfois, je leur rétorquais sèchement et ça me soulageait d'avoir vidé mon sac. Je me disais : « Maintenant que j'ai fait ça ici, je n'ai plus besoin de le faire en direct à la télé. » Cette technique marchait plutôt bien.

Je me souviens de m'être emportée un jour contre mon équipe : je n'arrivais pas à comprendre quelle attitude ils me conseillaient d'adopter en cas d'affrontement tendu avec Bernie. J'ai fini par dire à Jake, qui m'avait harcelée de questions en grimaçant à chacune de mes réponses : « Eh bien montre-moi ! Tu n'as qu'à le faire ! » Alors il a pris ma place, tandis que j'endossais le rôle du bulldog contre moi-même. C'était une expérience totalement surréaliste. Au bout d'un moment, il a fait mine de demander grâce : « D'accord, d'accord, tu as raison, fais comme tu le sens ! »

Et puis, il y a eu Philippe-alias-Trump. Ça valait le détour ! La première fois que je suis entrée dans la pièce pour une séance de préparation avec lui, il était déjà installé derrière son pupitre, les yeux rivés sur le mur en face, refusant de croiser mon regard. « Oh mon Dieu, il va être atroce », ai-je gémi. Mais nous étions encore loin de la vérité.

Philippe avait étudié son personnage avec beaucoup de sérieux, y compris la posture physique. Trump a pour habitude de rôder d'un air menaçant sur les scènes des débats, si bien que Philippe faisait pareil, se baladant toujours en bordure de mon champ de vision. Il portait le même genre de costume que Trump (un peu trop large), le même genre de cravate (beaucoup trop longue), ainsi que d'authentiques boutons de manchette de la marque Trump et une montre Trump qu'il avait trouvée sur eBay. Il avait des plateformes de neuf centimètres sous ses chaussures, il agitait les bras comme Trump, haussait les épaules et grimaçait comme Trump. Je ne savais pas s'il méritait des applaudissements ou la porte.

Les semaines que Philippe avait passées à visionner les prestations de Trump durant les débats des primaires républicaines avaient payé. Il avait compris ses mécanismes mentaux : comment une question sur la sécurité sociale pouvait l'embarquer dans des circonvolutions sur la gabegie du gouvernement fédéral, les immigrés sans-papiers et le terrorisme, toujours le terrorisme. Philippe disait des choses complètement délirantes… ce dont je le sais capable sans avoir besoin d'aide, mais, en l'occurrence, il avait tenu à préciser dès le début que 90 % de ses répliques sortiraient tout droit de la bouche de son modèle, les 10 % restantes étant improvisées à partir de ce qu'il imaginait Trump pouvoir dire. Je n'ai jamais su ce qui relevait de l'un ou de l'autre. Au bout du compte, Trump n'a rien dit dans aucun des trois débats que je n'aie pas déjà entendu.

Par contre, il est vite devenu évident que cette fois-ci, nous ne nous en tirerions pas par un travail de préparation classique. Trump ne répondait jamais directement à une question. Il était rarement linéaire dans sa façon de penser ou de parler. Et il partait dans des digressions sans queue ni tête, puis il digressait à l'intérieur de ses digressions. Il ne servirait à rien d'essayer de réfuter ses arguments comme dans un débat normal ; d'ailleurs, il était presque impossible d'identifier ses arguments, surtout qu'il en changeait d'une minute à l'autre. Nous avions fini par comprendre que, pour gagner, j'allais devoir taper fort (puisqu'il ne le supportait pas), rester calme (puisqu'il avait souvent recours à l'agressivité quand il se sentait coincé), lui renvoyer ses propres mots à la figure (puisqu'il avait horreur de les entendre) et énoncer mes arguments avec clarté et précision (puisqu'il ne pourrait pas faire de même).

En arrivant pour notre dernière séance de préparation avant le premier débat, j'ai trouvé Philippe-alias-Trump et Ron-alias-moi en train de répéter la poignée de main d'ouverture. Ils plaisantaient à moitié, mais Philippe avait fait remarquer que, contrairement à un débat entre hommes où les deux concurrents se rencontreraient au milieu de la scène pour se serrer la main, la question se posait de savoir si Trump essayerait de me donner l'accolade ou – oserai-je le dire ? – de m'embrasser. Non par affection ou galanterie, mais plutôt pour créer un moment où il me dominerait de toute sa hauteur, soulignant ainsi qu'il était un homme et moi une femme. « Qu'à cela ne tienne, ai-je déclaré, on n'a qu'à s'entraîner. » Philippe fonçait sur moi les bras grands ouverts tandis que j'essayais de lui bloquer la main et de l'esquiver. À la fin, il s'est carrément mis à me pourchasser à travers la pièce, m'a prise dans ses bras et m'a embrassée sur la tête. Qu'est-ce que vous voulez que je vous dise ? On ne laissait rien au hasard ! Si vous n'avez pas encore vu cette vidéo, je vous conseille vivement d'aller la regarder sur YouTube.

Ça a cessé de nous amuser quand nous avons pris connaissance de la vidéo obscène révélée par le *Washington Post*. Il n'était pas question que je serre la main à cet homme. Lorsque nous sommes montés sur scène le jour J, je crois que mon langage corporel lui a clairement signifié qu'il avait intérêt à garder ses distances. Ce qu'il a fait. Mais pendant toute la suite du débat, qui devait prendre la forme d'une séance de questions-réponses avec un panel d'électeurs indécis – si bien que nous n'étions pas contraints de rester debout derrière nos pupitres respectifs et pouvions déambuler sur le plateau –, Trump a rôdé autour de moi. Exactement comme Philippe pendant nos répétitions.

Plusieurs fois au cours de ces séances préparatoires – et nous en avions eu vingt et une rien que pour les débats contre Trump –, comme il nous en avait avertis, Philippe-alias-Trump nous sortait une réplique tellement saugrenue que nous avions du mal à en croire nos oreilles. Il nous assurait ensuite que c'était quasiment mot pour mot ce que Trump avait dit dans un meeting, une interview ou un débat des primaires. Un jour, il a commencé à se lamenter en disant que « le garçon » avait merdé et que « le garçon » ne devrait pas être payé. Je n'y comprenais rien, mais j'ai continué jusqu'au bout. À la fin des quatre-vingt-dix minutes, je lui ai demandé ce que c'était que cette histoire de garçon. Il s'est avéré qu'en réalité il parlait du « gars du son ». Philippe nous a alors expliqué que, à deux reprises, Trump s'était plaint que son micro marchait mal et avait demandé à ce que le technicien ne soit pas payé. Et voilà que, après sa mauvaise prestation dans le premier débat contre moi, Trump a réellement affirmé que c'était parce que son micro avait été saboté : Philippe avait vu juste !

Finalement, grâce à tout ce travail en amont, j'étais dans un état de sérénité confiante que seule permet une préparation rigoureuse. De même que le discours d'acceptation de ma nomination, ces débats étaient pour moi une première. La pression qu'on ressent juste avant de monter sur scène est presque insupportable ; presque, mais pas tout à fait. On la supporte en travaillant dur pour se préparer. On la supporte en s'entourant de gens bien. On la supporte non seulement en espérant, mais en *sachant* qu'on est capable d'encaisser beaucoup de choses, parce qu'on en a déjà encaissé beaucoup.

Du moins, c'est ce qui a toujours marché pour moi.

Chaque soir, avant de me coucher, où que je me trouve dans le pays et quelle que soit la façon dont s'était déroulée ma journée, je passais toujours un coup de fil à Bill. Nous commentions les derniers rebondissements de la campagne ou nous nous donnions des nouvelles de la famille et des amis. Parfois, nous laissions libre cours à notre amertume sur le tour que prenait cette élection, après quoi nous prenions un moment pour déterminer quand nous pourrions nous voir, et nous souhaitions bonne nuit. Je m'endormais apaisée et me réveillais le lendemain avec une énergie renouvelée et une liste d'idées fraîches à développer. Même les jours les plus difficiles, ces conversations me permettaient de rester centrée et en paix avec moi-même.

C'est dur d'être une femme.
Vous devez penser comme un homme,
Vous comporter en dame,
Avoir l'air d'une jeune fille
Et travailler comme un chien.

Un écriteau accroché chez moi

Solidarité féminine

Surtout, soyez l'héroïne de votre vie, pas la victime.

Nora Ephron

Être une femme en politique

Dans les pages qui suivent, j'ai couché sur le papier des années d'indignation face au parcours du combattant que d'autres femmes et moi-même avons dû franchir pour prendre part à la vie politique américaine. J'ai beaucoup à dire – je pourrais en remplir un livre entier –, et pas toujours avec optimisme, ni douceur. Pourtant, vous trouverez aussi de la joie et de la fierté dans ce chapitre. Mon expérience de femme politique a été complexe et parfois décevante, mais au bout du compte infiniment enrichissante.

En politique, votre saga personnelle est fondamentale.
Mon mari avait une histoire forte à raconter : il a vécu un temps dans une ferme qui n'avait pas l'eau courante, son père est mort avant sa naissance, il devait s'interposer pour que son beau-père ne frappe pas sa mère, il a été le premier de sa famille à faire des études supérieures.
Barack Obama lui aussi avait une histoire forte à raconter : il a été élevé par une mère encore adolescente, puis par ses grands-parents, son père était kenyan, il a vécu une partie de son enfance en Indonésie, après quoi il est devenu travailleur social et professeur de droit – le genre de destin dont seule l'Amérique est capable.
Quant à moi, difficile de dire que j'ai une histoire aussi retentissante.
J'ai grandi dans une famille blanche de la classe moyenne à Park Ridge, une banlieue de Chicago. Mon père avait servi dans l'armée pendant la Seconde Guerre mondiale et partait tous les matins pour aller travailler en ville, comme tous les autres papas du quartier. Ma

mère restait à la maison s'occuper de mes deux frères, Hugh et Tony, et de moi, comme toutes les autres mamans du quartier. Et ma vie ressemblait à celle de toutes les filles que je connaissais. Nous étions scolarisés dans de très bonnes écoles publiques ou religieuses, où d'excellents professeurs avaient de grandes ambitions pour nous. J'allais à l'église méthodiste locale pour l'office du dimanche et d'autres activités le reste de la semaine. J'ai été scout. Mon premier job d'été, je l'ai décroché à 13 ans : je travaillais dans un parc trois matinées par semaine. Je fréquentais les mêmes endroits que tout le monde : la bibliothèque municipale, le cinéma du quartier, les piscines, les patinoires. Le soir, nous regardions la télévision en famille. Lors de la première apparition des Beatles dans le *Ed Sullivan Show* en 1964, mes amies et moi étions agglutinées autour du poste, tantôt muettes de fascination, tantôt hurlant de bonheur.

C'est une histoire que beaucoup considéreraient comme parfaitement banale. Entendons-nous bien : j'ai adoré mon enfance, et avec chaque année qui passe j'apprécie davantage le mal que se sont donné mes parents pour me l'offrir. Mais mon histoire – ou du moins la façon dont je l'ai toujours racontée – n'a jamais été le genre de récit qui frappe l'esprit des gens. Ce qu'on recherche, c'est le conte de fées exceptionnel ; le scénario qui tient en une phrase et résume ce que l'Amérique peut avoir de magique ; qui vous accroche et vous reste dans la tête. Moi, ce n'était pas ça.

Pourtant, il y a une autre version de l'histoire de ma vie ; une version qui en fait elle aussi une histoire édifiante. Je regrette de ne pas l'avoir davantage affirmée publiquement et racontée plus fièrement. C'est l'histoire d'une révolution.

Je suis née au moment où tout était en train de changer pour les femmes. La famille changeait. Le travail changeait. Les lois changeaient. La vision des femmes qui avait prévalu pendant des millénaires changeait… enfin ! Je suis arrivée pile au bon moment, comme un surfeur qui attrape la vague parfaite. Tout ce que je suis, tout ce que j'ai fait, une grande partie de ce que j'incarne, découle de cet heureux accident du destin.

Le fait que le mouvement pour l'égalité des femmes se soit déployé parallèlement au mouvement des droits civiques – et qu'il lui soit même intimement lié à bien des égards, obligeant l'Amérique à prendre en compte la notion essentielle de valeur humaine et ouvrant des portes à des millions de personnes pour qui elles étaient jusque-là hermétiquement fermées – le rendait d'autant plus exaltant et significatif.

Je sais que pour beaucoup de gens, y compris beaucoup de femmes, le féminisme appartient essentiellement au passé. Ils se trompent. C'est encore un sujet d'actualité, plus urgent et vital que jamais.

Et c'est encore, comme ça l'a été, l'histoire de ma vie ; de ma vie et de celle de millions d'autres femmes. Nous la partageons. Nous l'avons écrite ensemble. Nous l'écrivons toujours. Et même si ça peut passer pour de la vantardise et que les femmes ne sont pas censées se vanter, je ne me suis pas contentée de participer à cette révolution. J'en ai été une des pionnières.

J'ai été l'une des 27 filles sur 235 étudiants dans ma promotion à la faculté de droit de Yale ; la première femme à devenir associée dans le plus vieux cabinet d'avocats de l'Arkansas ; la première femme à présider le conseil d'administration de la Legal Services Corporation, qui offre ses services à celles et ceux qui n'ont pas les moyens de s'assurer un soutien juridictionnel ; la personne qui a affirmé à la face du monde que « les droits de la femme sont les droits de l'homme » ; la seule première dame à avoir été élue à une fonction officielle ; la première femme sénatrice de l'État de New York. À vrai dire, pendant quelques semaines, j'ai même été les deux à la fois : par une bizarrerie de calendrier, j'ai pris mes fonctions au Sénat avant que Bill ne quitte la Maison-Blanche.

Enfin, j'ai été la première femme désignée comme candidate à la présidence par un grand parti politique et la première à remporter le vote populaire.

Je n'ai jamais trop su comment raconter cette histoire. En partie, parce que je ne suis pas très douée pour parler de moi. Et puis je ne voulais pas être vue comme la « candidate femme », ce que je trouve restrictif, mais plutôt comme la meilleure des candidats, que son expérience de femme dans un monde d'hommes a rendue plus lucide, plus forte et plus compétente. La ligne entre les deux est fine, et je n'étais pas sûre d'avoir l'habileté nécessaire pour la tracer.

Mais la principale raison pour laquelle j'ai renoncé à m'emparer de ce récit est que, si l'on veut raconter une histoire, il faut d'abord un public réceptif, et je n'ai jamais eu le sentiment que l'électorat américain le serait sur ce sujet. J'aimerais tellement qu'on soit un pays où un candidat qui dirait : « Mon histoire est celle d'une vie façonnée par et pour le mouvement de libération des femmes » se ferait ovationner et non huer. Mais nous ne sommes pas ce pays. Pas encore.

Peut-être parce qu'on tient cette histoire pour acquise : le mouvement féministe a eu son heure, pourquoi est-ce qu'on en parle encore ? Peut-être que c'est trop féminin. Peut-être que c'est à la fois trop grand (un bouleversement historique) et trop petit (juste une jeune fille rangée comme une autre, originaire du Midwest, qui trouve sa place dans le monde).

Pourtant, je crois vraiment qu'il y a là quelque chose de singulier. Ce n'est pas une parabole politique typique, mais c'est la mienne.

Impossible de fermer les yeux sur ce fait : le sexisme et la misogynie ont joué un rôle dans l'élection présidentielle de 2016. Preuve en est que le candidat ouvertement sexiste a gagné. Des tas de gens ont vu la vidéo dans laquelle il se vantait d'actes d'agression sexuelle contre des femmes, et se sont dit avec un haussement d'épaules : « Je voterai quand même pour lui. »

Mais le sexisme n'a pas été inventé par Donald Trump, et son impact sur notre vie politique va bien au-delà de cette élection-ci. C'est comme une planète que les astronomes n'ont pas encore localisée avec précision, mais dont ils connaissent l'existence parce qu'ils peuvent mesurer ses effets sur l'orbite et la gravitation d'autres planètes. Le sexisme exerce son attraction sur notre société et notre vie politique jour après jour, d'une façon à la fois subtile et flagrante.

Un mot sur la terminologie. Il se peut que d'autres aient une opinion différente, mais celle-ci est la distinction que je fais entre sexisme et misogynie. Quand un mari dit à sa femme : « Je ne sais pas vraiment expliquer pourquoi et ça me gêne de devoir l'admettre, mais je ne supporte pas que tu gagnes plus d'argent que moi et te demande, pour cette raison, de ne pas accepter cette offre de job géniale », c'est du sexisme. Il peut très bien aimer profondément son épouse et être un formidable partenaire à plus d'un égard. Mais il a, gravée dans la tête, une idée – que lui-même sait injuste – sur le niveau de réussite auquel une femme peut prétendre. Le sexisme, c'est l'ensemble des procédés, grands et petits, par lesquels la société dessine une case autour des femmes et leur ordonne d'en « rester là ». Ne te plains pas : les gentilles filles ne font pas ça. N'essaie pas de devenir quelque chose auquel les femmes n'ont pas droit. Ne t'habille pas comme ça, ne va pas là, ne pense pas ça, ne gagne pas trop. Ce n'est pas fait pour toi, on ne peut pas vraiment te l'expliquer, alors arrête de demander pourquoi.

Il peut nous arriver à tous de tomber dans le sexisme de temps en temps, souvent sans même en avoir conscience. La plupart d'entre nous essaient de rester vigilants et d'éviter ces dérapages ou, quand ils surviennent, de s'excuser et de faire mieux la fois d'après.

La misogynie est quelque chose de beaucoup plus sombre. C'est de la rage. Du dégoût. De la haine. C'est ce qui se produit quand une femme repousse les avances d'un homme dans un bar et qu'il passe de charmant à terrifiant. Ou quand une femme décroche un poste qu'un homme convoitait, et qu'au lieu de lui serrer la main et de lui souhaiter bonne chance il la traite de salope et se jure de faire tout son possible pour qu'elle échoue.

Le sexisme comme la misogynie sont endémiques aux États-Unis. Si vous en doutez, il vous suffit de regarder les commentaires sur YouTube ou les réactions sur Twitter quand une femme ose exprimer une opinion politique ou même simplement partager une anecdote sur son propre vécu. Des gens tapis dans l'ombre en sortent alors juste assez pour la démolir.

Le sexisme en particulier peut être tellement répandu qu'on arrête de s'en apercevoir. Ça me rappelle l'anecdote par laquelle l'écrivain David Foster Wallace avait commencé son discours lors de la cérémonie de remise des diplômes à Kenyon College en 2005 : « C'est l'histoire de deux jeunes poissons qui nagent et croisent le chemin d'un poisson plus âgé qui leur fait signe de la tête et leur dit : "Salut, les garçons. L'eau est bonne ?" Les deux jeunes poissons nagent encore un moment, puis l'un regarde l'autre et fait : "Tu sais ce que c'est, toi, l'eau ?" »

« La morale de cette histoire, poursuit Wallace, est tout simplement que les réalités les plus évidentes, les plus omniprésentes et les plus importantes, sont souvent les plus difficiles à voir et à exprimer[1]. »

Cette histoire résume parfaitement bien le problème de la reconnaissance du sexisme, surtout dans le domaine politique.

Il n'est pas facile d'être une femme en politique. Ceci est un euphémisme. Il arrive même que l'expérience soit horriblement pénible

---

1. David Foster Wallace, *C'est de l'eau*, trad. fr. de Charles Recoursé, Vauvert, Au diable Vauvert, 2010.

et humiliante. L'instant où une femme s'avance pour prononcer les mots « Je suis candidate » déclenche une avalanche d'analyses : celles de son visage, de son corps, de sa voix, de son comportement, mais aussi la minimisation de sa stature, de ses idées, de ses accomplissements, de son intégrité. Tout cela peut être incroyablement cruel.

J'hésite à l'écrire noir sur blanc, sachant que certaines femmes susceptibles de se présenter risquent de le lire et de se dire « très peu pour moi » ; or, je crois farouchement que la seule façon d'éradiquer le sexisme en politique est justement d'y faire entrer plus de femmes.

Pourtant je ne connais pas une seule femme politique qui n'ait pas d'anecdotes à raconter là-dessus. Pas une.

Au cas où il faudrait le rappeler, il est douloureux de se faire éreinter. On pourrait croire que ça ne me touche pas d'entendre les noms dont on me traite, ou les moqueries féroces sur mon apparence, mais c'est faux. Je m'y suis habituée ; j'ai développé ce dont Eleanor Roosevelt disait que les femmes politiques avaient besoin : une peau aussi épaisse que le cuir d'un rhinocéros. Et puis j'ai toujours eu une bonne estime de moi, sans doute grâce à mes parents, qui ne m'ont jamais exhortée à être plus jolie ou plus mince. À leurs yeux, j'étais très bien comme j'étais. J'ignore par quel miracle ils ont réussi à me mettre ça dans le crâne pendant toutes ces années. Dommage, sinon j'aurais pu passer le tuyau à tous les parents ! Je peux simplement dire que j'ai eu la chance de bien moins douter de moi-même que beaucoup de femmes que je connais.

Quoi qu'il en soit, il reste douloureux de se faire éreinter.

Ça n'a pas commencé avec ma carrière politique. Quand j'ai commencé à porter des lunettes en CM1 – beaucoup moins épaisses que les culs de bouteille que j'ai portés par la suite –, et on m'a surnommée « bigleuse ». Pas très original, mais blessant quand même. Au collège, quelques camarades peu aimables avaient remarqué qu'on ne discernait pas la forme de mes chevilles sur mes jambes robustes et s'en sont donné à cœur joie. Cette fois-ci, j'en ai parlé à ma mère, qui m'a conseillé de les ignorer, d'être au-dessus de ça, d'être plus forte qu'eux. Un conseil qui m'a bien préparée au déluge d'insultes qui allait suivre.

À la fac, j'ai échappé à l'hostilité que subissaient beaucoup de jeunes femmes, car j'étais à Wellesley. Le fait de fréquenter une université pour filles m'a permis de prendre des risques, de commettre des erreurs, et même de subir des échecs sans en arriver à douter de ma valeur intrinsèque. J'y ai occupé des fonctions prépondérantes que je n'aurais jamais pu occuper dans une université mixte, à l'époque. Mais, une fois mon diplôme en poche, les choses ont changé.

Quand, avec une amie, je me suis présentée à l'examen d'entrée de la faculté de droit en 1968, nous étions parmi les rares filles dans la salle. Alors que nous attendions le début de l'épreuve, un groupe de jeunes hommes a commencé à nous houspiller : « Vous n'avez rien à faire ici. Pourquoi vous ne rentrez pas chez vous vous marier ? » L'un d'entre eux m'a dit : « Si tu prends ma place en droit, je serai obligé de faire l'armée, on m'enverra au Vietnam et je mourrai. » C'était violent et personnel. Je me suis contentée de garder les yeux baissés en espérant que le surveillant arrive vite pour distribuer les sujets et en m'efforçant de ne pas me laisser déconcentrer.

À Harvard – où je venais d'être admise en maîtrise de droit –, un professeur m'a regardée et m'a dit : « Nous avons déjà assez de femmes ici. » C'est l'une des raisons qui m'ont fait préférer Yale.

Lorsque j'ai débuté au barreau, je plaidais dans de petits tribunaux au fin fond de l'Arkansas et les gens accouraient pour voir la « dame avocate », tellement c'était nouveau. Je les entendais commenter ma tenue et ma coiffure depuis la galerie du public. Un jour, au début des années 1980, lorsque je plaidais une affaire à Batesville dans l'Arkansas, six hommes en tenue de camouflage ont fait irruption en pleine audience. Ils se sont assis juste derrière le banc des avocats et ne m'ont plus quittée du regard. Comme le sait n'importe quelle femme qui a déjà vécu ce genre de situation, c'était profondément déstabilisant. Après coup, l'huissier m'a expliqué que c'était la saison du cerf et que ces chasseurs avaient quitté leur campement pour venir se ravitailler en ville ; quand ils avaient entendu dire qu'une femme plaidait au tribunal, ils avaient voulu voir ça de leurs propres yeux.

J'y ai repensé quelques années plus tard, lorsqu'une femme médecin est venue en Arkansas depuis la Californie pour être citée comme experte dans une affaire que défendait mon cabinet. Elle avait les cheveux courts coiffés en pétard. Mon patron, l'avocat principal sur ce dossier, lui a demandé d'aller s'acheter une perruque. Sinon, disait-il, les jurés n'arriveraient pas à écouter ce qu'elle avait à dire – ils seraient trop perturbés par le fait qu'elle n'avait pas l'air d'une femme « normale ». Je me souviens combien elle avait été soufflée par cette remarque. Peu de temps avant, je l'aurais été moi aussi, mais là, non, et ce constat m'a attristée : j'avais pris l'habitude de revoir mes espérances à la baisse.

À partir du moment où Bill est entré en politique, j'ai été propulsée sous le feu des projecteurs, et souvent de façon cruelle. J'en ai déjà parlé dans un autre livre, mais ça mérite d'être répété : l'une des raisons pour lesquelles il n'a pas été réélu au poste de gouverneur de l'Arkansas en 1980 est que j'avais conservé mon nom de jeune fille. Prenez deux minutes pour imaginer ce que ça peut faire. J'étais naïve. Je ne pensais pas que les gens y attacheraient de l'importance. Au contraire, peut-être qu'ils respecteraient ce que ça disait de notre couple : que je voulais préserver mon identité pré-Bill, que j'étais fière de mes parents et que j'avais envie de les honorer, que Bill soutenait mes choix. Quand il a perdu et que j'ai entendu dire et redire que mon nom – mon nom ! – avait joué un rôle dans sa défaite, j'ai été malade à l'idée que j'avais pu par inadvertance nuire à mon mari et desservir son équipe. Je me suis demandé s'il y avait de la place dans la vie publique pour les femmes comme moi, qui peuvent paraître un peu atypiques, mais ont pourtant beaucoup à offrir.

Alors j'ai ajouté « Clinton » après Hillary Rodham. J'ai demandé à mes amies des conseils vestimentaires, de coiffure et de maquillage. Je n'ai jamais été très au fait de ces choses-là et, jusque-là, je ne m'en étais guère souciée. Mais si en portant des lentilles ou en changeant ma garde-robe je pouvais faire en sorte que les gens se sentent plus à l'aise en ma compagnie, je voulais bien essayer.

Plus tard, alors que Bill était candidat à la présidence pour son premier mandat, j'ai de nouveau trébuché. J'avais désormais le nom qu'il fallait, du maquillage et une mise en plis. Mais je n'avais pas dompté mon franc-parler. Un des adversaires de Bill à la primaire m'a accusée d'avoir gardé mon emploi dans un cabinet d'avocats de Little Rock pour pouvoir profiter de la position de mon mari. Cette remarque m'a vraiment mise hors de moi. « Sans doute aurais-je pu rester à la maison, faire des gâteaux et boire du thé, ai-je déclaré à la presse, exaspérée, mais au lieu de ça j'ai choisi de continuer à exercer ma profession. » Il n'en fallait pas plus. Aussitôt, je me suis retrouvée au cœur d'une véritable tempête politique, où les moralistes bien-pensants prétendaient que j'avais insulté les mères de famille américaines. Pour quelqu'un qui avait toujours défendu les mères, les pères et les familles en tout genre, le coup était dur. Et, encore une fois, j'ai eu peur que la poursuite de mes rêves personnels – ma carrière, en l'occurrence, qui comptait tant pour moi – ne finisse par nuire à mon mari.

Aucune de ces vicissitudes ne m'a fait renoncer à mes convictions. Mais je ne risquais pas de redevenir naïve après ces expériences. Il n'y a pas grand-chose qui puisse encore me surprendre. Régulièrement au cours de la campagne de 2016, mes collaborateurs venaient me trouver, les yeux exorbités : « Tu ne croiras jamais ce qu'a dit Trump aujourd'hui. C'est ignoble. » Je les croyais toujours. Non seulement parce que je sais qui est Trump, mais parce que je sais aussi en quoi nous sommes capables de nous transformer. On a pu l'observer trop souvent pour s'en étonner.

D'après mon expérience, le numéro d'équilibriste auquel les femmes politiques doivent se livrer est une gageure à tous les niveaux de responsabilité, mais plus on monte en grade, plus ça se complique. Si on est trop dure, on est perçue comme désagréable. Si on est trop douce, on n'est pas taillée pour la cour des grands. Si on travaille trop, on néglige sa famille. Si on place sa famille d'abord, on n'est pas sérieuse dans le travail. Si on a une carrière mais pas d'enfants, c'est qu'il y a quelque chose qui cloche, et inversement. Si on brigue une fonction importante, on est trop ambitieuse : ne pourrait-on pas s'estimer heureuse avec ce qu'on a ? Laisser les plus hauts barreaux de l'échelle aux hommes ?

Songez au nombre de fois où vous avez entendu employer ces mots au sujet de femmes haut placées : hystérique, excessive, coriace, compliquée, irascible, autoritaire, gonflée, émotive, agressive, intraitable, ambitieuse (un terme que personnellement je trouve neutre, voire admirable, mais qui ne l'est vraisemblablement pas pour tout le monde).

Le linguiste George Lakoff a à la fois identifié et incarné cette question quand il a dit au sujet de la sénatrice Elizabeth Warren : « Elizabeth a un problème. Elle a une voix stridente, or il existe un *a priori* contre les femmes à la voix stridente. » Et si on arrêtait de critiquer sa façon de parler – qui est très bien, par ailleurs – pour s'intéresser à ce qu'elle a à dire sur la famille et l'économie ?

On nous considère aussi comme clivantes, peu fiables, pas aimables et inauthentiques, des mots qui résonnent durement à mes oreilles. Au fil de la campagne, les sondages ont montré qu'un grand nombre d'Américains doutait de mon authenticité et de ma fiabilité. Beaucoup de gens disaient simplement qu'ils ne m'aimaient pas. J'écris ça l'air de rien, mais, croyez-moi, c'est dévastateur.

C'est partiellement la conséquence de mes actes : j'ai fait des erreurs, j'ai été sur la défensive quand on me les a reprochées, refusant obstinément de m'excuser. Mais c'est aussi le cas de la plupart des hommes politiques (à vrai dire, l'un d'entre eux vient même d'être élu président avec une stratégie de « ne jamais s'excuser quand on a tort, toujours contre-attaquer plus fort »).

On m'a qualifiée de clivante un nombre incalculable de fois et, sincèrement, je n'arrive pas à comprendre pourquoi. La politique est quelque chose de clivant, c'est vrai, et les antagonismes n'ont cessé de s'exacerber dans notre pays ces dernières années. Mais qu'ai-je fait précisément de si inacceptable ? Me présenter aux élections ? Des tas d'hommes le font. Travailler sur notre système de santé, l'un des sujets les plus polémiques aux États-Unis ? *Idem*. Faire passer des lois au Sénat ? C'était aussi le cas de mes 99 collègues. Si l'on en vient à certaines de mes actions les plus controversées – comme d'avoir accordé mon vote au président Bush pour lui permettre d'intervenir en Irak –, j'étais loin d'être la seule concernée. Cela ne signifie pas que j'avais raison, mais n'explique pas non plus le venin qu'on a déversé spécifiquement sur moi. Pourquoi suis-je perçue comme un personnage aussi clivant quand, par exemple, ni Joe Biden ni John Kerry ne le sont ? Tous deux ont été candidats à la présidence. Tous deux ont occupé des fonctions haut placées dans le gouvernement. Tous deux ont voté toutes sortes de mesures, dont certaines qu'ils regrettent, comme moi. Alors qu'est-ce qui fait de moi un tel défouloir à colère ?

Je pose la question en toute franchise, car je ne comprends pas.

Je sais que la méfiance des gens à mon égard est en partie due au fait qu'ils m'ont vue mêlée à plusieurs investigations partisanes au cours des années – le scandale du Whitewater, le Travelgate[2], l'affaire de mes e-mails –, chacune menée à grands frais pour le contribuable, chacune ne débouchant strictement sur rien, mais toutes ayant laissé une tache quasi indélébile sur ma réputation.

Je pense cependant qu'il y a une autre explication au scepticisme auquel j'ai dû faire face tout au long de ma vie publique. Je pense que c'est aussi parce que je suis une femme.

---

2. L'affaire du « Whitewater » éclate pendant la campagne présidentielle de 1992 autour d'une faillite frauduleuse liée à un projet immobilier, le Whitewater, dans lequel le couple Clinton avait investi à l'époque où Bill était gouverneur de l'Arkansas.

Le scandale du « Travelgate » remonte à mai 1993, quand sept employés du service des voyages de la Maison-Blanche sont licenciés et remplacés par des agents de voyages de l'Arkansas, proches des Clinton.

Laissez-moi développer ma pensée.

Historiquement, ce ne sont pas les femmes qui ont rédigé les lois et conduit les armées. Nous ne sommes pas sur les podiums à rallier les foules et unir le pays. Ce sont les hommes qui dirigent. Qui parlent. Qui nous représentent aux yeux du monde, et même à nos propres yeux.

Et c'est le cas depuis tellement longtemps que ça s'est enkysté au plus profond de nos pensées. Je soupçonne que, pour beaucoup d'entre nous – plus qu'on ne pourrait le croire –, ça fait un peu *bizarre* d'imaginer une femme présidente assise dans le Bureau ovale ou la salle de crise de la Maison-Blanche. C'est dissonant de tomber sur un meeting politique à la télé et d'entendre une voix de femme retentir (« hurler », « brailler »). Le simple fait qu'une femme puisse se dresser devant une foule et s'adresser à elle est relativement nouveau. Réfléchissez : nous ne connaissons qu'une poignée de discours prononcés par des femmes avant la seconde moitié du xxᵉ siècle, et il s'agissait souvent de femmes dans des situations extrêmes ou désespérées. Jeanne d'Arc a dit beaucoup de choses très intéressantes avant qu'on ne la brûle sur le bûcher.

À côté de ça, quand une femme décoche une petite pique à un adversaire – et même pas particulièrement violente –, ça n'est pas assimilé au genre de passes d'armes banales auxquelles se livrent constamment les hommes politiques. Ça fait d'elle une « nasty woman ». Beaucoup de femmes ont reçu pareilles injures au visage (ou pire) pour bien moins que ça. Et que deux d'entre elles ne s'avisent pas d'avoir un désaccord en public, sinon c'est un crêpage de chignon.

Bref, ce n'est pas habituel d'avoir des femmes dirigeantes ni même engagées dans la foire d'empoigne de la vie politique. Ce n'est pas naturel. Pas encore. Alors, quand ça arrive, on a le sentiment que ce n'est pas tout à fait normal. C'est un sentiment qui peut paraître vague, mais qui pèse lourd : les gens se laissent sans cesse guider par ce genre d'intuitions diffuses quand ils votent.

Je crois cette question de la « normalité » liée à une autre force aussi puissante qu'indéfinissable en politique : l'authenticité. Tant des journalistes que des électeurs sceptiques m'ont demandé à d'innombrables reprises : « Qui êtes-vous, *au fond* ? » C'est quand même une question étrange, quand on y pense. Je suis… Hillary. Ça fait plus de vingt-cinq ans que vous me voyez dans vos journaux et sur vos écrans de télé. Je parie que vous en savez davantage sur ma vie privée que sur celle de vos amis les plus proches : vous avez lu mes e-mails, bon sang ! Que vous faut-il de plus ? Qu'est-ce que je devrais faire pour avoir l'air « plus authentique » ? Danser sur une table ? Jurer comme un charretier ? Fondre en larmes ? Ce ne serait pas moi. Et imaginez seulement ce qui se serait passé si j'avais bel et bien fait une de ces choses ? On m'aurait descendue en flammes.

Encore une fois, je me demande ce qui intrigue à ce point les gens chez moi quand il y a tant d'hommes politiques qui sont bien moins connus, observés, interviewés, photographiés, mis à l'épreuve, et de qui on exige pourtant beaucoup moins souvent de se confier, de se révéler, de prouver qu'ils sont authentiques.

Il y a une partie qui est due à mon sang-froid. Les gens disent que je suis prudente, et ils ont raison. Je réfléchis avant de parler, je ne dis pas tout haut la première chose qui me traverse l'esprit. C'est à la fois mon tempérament naturel, ma formation d'avocate et des décennies de vie sur le devant de la scène, où la moindre phrase que je prononce est disséquée au scalpel. Mais en quoi est-ce un défaut ? N'attendons-nous pas de nos sénateurs et de nos secrétaires d'État – et encore plus de nos présidents – qu'ils s'expriment de façon pondérée, qu'ils mesurent l'impact de leurs mots ?

Le président Obama est aussi circonspect que moi, peut-être même plus. Il parle avec beaucoup de précaution ; il prend son temps, pèse ses mots. Ce qui en général, et à juste titre, est considéré comme une preuve de sa rigueur et de sa carrure intellectuelles. C'est une personne sérieuse qui parle de choses sérieuses. Tout comme moi. Pourtant, chez moi, la même attitude est souvent perçue comme un point négatif.

Même des gens impartiaux qui n'ont *a priori* rien contre moi trouvent que je m'exprime de manière trop contrôlée. Souvent, je cherche simplement les mots justes, c'est tout. Et *impulsivité* ne rime pas toujours avec *honnêteté* : vous n'avez qu'à voir Donald Trump.

Pourtant il est clair que ma retenue a donné l'impression à certains que ce qu'ils voyaient de moi n'était pas la vérité nue, ce qui du même coup les incitait à se demander : « Qu'est-ce qu'elle nous cache ? » J'ai eu beau retourner le problème dans tous les sens, je n'ai jamais trouvé la solution. Je ne suis pas sûre qu'il y en ait une.

C'est encore une variante de cet impossible numéro d'équilibriste : si l'on est trop posée, on est froide ou fausse ; mais si l'on parle trop vite, on se fait rabattre le caquet. Après ça, comment s'étonner qu'on ait le sentiment d'avoir perdu d'avance, quoi qu'on fasse ?

Prenons une autre forme de manifestation émotionnelle : pleurer. Il me vient en tête pas mal d'exemples d'hommes politiques à qui il est arrivé de verser une larme. Certains ont essuyé des railleries pour ça : les larmes du sénateur Ed Muskie lors de la primaire du New Hampshire en 1972 ont quasiment signé la fin de sa carrière politique, même si elles s'expliquaient peut-être simplement parce qu'il avait de la neige dans les yeux[3]. Mais beaucoup d'hommes ont suscité de la compassion et même de l'admiration pour avoir laissé affleurer leurs émotions. Ronald Reagan, George H. W. Bush, Bob Dole, mon mari, George W. Bush, Barack Obama... ils ont tous eu la larme à l'œil dans certains moments poignants. Ce qui est normal, car ce sont des êtres humains, et parfois les êtres humains pleurent.

Mais quand une femme pleure, cela peut être vu beaucoup moins charitablement. Je me souviens de ce qui est arrivé à Pat Schroeder, la talentueuse et désopilante représentante du Colorado qui en 1987 envisageait de se présenter à l'élection présidentielle de l'année suivante. Elle a fini par y renoncer, et lors de la conférence de presse où elle a annoncé sa décision, elle a dû pleurer pendant environ trois secondes. Aujourd'hui encore, quand on tape « Pat Schroeder » dans Google, la première suggestion qui sort est « Pat Schroeder pleure ». Même vingt ans après, elle continuait à recevoir des lettres de haine à cause de ça... essentiellement de la part de femmes qui avaient le sentiment d'avoir été laissées tomber.

J'ai connu moi aussi mon heure de gloire avec une séquence émotion, juste avant la primaire du New Hampshire en 2008. Je n'ai même pas pleuré, pas vraiment. Je disais à quel point il pouvait être difficile d'être candidate à une élection (parce que ça peut vraiment être difficile) et mes yeux ont brillé pendant quelques secondes, et ma voix a tremblé le temps d'une phrase. C'était suffisant pour faire la une de l'actualité dans le pays entier. Sans doute que ça méritera bien une ligne dans ma nécrologie : « Un jour, elle a eu les larmes aux yeux devant les caméras. »

Curieusement, beaucoup diraient que ces larmes se sont avérées être une bonne chose pour moi. Des dizaines, sinon des centaines

---

3. Edmund Muskie, alors sénateur du Maine, faisait partie des favoris pour l'investiture démocrate à l'élection présidentielle de 1972. Mais sa candidature s'est écroulée lorsque, pour répondre à des attaques au sujet de son épouse, il a prononcé un discours plein d'émotion au cours duquel des journalistes ont affirmé l'avoir vu pleurer. Muskie lui-même a toujours maintenu que ces prétendues larmes étaient en fait des flocons fondus, le discours ayant eu lieu sous une tempête de neige.

de commentateurs ont disserté sur le fait que ce moment m'avait « humanisée ». C'est peut-être vrai. Dans ce cas, j'en suis à la fois ravie et quelque peu troublée à l'idée – je me répète – qu'en tant qu'être humain, il ait fallu m'« humaniser ».

Certains dans la presse et au sein de la campagne ont quand même cherché à tirer profit de ce qui était perçu comme un signe de vulnérabilité. Interrogé sur cet épisode, l'ancien sénateur démocrate de Caroline du Nord, John Edwards, qui à l'époque était encore dans la course à l'investiture, a sauté sur l'occasion pour m'accuser de faiblesse. « Je crois que ce qu'il nous faut chez un commandant en chef, c'est de la force et de la détermination, a-t-il dit. Une campagne présidentielle n'est pas une promenade de santé, mais être président des États-Unis ne l'est pas non plus. Quand on est président des États-Unis, on doit faire face à des défis et des jugements extrêmement difficiles tous les jours. Et je sais que moi, je suis prêt pour ça. » Peu de temps après, il a jeté l'éponge.

Quoi qu'il en soit, toute cette histoire d'être « authentique » me paraît franchement ridicule. J'aimerais tellement qu'on puisse oublier ça et faire ce qu'on a à faire, tous autant que nous sommes, sans s'inquiéter de savoir si on remplit je ne sais quels critères indéfinissables d'authenticité. Comme l'écrit la romancière nigériane Chimamanda Ngozi Adichie, « votre boulot n'est pas de vous rendre aimable, mais d'être pleinement vous-même ».

Pourtant les questions d'authenticité et d'« amabilité » ont eu un impact sur l'élection la plus importante de notre époque, et en auront sur les élections futures. Là aussi, il y a donc quelque chose de très grave qui se joue… surtout qu'en 2016 une rhétorique grossière, injurieuse, ne s'embarrassant pas de la vérité, a été considérée comme authentique.

J'ai essayé de m'adapter. Après avoir entendu répéter à de multiples reprises que certaines personnes n'aimaient pas ma voix, je me suis adjoint les services d'un expert linguistique. Il m'a dit qu'il fallait que je me concentre sur ma respiration profonde et que j'essaie de garder en tête quelque chose de joyeux et paisible au moment de monter sur scène. De cette façon, quand la foule électrisée se mettrait à crier – comme c'est souvent le cas dans les meetings –, je pouvais résister à la pulsion tout à fait normale de crier en retour. Les hommes peuvent crier tout leur saoul, mais pas les femmes. « D'accord, ai-je dit à cet expert, je veux bien essayer. Mais, par curiosité, pouvez-vous me donner un exemple d'une femme dans la sphère publique qui ait réussi ce que vous me demandez, c'est-à-dire de recevoir l'énergie d'une foule tout en gardant une voix douce et posée ? » Il n'a pas pu.

Je ne vois pas très bien comment résoudre toutes ces questions. Je suis une femme, c'est un fait. J'ai la voix que j'ai. Pour reprendre les mots de Frances Perkins, première femme à siéger au cabinet en tant que secrétaire au Travail sous la présidence de Roosevelt : « On m'accuse d'être une femme, et les preuves sont accablantes. » Il y aura d'autres candidates à la présidence, et ce seront des femmes, avec des voix de femmes. Peut-être que, d'ici là, ce sera devenu moins inhabituel. Peut-être que ma campagne aura contribué à ce qu'à l'avenir les femmes aient la tâche plus facile. Je l'espère.

Vers le début de ma campagne, j'ai vu mon amie Sheryl Sandberg, la directrice générale de Facebook, qui a beaucoup réfléchi à ces sujets. Elle m'a dit que, s'il y avait une chose qu'elle voulait que les gens retiennent de son livre *En avant toutes : les femmes, le travail et le pouvoir*, c'était la suivante : les données montrent que, pour les hommes, la cote de popularité et la réussite professionnelle sont corrélées. Plus un homme réussit dans son travail, plus les gens l'apprécient. Pour les femmes, c'est exactement l'inverse : plus on réussit professionnellement, moins les gens nous apprécient. L'entendre le formuler aussi simplement, avec des données à l'appui, m'a fait l'effet d'une révélation. Nous avions désormais la preuve de quelque chose que nous sommes nombreuses à avoir ressenti intuitivement au cours de notre vie.

Sheryl m'a éclairée sur un autre point : le fait que les femmes sont bien vues quand elles se battent pour d'autres, mais pas quand elles se battent pour elles-mêmes. Par exemple, il n'y a quasiment aucun désavantage à solliciter une augmentation si vous êtes un homme. Vous l'obtiendrez ou non, mais dans tous les cas on ne vous en tiendra pas rigueur, alors qu'une femme qui essaie la même chose a plus de risques d'en payer le prix. Même si elle décroche une hausse de salaire, elle se fera mal voir – sauf si sa demande concernait quelqu'un d'autre : dans ce cas, elle sera perçue comme généreuse et bonne camarade. Ça aussi, ça m'a parlé. Les gens m'apprécient quand je suis au service d'autrui : quand je fais campagne pour mon mari ou que je siège au cabinet du président Obama. Dans ces circonstances, j'ai le droit d'être farouchement engagée pour une cause. Mais, dès que je me lève pour dire : « Maintenant j'aimerais pouvoir moi-même prendre les commandes », tout change.

Ce jour-là, Sheryl m'a prévenue que j'aurais une très haute montagne à gravir. « Ils n'auront aucune empathie pour toi », m'a-t-elle dit.

La politique est un milieu difficile pour n'importe quelle femme, mais je crois pouvoir dire que le déversement de vitriol auquel j'ai eu droit n'avait encore jamais atteint de tels niveaux. La foule présente lors des meetings de Trump réclamait à grands cris qu'on me jette derrière les barreaux. Ils hurlaient « Coupable ! Coupable ! » comme les fanatiques religieux dans *Game of Thrones* scandaient « Honte ! Honte ! » quand Cersei Lannister était contrainte de marcher nue jusqu'au Donjon rouge devant toute la population. Comme l'a écrit Susan Bordo, une professeur en études de genre nominée pour le prix Pulitzer, dans son livre *The Destruction of Hillary Clinton* : « C'était presque médiéval. » Mary Beard, professeur de lettres classiques à l'université de Cambridge, a fait remarquer que ces scènes lui rappelaient des temps encore plus anciens : une des images prisées par les supporters de Trump qu'on retrouve désormais partout, allant des tee-shirts jusqu'aux mugs, le représentait brandissant ma tête coupée, tel Persée qui soulève la tête de Méduse dans la mythologie grecque.

Comment a-t-on pu en arriver là ? Ça fait longtemps que je fais de la politique, mais j'ai été stupéfaite par le flot de haine qui ne semblait que grossir, plus on approchait du jour de l'élection. En quittant le gouvernement, j'étais considérée comme l'un des serviteurs de l'État les plus admirés du pays. À présent, les gens avaient l'air de penser que j'étais le diable en personne. Pas seulement « bof, pas ma tasse de thé », mais le diable. C'était sidérant et terrifiant.

Était-ce uniquement dû au fait que j'étais une femme ? Certainement pas. Mais je crois que ça faisait partie des motivations de certains de ces supporters haineux.

Plus tard, j'ai lu une interview de Margaret Atwood, l'auteur prémonitoire de *La Servante écarlate*, qui éclairait la campagne sous un jour historique encore différent. « On trouve des sites Internet qui présentent Hillary comme une sataniste dotée de pouvoirs démoniaques, disait-elle. Ça sonne tellement XVIIe siècle qu'on a peine à le croire. » Il se peut que la chasse aux sorcières puritaine soit terminée depuis longtemps, mais il y a au sujet des femmes indociles un reste de fanatisme qui plane encore sur notre inconscient collectif.

Moi et d'autres candidates ne sommes pas seules à être concernées par ce fait : l'effet de ce fanatisme s'étend à nos supportrices. Près de quatre millions de personnes ont rejoint un groupe Facebook de soutien à ma campagne, baptisé fort à propos « Pantsuit Nation[4] ». C'était un groupe secret. Par la force des choses. Sans quoi ses membres se seraient exposés à de violentes attaques sexistes en ligne, venant tant de la gauche que de la droite.

Ces temps-ci, on ne peut pratiquement plus ouvrir un journal sans tomber sur une nouvelle histoire sinistre : des femmes ingénieures de la Silicon Valley qui font part d'un harcèlement caractérisé ; des entrepreneuses qui présentent leur projet à des sociétés d'investissement et reçoivent en retour des avances déplacées ; une nouvelle étude révélant que les femmes se font davantage malmener que les hommes lors d'un entretien d'embauche ; une autre montrant qu'elles sont pénalisées quand elles refusent de dévoiler leur salaire précédent, alors que les hommes qui font la même chose finissent au contraire mieux payés.

Voilà pourquoi il est exaspérant qu'il faille encore débattre du simple fait que le sexisme sévit toujours. Je ne compte plus le nombre de fois où des hommes pourtant pleins de bonnes intentions nient que le sexisme et la misogynie pure et dure soient encore de puissantes forces à l'œuvre dans notre vie nationale. « Les choses ont changé », disent-ils pendant que Donald Trump se vante d'avoir peloté des femmes et, quelques semaines plus tard, remporte la présidence ; que ses partisans chantent en chœur dans ses meetings « Écrase cette salope[5] » ; que la Maison-Blanche diffuse fièrement des photos d'un aréopage de vieux mâles blancs en train de décider avec jubilation quels services de santé retirer aux femmes.

Et sur la question fondamentale de savoir s'il serait souhaitable de voir une femme – n'importe laquelle, pas forcément moi – accéder à la présidence, l'électorat est profondément divisé, au point que c'en est déprimant. Un sondage de 2014 du Pew Research Center nous apprenait que 69 % des hommes démocrates (pas si mal, mais vous pouvez faire mieux, hommes démocrates !) disaient espérer voir une femme présidente de leur vivant, mais, chez les républicains, ce chiffre tombait à seulement 20 % des femmes et 16 % des hommes. En 2008, une étude a montré que plus d'un quart de la population exprimait un sentiment de colère ou de contrariété à la seule idée d'une femme présidente. Et après l'élection de 2016, des chercheurs

---

4. Littéralement, la « nation tailleur-pantalon ».
5. En anglais « Trump that bitch », jeu de mots sur le nom de Trump.

de l'université de l'Arkansas ont publié un rapport au sujet de l'impact qu'avait eu le sexisme sur le vote. Les personnes interrogées devaient réagir à cinq affirmations reflétant une pensée sexiste, dont « Les féministes cherchent à ce que les femmes aient plus de pouvoir que les hommes » ou « La discrimination contre les femmes n'est plus un problème aux États-Unis ». Dans des résultats qui n'ont surpris personne, plus d'un tiers des sondés ont donné des réponses sexistes. Les électeurs de Trump étaient plus sexistes que ceux qui avaient voté pour moi, et les républicains beaucoup plus sexistes que les démocrates. Et pas seulement les hommes ; les femmes aussi, pour une bonne part.

Avant même que j'annonce ma candidature, les commentateurs politiques se demandaient si je susciterais un raz-de-marée de votes féminins en ma faveur, de la même façon que le président Obama avait bénéficié d'une mobilisation record parmi les électeurs afro-américains. Je l'espérais, bien sûr, mais j'avais des doutes. Bien que certains le souhaiteraient, la question du genre ne s'est jamais confirmée chez l'électorat féminin comme une motivation fondamentale. Si c'était le cas, nous aurions probablement déjà eu une ou deux femmes présidentes, vous ne croyez pas ? Au bout du compte, j'ai remporté une écrasante majorité des voix des femmes noires (94 %) et des femmes latino-américaines (68 %), et je l'ai emporté assez confortablement chez les femmes en général (54 %). Je n'ai, par contre, pas réussi à obtenir la majorité parmi les femmes blanches, même si j'ai fait mieux qu'Obama en 2012.

Alors, oui, les choses ont changé. Certaines sont bien mieux qu'avant, mais les mauvaises choses sont encore bien nombreuses. Et les deux sont liées : les mauvaises sont le contrecoup des bonnes. L'émancipation des femmes a mis en branle de vastes changements qui inspirent toutes sortes de sentiments intenses. Nous sommes nombreux à trouver ça enthousiasmant – d'autres en conçoivent une grande colère.

La bonne nouvelle – car il y en a une –, c'est que la possibilité existe de voir tout ça sous un autre angle : il peut être profondément gratifiant d'être une femme en politique. On sait par exemple que, par sa seule présence dans la pièce, on rend les institutions plus représentatives du peuple. On apporte une perspective essentielle qui sans nous ne serait pas entendue. Avec ça à l'esprit, je me suis toujours tenue la tête un peu plus haute. C'est aussi pourquoi j'adore la chanson

« The Room Where It Happens » (« La pièce où ça se passe ») dans la brillante comédie musicale *Hamilton* de Lin-Manuel Miranda[6] :

> *Personne ne sait vraiment comment les choses se trament*
> *Quelles sont les règles de l'art*
> *Le dessous des cartes*
> *On croit juste que voilà, ça se passe*
> *Mais personne d'autre n'est dans la pièce où ça se passe*

C'était extrêmement satisfaisant de pouvoir être dans les différentes pièces où les choses se passaient – le Bureau ovale, la chambre du Sénat – pour y défendre les causes qui m'étaient chères : l'éducation, l'égalité salariale, le système de santé, les droits des femmes. Peut-être ces causes m'auraient-elles tenu à cœur même si j'avais été un homme, mais ce n'est pas certain. La vie m'a naturellement poussée dans leur direction. Une jeune maman qui s'intéresse à la politique finit souvent par travailler sur des sujets liés à l'enfance ; une première dame par s'engager sur des thèmes qui touchent aux femmes. Ça m'allait très bien. D'autres à ma place auraient pu trouver ça restrictif, mais je considère ces questions comme des problèmes de la vraie vie qui nous affectent tous.

Plus tard, j'ai évolué vers d'autres domaines : la reconstruction de New York après les attentats du 11 Septembre en tant que sénatrice de cet État ; le soutien à nos troupes ainsi qu'à nos soldats blessés et à tous nos vétérans en tant que membre du comité des forces armées du Sénat ; le maintien de la paix dans notre pays et dans le monde en tant que secrétaire d'État. J'ai aussi évolué dans d'autres pièces : la salle de crise de la Maison-Blanche, divers ministères des Affaires étrangères, les Nations unies. Et dans tous ces endroits, j'ai pu constater que mes décennies de travail sur les femmes et la famille me servaient beaucoup, car grâce à elles je comprenais les difficultés de la vie des gens. Je savais en quoi les gouvernements pouvaient aider ou léser les familles. Je savais comment mobiliser les ressources et les soutiens pour les populations qui en avaient le plus besoin. Finalement, mon travail sur des questions concernant prétendument les femmes et les enfants m'aura préparée à quasiment tout ce que j'ai fait d'autre par la suite.

---

6. Cette comédie musicale retrace la vie d'Alexander Hamilton, un des Pères fondateurs des États-Unis. La chanson en question fait référence au Compromis de 1790 qu'il parvint à arracher au nom du tout nouveau gouvernement fédéral face aux États du Sud, auxquels il a cédé en contrepartie l'établissement de la capitale nationale à Washington DC.

Je crois aussi que le fait d'être une femme est l'une des raisons pour lesquelles les gens me confient plus facilement les détails de leur vie privée. Ils me parlent des diagnostics médicaux de leurs enfants, des parents âgés dont ils ont la charge, des problèmes financiers dans leur couple et leur famille, de leurs expériences douloureuses de harcèlement sexuel et de discrimination. Certains hommes politiques ouverts et chaleureux attirent aussi ce genre de confidences, mais, d'après ce que j'observe, les femmes en recueillent davantage. Peut-être qu'il est plus facile de pleurer devant nous. Peut-être que c'est un peu comme de parler à une amie. Je sais juste que beaucoup de gens m'ont attrapée par la main pour me livrer leurs inquiétudes et leurs rêves, et que cela a été pour moi un immense privilège.

Il y a un autre thème sur lequel les femmes se confient à moi : c'est tout ce qui touche à la santé sexuelle et reproductive. Nul essai sur les femmes en politique ne saurait être complet sans aborder ce sujet. C'est une partie tellement essentielle de la vie des femmes : devenir mère ou pas, à quel âge et dans quelles circonstances. La santé sexuelle et reproductive dans toute sa complexité – grossesse, fertilité, contraception, fausse couche, avortement, accouchement, naissance – peut recouvrir certains des moments les plus heureux, mais aussi les plus terrifiants que nous aurons jamais à vivre. Mais, la plupart du temps, nous digérons ces moments en silence. Ce sont des histoires qui ne se racontent pas, même entre femmes. Et puis voilà que j'en rencontre certaines dans des meetings, des dîners ou des galas de collecte de fonds, ou même simplement au cours d'une promenade, et qu'elles me déballent tout ce qu'elles ont sur le cœur.

Aujourd'hui aux États-Unis, plus de quarante-quatre ans après l'arrêt *Roe v. Wade*[7], l'accès des femmes à la contraception et à l'avortement est encore constamment menacé. Et j'en ai vu les répercussions au cours de l'élection de 2016. La santé sexuelle et reproductive n'a été que très rarement mentionnée pendant les débats des primaires, et quand elle l'a été, c'est souvent parce que j'en avais parlé. J'ai été atterrée d'entendre Bernie Sanders dénigrer le Planned Parenthood en disant que c'était encore une émanation de « l'establishment » quand ils ont choisi de soutenir ma candidature plutôt que la sienne. Peu d'organisations sont aussi intimement liées au

---

7. Un des arrêts les plus importants de la Cour suprême américaine, qui, en 1973, a reconnu l'avortement comme un droit constitutionnel.

quotidien d'Américains de toutes origines et classes sociales que le Planned Parenthood, et peu font l'objet d'attaques aussi répétées. Je ne vois pas bien où est « l'establishment » là-dedans, et je ne sais pas ce qui peut pousser un prétendant à l'investiture démocrate pour l'élection présidentielle à dire une chose pareille.

Après l'élection, Bernie a déclaré que le Parti démocrate devrait pouvoir investir et soutenir des candidats anti-avortement. D'autres sujets, comme la justice économique, sont sacro-saints, mais pas la santé des femmes, apparemment. Je ne vise pas uniquement Bernie, en l'occurrence ; nombreux sont les progressistes qui le rejoignent sur ce point et considèrent que les droits des femmes en matière de santé reproductive sont négociables. Que ce soit bien clair, je pense qu'il y a de la place au sein de notre parti pour une large palette d'opinions personnelles sur l'avortement. J'ai travaillé pendant un quart de siècle avec des démocrates comme des républicains afin de diminuer le nombre d'avortements, en partie en élargissant l'accès à la contraception et au planning familial, et nous avons fait des progrès. Puis j'ai choisi comme colistier Tim Kaine, un démocrate personnellement opposé à l'avortement en raison de sa foi catholique, mais qui soutient les droits des femmes dans le cadre de la loi et de ses engagements politiques.

Cependant, quand les opinions personnelles sur l'avortement se transforment en actions publiques – en votes sur des législations, des nominations de juges ou des financements qui érodent les droits des femmes –, c'est une autre histoire. Nous devons rester un parti ouvert et mélangé, mais, comme n'importe quelle structure, un parti politique n'est fort que s'il repose sur de solides piliers. Les droits à la santé sexuelle et reproductive sont un élément central de la santé et des droits des femmes, et c'est l'un des piliers les plus importants. Et puis, n'oubliez pas : aux termes de l'arrêt *Roe v. Wade*, l'avortement est un droit constitutionnel.

Les exemples de ce qui se passe lorsque ces droits sont bafoués sont accablants. Après que le Texas eut cessé de financer le Planned Parenthood et refusé d'étendre la couverture Medicaid[8], la mortalité maternelle a doublé entre 2010 et 2014. C'est le plus mauvais taux

---

8. Medicaid est un programme destiné à fournir une assurance-maladie aux individus et aux familles à faibles ressources. Il est géré par les États, qui le cofinancent avec le gouvernement fédéral. L'Affordable Care Act voté en 2010 prévoyait d'en étendre les critères d'éligibilité, mais la Cour suprême a accordé le droit aux États qui le souhaitent de rejeter cette extension.

des États-Unis, et il est plus élevé que dans bien des pays en voie de développement. 600 femmes sont mortes au Texas, non pas des suites d'un avortement, mais en voulant donner la vie. Le nombre d'avortements chez les adolescentes au Texas a d'ailleurs augmenté quand les subventions au planning familial ont été coupées. Dans le comté de Gregg en particulier, il a progressé de 191 % entre 2012 et 2014.

En définitive, je suis à la fois pro-choix, pro-famille et pro-foi, car je crois que notre capacité à décider si et quand nous souhaitons devenir mère est inhérente à notre liberté. Lorsque les gouvernements se mêlent de ces domaines intimes – que ce soit dans des États comme la Chine, qui obligeait les femmes à avorter, ou la Roumanie de l'ère communiste, qui obligeait les femmes à avoir des enfants –, ce résultat est épouvantable. J'ai visité des hôpitaux dans des pays où les femmes pauvres n'ont pas accès à des avortements légaux et sans risques. J'ai vu ce qui arrive quand des femmes désespérées essayent de se débrouiller toutes seules.

À mes yeux, c'est un problème qui se résume à la question suivante : qui décide ? On peut débattre à l'infini de la moralité de l'avortement – j'y ai moi-même passé de nombreuses heures, et j'en passerai sans doute de nombreuses autres –, mais, au bout du compte, qui décide qu'une femme doit ou pas tomber et rester enceinte ? Un député qui ne l'a jamais croisée ? Un juge qui lui a parlé pendant peut-être quelques minutes ? Ou bien chaque femme devrait-elle pouvoir prendre elle-même cette décision si importante pour sa vie, son corps, son avenir ?

Il faut bien que quelqu'un décide. À mon avis, ça doit être aux femmes de décider.

Je ne sais plus très bien comment on nomme le féminisme d'aujourd'hui ; j'ai perdu le fil des courants successifs. Mais j'ai l'impression qu'il y a beaucoup d'inventivité dans l'air. Tout ce nouveau vocabulaire, pour commencer. *Mecsplication*[9]. À la seconde où je l'ai entendu, je me suis dit : « Génial ! Il nous manquait un mot pour ça ! ». *Intersectionnalité* : un terme universitaire qui défend l'idée essentielle selon laquelle le féminisme doit aussi englober les ques-

---

9. Mot-valise formé de « mec » et « explication », sur le modèle de l'anglais « mansplaining » (« man » + « explaining »), qui désigne la situation où un homme se croit en devoir d'expliquer à une femme quelque chose qui la concerne directement, en général de façon paternaliste ou condescendante.

tions de race et de classe. La *vengeance porno*[10]. Les *trolls*. Des variantes modernes de maux anciens.

Tant qu'on est dans les définitions, arrêtons-nous un moment sur le mot *féminisme* : « la défense des droits des femmes sur la base de l'égalité politique, économique et sociale des sexes ». Pas la domination. Ni l'oppression. L'égalité. Ou, comme le formulait il y a deux cent vingt-cinq ans l'écrivain et philosophe Mary Wollstonecraft : « Je ne souhaite pas que les femmes aient du pouvoir sur les hommes mais sur elles-mêmes[11]. »

Et puis il y a l'expression *charge mentale*. Celle-là me plaît beaucoup. Elle décrit tout le travail non rémunéré, non comptabilisé, souvent non remarqué, que les gens – en très grande majorité des femmes – accomplissent afin que les choses se passent bien au travail et en famille. Organiser les anniversaires au bureau. Inscrire les enfants à la colo pour l'été. Coordonner les visites chez la belle-famille. Aider le nouvel employé à se sentir le bienvenu. La liste est sans fin : ce sont tous ces petits détails sans lesquels nos vies se dérouleraient dans le chaos et la douleur. Toutes les femmes ne s'attellent pas forcément à ces tâches – et c'est très bien – et il y a aussi des hommes qui le font – et je leur tire mon chapeau –, mais c'est quand même largement un rôle dévolu aux femmes. Auquel quelqu'un a enfin pensé à donner un nom.

Dans mon couple, c'est moi qui endosse clairement le plus gros de la charge mentale. C'est moi qui planifie les visites familiales, les vacances et les dîners entre amis. Bill a beaucoup de qualités, mais gérer les détails logistiques d'un foyer n'en fait pas partie. Évidemment, notre situation est particulière. Pendant des années, il était gouverneur, puis président. Ce n'était pas lui qui allait se souvenir de la date limite des inscriptions à l'université, même s'il s'est toujours tenu parfaitement au courant de la scolarité de Chelsea. Nous avons aussi eu le privilège, depuis notre emménagement à la Résidence du gouverneur il y a des années, d'avoir autour de nous des gens qui veillent à ce que nous ne manquions de rien. Cela fait des décennies que ni Bill ni moi n'avons eu besoin de courir à l'épicerie pour acheter du lait. Pourtant, même la vie privilégiée que nous avons exige

---

10. Tendance qui consiste à publier sur Internet des images intimes d'une personne sans son consentement, dans le but d'en faire une forme de vengeance, par exemple après une rupture amoureuse.

11. Mary Wollstonecraft, *Défense des droits de la femme*, trad. fr. de Marie-Françoise Cachin, Paris, Petite Bibliothèque Payot, 1974.

une foule d'actions et de décisions infimes mais vitales pour pouvoir suivre son cours, et c'est moi qui ai tendance à m'en occuper.

En amitié aussi, j'assume ce rôle. En mars 2017, quelques-unes de mes amies proches sont venues passer un week-end à New York. Une nouvelle connaissance qui s'était jointe à notre petit groupe a voulu savoir quels étaient les liens entre nous. L'une après l'autre, mes amies se sont alors mises à expliquer en détail comment j'étais intervenue avec bienveillance dans leur vie au fil des années. « Quand j'ai été malade, Hillary m'a harcelée jusqu'à ce que j'aille voir son médecin et m'a téléphoné juste après pour un compte rendu détaillé. » « Ce n'est rien ! Quand ma fille s'est blessée au visage, Hillary a insisté pour que je consulte un chirurgien esthétique et m'a rappelée dix minutes plus tard pour me passer le meilleur de Washington. » Elles me connaissaient bien.

Et c'est la même chose au travail. Je vérifie que tout le monde a mangé, que mes assistants se sont enduits d'écran total si on doit rester dehors au soleil. Pendant nos déplacements à l'étranger, quand des journalistes du pool tombaient malades ou se blessaient, je m'assurais qu'ils aient des sodas et des biscottes et j'envoyais le médecin du département d'État leur apporter de l'Imodium et des anti-nauséeux.

Tout ça n'a rien d'exceptionnel. J'ai vu des femmes PDG servir le café dans des réunions, des femmes chefs d'État tendre un mouchoir à un collaborateur pris d'une crise d'éternuement. Par ailleurs, ça n'a rien de nouveau non plus. Ce sont des femmes comme Dorothy Height qui se coltinaient une bonne partie du travail ingrat pendant le mouvement des droits civiques, recrutant des bénévoles, organisant des ateliers, coordonnant les sit-in et les « freedom rides[12] ». Ce sont aussi des femmes qui accomplissent une large part du travail relationnel quotidien au Congrès en identifiant les problèmes, en rapprochant les parties intéressées, en bâtissant des coalitions efficaces. Ce sont souvent des femmes qui s'occupent du lien direct avec les électeurs en répondant aux appels téléphoniques, aux lettres et aux e-mails. Et, d'après mon expérience, ce sont aussi beaucoup de femmes qui passent ces coups de fil et écrivent ces courriers au Congrès. Nous ne sommes pas seulement celles qui s'inquiètent pour leur famille ; nous nous inquiétons également pour notre pays.

---

12. Les « freedom rides » (« voyages de la liberté ») étaient des actions militantes lors desquelles des groupes de Blancs et de Noirs prenaient ensemble des bus inter-États à destination des États du Sud pour y dénoncer la non-application d'un arrêt de la Cour suprême qui rendait illégale la ségrégation dans les transports publics.

Je crois que tout ça peut contribuer à expliquer pourquoi les femmes politiques à travers le monde ont tendance à accéder à des positions plus élevées dans les systèmes parlementaires que dans les systèmes présidentiels comme le nôtre. Les Premiers ministres sont choisis par leurs pairs ; des gens avec qui ils ont travaillé jour après jour, qui ont pu mesurer en personne leurs talents et leurs compétences. Un tel système finit forcément par récompenser l'habileté des femmes à tisser des relations grâce à ce qu'elles investissent dans la charge mentale.

Les systèmes présidentiels ne fonctionnent pas comme ça. Ils récompensent d'autres talents : savoir s'adresser aux masses, faire montre d'autorité devant les caméras, dominer dans les débats, galvaniser les foules et, aux États-Unis, lever un milliard de dollars. On peut reconnaître ça à Trump : il est empli de haine, mais il sait capter l'attention. Il utilise sa taille pour projeter une impression de puissance : il occupe l'espace sur les estrades, intimide les journalistes qui l'interviewent, fusille les gens du regard, menace de leur casser la figure. J'ai visionné la vidéo d'un de nos débats sans le son et j'ai pu constater qu'entre ses grands moulinets des bras, ses grimaces de théâtre, sa hauteur impressionnante et son agressivité, je le regardais bien plus que je ne me regardais moi-même. J'imagine que c'était le cas aussi pour beaucoup de téléspectateurs. Je soupçonne par ailleurs que, si une femme se montrait aussi agressive ou mélodramatique, elle serait contrainte de quitter la scène sous les rires ou les huées. Au bout du compte, même si de l'avis général je suis sortie vainqueur de nos trois débats, son attitude ultra-virile et brutale lui a fait gagner des points auprès de ses supporters.

Quant à moi, dans ma pratique politique, j'ai un style qu'on pourrait qualifier de féminin. Je me suis toujours attachée à écouter davantage qu'à parler. J'aime les réunions publiques parce que je peux entendre ce que les gens ont à dire et les interroger à ma guise. Je préfère les conversations en tête à tête ou en petit groupe aux grands discours, et les terrains d'entente aux champs de bataille.

Quand j'étais sénatrice, je passais beaucoup de temps à essayer de faire connaissance avec mes collègues, y compris des républicains bourrus qui au départ ne voulaient surtout pas avoir affaire à moi. Lors de ma première élection en 2000, Trent Lott, le chef des républicains au Sénat, s'était demandé tout haut si par hasard je ne pourrais pas être frappée par la foudre avant mon investiture. Pourtant, en 2016, il affirmait partout que j'étais une dame très compétente, qui avait fait du bon boulot ; et il a dit à mon mari que je m'étais plus démenée pour venir en aide aux victimes de l'ouragan Katrina que n'importe qui d'autre en dehors des États du golfe du Mexique. D'autres républicains conservateurs ont fini par m'apprécier quand j'étais leur collègue au Sénat après que j'avais soutenu certaines de leurs propositions de lois, que je leur avais resservi du café à la cantine ou que je m'étais assise à côté d'eux dans l'intimité d'un groupe de prière. Il y a même un sénateur ultra-conservateur qui est venu me voir pour s'excuser de m'avoir autant détestée et d'avoir dit des choses abominables sur moi pendant des années. Il m'a demandé : « Madame Clinton, vous voulez bien me pardonner ? » Je sais que ça paraît invraisemblable raconté aujourd'hui, mais c'est vrai. Je lui ai répondu oui, évidemment.

Conversions radicales mises à part, la besogne de la charge mentale n'est pas particulièrement excitante aux yeux de la presse politique et d'une partie des électeurs. On m'a reproché d'être trop intéressée par le détail des programmes politiques (barbant !), trop pragmatique (pas inspirant !), trop prompte au compromis (vendue !), trop focalisée sur les petits pas réalisables plutôt que les grands bouleversements qui n'ont quasiment aucune chance de jamais voir le jour (candidate de l'establishment !).

Mais, de la même façon qu'une famille se disloque si personne ne s'occupe de la charge mentale, la politique fait du sur-place s'il n'y a pas des gens pour s'écouter les uns les autres, lire les dossiers ou élaborer des projets qui ont une chance d'aboutir. Je comprends que ça puisse être considéré comme barbant. Personnellement, je ne trouve pas ça barbant, mais vous peut-être. Sauf que voilà : il faut bien que quelqu'un le fasse.

D'après ce que j'ai pu constater, la plupart du temps, ce sont des femmes. La plupart du temps, on trouve que ce n'est pas si important. Et je ne crois pas que ce soit une coïncidence.

« Ça n'est pas normal », ai-je pensé.

C'était pendant le deuxième débat présidentiel, et Donald Trump me tournait autour comme un rôdeur. Deux jours plus tôt, le monde entier l'avait entendu se vanter d'avoir peloté des femmes. À présent nous étions sur une scène étroite et, où que j'aille, il me suivait en me fixant du regard et en faisant des moues. J'étais incroyablement mal à l'aise. Je sentais littéralement son souffle dans ma nuque. J'en avais la chair de poule.

C'est un de ces moments où on aimerait pouvoir appuyer sur « pause » et demander au public : « Et vous, que feriez-vous à ma place ? »

Faut-il rester calme, garder le sourire et continuer comme s'il n'était pas constamment en train d'empiéter sur votre territoire personnel ?

Ou bien se retourner, le regarder droit dans les yeux et dire haut et fort : « Recule, espèce de sale type, éloigne-toi de moi. Je sais que tu aimes intimider les femmes, mais moi tu ne m'intimideras pas, alors recule ! »

J'ai choisi la première option. J'ai gardé ma contenance, aidée en cela par une vie entière passée à devoir gérer des hommes difficiles qui essayaient de me déstabiliser. Je me suis quand même agrippée très fort à mon micro.

Mais, avec le recul, je me demande si je n'aurais pas dû choisir la deuxième option. En tout cas, pour le spectacle, ça aurait certainement été mieux. Peut-être ai-je trop bien appris mes leçons de sang-froid : me mordre la langue, serrer les poings jusqu'à m'enfoncer les ongles dans la paume, sourire sans relâche, déterminée à présenter au monde un visage impassible.

Bien sûr, si j'avais levé la voix face à Trump, il en aurait sans doute allègrement tiré parti. Beaucoup de gens sont rebutés par une femme en colère, ou même simplement directe. Regardez ce qui est arrivé à Elizabeth Warren, réduite au silence à la tribune du Sénat pendant l'audience de confirmation du sénateur Jeff Sessions au ministère de la Justice parce qu'elle lisait tout haut une lettre de Coretta Scott King critiquant ce dernier[13] (quelques heures plus tard, Jeff Merkley, un homme sénateur, a pourtant été autorisé à lire cette lettre ; c'est quand même drôle). La sénatrice Kamala Harris a été tournée en ridicule et traitée d'« hystérique » après son interrogatoire pourtant parfaitement pondéré et professionnel du même Jeff Sessions lors d'une séance au Sénat. Comme l'a écrit une commentatrice politique, elle s'était fait « hillaryser ». Arianna Huffington a récemment été interrompue au cours d'une réunion du conseil d'administration d'Uber alors qu'elle faisait une remarque sur – je vous le donne en mille – l'importance d'augmenter le nombre de femmes siégeant au

---

13. En 1986, le président Ronald Reagan avait voulu nommer Jeff Sessions juge fédéral dans l'Alabama, une proposition rejetée par le Sénat suite à des accusations de racisme. En particulier, Coretta Scott King, la veuve de Martin Luther King, avait rédigé une lettre virulente pour s'opposer à cette nomination.

conseil. Et l'homme qui lui a coupé la parole l'a fait pour objecter qu'avec plus de femmes on aurait seulement plus de bavardage inutile ! On n'aurait pas pu l'inventer.

Autrement dit, ce n'est pas quelque chose qui m'est exclusivement réservé. Loin de là.

Tout comme ça n'est pas réservé aux femmes politiques démocrates. Trump s'est moqué du visage de Carly Fiorina parce qu'elle était une de ses adversaires durant les primaires républicaines. Il s'en est pris au physique des présentatrices de télévision Megyn Kelly et Mika Brzezinski en termes grossiers parce qu'elles osaient le défier. Peut-être est-ce la raison pour laquelle Nicolle Wallace, directrice de la communication de la Maison-Blanche sous George W. Bush, a prévenu que le Parti républicain risquait de devenir « définitivement associé à la misogynie » si ses dirigeants ne s'élevaient pas contre la manière dont Trump traitait les femmes.

Cela me rappelle un clip vidéo très fort intitulé « Miroirs » que l'on a diffusé pendant la campagne. On y voyait des adolescentes qui se regardaient dans la glace d'un air hésitant – recoiffant une mèche derrière leur oreille, évaluant leur profil, essayant de savoir si elles se trouvent bien ou pas, comme le font tant de jeunes filles face à leur reflet. Sur les images était diffusé un montage sonore d'abominations proférées par Trump en diverses occasions : « C'est une souillon », « Elle se goinfrait comme une truie », « Je la regarderais droit dans ses yeux de grosse moche ». Était-ce la voix que nous voulions mettre dans la tête de nos filles ? De nos petites-filles ? De nos nièces ? Et d'ailleurs dans la tête de nos fils, petits-fils et neveux ? Ils méritent mieux que cette virilité toxique incarnée par Trump.

Pourtant, il est dans leur tête à présent. Sa voix résonne dans le monde entier.

Maintenant c'est à nous tous de faire en sorte que ses paroles épouvantables n'abîment pas de façon irrémédiable les filles – et les garçons – de ce pays.

Deux jours avant le deuxième débat, mon équipe et moi venions de consacrer une matinée entière à une séance de préparation éreintante. Nous faisions une pause-déjeuner. La télé était allumée sans le son. Et soudain un présentateur est apparu à l'écran pour avertir les téléspectateurs qu'ils étaient sur le point d'entendre des propos obscènes. Et, ma foi, il ne mentait pas.

Je n'ai pas grand-chose à dire sur cette vidéo du *Washington Post* qui n'ait pas déjà été dit. Je ferai juste remarquer que Donald Trump y raconte le plus jovialement du monde avoir commis une agression sexuelle. On a eu tendance à le perdre un peu de vue, sous l'effet du choc général. Trop de gens se sont focalisés sur sa grossièreté : quel homme fruste, quelle vulgarité. Tout ça est vrai. Mais même s'il était un modèle d'élégance et de délicatesse, ça ne l'excuserait pas de se vanter d'avoir commis une agression sexuelle.

Beaucoup ont trouvé cette vidéo littéralement à vomir. Quant à moi, elle m'a rendue triste. Pour les femmes et les filles, pour les hommes et les garçons, pour nous tous. C'était… horrible, tout simplement horrible. Ça l'est encore. Et ça le sera toujours, car cette vidéo ne disparaîtra jamais. Elle fait partie de notre histoire, à présent.

Afin de détourner l'attention de sa propre ignominie, Trump a invité lors de notre deuxième débat trois femmes qui avaient accusé mon mari d'actes déplacés des décennies plus tôt, ainsi qu'une quatrième dont j'avais dû défendre le violeur après avoir été désignée comme avocat commis d'office par un juge de l'Arkansas. C'était une manœuvre immonde.

Je ne sais pas ce que l'équipe de Trump espérait accomplir si ce n'est le plus évident : ressortir de vieilles allégations sur lesquelles la justice s'était prononcée depuis des années, opérer une diversion après la vidéo du *Washington Post*, me faire perdre mes moyens, reléguer au second plan les véritables enjeux de cette élection. Il n'essayait absolument pas de prendre position en faveur de ces femmes. Il les utilisait, point.

Il s'agissait d'un débat présidentiel. Ce n'est pas rien. Nous étions censés parler des problèmes qui comptaient dans la vie des gens. Au lieu de quoi Trump s'est servi de ce moment pour revenir dans sa zone de confort. Il adore humilier les femmes, il adore répéter à quel point nous sommes répugnantes. Il espérait me décontenancer. J'étais bien décidée à ne pas lui offrir cette satisfaction.

Avant que je monte sur scène, Ron Klain m'a dit : « Il va essayer de jouer avec tes nerfs. » Je lui ai répondu : « Ah oui ? » Et puis j'y suis allée, et j'ai gagné ce débat.

Une chose que j'aimerais faire comprendre à tous les hommes en Amérique, c'est à quel point la peur nous accompagne, nous les femmes, tout au long de notre existence. Nous sommes tellement nombreuses à avoir subi des menaces ou des agressions. Tellement nombreuses à avoir aidé des amies à se relever d'un incident traumatique. Il est difficile d'exprimer l'effet que toute cette violence a sur nous. Elle s'accumule dans notre cœur et notre système nerveux.

Il y a quelques années, le hashtag #YesAllWomen[14] avait enflammé Twitter pendant un moment. Il me parlait, comme à tant d'autres femmes. Quand j'étais étudiante, nous avions un million de petits réflexes préventifs : tenir ses clés à la main comme une arme lorsqu'on rentre seule le soir, toujours se raccompagner les unes les autres. Je connais beaucoup de femmes qui se sont fait peloter, attoucher, ou pire. Ça peut même arriver à des élues. La sénatrice Kirsten Gillibrand a raconté dans son livre comment certains de ses collègues l'avaient lorgnée et agrippée par la taille dans la salle de sport du Sénat.

J'ai eu de la chance : rien de trop grave ne m'est jamais arrivé. Un jour, à la fac, j'ai eu un premier rendez-vous avec un jeune homme qui n'avait pas l'air de comprendre ce que « non » voulait dire, et j'ai dû le gifler pour m'en débarrasser. Heureusement, il a fini par reculer, et ce soir-là je me suis couchée un peu secouée, mais pas traumatisée. Quand j'avais 29 ans et que je travaillais pour la campagne présidentielle de Jimmy Carter dans l'Indiana, j'ai dîné avec un groupe d'hommes plus âgés que moi en charge de la mobilisation des électeurs démocrates dans cet État. Je les harcelais depuis un moment afin de savoir comment ils comptaient s'organiser le jour de l'élection, et visiblement je les agaçais. Alors que je leur expliquais pour la énième fois que j'avais besoin de ces informations, l'un d'entre eux s'est penché en travers de la table, m'a attrapée par le col et m'a tirée brusquement vers lui. Il m'a soufflé au visage : « La ferme. » J'ai été tétanisée, puis j'ai réussi à me dégager de sa poigne, à lui dire de ne plus jamais me toucher et à quitter la pièce sur des jambes flageolantes. Le tout a peut-être duré trente secondes. Je ne l'oublierai jamais.

Pourtant ce n'est rien comparé à la violence que subissent régulièrement des millions de femmes et de filles dans notre pays.

Environ quatre mois avant que ne sorte la vidéo obscène de Trump, un message très différent avait fait le tour de la Toile. Une jeune femme anonyme, désignée sous le pseudonyme d'Emily Doe, qui s'était fait agresser sexuellement sur le campus de Stanford alors

---

14. Ce hashtag, qui signifie littéralement « Oui, Toutes les Femmes », avait été lancé en 2014 suite à une tuerie en Californie dont la motivation était la haine des femmes. Il regroupait des témoignages sur la misogynie, le harcèlement, la discrimination et les violences dont sont victimes les femmes au quotidien.

qu'elle était inconsciente, avait écrit une lettre à son agresseur, un champion de natation de l'équipe universitaire, dont elle avait donné lecture lors du procès. Une amie me l'a envoyée par e-mail. Je l'ai lue une première fois, puis je l'ai aussitôt relue depuis le début. J'espère un jour avoir l'occasion de rencontrer son auteur pour lui dire à quel point je la trouve courageuse.

« Aux filles, où que vous soyez, écrivait-elle, je suis avec vous... »

> *Les soirs où vous vous sentez seules, je suis avec vous. Quand on ne vous croit pas, quand on vous ignore, je suis avec vous. Je me suis battue chaque jour pour vous. Alors n'arrêtez jamais de vous battre, moi je vous crois. Comme l'a écrit l'auteur Anne Lamott : « Les phares ne sillonnent pas les îles en courant à la recherche de bateaux à sauver ; ils se contentent de se tenir droit et de briller. » Bien que je ne puisse pas sauver tous les bateaux, j'espère que, parce que j'ai parlé aujourd'hui, vous avez capté un petit peu de lumière, une petite conviction qu'on ne peut pas vous faire taire, une petite satisfaction que justice a été rendue, une petite assurance que nous allons quelque part, et une grande, grande conviction que vous êtes importantes, incontestablement, vous êtes intouchables, vous êtes belles, vous devez être estimées, respectées, indéniablement, chaque minute de chaque jour, vous êtes puissantes et personne ne peut vous enlever ça[15].*

Tôt le matin du 9 novembre, quand est venu le moment de décider ce que j'allais dire dans mon discours de défaite, je me suis souvenue de ces mots. En m'en inspirant, j'ai écrit ceux-là :

« À toutes les petites filles qui me regardent en ce moment : ne doutez jamais de votre valeur, de votre pouvoir et du fait que vous méritez toutes les chances et les opportunités du monde de poursuivre et d'accomplir vos propres rêves. »

Où qu'elle soit aujourd'hui, j'espère qu'Emily Doe sait combien ses mots et sa force ont compté pour tant de gens.

Il y a encore un autre aspect de la question des femmes en politique que je tiens à souligner. Ce n'est pas seulement que la politique peut

---

15. Trad. fr. de Nora Bouazzouni, Cécile Dehesdin et Bérengère Viennot pour le site Buzzfeed France, 7 juin 2016.

être enrichissante pour celles qui choisissent d'y entrer. À long terme, cela rend notre vie politique meilleure pour tout le monde. J'y crois dur comme fer. Nous avons besoin que notre personnel politique ressemble à la population. Quand les gens qui dirigent nos villes, nos États et notre pays ont tous majoritairement le même aspect physique (disons, des hommes blancs) et la même origine sociale (aisée, privilégiée), nous nous retrouvons avec des lois qui sont loin de coller aux réalités de la vie des Américains. Et dans la mesure où c'est ce que l'on attend essentiellement du gouvernement, ça n'est pas un détail d'achopper là-dessus.

En d'autres termes, la représentativité importe.

La représentativité fait-elle tout ? Bien sûr que non. Sous prétexte que je suis une femme, je n'aurais pas forcément été une bonne présidente pour les femmes (en l'occurrence, je l'aurais été, mais pas uniquement à cause de mon sexe).

Pourtant ça joue, et souvent de manière très concrète. Je me souviens que, quand j'étais enceinte de Chelsea et que je travaillais pour le cabinet juridique Rose à Little Rock, je suis allée interroger mes supérieurs à plusieurs reprises sur leur politique en matière de congé maternité. Ils ont éludé la question jusqu'à ce qu'il ne soit plus possible de l'éluder, puis ils ont bredouillé qu'ils n'en avaient pas. « Aucune femme travaillant ici n'est jamais revenue après avoir eu un bébé. » Je me suis donc créé ma propre règle. En tant que récente associée, j'avais le pouvoir de le faire. Mais qu'en était-il des simples avocates ou des assistantes ? Étaient-elles censées reprendre le travail quelques jours après l'accouchement, ou ne jamais reprendre du tout ? Il fallait une femme dans la place pour remarquer qu'il y avait une grosse lacune dans le règlement intérieur du cabinet et pour se soucier d'y remédier.

La représentativité importe aussi d'une façon moins visible mais non moins précieuse. Je me rappelle à quel point j'étais fascinée, enfant, chaque fois qu'une femme apparaissait dans nos leçons d'histoire : Abigail Adams, Sojourner Truth, Ida Tarbell, Amelia Earhart. Même si c'était juste l'affaire d'une phrase dans un livre poussiéreux – et souvent elles n'avaient pas droit à plus –, ça m'enthousiasmait. J'étais aussi enthousiasmée par les grands hommes de notre histoire, mais apprendre qu'une femme avait fait quelque chose d'important revêtait une signification différente, une signification capitale. Sans bruit, ça contribuait à m'ouvrir un peu plus le monde. À me faire rêver un peu plus grand. Je me souviens qu'un jour, en rentrant de l'école, j'avais lu dans le magazine *Life* un article sur Margaret Chase Smith, la courageuse sénatrice républicaine du Maine qui avait tenu tête à Joseph McCarthy. Des années plus tard, en tant que première dame, je lui ai écrit une lettre pour lui faire part de mon admiration.

Jeune femme, j'ai été émue et inspirée en voyant Barbara Jordan défendre avec éloquence l'État de droit devant la commission judiciaire de la Chambre des représentants pendant les auditions du Watergate ; Geraldine Ferraro se tenir sur scène en tant que candidate démocrate à la vice-présidence ; Barbara Mikulski secouer les bancs du Sénat ; Dianne Feinstein s'attaquer au puissant lobby de la NRA ; et Shirley Chisholm se porter candidate à l'investiture de mon parti pour l'élection présidentielle. Ce qui jusqu'alors ne semblait pas possible le devenait soudain.

Quand Chelsea était petite, j'ai perçu l'importance de la représentativité sous un jour nouveau. Je la regardais tourner les pages de ses livres pour enfants en y cherchant attentivement les personnages féminins. Aujourd'hui, les fillettes ont tout un éventail d'héroïnes de fiction qu'elles peuvent admirer, dont Wonder Woman et la générale Lcia (qui est montée en grade depuis princesse). Lentement mais sûrement, Hollywood progresse dans la bonne direction.

Voilà pourquoi il était si émouvant pour moi de voir toutes les petites filles et les jeunes femmes dans mes meetings, et tous les parents me montrer du doigt en leur disant : « Regarde. Tu vois ? Elle est candidate à la présidence. Tu es aussi intelligente qu'elle. Tu es aussi forte qu'elle. Tu peux toi aussi devenir présidente. Tu peux devenir tout ce que tu veux. »

Après l'élection, j'ai reçu une lettre d'une certaine Kristin, étudiante en médecine à Dearborn, dans le Michigan. Elle m'écrivait :

> *Je vous ai vue en meeting pour la première fois quand j'étais enfant. J'étais venue avec ma mère, qui m'avait aidée à grimper sur une barrière et me retenait par le dos de ma salopette parce que je n'arrêtais pas de m'agiter pour vous faire coucou et vous crier des encouragements. J'étais euphorique d'entendre une femme aussi intelligente parler en public, et je n'ai jamais déchanté depuis. Vous n'avez jamais déçu la gamine que j'étais ce jour-là. Plus tard, j'ai lu votre histoire et j'ai continué à venir à vos meetings et à lire vos écrits. Vous n'avez jamais déçu la jeune femme que je suis devenue non plus.*

Aujourd'hui encore, même en sachant comment les choses ont tourné, je reste bouleversée par le souvenir de toutes ces petites filles fières et exaltées, et par l'idée des femmes qu'elles deviendront à un point que je ne saurais exprimer.

Je sais qu'en lisant cela certains ricaneront. La représentativité ! C'est tellement sage, tellement mièvre, tellement *de gauche*. Eh bien, si vous n'arrivez pas à comprendre la portée qu'aurait l'élection d'une femme à la présidence pour beaucoup d'entre nous – et pas uniquement pour les femmes, tout comme l'élection de Barack Obama a été une source de fierté et d'inspiration pour les gens de toute origine, pas seulement les Afro-Américains –, je vous demande simplement d'accepter le fait qu'elle puisse en avoir pour nombre de vos concitoyens, même si ce n'est pas le cas pour vous.

J'aurais tellement aimé pouvoir prêter serment et par là accomplir ce tournant historique pour les femmes. Néanmoins il y a eu dans cette élection de nombreux moments féministes dont nous pourrons nous souvenir. Je n'oublierai jamais le discours de Bill à la Convention nationale démocrate de 2016. À un moment, il a prononcé ces paroles mémorables : « Le 27 février 1980, un quart d'heure après mon retour de la réunion de l'Association nationale des gouverneurs à Washington, Hillary a perdu les eaux. » Moi qui le regardais à la télé depuis notre maison de New York, je n'ai pas pu m'empêcher d'éclater de rire. C'était bien la première fois que quelqu'un prononçait ces mots à propos d'un candidat à la présidence. Et j'ai songé qu'il était temps.

Il y a un autre moment que peu de gens ont relevé quand il s'est produit, mais que, moi, je n'oublierai jamais.

Quelques jours avant l'élection, Beyoncé et Jay-Z ont donné une représentation dans un de mes meetings, à Cleveland. Beyoncé a pris le micro : « Je veux que ma fille grandisse en voyant une femme à la tête de notre pays et qu'elle sache que les possibilités qui s'offrent à elle sont sans limites, a-t-elle dit. Nous devons penser à l'avenir de nos filles et de nos fils, et voter pour quelqu'un qui s'occupera d'eux aussi bien que nous. Voilà pourquoi je la soutiens. »

Et là, cette fameuse citation de 1992 s'est affichée en lettres majuscules sur un écran géant derrière elle : « Sans doute aurais-je pu rester à la maison, faire des gâteaux et boire du thé, mais au lieu de ça j'ai décidé de continuer à exercer ma profession. »

Cette phrase tellement controversée était soudain revendiquée sous mes yeux comme un message de force et d'indépendance... exactement dans le sens que j'entendais des années plus tôt !

Merci, Beyoncé.

Aurons-nous un jour une femme présidente ? Bien sûr.

J'espère que je serai encore là pour pouvoir voter pour elle... à condition que je sois d'accord avec son programme. Car elle devra emporter ma voix grâce à ses compétences et ses idées, comme n'importe quel autre candidat.

Quand ce jour viendra, je me dirai que mes deux campagnes présidentielles auront contribué à poser des jalons. Nous n'avons pas gagné, mais nous avons habitué les gens à l'image d'une femme candidate. Nous nous sommes rapprochés de la possibilité d'une femme présidente. Nous avons familiarisé le pays avec l'idée de pouvoir être dirigé par une femme. C'est déjà beaucoup, et toutes celles et ceux qui ont joué un rôle dans cette aventure sont en droit d'en retirer une profonde fierté. Ça valait la peine. Je n'en démordrai jamais. En définitive, ce combat valait la peine.

C'est pourquoi je suis tellement rassurée qu'une multitude de femmes à travers l'Amérique aient exprimé ces derniers mois plus de détermination qu'avant – et non moins, comme je dois reconnaître que je l'ai d'abord craint – à se présenter à des élections. De mon côté, je ferai toujours ma part pour encourager davantage de femmes à s'engager en politique et pour transmettre le message aux petites filles, aux adolescentes et aux jeunes femmes qu'elles ne doivent pas renoncer à leurs rêves ni à leurs ambitions.

Au cours des années, j'ai eu l'occasion d'embaucher et de promouvoir beaucoup de jeunes gens, hommes et femmes confondus. La plupart du temps, ça se passait à peu près comme ça :

MOI : Je voudrais vous confier des fonctions plus importantes.

JEUNE HOMME : Formidable ! Je suis ravi. Je vais faire du super-boulot. Je ne vous décevrai pas.

JEUNE FEMME : Vous êtes sûre que je suis prête ? Je ne sais pas. Peut-être dans un an ?

Ces réactions ne sont pas innées. Les hommes n'ont pas naturellement plus confiance en eux que les femmes. Simplement, on leur dit de croire en eux, alors qu'on dit aux femmes de douter d'elles. On le leur dit d'un million de manières différentes, en commençant dès leur plus jeune âge.

Nous devons faire mieux. Tous autant que nous sommes.

Que se passerait-il si une seule femme disait la vérité sur sa vie ?
Le monde imploserait.

Muriel Rukeyser

Mère, épouse, fille et amie

Je ne sais pas ce qu'il en est pour d'autres femmes, mais, enfant, je ne réfléchissais pas tellement au fait d'être une fille, sauf quand tout à coup ça devenait le sujet central. Comme au collège, quand j'ai écrit à la NASA pour dire que je rêvais de devenir astronaute et que quelqu'un m'a répondu : « Désolée, jeune fille, mais nous n'acceptons pas les femmes dans le programme spatial. » Ou quand le garçon qui venait de me battre aux élections du bureau des élèves m'a fait remarquer que je devais être vraiment idiote si je pensais qu'une fille pouvait être élue présidente du lycée. Ou encore quand j'ai entendu parler du Wellesley College : voilà un truc pour moi ! Dans ces occasions, j'étais pleinement consciente d'appartenir à la gent féminine. Mais, la plupart du temps, j'étais juste une gamine, une élève, une lectrice, une fan, une amie. Le fait d'être de sexe féminin était secondaire, au point que je l'oubliais parfois. D'autres femmes peuvent l'avoir vécu différemment, mais pour moi c'était comme ça.

Et j'en ai fait l'expérience grâce à mes parents. Ils nous ont traités, mes deux frères Hugh et Tony, et moi, comme trois enfants singuliers, chacun avec sa personnalité individuelle, au lieu de me mettre dans une case étiquetée « fille » et eux dans une case étiquetée « garçons ». Ils ne m'ont jamais reproché de ne pas me « comporter en fille » quand je jouais au base-ball avec les garçons. Ils ont toujours insisté sur l'éducation, car ils ne voulaient pas que je me sente limitée par des idées vieillottes sur ce que les femmes étaient censées faire de leur vie. Ils avaient plus d'ambition que ça pour moi.

C'est plus tard dans la vie que j'ai commencé à me voir autrement, quand j'ai endossé des rôles que j'ai ressentis comme profondément et puissamment féminins : épouse, fille de parents vieillissants, amie avec d'autres femmes, et puis, surtout, mère et grand-mère. Ces identités m'ont transformée tout en m'apparaissant étrangement comme l'expression la plus juste de moi-même. J'avais l'impression à la fois d'enfiler un nouvel habit et de changer de peau.

Je ne parle pas souvent de ces aspects de ma vie. Ce sont des choses qui me semblent privées. Qui *sont* privées. Mais ce sont aussi des expériences universelles, et je crois à la vertu de partager nos histoires entre femmes. C'est de cette manière que nous pouvons nous soutenir les unes les autres dans nos combats personnels et trouver la force de nous fabriquer chacune la meilleure vie possible.

Ces différents rôles n'ont pas été faciles ni indolores. Parfois ils ont même été franchement douloureux. Mais tous valaient d'être vécus. Ô combien !

Les années continuèrent à passer et Wendy eut une fille. Ceci, il ne faudrait pas l'imprimer mais l'écrire à l'encre d'or[1].

J. M. Barrie

Le dernier soir de la Convention nationale démocrate en juillet, ma fille m'a présentée à la nation tout entière. J'étais dans les coulisses, prête à entrer sur scène dès qu'elle aurait fini. Du moins, j'étais censée l'être. Mais je n'arrivais pas à m'arracher à la télévision, où son visage emplissait l'écran. En l'écoutant parler, je me suis félicitée d'avoir mis du mascara waterproof. Et le fait que ma propre fille, digne et magnifique, soit également là en tant que mère de Charlotte et Aidan – elle avait accouché de son fils à peine cinq semaines plus tôt – rendait l'événement encore plus émouvant.

Pendant une salve d'applaudissements vers la fin de son discours, Jim Margolis, qui avait un œil rivé sur la pendule, m'a crié : « Il faut y aller ! » Mais Chelsea n'avait pas terminé et je ne voulais pas en rater une miette. Jim a fini par hurler : « Maintenant, il faut *vraiment* y aller ! » Je me suis ressaisie et nous avons couru dans le noir le long du couloir et de l'escalier. Je suis apparue sur scène juste à temps.

Dès la seconde où elle est née, Chelsea m'a captivée. J'imagine que beaucoup de parents voient très bien ce que je veux dire. J'étais

---

1. James Matthew Barrie, *Peter Pan*, trad. fr. de Michel Laporte, Paris, Le Livre de Poche, 2009.

dingue de ma fille. Et ce soir-là, c'était pareil. Elle avait l'air tellement heureuse de parler du temps où elle était petite. J'ai toujours
trouvé intéressant d'entendre son point de vue sur son enfance. On
tâtonne, on essaie beaucoup de choses quand on est parent. Je me
souviens de Bill, quelques heures après sa naissance, qui tournait dans
la chambre d'hôpital avec la minuscule Chelsea dans les bras en lui
expliquant déjà tout. Nous ne voulions pas perdre un seul instant.

Voilà de quoi Chelsea a parlé à la Convention : nos excursions
hebdomadaires à la bibliothèque et à l'église. Les après-midi indo-
lents, allongées dans l'herbe à repérer des formes dans les nuages.
Un jeu de son invention auquel on jouait ensemble, « Quel dinosaure
est le plus gentil ? ». Elle a précisé que je l'avais avertie de ne pas
s'y laisser prendre, car même les dinosaures gentils en apparence
restaient des dinosaures. Ça me ressemble bien : ne pas rater une
occasion de transmettre un conseil pratique, même dans des circonstances absurdes.

Elle a évoqué ses livres préférés parmi ceux qu'on lui lisait enfant,
et plus tard ceux qu'elle lisait toute seule et dont elle nous parlait,
comme le roman de science-fiction *Un raccourci dans le temps*, de
Madeleine L'Engle.

Mais, surtout, Chelsea a rappelé que j'étais toujours là pour elle
et qu'elle avait toujours su à quel point nous l'aimions et nous l'estimions. Je ne saurais décrire le bonheur que j'ai eu d'entendre ma
fille dire ça. Chaque jour de son enfance, c'était ma priorité numéro
un : m'assurer qu'elle sache que rien au monde ne comptait plus
qu'elle. Je m'en souciais beaucoup, car Bill et moi étions des gens
extrêmement occupés. Nous avions de très longues journées de travail, partions fréquemment en voyage, et le téléphone de la maison
sonnait sans interruption, souvent pour des urgences. Il ne serait
pas étonnant qu'une petite fille ayant grandi au milieu de tout ça
se soit sentie délaissée. Au fil des années, j'ai rencontré plusieurs
enfants de personnalités politiques qui disaient : « J'étais très seul.
Je devais rivaliser avec le monde entier pour avoir l'attention de mes
parents. » Voilà l'angoisse qui m'empêchait de dormir quand Chelsea
était petite. Cette idée m'était insupportable.

Une des façons que nous avions de nous y prendre était de ne pas
l'exclure de notre vie professionnelle. Nous avons commencé très tôt
à parler de politique avec elle. Dans son discours à la Convention
nationale démocrate, elle a raconté combien il avait été dur pour elle
de me voir perdre la bataille pour la réforme de la santé en 1994,

alors qu'elle avait 14 ans. Heureusement qu'elle était là pour me consoler et m'aider à trouver des diversions, par exemple en regardant *Orgueil et préjugés* avec moi.

En ce qui me concerne, devenir mère a été l'accomplissement d'un rêve de longue date. J'adore les enfants ; j'adore simplement m'asseoir avec eux et faire l'andouille, regarder leur doux visage s'illuminer d'un sourire. Si un jour vous me cherchez dans une fête, vous avez des chances de me trouver du côté des bambins. Avant même de rencontrer mon mari et de songer à fonder une famille, j'étais avocate et militante pour la cause des enfants. Quand Bill et moi avons appris que nous allions être parents, nous étions euphoriques. Nous avons sauté partout dans la cuisine, comme deux gamins.

Si j'ai eu du mal à tomber enceinte, en revanche ma grossesse s'est déroulée sans problèmes. Chelsea est arrivée avec trois semaines d'avance. J'étais déjà énorme et plus qu'impatiente de faire la connaissance de ce petit être. Ni Bill ni moi n'avions de préférence quant au sexe de l'enfant, mais, quand le médecin a annoncé : « C'est une fille ! », j'ai senti mon cœur exploser de bonheur. Une fille !

Jusqu'à ce qu'elle soit là, je n'avais pas compris à quel point je voulais une fille. C'était un désir si secret que, même moi, je n'en avais pas conscience. Puis elle est arrivée, et j'ai tout de suite compris : elle était ce que j'avais toujours voulu.

Si nous avions eu un fils, je suis sûre que j'aurais été sur un petit nuage de la même manière. J'aurais su instantanément que j'avais toujours voulu un fils ; un adorable petit garçon que nous aurions élevé pour en faire un homme fort et attentionné.

Mais ce n'est pas ce qui s'est passé. Nous avons eu une fille. Et pas n'importe quelle fille, mais quelqu'un qui a apporté dans notre vie une tornade de joie et d'amour. Ça paraissait écrit. C'était de loin la chose la plus merveilleuse qui m'était jamais arrivée.

Il y a quelque chose de spécial, avec les filles. Dès le tout début, j'ai senti monter en moi un flot de sages préceptes que je voulais lui transmettre sur la féminité : comment être courageuse, comment acquérir une vraie assurance et la simuler s'il le faut, comment se respecter sans pour autant se prendre trop au sérieux, comment s'aimer ou au moins essayer et ne jamais cesser d'essayer, comment aimer les autres avec générosité et courage, comment être forte mais aussi douce, comment choisir les gens dont on écoute l'opinion et ceux qu'on ignore discrètement, comment croire en soi, y compris quand les autres n'y croient pas. Certaines de ces leçons avaient été chèrement acquises dans mon cas. Je voulais à tout prix épargner cette peine à ma fille. Peut-être Chelsea pourrait-elle sauter quelques étapes et arriver plus vite à trouver confiance en elle.

Mais mon désir d'être la meilleure mère au monde ne me garantissait pas le mode d'emploi qui allait avec. Au début, j'étais parfaitement incompétente. Les premiers jours, elle n'arrêtait pas de pleurer. J'en devenais malade. Au bout d'un moment, j'ai fini par m'asseoir en essayant tant bien que mal de capter le regard de ce nourrisson gigotant. « Chelsea, lui ai-je dit d'une voix ferme, tout ça est nouveau pour nous deux. Je n'ai jamais été mère. Tu n'as jamais été bébé. Alors il va falloir qu'on se soutienne mutuellement pour faire du mieux qu'on peut. » Ce n'étaient pas des paroles magiques, elles n'ont pas subitement apaisé ses pleurs, mais elles nous ont aidées, ne serait-ce qu'en me rappelant que j'étais totalement novice dans cette fonction et que je me devais un peu d'indulgence à moi-même.

Au cours des années, j'ai croisé une multitude de jeunes mamans lessivées qui ne savaient pas comment calmer leur bébé, réussir à l'allaiter ou à l'endormir, et je lisais dans leurs yeux ce même désespoir que j'avais ressenti dans les premiers jours de la vie de Chelsea. Chaque fois, je me souvenais qu'avoir un nouveau-né vous donne l'impression qu'on a allumé tous les interrupteurs de votre corps simultanément. Votre cerveau n'a plus qu'une seule obsession qui tourne en boucle : le bébé va-t-il bien, le bébé a-t-il faim, le bébé dort-il, le bébé respire-t-il. Si vous lisez ces lignes et que vous êtes une jeune maman, hébétée de sommeil, peut-être vêtue d'un vieux sweat-shirt débraillé et rêvant de votre prochaine douche, sachez que nous sommes nombreuses à être passées par là. Vous allez y arriver. Ça va devenir plus facile avec le temps, alors tenez bon. Et demandez peut-être à votre compagnon, votre mère ou une amie de vous remplacer quelques heures pour pouvoir prendre cette fameuse douche et dormir un peu.

Chelsea est née en 1980, une époque où les perspectives pour les femmes étaient plus ouvertes qu'elles ne l'avaient jamais été dans l'histoire de l'humanité. On ne lui claquerait pas autant de portes au nez qu'à moi. Bill et moi étions déterminés à ce que notre enfant ne s'entende jamais dire : « Les filles ne peuvent pas faire ça. » En tout cas, pas si on pouvait l'empêcher.

Ce dont je ne me doutais pas alors, en tenant ce minuscule bébé dans mes bras, était combien elle-même m'en apprendrait long sur le courage, la confiance et la grâce. Chelsea possède une force intérieure qui me stupéfie. Elle est intelligente, prévenante, observatrice, et même quand elle est sous pression ou sous le feu des attaques, elle se conduit avec élégance et sang-froid. Elle est douée en amitié, toujours contente de rencontrer de nouveaux gens, mais à l'aise aussi dans la solitude. Elle se fie à son esprit et le nourrit constamment. Elle défend ce en quoi elle croit. C'est l'une des personnes les plus tenaces que je connaisse, mais sa ténacité est discrète et posée, facile à sous-estimer. Ce qui fait d'elle quelqu'un d'encore plus redoutable. Elle a un sourire réellement rempli de joie.

Bill et moi avons sans doute joué un rôle dans tout ça. Mais Chelsea était déjà Chelsea dès le tout début. Je crois que la plupart des parents découvrent que leurs enfants arrivent bien plus construits qu'ils ne s'y attendaient. Ça rejoint ce que Kahlil Gibran écrivait dans *Le Prophète* : « Vos enfants ne sont pas vos enfants. [...] Ils passent par vous, mais ne viennent pas de vous [...]. Vous pouvez leur donner votre amour, mais pas vos pensées, car ils ont leurs propres pensées. [...] Vous pouvez vous efforcer d'être semblables à eux, mais ne cherchez pas à les rendre semblables à vous, car la vie ne revient pas en arrière et ne s'attarde pas avec le passé[2]. »

Comme toutes les mamans, je voulais protéger Chelsea contre la maladie et les accidents, le harcèlement à l'école, les désillusions et un monde dangereux. J'avais aussi en tête une autre catégorie de menaces, propres aux enfants de personnalités publiques. Chelsea a grandi en une des journaux. Elle s'est fait attaquer par des animateurs radio de droite et railler à la télé alors qu'elle n'avait que 13 ans ; j'en bous encore de rage. Bien des soirs, je me suis demandé si nous n'avions pas fait une terrible erreur de la soumettre à cette vie-là. Je ne m'inquiétais pas seulement qu'elle devienne complexée, mais aussi trop aguerrie dans l'art d'afficher un visage souriant pour les caméras. Je voulais qu'elle puisse développer une vie intérieure riche ; qu'elle soit sincère et spontanée ; qu'elle s'autorise ses propres sentiments, sans les réprimer. Bref, je voulais qu'elle soit une vraie personne, avec son identité et ses centres d'intérêt bien à elle.

Le seul moyen que je voyais d'y parvenir était de faire en sorte que sa vie soit la plus normale possible. Chelsea avait des tâches ménagères à la Maison-Blanche. Si elle voulait s'acheter un livre ou un jeu, elle devait économiser son argent de poche. Quand elle

---

2. Trad. fr. d'Anne Wade Minkowski, Paris, Gallimard, 1992 ; nouv. éd., Folio classique, 2017.

faisait des caprices – ce qui, je dois le lui reconnaître, arrivait très rarement –, elle était grondée et parfois punie. Notre ultime recours, c'était la privation de télé ou de téléphone pendant une semaine.

Mais il y a des limites à la normalité que peut avoir la vie d'une fille de président. Alors nous avons aussi décidé d'accueillir et de célébrer les incroyables opportunités que son enfance et son adolescence hors du commun lui permettaient. Nous l'avons emmenée avec nous lors dc certains déplacements à l'étranger, que ce soit pour visiter la Cité interdite en Chine, monter à dos d'éléphant au Népal ou rencontrer Nelson Mandela. À l'âge de 14 ans, elle s'est même retrouvée à discuter de *Cent ans de solitude* avec Gabriel García Márquez. Comme elle s'était toujours intéressée à la science et à la santé, Bill ne ratait jamais l'occasion de la présenter à tous les chercheurs et les médecins qui passaient par la Maison-Blanchc. Elle adorait ces conversations et ces expériences. « C'est trop cool ! » s'est-elle exclamée la première fois que nous sommes allés à Camp David ou qu'elle a volé à bord d'Air Force One, ou encore quand elle est venue avec moi en Norvège pour accompagner la délégation américaine aux Jeux olympiques d'hiver de 1994. Je la regardais – les questions qu'elle posait, ses commentaires enthousiastes sur tout ce que nous voyions et vivions –, et j'étais aux anges. Jamais elle ne se montrait blasée ou désinvolte. Elle était consciente de la chance qu'elle avait.

Et, peut-être le plus important pour moi, Chelsea n'avait jamais besoin qu'on lui rappelle dc remercier tous ceux qui rendaient notre vie à la fois aussi extraordinaire et ordinaire : le personnel de la Maison-Blanche, ses professeurs, ses gardes du corps, les parents de ses amis. Ma fille les traitait tous exactement de la même manière... y compris les chefs d'État. Elle avait une profonde gratitude envers les gens autour d'elle. Son attitude m'a procuré plus d'une fois des élans de fierté maternelle !

Avec les années, je me suis fait de moins en moins de souci pour Chelsea, puisque visiblement il n'y avait pas de quoi s'en faire. J'ai aussi appris de plus en plus auprès d'elle. Dans les moments de stress, c'est toujours la personne la plus calme à la ronde. Par ailleurs, elle ne rate jamais une occasion de s'amuser avec ses amis et, maintenant, ses enfants. C'est l'attitude de quelqu'un qui comprend que la vie nous réserve beaucoup d'épreuves et qu'on a intérêt à alimenter son stock intérieur de paix et de bonheur chaque fois qu'on le peut.

Enfin, comme cela s'est manifesté de façon particulièrement criante pendant la campagne de 2016, Chelsea est intrépide. Elle a sillonné le pays en long et en large pour me soutenir, et ce avec Aidan qu'elle allaitait encore. Sa façon de faire me rappelle ce mot de la regrettée Ann Richards, ancienne gouverneur du Texas : « Ginger Rogers faisait tout ce que Fred Astaire faisait, mais à reculons et en talons aiguilles. » Chelsea faisait tout ce qu'un émissaire de campagne énergique aurait fait, mais avec un nouveau-né collé à elle et tout l'équipement pour aller avec.

Elle m'appelait depuis les différentes étapes de sa tournée afin de me rapporter ce qu'elle voyait et entendait sur le terrain. « Je ne suis pas sûre qu'on ait beaucoup d'avance, me disait-elle, à la fois pendant les primaires et l'élection générale. J'ai le sentiment que c'est très difficile de faire prévaloir les faits. » Son engagement dans la campagne a commencé par une volée de bois vert. Lors de son tout premier déplacement, comme elle soulevait poliment certaines questions sur le programme de Bernie en matière de santé – elle a un master en santé publique et un doctorat en relations internationales centré sur les institutions de santé publique, donc elle sait de quoi elle parle –, elle s'est fait démolir.

Je me souviens de notre conversation téléphonique ce soir-là. Chelsea s'en voulait que ses mots n'aient pas reflété plus fidèlement ses pensées (je compatis !). Elle avait donné l'impression à certains de considérer que Bernie souhaitait se débarrasser purement et simplement de l'assurance-santé ; une idée absurde et évidemment loin de ce qu'elle avait en tête. Elle était mortifiée d'avoir pu laisser une impression erronée à quiconque, surtout sur un sujet qu'elle maîtrise particulièrement et qui lui tient profondément à cœur. J'aurais aimé pouvoir la serrer dans mes bras. À la place, nous en avons parlé posément.

La discussion que nous avons eue peut sembler un peu différente de celles qu'ont d'habitude une mère et sa fille, mais, au fond, c'est plus ou moins la même chose. Nous avons pris les problèmes un par un. Nous avons passé en revue les différences entre la proposition de Bernie et la mienne en réfléchissant à la meilleure manière de les présenter. Chelsea ne s'était pas trompée sur les détails, ce jour-là : à ce stade de la campagne, la réforme de la santé que proposait Bernie prévoyait de remplacer l'Affordable Care Act par une assurance-maladie universelle intégralement financée par l'État, ce qui est exactement ce qu'elle avait dit. Mais nous savions toutes les deux que ça ne changerait rien, désormais. Nous sommes donc revenues aux fondamentaux : pourquoi mon projet d'améliorer l'ACA et d'y ajouter une option publique[3] était le meilleur moyen d'instaurer une couverture universelle. Comme vous pouvez le voir, Chelsea et moi échangeons étroitement sur ce sujet en particulier, et elle a une façon d'aborder les problèmes et les solutions qui ressemble beaucoup à la mienne. (Récemment, nous avons aussi échangé un sourire et un soupir quand nous avons entendu Bernie appeler à une amélioration immédiate de l'ACA en épousant l'approche que j'avais défendue pendant toute ma campagne : une option publique dans les cinquante États tout en baissant à 55 ans l'âge de l'accès à Medicare[4].)

Après cela, nous nous sommes accordé quelques minutes pour vider notre sac sur cette haine qui semblait parfois viscérale contre moi, notre famille et toutes les femmes un peu trop en vue. Puis nous sommes passées à autre chose en laissant derrière nous les frustrations de la journée. Nous avons ri à propos d'une photo que Marc nous avait envoyée de Charlotte à son cours de danse classique. Nous nous sommes réjouies que les nausées de Chelsea semblent avoir diminué (elle était dans les premiers mois de sa deuxième grossesse). Et nous avons raccroché en nous disant des « je t'aime », heureuses de savoir que nous aurions à nouveau l'occasion de défendre nos arguments le lendemain et que nous pouvions compter l'une sur l'autre.

Jour après jour, j'étais émue par le soutien féroce qu'elle me témoignait. En tant que candidate, j'étais bien contente de l'avoir dans mon camp, travaillant sans relâche afin d'éclairer des points importants et d'expliquer pourquoi elle croyait si dur en mon programme (et en moi). En tant que mère, j'étais et je suis toujours extrêmement fière qu'elle parvienne à rester au-dessus des attaques qu'on lui jette quotidiennement à la figure.

Plus que n'importe qui, c'est Chelsea qui m'a convaincue que ma position sur le mariage homosexuel était incompatible avec mes

---

3. L'« option publique », c'est-à-dire la création d'une assurance médicale gérée par les pouvoirs publics afin de concurrencer les compagnies privées – dont sont exclues les personnes qui n'ont pas les moyens d'y souscrire ou qui ne remplissent pas les critères d'acceptation –, était à l'origine la pièce maîtresse de la réforme du président Obama. Considérée comme une concurrence déloyale par les assureurs privés et comme une mainmise du gouvernement fédéral sur la santé par les républicains, elle avait dû être abandonnée pour que l'Affordable Care Act puisse être voté par le Congrès.

4. Créé en 1965, Medicare est le système d'assurance-santé géré par le gouvernement fédéral au bénéfice de toutes les personnes de plus de 65 ans, sans conditions de ressources, du moment qu'elles (ou leur conjoint) ont cotisé pendant au moins dix ans de leur vie active.

valeurs et le travail que j'avais accompli au Sénat et au département d'État pour protéger les droits de la communauté LGBT. Elle m'a fait comprendre que, si j'étais réellement attachée à l'égalité en matière de dignité humaine, je devais défendre le droit au mariage pour tous, et c'est ce que j'ai fait dès que j'ai quitté le département d'État. Plus tard, quand j'ai reçu le soutien officiel de la Human Rights Campaign[5], j'ai pensé à elle. Et c'est aussi Chelsea qui m'a alertée sur le virus Zika bien avant que la presse n'en parle. « Ça va devenir un énorme problème », m'a-t-elle dit, et elle avait raison. Notre réponse est encore insuffisante.

À la naissance de Charlotte, j'ai ressenti la joie qu'on peut avoir en voyant son enfant prendre l'immense réservoir d'amour qu'il possède et l'élargir encore afin d'y inclure ses propres enfants, ainsi qu'un véritable compagnon de vie. Marc est un papa formidable, et à eux deux ce sont de merveilleux parents. Parfois Chelsea et moi nous livrons à un petit numéro que, je suppose, beaucoup de jeunes mamans et de jeunes grands-mères doivent connaître : je m'occupe de coucher le bébé pour la sieste ou de donner son goûter à la plus grande, et Chelsea me tombe dessus : « Maman, ce n'est pas comme ça que je fais. » Elle est capable de réciter par cœur les dernières recommandations de l'Académie américaine de pédiatrie sur le sommeil, l'alimentation infantile et les temps d'écran, et moi je peux profiter pleinement du plaisir qu'il y a à être grand-parent quand on sait qu'on n'a pas besoin de se faire de souci pour le bébé, car quelqu'un d'autre s'en charge. On n'a plus qu'à se concentrer pour être le papi ou la mamie le plus aimant et serviable possible.

Chelsea a été à mes côtés dans tous les moments difficiles depuis qu'elle est arrivée sur cette planète, et j'ai appris plus de choses d'elle que je ne l'aurais jamais cru. Tard dans la soirée le jour de l'élection, quand il était devenu clair que j'avais perdu, elle était assise près de moi et me regardait avec un visage plein d'amour en essayant de me transmettre le maximum de sa force et de sa grâce considérables. Comme toujours, elle m'a aidée à tenir bon dans la tempête.

J'étais certaine que Bill serait un excellent père. Le sien était mort avant sa naissance, et il savait la chance qu'il avait d'avoir cette possibilité que son propre père n'avait pas eue. Cela dit, beau-

---

5. La plus grosse association de défense des personnes lesbiennes, gays, bisexuelles et transsexuelles aux États-Unis.

coup d'hommes sont ravis d'être papa, mais moins ravis de tout le travail qu'implique l'éducation d'un enfant. L'essayiste Katha Pollitt a observé que même les relations les plus égalitaires pouvaient se distordre sous la pression de l'arrivée d'un bébé, et que soudain la mère était censée tout faire pendant que le père donnait un coup de main de temps en temps. Elle appelle ça devenir un « ménage à droite », une chouette formule, bien que sans doute un peu injuste pour toutes les féministes de droite, car il y en a.

Je savais que j'aurais assez d'énergie et de dévouement pour deux si jamais il s'avérait que Bill ne prenait pas sa part dans l'éducation des enfants. Mais j'espérais sincèrement que ce ne serait pas le cas. Notre union avait toujours été un véritable partenariat. Même s'il était gouverneur, puis président – des professions qui pourraient sembler « supérieures » à bien d'autres, du moins pour le genre de personnes qui classent les métiers de cette façon –, je tenais aussi beaucoup à ma carrière. Comme à mon temps et, plus généralement, à mon identité. J'avais très envie de devenir mère, mais pas de devoir abandonner au passage tout ce qui faisait que j'étais moi. Et je comptais sur mon mari non seulement pour respecter ce souhait, mais aussi pour m'aider à le mettre en œuvre.

Ce fut donc une chose merveilleuse de voir Bill plonger dans la paternité avec l'enthousiasme qui le caractérise. Quand nous sommes arrivés à l'hôpital, il avait avec lui toutes les notes du cours de préparation à l'accouchement que nous avions suivi ensemble. En apprenant que le bébé se présentait par le siège, il s'est battu pour pouvoir m'accompagner au bloc et me tenir la main pendant la césarienne. En l'occurrence, c'était pratique d'être le gouverneur de l'État pour négocier l'autorisation d'être le premier papa à pouvoir le faire. Une fois rentrés à la maison, il s'est occupé d'un nombre incalculable de biberons nocturnes et de changements de couches. Nous nous relayions pour accueillir le défilé permanent de famille et d'amis qui voulaient faire la connaissance de la petite Chelsea. Plus tard, nous lui avons lu chacun notre tour des histoires avant de dormir. Nous sommes allés tous les deux aux rendez-vous avec ses professeurs et ses entraîneurs sportifs. Même quand Bill est devenu président, il s'arrangeait autant que possible pour que son emploi du temps lui permette de dîner avec nous quasiment tous les soirs où il était à Washington. Et quand il était en déplacement quelque part dans le monde, il téléphonait à Chelsea pour qu'elle lui raconte sa journée et qu'il vérifie ses devoirs.

Année après année, notre fille adorait son père un peu plus. Alors qu'elle entrait dans l'adolescence, je me suis demandé si ça allait changer. Je me souvenais qu'à son âge j'avais commencé à m'éloigner de mon propre père. Je le provoquais en tenant des discours politiques enflammés. Il n'avait pas les bons instruments pour naviguer sur les flots parfois houleux de l'adolescence féminine. Allait-il se passer la même chose entre Chelsea et Bill ? Eh bien non. Il se passionnait pour les débats qu'ils avaient ensemble ; plus ils étaient acharnés, mieux c'était. Et il ne me laissait pas gérer les « trucs de fille » : les chagrins d'amour, l'estime de soi, la sécurité. Il participait à tout.

Est-ce que j'ai assumé davantage de responsabilités familiales que lui, surtout pendant les huit années de sa présidence ? Bien sûr. Il était président des États-Unis. C'était quelque chose dont nous avions parlé avant qu'il se présente, et j'étais tout à fait d'accord.

Mais je n'ai jamais eu l'impression d'être seule à élever notre merveilleuse fille. Pourtant je connais beaucoup d'épouses d'hommes occupés qui ne pourraient pas en dire autant. Bill voulait être un bon président, mais ça n'aurait eu aucun sens pour lui sans être également un bon père.

Chaque fois que je vois mon mari et ma fille rire ensemble d'une *private joke* qu'eux seuls peuvent comprendre ; chaque fois que je surprends une conversation entre eux, rivalisant de vivacité d'esprit ; chaque fois que je vois Bill regarder Chelsea avec un amour et un dévouement absolus… je me redis que j'ai choisi exactement la bonne personne pour fonder une famille.

> *Je n'ai aucune envie de me marier pour me marier.*
> *Passer le restant de mes jours avec un être à qui je n'aurais*
> *rien à dire, ou pire, avec qui je ne pourrais pas partager*
> *de silences ? Je n'imagine pas d'existence plus solitaire[6].*

Mary Ann Shaffer et Annie Barrows

Mon mariage avec Bill Clinton a été la décision la plus importante de ma vie. J'ai dit non les deux premières fois qu'il a demandé ma main. Mais, la troisième, j'ai dit oui. Et je le referais.

Si j'ai hésité, c'est que je n'étais pas tout à fait prête à me marier. Je n'avais pas encore vraiment décidé de quel genre d'avenir

6. Mary Ann Shaffer et Annie Barrows, *Le Cercle littéraire des amateurs d'épluchures de patates*, trad. fr. d'Aline Azoulay, Paris, NiL éditions, 2009.

je voulais. Et je savais que, en épousant Bill, je me dirigeais tout droit vers un avenir bien plus retentissant que tout ce que je pourrais jamais connaître. Bill était la personne la plus exaltée, brillante et charismatique que j'avais jamais rencontrée. Il voyait grand. Alors que moi, j'étais pragmatique et prudente. Je savais que lui dire oui reviendrait à monter à bord d'une comète lancée à pleine vitesse. Il m'a fallu un petit moment pour avoir le courage de sauter le pas.

Nous sommes mariés depuis 1975. Et nous avons eu ensemble beaucoup, beaucoup plus de jours de bonheur que de jours de tristesse ou de colère. Nous nous sommes rencontrés un soir à la bibliothèque de la faculté de droit de Yale, nous avons commencé à bavarder et, après toutes ces années, cette conversation ne s'est encore jamais tarie. Il n'y a personne avec qui j'aime plus parler qu'avec lui.

Je sais que certains se demandent pourquoi nous sommes toujours ensemble. Je l'ai entendu à nouveau pendant la campagne de 2016 : que nous devions avoir un « arrangement » (nous en avons un, ça s'appelle le mariage) ; que je l'avais aidé à devenir président et que j'étais restée pour qu'il m'aide à devenir présidente (faux) ; que nous menions des existences totalement séparées et que ce n'était désormais plus qu'un mariage sur le papier (à cette seconde même, il est en train de lire par-dessus mon épaule ce que j'écris à la table de notre cuisine, avec nos chiens à mes pieds, et dans un instant il va aller réorganiser notre bibliothèque pour la millionième fois, ce qui signifie que je ne pourrai plus retrouver aucun de mes livres, et quand j'aurai enfin compris le nouveau système, il le refera de fond en comble, mais ça ne fait rien parce que je sais à quel point il adore réorganiser cette bibliothèque).

Je crois que notre mariage ne regarde personne d'autre que nous. Les personnalités publiques ont droit à une vie privée elles aussi.

Pourtant je sais que ça intéresse sincèrement des tas de gens. Peut-être êtes-vous tout simplement perplexe. Peut-être que vous avez envie de savoir comment ça marche parce que vous êtes marié vous-même et que vous aimeriez bien que ça dure quarante ans ou plus, alors vous êtes curieux de l'expérience des autres. Je ne peux certainement pas vous en vouloir pour ça.

Je n'entrerai pas dans les détails, car je tiens vraiment à préserver autant que possible ce qu'il me reste de vie privée.

Mais voilà ce que je peux dire :

Bill a été un père extraordinaire pour notre fille adorée, et un grand-père impliqué et débordant d'énergie pour nos deux petits-

enfants. Quand je regarde Chelsea, Charlotte et Aidan, je me dis :
« On a fait ça ensemble. » Ce n'est pas rien.

Il a été mon compagnon de vie et mon plus grand allié depuis
la minute où on s'est rencontrés. Pas une fois il ne m'a demandé de
mettre ma carrière entre parenthèses pour la sienne. Pas une fois
il n'a suggéré que je devrais renoncer à me battre pour quelque chose
– dans ma vie professionnelle ou politique – parce que ça risquait
de contrarier ses projets ou ses ambitions. Même dans les périodes
où il avait un travail indéniablement plus important que le mien, il
n'a pas joué cette carte. Je ne me suis jamais sentie autre chose que
son égale.

C'est à sa défunte mère, Virginia, que revient une grande part du
mérite. Elle a travaillé dur comme infirmière anesthésiste, elle avait
des opinions bien tranchées et un formidable appétit de vivre. Si bien
que ça ne dérange absolument pas Bill d'avoir une épouse ambitieuse,
qui a un avis sur tout et peut parfois être un peu autoritaire. À vrai
dire, c'est même pour ça qu'il m'aime.

Bien avant que je ne songe à m'engager en politique, il me disait :
« Tu devrais le faire. Tu serais excellente. J'adorerais voter pour
toi. » Il m'a aidée à croire à cette version augmentée de moi-même.

Bill était un gendre dévoué et a toujours fait en sorte que mes
parents se sentent les bienvenus chez nous. Quand ma mère était
dans les dernières années de sa vie et que j'ai voulu qu'elle vienne
s'installer dans notre maison de Washington, il a dit oui sans l'ombre
d'une hésitation. Même si je n'en attendais pas moins de lui, pour
moi ça comptait plus que tout au monde.

Je connais tant de femmes mariées à des hommes qui, bien qu'ils
aient aussi des qualités, peuvent être maussades, bougons, agacés
par la moindre demande et déçus d'une manière générale par les
choses et les gens. Bill est l'inverse. Il a ses humeurs, mais il n'est
jamais méchant. Il est drôle, chaleureux, imperturbable face aux
mésaventures et aux désagréments, et facilement réjoui par le monde
(souvenez-vous de ces fameux ballons à la Convention). Il n'y a pas
meilleure compagnie que lui.

Nous avons évidemment connu des jours sombres dans notre vie
de couple. Vous êtes tous au courant ; et je vous prie d'imaginer un
instant ce que ça vous ferait que la terre entière soit au courant des
pires moments de votre relation. Il m'est arrivé de me demander
très sérieusement si notre mariage pourrait ou même devait survivre.
Mais, ces jours-là, je me posais les deux questions qui m'importaient

le plus : est-ce que je l'aime encore ? Et est-ce que je peux rester avec lui sans devenir méconnaissable à moi-même, déformée par la colère, la rancœur ou la distance ? Les réponses étaient toujours oui. Alors j'ai continué.

Lors de notre premier rendez-vous en amoureux, nous étions allés voir une exposition de Mark Rothko dans un des musées du campus de l'université de Yale. Le bâtiment était fermé, mais Bill avait réussi à négocier pour qu'on nous laisse entrer. Nous avions le musée pour nous seuls. Chaque fois que je me remémore cet après-midi – tous ces tableaux, le silence autour de nous, l'émotion d'être avec cet homme que je venais de rencontrer, mais dont je pressentais qu'il allait changer ma vie –, ça me paraît toujours aussi magique, et je mesure à nouveau mon bonheur et ma chance.

Je continue de penser que c'est un des hommes les plus beaux que j'ai jamais connus.

Je suis fière de lui : fière de son immense intelligence, de son grand cœur, de ce qu'il a apporté au monde.

Je l'aime de tout mon cœur.

C'est plus qu'il n'en faut pour bâtir une vie avec quelqu'un.

> *J'ai levé les yeux vers le ciel bleu, et j'ai senti le regain d'énergie dont elle parlait. Mais, surtout, j'ai senti la présence de ma mère, qui me rappelait pourquoi je m'étais lancée dans cette randonnée[7].*

Cheryl Strayed

J'ai rencontré beaucoup de gens dotés d'une grande force au cours de ma vie, mais personne n'en avait autant que ma mère.

Si vous pensez que tout le monde dit ça de sa mère, écoutez un peu l'histoire de Dorothy Howell.

À partir de l'âge de 3 ou 4 ans, ses parents la laissaient seule toute la journée dans leur appartement de Chicago. Quand elle avait faim, elle devait s'emmitoufler, descendre quatre étages à pied, marcher jusqu'à un restaurant du quartier, tendre aux serveurs un coupon-repas, manger et rentrer chez elle. Seule.

À 8 ans, on l'a mise dans un train pour la Californie. Ses parents divorçaient et ils avaient décidé de l'envoyer, ainsi que sa petite

---

7. Cheryl Strayed, *Wild*, trad. fr. d'Anne Guitton, Paris, Arthaud, 2013.

sœur de 3 ans, vivre chez ses grands-parents paternels. Les fillettes ont fait le voyage toutes les deux. Sans adulte. Il durait quatre jours.

Sa grand-mère portait de longues robes noires victoriennes. Son grand-père n'ouvrait quasiment jamais la bouche. Ils avaient des règles incroyablement strictes. Quand, une année, ma mère a osé sortir toquer aux portes pour récolter des bonbons le soir de Halloween, sa punition a été de passer un an complet confinée dans sa chambre, ne la quittant que pour aller à l'école.

Arrivée à l'âge de 14 ans, elle n'en pouvait plus. Elle s'est trouvé une place de gouvernante chez une famille dont elle gardait les enfants en échange du gîte et du couvert. Elle n'avait qu'un chemisier et qu'une jupe qu'elle lavait tous les soirs. Mais ses employeurs étaient gentils avec elle… enfin un peu de gentillesse. Ils l'ont encouragée à poursuivre sa scolarité.

À la fin du lycée, elle est retournée à Chicago parce qu'elle avait reçu une lettre de sa mère lui laissant entendre qu'elles pourraient peut-être former de nouveau une famille. En dépit de tout, sa mère lui manquait et elle rêvait de la retrouver. Mais, une fois là-bas, elle a vite compris que sa mère cherchait surtout une gouvernante. Quelque chose s'est alors cassé à jamais dans son cœur. Pourtant, comme c'était une bonne fille, nous rendions consciencieusement visite à ma grand-mère plusieurs fois par an.

Maman a ensuite emménagé dans un petit appartement, pris un boulot de secrétaire et rencontré mon père, Hugh Rodham. Ils se sont mariés en 1942 et m'ont eue peu après la guerre, suivie de mes deux frères. Nous vivions dans une maison de la banlieue de Chicago. Femme au foyer, ma mère était un tourbillon d'énergie, constamment occupée à faire la cuisine, le ménage, étendre le linge, laver la vaisselle, superviser nos devoirs et coudre des vêtements pour moi. Quand j'étais au lycée, elle m'a confectionné une robe – dans un tissu blanc à roses rouges – que je trouvais la plus jolie du monde. Elle nous aimait profondément et se démenait pour nous offrir une enfance riche et heureuse. Nous passions énormément de temps à jouer ensemble, à lire, à faire de grandes balades et à parler de tout et de rien.

À l'époque, les enfants et leurs parents ne se considéraient pas comme des amis. Ça ne marchait pas comme ça. Il y avait les parents d'un côté et les enfants de l'autre.

Mais, quand j'y repense, il ne fait aucun doute que ma mère était ma meilleure amie.

Petite déjà, je me rendais compte de la force qu'elle avait. Elle était extrêmement efficace. Quand elle disait une chose, vous n'aviez pas besoin de vous la faire répéter deux fois. Le jour où elle m'a dit qu'il fallait que je me défende contre la petite brute qui tyrannisait le quartier, je l'ai fait. Elle était tellement déterminée qu'une partie de sa détermination avait déteint sur moi.

Ce n'était pas quelqu'un qui avait un fort caractère. Elle n'était pas du genre à taper du poing sur la table ou à hurler comme le faisait mon père ; ce n'était pas la façon qu'elle avait d'affirmer sa présence. Mais elle avait des convictions. Elle vivait en accord avec ses principes. Elle aurait fait n'importe quoi pour nous, et nous pour elle. Tout ça lui donnait de la puissance.

C'est en grandissant que j'ai vraiment pris conscience de l'enfance solitaire et sans amour qu'elle avait eue. Je me suis demandé si j'aurais pu survivre à un tel calvaire sans que mon psychisme et ma dignité en souffrent. Elle savait qu'elle méritait d'être aimée et bien traitée, même si le monde lui avait affirmé l'inverse pendant si longtemps. Comment avait-elle fait pour conserver un tant soit peu d'estime de soi face à pareil mépris ? Les personnes les plus importantes dans sa vie lui disaient qu'elle n'était rien. Comment savait-elle que ce n'était pas vrai ? J'étais émerveillée par la force mentale qu'il avait dû lui falloir pour continuer à croire que des jours meilleurs allaient venir, qu'elle finirait par trouver la paix, qu'à force de dur labeur elle s'en sortirait, que sa vie avait du sens malgré le sort injuste qui avait été le sien jusque-là.

Quand je suis devenue maman à mon tour et que j'ai découvert les trésors de patience et de résistance que ça demandait, j'ai vu la force de ma mère sous un nouveau jour. Elle avait été élevée avec tant de négligence qu'on pouvait quasiment dire qu'elle n'avait pas été élevée du tout. Où avait-elle appris comment offrir à mes frères et à moi une enfance baignée d'autant d'amour et de sérénité ? Nous en avons discuté. Elle m'a expliqué qu'elle avait scrupuleusement observé toutes les familles qu'elle avait rencontrées, y compris celle dans laquelle elle travaillait quand elle avait 14 ans. Elle faisait attention à la façon dont les parents se parlaient entre eux et parlaient à leurs enfants. Elle s'était aperçue qu'une forme de fermeté bienveillante était possible et qu'on pouvait même rire ensemble, et pas seulement rester assis dans un silence glacial. Mais, pour l'essentiel, elle avait trouvé la réponse en elle-même. Ça n'était pas très difficile, disait-elle. Elle nous aimait et elle était tellement heureuse de nous avoir qu'elle n'avait guère de mal à le montrer.

Pourtant je connais d'autres gens dont les parents ont eu des enfances cruelles et emmagasiné cette cruauté pour la resservir à leurs propres enfants par la suite. C'est ainsi que la maltraitance se transmet de génération en génération. Et c'est d'ailleurs sans doute ce qui s'est passé dans le cas de ma grand-mère. Sans l'aide de personne, ma mère avait réussi à rompre le cycle d'un coup net.

D'après ce que j'ai pu voir autour de moi, quand les gens vieillissent, soit ils commencent à s'occuper de leurs parents, soit leurs parents continuent à s'occuper d'eux. Mes parents ont continué à s'occuper de moi. Chaque fois qu'ils venaient à la maison, ils s'inquiétaient : ne voulais-je pas un pull ? Avais-je faim ? En général c'est plutôt moi qui m'occupe de tout le monde, alors c'était touchant et assez amusant de voir les rôles s'inverser.

Nous étions proches. Lorsque Bill est devenu gouverneur de l'Arkansas en 1979, mes parents ont déménagé à Little Rock. Papa était à la retraite et ils étaient ravis d'entamer un nouveau chapitre de leur existence, de préférence le plus près possible de leur petite-fille chérie.

Papa est mort quelques mois à peine après l'investiture de Bill à la présidence. J'ai supplié maman de venir vivre avec nous à la Maison-Blanche, mais sans surprise elle m'a répondu non merci. Ma mère était trop indépendante pour ça. Elle venait quand même nous rendre visite, parfois pour plusieurs semaines d'affilée, pendant lesquelles elle logeait dans une chambre au deuxième étage. En outre, elle nous a aussi accompagnés, Bill, Chelsea et moi, lors de certains voyages à l'étranger.

Quand nous avons quitté la Maison-Blanche et que j'ai été élue sénatrice, maman s'est installée tout près de chez nous, dans un appartement des quartiers nord-ouest de Washington. Elle adorait se balader en ville, aller au musée et au zoo (qui sont gratuits dans la capitale !), dîner avec Bill et moi plusieurs soirs par semaine, et beaucoup voir mon frère Tony, qui habite en Virginie, en périphérie de Washington, avec sa femme Megan et mes neveux et nièce Zach, Simon et Fiona.

Quelques années plus tard, je lui ai de nouveau posé la question et elle a finalement accepté d'emménager chez nous, car il devenait trop compliqué pour elle d'habiter seule. Elle avait des problèmes cardiaques, si bien qu'elle pouvait s'essouffler rien qu'en déballant ses courses ou en pliant son linge. Elle qui était d'ordinaire en perpétuel mouvement se déplaçait désormais avec précaution de peur de se faire mal.

J'étais contente qu'elle ait accepté de venir vivre avec nous sans que j'aie besoin de me battre pour la convaincre, mais je me *serais* battue s'il l'avait fallu. Si son indépendance avait de l'importance, sa santé et sa sécurité n'en avaient pas moins. À l'époque où elle habitait encore seule, il y avait des jours où je travaillais au Sénat et je me rendais brusquement compte que je n'avais pas eu de ses nouvelles de toute la journée. J'étais alors prise d'un léger moment de panique : avait-elle fait une chute ? Allait-elle bien ? Chez nous, il y avait toujours quelqu'un. En la sachant là-bas, nous nous ferions moins de souci.

Sauf que ça n'était pas si simple. Nous avons découvert une chose que beaucoup de parents et d'enfants apprennent sur le tard dans la vie : que l'équilibre entre eux est différent une fois que l'enfant est adulte et le parent âgé. Ma mère n'avait pas envie d'être maternée ; elle avait envie de continuer à me materner. Quant à moi, je ne voulais pas empiéter sur son indépendance ni sa dignité – cette seule pensée me faisait frémir –, mais je voulais aussi être honnête avec elle sur ce dont j'estimais qu'elle était encore capable ou pas. Interdiction de descendre toute seule au sous-sol : l'escalier était trop raide, elle risquait de tomber. Ça ne l'empêchait pas de le faire. Elle se hérissait à la moindre restriction et ignorait largement mes recommandations. Chaque fois que je m'en agaçais, je me rappelais qu'à sa place j'aurais probablement été aussi têtue qu'elle.

Il y avait cependant un élément capital qui maintenait l'équilibre entre nous : j'avais encore besoin de ma mère. Besoin de pouvoir m'appuyer sur son épaule ; besoin de sa sagesse et de ses conseils. Quand je rentrais à la maison après une longue journée au Sénat – ou, en 2007 et 2008, après une longue journée de campagne –, je m'asseyais à côté d'elle à la table de la cuisine et j'évacuais toutes mes frustrations et mes inquiétudes. La plupart du temps, elle se contentait d'écouter. Lorsqu'elle me donnait un conseil, ça tournait toujours autour de la même idée fondamentale : tu sais ce qu'il faut faire ; fais ce que tu penses être juste.

Maman a habité chez nous pendant cinq ans, et j'ai profité d'elle chaque journée depuis. Comme toute la famille, d'ailleurs. Grâce à elle, notre maison était pleine de vie. Son petit-fils Zach passait souvent la voir après l'école. Tony et Megan lui amenaient fréquemment Fiona et Simon ou la prenaient chez eux pour le week-end. Elle se délectait de ces moments avec nous tous. Elle parlait quotidiennement avec mon frère Hugh, qui vivait en Floride. Pareil avec Chelsea : pas un jour ne s'écoulait sans un coup de téléphone, et Chelsea et Marc venaient lui rendre visite une fois par semaine. Elle enchantait tous nos amis. Plusieurs copains de Chelsea l'avaient adoptée comme grand-mère honoraire et passaient prendre de ses nouvelles ou restaient dîner pour discuter avec elle de subtilités philosophiques ou du dernier épisode des *Soprano*. Elle était de bonne compagnie : cultivée et pleine de répartie. Le jour où elle est morte, à 92 ans, elle en était à la moitié de *L'Œil de l'esprit*, d'Oliver Sacks.

Nous avons eu tellement de chance de l'avoir si longtemps parmi nous. Beaucoup de mes amis avaient perdu leur mère, mais moi j'avais encore la mienne, qui m'accueillait matin et soir avec un sourire tendre et une petite tape sur la main. Je n'ai jamais raté une occasion de lui dire que je l'aimais. Souvent, le soir, je faisais le choix de refermer mes dossiers pendant une heure ou deux pour pouvoir dîner ou regarder la télé avec elle (elle adorait « Danse avec les stars »). Les dossiers pouvaient attendre. Ce temps passé avec ma mère était inestimable. J'aurais donné n'importe quoi pour avoir ce genre de moments avec mon père ; je n'allais pas gâcher cette chance avec ma mère.

J'étais heureuse de la longue vie bien remplie qu'elle avait eue, de tous les moments que nous avions partagés, heureuse d'avoir eu la possibilité de m'occuper d'elle comme je l'avais fait, heureuse de l'amour profond qu'il y avait entre elle et Chelsea, ainsi que des sages conseils qu'elle avait pu lui donner. Je ne saurais dire le nombre de gens que j'ai rencontrés aux quatre coins du pays qui n'aimeraient rien tant que de pouvoir accueillir sous leur toit leurs parents vieillissants. Mais ils n'en ont pas les moyens, ou la place. Nous avions la place. Nous avions les moyens. C'est quelque chose dont je me sens infiniment reconnaissante. Elle et moi avons eu le temps de nous dire tout ce que nous avions à nous dire. De ça aussi, je suis reconnaissante.

Après sa mort, même si j'étais à l'époque secrétaire d'État, j'ai eu l'impression de n'être à nouveau qu'une petite fille à qui sa maman manquait.

C'est étrange parfois, la vie, non ?

> *Une revue britannique a un jour organisé un concours*
> *pour récompenser la meilleure définition du mot « ami ».*
> *Parmi les milliers de réponses reçues, il y avait :*
> *« Quelqu'un qui multiplie les joies, divise les chagrins,*
> *et dont l'honnêteté est inviolable. » Ou : « Quelqu'un qui*
> *comprend nos silences. » La définition gagnante fut : « Un*
> *ami est celui qui arrive quand tout le monde est parti. »*

> *Bits and Pieces* (magazine)

Chacune de ces expériences – les joies et les épreuves du mariage, de la maternité et de la filiation –, je l'ai partagée avec mes amis.

Mes amis sont tout pour moi. Il y en a que je connais depuis l'âge de 5 ans ; Ernie, par exemple, avec qui j'ai fait le chemin de l'école le premier jour de maternelle. Ils m'ont vue dans mes pires moments, et moi dans les leurs. Nous avons tout traversé ensemble : les divorces, les remariages, la naissance des enfants, la mort d'un parent ou d'un conjoint. Certains de mes plus proches amis sont décédés et ils me manquent tous les jours, ce qui me rend d'autant plus précieux ceux qui restent. Nous avons été au chevet les uns des autres quand nous étions malades. Nous avons dansé au mariage de nos enfants respectifs. Nous avons bu du bon vin et mangé de bons repas, cancané, marché et lu des livres ensemble. Nous avons formé, en somme, une équipe inséparable.

Il y a parmi eux des hommes et des femmes, et je voudrais prendre un instant pour rendre hommage à mes amis hommes, qui m'ont soutenue au fil des années, qu'il pleuve ou qu'il vente. Certains disent que l'amitié ne peut pas vraiment exister entre deux personnes de sexe opposé. Je ne comprends pas cette opinion. Personnellement, je ne sais pas ce que je ferais sans ces hommes qui me stimulent, m'encouragent, me demandent des comptes et me font rire à en perdre haleine.

Mais mes amies femmes… Mes amies femmes, c'est une tout autre histoire.

Si j'en crois mon expérience, il y a une force particulière au cœur des amitiés féminines. On tombe le masque les unes avec les autres. On peut se parler de choses crues et douloureuses. On se confie des doutes et des peurs qu'on n'ose parfois pas s'avouer à soi-même.

Voilà un exemple : j'ai aimé passionnément devenir mère. Mais il y a des jours où ça me semblait… je ne vois pas d'autre façon de le dire : terriblement ennuyeux. Je lisais le même livre pour enfants vingt fois d'affilée et je me sentais dépérir. Mes collègues continuaient à travailler sur des dossiers passionnants, et moi j'étais à la maison en train de chanter « Ainsi font, font, font » pour la cent vingt millième fois. Je me demandais si j'étais un monstre de penser des choses comme ça, alors j'ai posé la question à mes amies. Leur verdict : non, non, juste une maman normale.

Quand j'ai eu du mal à tomber enceinte, j'en ai parlé à mes amies. Quand Bill et moi avons traversé des mauvaises passes dans notre couple, j'en ai parlé à mes amies. Quand j'ai perdu l'élection de 2016, j'ai parlé à mes amies de mon sentiment d'échec avec une franchise particulière. Je n'ai jamais hésité à être sincère avec elles, même si ce que j'avais à dire était morose ou brutal. Elles me connaissent intimement, de sorte que je n'ai jamais peur de baisser dans leur estime. Il y a beaucoup de gens devant qui j'affiche un sourire de façade, mais pas devant elles.

Je suis toujours stupéfaite quand je vois des films où les amitiés féminines sont dépeintes comme mesquines ou perfides. Je suis sûre que ce genre de relations doit exister, mais à ma connaissance ce n'est pas la norme. L'amitié entre femmes procure du réconfort et de l'empathie dans un monde qui peut nous traiter avec beaucoup de dureté. La pression pour être une épouse, une mère et une fille parfaite est parfois insoutenable. Quel soulagement d'avoir autour de soi des gens avec qui partager tout cela, et de se sentir rassurée sur le fait qu'on ne s'en sort pas si mal.

Si vous n'êtes pas convaincu des mérites de l'amitié, fiez-vous aux statistiques (et là, mes amis diraient : « Bien entendu, Hillary a des statistiques »). Des études montrent que, lorsque les seniors interagissent régulièrement avec des amis, ils ont moins de problèmes de mémoire et de dépression, une plus grande mobilité physique, et bénéficient probablement d'un meilleur suivi médical. Maintenant que je fais officiellement partie des seniors, je me raccroche plus que jamais à mes amis : ce sont eux, littéralement, qui me maintiennent en forme.

Se faire de nouveaux amis à l'âge adulte est difficile pour tout le monde. Mais, pour Bill et moi, il y a des complications supplémentaires : doit-on laisser entrer dans notre vie des gens qu'on ne connaît pas très bien ? Et s'ils veulent juste nous fréquenter pour avoir une bonne histoire à raconter ? Nous avons déjà eu de mauvaises expériences dans ce domaine. Ce n'est jamais agréable de se sentir utilisé.

Inversement, il y a aussi les risques que courent les gens en devenant nos amis. Si vous sortez dîner avec moi, votre photo peut se retrouver dans le journal. Vous pouvez vous faire harceler sur Internet par des trolls. Vous pouvez perdre d'autres amis qui me détestent à cause de mes positions politiques. Vous pouvez même avoir à engager un avocat. J'ai presque envie de distribuer un avertissement préalable à toute personne qui voudrait devenir mon ami : voilà la liste des effets secondaires susceptibles de se manifester.

C'est pour ce genre de raisons que nombre de personnalités publiques ne se lancent pas vraiment dans de nouvelles amitiés. Elles referment le cercle. C'est compréhensible. Pourtant je continue à essayer de rencontrer des gens. Ne serait-ce que cette dernière année, je me suis liée avec plusieurs personnes, dont un auteur de romans policiers que je lis depuis longtemps et avec qui j'entretiens désormais une correspondance. À mes yeux, le jeu en vaut la chandelle ; je retire tellement de choses de mes amitiés : j'apprends beaucoup, je ris beaucoup. Et ça me fait le plus grand bien de me construire une communauté, de me sentir connectée à un réseau toujours en expansion de gens qui viennent de différents milieux et de différentes époques de ma vie. Je n'ai pas envie de passer tout mon temps avec des politiciens. Qui diable aurait envie de ça ?

J'ai été sous le feu des projecteurs pendant une si grande partie de ma vie, à devoir surveiller chacun de mes mots, chacune de mes réactions, que c'est un vrai soulagement d'avoir des amis avec qui je peux me montrer vulnérable et naturelle. Ce n'est pas seulement plaisant, c'est *vital*. Ça m'empêche de devenir folle.

Voilà au fond pour moi à quoi tout se résume : je ne veux pas d'une vie étriquée. Je veux une vie bouillonnante, épanouie. Je songe à la question de la poétesse Mary Oliver sur ce que chacun d'entre nous entend faire de son unique, sauvage et précieuse vie. Ma réponse inclut notamment de rester ouverte à de nouvelles amitiés ; rencontrer de nouveaux gens, écouter leur histoire, partager la mienne en retour.

Je voudrais enfin mentionner un groupe particulier de femmes que j'ai côtoyées au fil des années : les autres premières dames, sénatrices et secrétaires d'État. Je ne dirais pas que nous sommes intimes, mais nous nous connaissons et nous nous comprenons comme peu d'autres nous connaissent et nous comprennent. Nous savons ce que ça fait de voir son mari attaqué, son couple sans arrêt mis en doute, et de devoir expliquer tout ça à ses enfants ; d'être en minorité dans un milieu largement masculin et de garder sa dignité et sa bonne humeur même quand on nous traite avec condescendance ou qu'on nous coupe la parole vingt fois par jour. Peu importe de quel bord politique nous sommes ; il y a entre nous une connexion plus profonde.

Notre amitié me rappelle cette remarque de Sandra Day O'Connor, qui avait longtemps été la seule femme à la Cour suprême, quand Ruth Bader Ginsburg l'y a rejointe : « Dès la minute où la juge Ginsburg est arrivée à la Cour, nous étions neuf juges. Ce n'était pas sept juges plus les femmes. Nous étions neuf. Et ce fut un grand soulagement pour moi. »

Les femmes qui m'ont précédée ou accompagnée sur ces chemins ont également été un soulagement pour moi – et *vice-versa*, je l'espère.

Je ne crois pas qu'on puisse se débrouiller seul avec la vie. Il faut tout un village pour y trouver du sens et du bonheur. Mes amis ont été mon village. Et je ne changerais ça pour rien au monde.

Consoler, ce n'est pas ôter la peine, mais plutôt être là et dire :
« Tu n'es pas seul, je suis avec toi. Ensemble, nous pouvons porter ce fardeau.
N'aie pas peur. Je suis là. » La voilà, la consolation.
Nous avons tous besoin de la donner et de la recevoir.

Henri Nouwen, *Bread for the Journey*, HarperCollins, 1997.

Transformer le deuil
en mouvement

Elles respiraient la force. Des femmes fières qui avaient beaucoup vécu, beaucoup pleuré et beaucoup prié. J'ai fait le tour de la salle et je me suis présentée à chacune d'entre elles, une dizaine de mères venues de tout le pays. Je les ai écoutées en m'imprégnant de leur dignité à la fois calme et empreinte de révolte.

C'était en novembre 2015. Nous étions installées au Sweet Maple Cafe, un petit établissement du West Side de Chicago. Chacune des femmes présentes avait perdu un enfant des suites de la violence armée ou d'une interpellation policière. Elles s'y étaient rendues pour parler de ce qui était arrivé à leurs enfants et voulaient savoir si j'allais prendre les choses en main – ou si mon seul objectif était de courtiser leur vote, comme tous les autres candidats.

Quelque temps plus tard, certaines d'entre elles fonderaient une association itinérante baptisée Mothers of the Movement – les « Mères du mouvement » –, qui parcourait le pays pour raconter leur histoire dans des églises, des centres communautaires, sur scène, et même à la Convention nationale démocrate. Leur courage, leur grandeur d'âme et leur refus de jeter l'éponge ont été pour moi un modèle et une source d'inspiration.

C'est en partie grâce à elles que je me suis retrouvée à parler fréquemment et résolument de la violence armée, de la justice raciale, des réformes policières et de l'incarcération de masse. Il s'agit de problèmes complexes – fondamentalement et politiquement –, mais les récits de ces femmes et la multiplication de fusillades et d'interpellations brutales en 2015 et 2016 ont achevé de me convaincre qu'on ne pouvait ignorer ces questions lourdes d'importance. J'ai donc fait une priorité de la réforme du système judiciaire dès le tout premier discours de ma campagne, insistant sur une double nécessité : les citoyens sont tenus de respecter la police qui les protège et la police est tenue de traiter avec respect les citoyens qu'elle sert. J'ai également critiqué l'influente NRA, qui s'oppose même aux mesures de contrôle des armes à feu les plus sensées. Je n'ignorais pas le risque que prend un candidat en la critiquant, mais estimais que c'était mon devoir de parler au nom de tous ceux et celles morts ou blessés des suites d'agressions volontaires, d'accidents ou de suicides. Si je l'avais emporté, nous aurions pu empêcher tout criminel ou individu condamné pour violence conjugale dans le passé de se procurer une arme, nous assurant ainsi que moins de parents aient à enterrer leurs enfants comme les Mothers of the Movement ont dû le faire. Ne pas avoir pu œuvrer en ce sens restera toujours une immense déception pour moi.

Ces mères et tous ceux dont des proches ont succombé à la violence armée doivent avoir l'occasion de raconter leur histoire et d'être entendus. Nous devons répéter leurs noms inlassablement. Lors de cette première rencontre à Chicago, il n'y avait pas de journalistes, pas de public ; j'étais simplement accompagnée de ma conseillère politique Maya Harris et de LaDavia Drane, ma directrice des relations avec la communauté afro-américaine.

C'est Sybrina Fulton qui a donné le coup d'envoi. Son fils de 17 ans, Trayvon Martin, a été tué devant une supérette près d'Orlando, en Floride, en 2012. « Nous sommes des mamans comme toutes les autres. Nous n'aspirons pas à être des militantes, nous ne voulons pas être les mères de la violence armée absurde, nous ne voulons pas être dans cette situation : on nous y a mises de force. Aucune de nous n'aurait décidé de son plein gré de s'engager dans ce combat. »

Le jour de sa mort, Trayvon n'était pas armé. Il portait un sweatshirt à capuche et était sorti s'acheter des bonbons au coin de la rue. Jordan Davis, lui, a été assassiné par un Blanc à Jacksonville, toujours en Floride, parce qu'il écoutait de la musique de « voyou » trop forte dans une voiture. Tamir Rice, 12 ans, jouait dans un parc de Cleveland avec un pistolet en plastique quand il a été abattu par un officier. Eric Garner a été interpellé alors qu'il vendait des cigarettes à la sauvette dans une rue de Staten Island. Il est mort étouffé. Dans certains de ces récits, il était question de violence armée criminelle ; d'autres mettaient en cause l'usage excessif de la force par la police.

Ce sont des problèmes différents qui appellent des mesures et des réponses politiques différentes. Mais il y avait un élément qui reliait toutes ces histoires : la couleur de la peau des impliqués. Et la douleur de ces femmes, elle aussi – une douleur qu'aucune mère, aucun parent ne devrait avoir à connaître.

La mère de Jordan, Lucia McBath, se rappelait avoir dû réconforter son fils lorsqu'ils avaient appris le meurtre de Trayvon aux informations. Les deux garçons ne se connaissaient pas ; ils ne vivaient pas dans la même partie de la Floride. Mais la nouvelle l'avait choqué : « Maman, comment est-ce que ça a pu arriver ? Trayvon ne faisait rien de mal ! » Lucia n'avait pas de réponse. Neuf mois plus tard, Jordan était abattu à son tour. Et voilà que leurs mères se retrouvaient assises à la même table.

« Il y a les mauvais soirs, les soirs sombres où nous sommes couchées, les yeux au plafond, et nous pleurons, m'a confié Gwen Carr, la mère d'Eric Garner. Nous nous repassons en boucle ce qui est arrivé à notre enfant. »

Hadiya Pendleton était une lycéenne douée et travailleuse de 15 ans. Elle a été abattue dans un parc de Chicago, parce qu'elle se trouvait au mauvais endroit au mauvais moment. La semaine précédente, son groupe du lycée avait donné un concert à l'occasion de la seconde investiture du président Obama, à Washington. « Je n'ai pas de mots pour décrire ce que nous endurons chaque jour dès le réveil, m'a confié sa mère Cleo à Chicago. Je n'avais plus de voix après la mort de Hadiya. J'avais passé trois ou quatre jours à hurler. Je ne pouvais rien faire d'autre. J'ouvrais les yeux et je hurlais à pleins poumons. »

La gorge nouée, j'écoutais ces femmes s'exprimer avec calme en dépit de leur intolérable souffrance. L'écrivain Elizabeth Stone a dit qu'avoir un enfant, c'était accepter que son cœur aille se promener hors de son corps. Quand on est parent, on redoute par-dessus tout qu'il arrive malheur à son enfant. Et ces mères avaient toutes vécu ce cauchemar.

Mais elles connaissaient également d'autres peurs, des peurs plus profondes qui m'étaient étrangères. Ma fille et mes petits-enfants sont blancs. Personne ne les regarde avec suspicion lorsqu'ils jouent au parc ou entrent dans un magasin. Les gens ne verrouillent pas leurs portières quand ils passent à côté de leur voiture. Les policiers n'arrêtent pas leur véhicule parce qu'ils traversent un quartier où ils ne sont pas censés être. Des gangs rivaux ne risquent pas de régler leurs comptes dans la rue qu'ils empruntent pour aller à l'école.

« À cause de la couleur de notre peau, nous nous prenons cette injustice, ce traitement inhumain de plein fouet, a ajouté Gwen Carr. Certains nous accusent d'être racistes parce que nous affirmons partout que Black Lives Matter[1]. Bien sûr, nous savons que *toutes* les vies comptent, mais il faut que les gens comprennent que les vies noires comptent *aussi*. Alors, traitez-nous en conséquence. Ne nous traitez pas comme des animaux. Nous ne sommes pas des animaux. Nous sommes des citoyens américains et nous méritons d'être traités équitablement. »

Ceux qui ont la responsabilité de protéger la population doivent traiter chacun avec respect, c'est essentiel. Bien entendu, je suis consciente que la majorité des policiers sont des fonctionnaires honorables et courageux, qui tous les jours mettent leur vie en danger pour assurer notre sécurité. Lorsque j'étais sénatrice, j'ai passé des années à me battre pour les membres des premières équipes d'intervention à Ground Zero, exposés à des poussières toxiques qui avaient gravement affecté leur santé. J'ai aussi le rare privilège d'être gardée vingt-quatre heures sur vingt-quatre par des hommes et des femmes extrêmement qualifiés, prêts à prendre une balle pour moi en cas de menace. Si cela ne vous apprend pas à respecter le courage et le professionnalisme des forces de l'ordre, alors, rien ne le fera. Les policiers que j'ai eu l'occasion de rencontrer étaient fiers de leur intégrité et révoltés par l'usage excessif de la force. Ils s'intéressaient à tout ce qui pouvait leur permettre d'accomplir leur mission dans des conditions encore meilleures. Chaque policier mort dans l'exercice de ses fonctions – un drame trop fréquent, hélas – nous rappelle à quel point nous leur sommes redevables, et ce que nous devons à leur famille.

Au cours de la campagne, j'ai participé à diverses réunions et discussions avec les forces de l'ordre, car je souhaitais entendre leur opinion sur ce qui pourrait être amélioré. C'est ainsi qu'en août 2016 j'ai rencontré plusieurs chefs de la police, certains à la retraite, d'autres toujours en exercice. Étaient présents Bill Bratton de New York, Charlie Beck de Los Angeles et Chuck Ramsey de Philadelphie, pour n'en citer que quelques-uns. Tous ont souligné l'importance de bâtir une relation de confiance entre leurs équipes et la population

---

1. « Les vies des Noirs comptent », en français, un mouvement militant afro-américain.

au service de laquelle elles se mettaient. Et tous ont reconnu que nous avions un devoir d'honnêteté envers nos policiers, de regarder la réalité en face, si désagréable soit-elle.

Une de ces réalités désagréables est que nous avons tous des préjugés inconscients, moi, vous et les policiers : des idées reçues profondément inscrites en nous qui peuvent nous amener à penser « Pistolet ! » quand un homme noir sort son portefeuille. Le fait que je l'aie rappelé durant la campagne m'a peut-être coûté le soutien de certains membres des forces de l'ordre et d'organisations policières, qui semblaient penser que, en manifestant de la compassion pour les enfants morts et les victimes, je pointais du doigt la police. Cette façon de voir m'a blessée. Mais je remercie tous ceux d'entre eux qui ont exprimé leur volonté de rétablir le lien de confiance, pour que nous soyons, eux et nous, plus en sécurité, et pensaient que j'étais la mieux placée pour y parvenir. Comme Lupe Valdez, shérif du comté de Dallas, qui a déclaré à la Convention nationale démocrate : « Chaque jour, nous mettons notre badge pour servir et protéger, et non pour haïr et discriminer. » Avec elle et d'autres, nous pouvons travailler ensemble à améliorer la sécurité publique, sans pour autant dénigrer les hommes et les femmes qui l'assurent au péril de leur vie.

Pendant la campagne, j'ai rencontré des militants des droits civiques et des cadres de la police. Nous avons réfléchi ensemble à des solutions, comme les caméras corporelles et l'élaboration de nouvelles directives pour désamorcer des situations explosives. Par ailleurs, j'ai rappelé à maintes reprises que chacun devait essayer de se mettre à la place de l'autre. Autrement dit, les policiers et nous tous devons prendre en compte les effets du racisme subi au quotidien par les jeunes hommes et femmes afro-américains et hispaniques, pour comprendre comment ils en viennent à penser que leur vie n'a aucune valeur. En contrepartie, cela signifie aussi imaginer ce que vit un policier qui embrasse sa famille chaque matin avant de partir accomplir un travail dangereux, mais indispensable.

Ce genre d'empathie est rare, hélas, et la ligne de fracture qui divise notre pays profonde. « C'est comme ça depuis cinq cents ans, Hillary. C'est juste qu'on n'en parlait pas jusque-là », m'a dit Maria Hamilton au Sweet Maple Cafe. Son fils Dontre a été tué en 2014 à Milwaukee dans le Wisconsin, le corps criblé de plus de dix balles, après une bagarre avec un policier qui tentait de le déloger du banc où il s'était endormi. La réflexion de Maria rappelle tristement que, pour ces mères comme pour des générations de parents noirs avant elles, le meurtre et l'agression de jeunes Noirs représentent une tragédie, mais pas une surprise. C'est une réalité américaine très ancienne. Cependant, il ne s'agit pas d'une fatalité.

Ces paroles mettent aussi en évidence les relations complexes entre la population afro-américaine et la violence par les armes à feu. Ce n'est pas une coïncidence si les blessures par balle figurent en tête des dix causes principales de décès chez les jeunes hommes noirs, dépassant les neuf autres causes réunies. C'est le résultat de plusieurs décennies de choix politiques, de négligence, de manque d'investissements, de délinquance et de politique sécuritaire agressive dans les quartiers noirs. Cela dit, ce serait une erreur de penser que cette violence ne touche que les Afro-Américains, que les pauvres ou que les zones défavorisées. Elle concerne toutes les classes sociales et tous les types de population : les armes à feu font 33 000 victimes chaque année, ce qui correspond à une moyenne de 90 personnes par jour. C'est d'autant plus dramatique qu'un grand nombre de ces décès pourraient être évités : d'autres pays développés ne connaissent pas ce problème. Ils ont des lois sensées interdisant la vente d'armes à des individus redoutables. Et, ces lois atteignent leur but. Elles sauvent des vies. Les États-Unis ont fait un choix barbare en refusant de prendre des mesures simples qui permettraient de prévenir – ou au moins de contenir – cette épidémie.

Les Mothers of the Movement ne le savent que trop bien. Songez à l'histoire d'Annette Nance-Holt. Elle a travaillé dur pour s'élever dans la hiérarchie de la brigade des sapeurs-pompiers de Chicago et devenir chef de bataillon. Avec son ex-mari Ron, lui-même commandant de police, elle a tout fait pour offrir à leur fils Blair une vie sûre et confortable au sein de la classe moyenne américaine. Ils lui ont appris à être humble, généreux et à apprécier ce qu'il avait. À 16 ans, Blair était un lycéen gentil et sérieux qui figurait au tableau d'honneur de son école. Il avait une passion : la musique. Il envisageait de faire des études de commerce, la première étape pour accomplir son rêve de travailler dans l'industrie musicale.

Annette et Ron ont consacré leur vie à protéger leur ville, mais, au bout du compte, ils n'ont rien pu faire pour sauver leur fils bien-aimé. Un jour de 2007, alors que Blair se rendait en bus au magasin de ses grands-parents pour leur donner un coup de main après le lycée, un adolescent a tiré sur un groupe de jeunes, visant un membre d'un gang rival. La voisine de Blair a bondi pour se réfugier au fond du bus, mais Blair, conscient du danger, l'a forcée à se rasseoir, faisant rempart de son corps et lui sauvant ainsi la vie. Lui-même a été tué.

Toutes les mères réunies autour de la table à Chicago avaient des histoires semblables à raconter. Et chacune avait décidé d'agir pour que d'autres jeunes ne connaissent pas le sort de leur enfant. Elles déployaient toute leur énergie pour diminuer la violence armée, réformer les méthodes policières et s'assurer que personne ne soit exonéré de ses responsabilités. Sybrina Fulton a créé la Trayvon Martin Foundation, une association de soutien aux familles qui milite pour le contrôle des armes à feu. Geneva Reed-Veal, dont la fille de 28 ans Sandra Bland est morte en prison à la suite d'une infraction routière mineure, s'impliquait aussi bien dans le cadre associatif qu'au sein de sa paroisse. Toutes ces mères avaient pris conscience qu'elles pouvaient utiliser leur expérience et leur autorité morale pour faire changer les choses. Ainsi que le résumait Cleo Pendleton : « Du jour où j'ai retrouvé ma voix, je n'ai plus pu me taire. »

Mais les progrès étaient trop longs à venir. Elles étaient exaspérées quand elles voyaient à quel point il était difficile d'obtenir une simple audience auprès des autorités locales et du ministère de la Justice, sans parler de résultats tangibles. Trop d'entre elles avaient été repoussées ou insultées, voire attaquées dans les médias : Sybrina et son ex-époux avaient dû subir l'attitude injurieuse du meurtrier de leur garçon, qui avait expliqué à la presse qu'ils « n'avaient pas élevé leur fils correctement », avant d'empocher une petite fortune en vendant aux enchères l'arme qui avait tué Trayvon.·

« Il nous faut de meilleures lois, a décrété Gwen Carr. Quand on commet un crime, on devrait en répondre, que l'on porte un blue-jean, un costume d'homme d'affaires bleu ou un uniforme bleu. Personne ne devrait échapper à ses responsabilités, et nous sommes loin du compte. »

Les autres acquiesçaient, loin d'être convaincues que je me révélerais différente des hommes et femmes politiques qui les avaient déçues. Il n'empêche qu'elles avaient accepté cette rencontre où elles avaient généreusement partagé leur histoire. À présent, la balle était dans mon camp.

C'est ce que m'a déclaré sans détour Lezley McSpadden. Son fils de 18 ans, Michael Brown, a été tué en 2014 par un policier de Ferguson, dans le Missouri. « Est-ce qu'on va voir du changement ? Une fois de plus, nous nous retrouvons autour d'une table, nous disons ce que nous avons sur le cœur, nous sommes émues, nous vous confions ce que nous ressentons… mais est-ce qu'on va voir du changement ? Est-ce qu'on va voir des actes ? »

La question des armes à feu est toxique depuis longtemps. Un sondage de l'université Quinnipiac réalisé en juin 2017 révèle que 94 % des Américains (et parmi eux 92 % des détenteurs d'arme) pensent que tout achat d'arme devrait être soumis à une vérification des antécédents de l'acheteur. Pourtant, beaucoup de politiciens hésitent à contrarier la NRA, qui défend avec acharnement le droit de porter des armes des Américains. Les données révèlent également que la bruyante minorité des électeurs opposés à ce type de régulation est historiquement mieux organisée, mieux dotée et plus disposée à choisir son candidat en fonction d'une question unique.

Dans les années 1990, mon époux a bataillé ferme pour promulguer deux mesures importantes : l'interdiction valable pour dix ans de fabriquer des fusils d'assaut destinés aux civils, et la loi Brady, qui pour la première fois contraignait les vendeurs professionnels à vérifier les antécédents judiciaires et familiaux des acheteurs. Depuis qu'elle a été votée, cette loi a empêché plus de deux millions d'acquisitions par des repris de justice, des criminels évadés et des individus condamnés pour violence conjugale. La NRA a réagi en finançant une brutale offensive à la suite de laquelle de nombreux démocrates ont été battus au Congrès, lors des désastreuses élections de mi-mandat en 1994. Puis, en 2000, l'association a contribué à la défaite d'Al Gore.

Après ces cinglants revers politiques, l'opinion communément admise parmi les démocrates était qu'il valait mieux adopter un profil bas sur la question, en espérant que la NRA ne se mêlerait pas des élections.

Je n'ai jamais cautionné cette attitude. Je pensais que c'était une erreur sur le plan stratégique et politique. La violence armée m'a toujours révoltée et j'étais fière que le gouvernement de Bill se soit victorieusement opposé à la NRA. Mon séjour à Littleton dans le Colorado, en 1999, a encore renforcé ma volonté de mettre un terme à cette épidémie cruelle et absurde. Bill et moi rendions visite aux familles des victimes de la tuerie du lycée de Columbine, qui a eu lieu dans un lycée local. Nous nous sommes blottis les uns contre les autres dans une église catholique à quelques kilomètres de l'établissement, penchés sur des albums photo en souvenir des disparus, une tasse de café à la main. Depuis que la fusillade avait eu lieu un mois plus tôt, pas un jour n'était passé sans que je pense à ces adolescents. J'avais été particulièrement touchée par l'histoire d'une lycéenne de 17 ans, Cassie Bernall. La presse avait rapporté que l'un des deux jeunes tueurs lui avait demandé si elle croyait en Dieu. Après qu'elle avait répondu oui, il l'avait abattue. Lorsque j'ai rencontré la mère de Cassie, Misty, je l'ai prise dans mes bras et lui ai demandé de me parler de sa fille. Nous nous sommes assises ensemble pour regarder des photos. Certaines des familles ont discuté avec nous de ce qui pourrait être fait pour éviter qu'une telle tragédie ne se reproduise. J'étais convaincue que nous avions besoin de mesures encore plus rigoureuses que celles déjà prises par l'administration Clinton.

Lorsque j'étais sénatrice, je représentais aussi bien le nord rural de l'État de New York que les centres urbains. J'entendais et comprenais le point de vue des détenteurs d'arme respectueux de la loi qui redoutaient de nouvelles restrictions. Je n'avais pas oublié que mon père m'avait appris à tirer à la campagne, en Pennsylvanie, où nous passions nos étés quand j'étais enfant. J'ai par ailleurs vécu de nombreuses années dans l'Arkansas et me souviens d'une partie de chasse au canard mémorable en plein mois de décembre, dans les années 1980. Je m'étais retrouvée dans l'eau glacée jusqu'aux cuisses, frigorifiée, attendant le lever du soleil. J'étais finalement rentrée avec un canard, mais Chelsea, qui avait vu *Bambi* récemment, était indignée que j'aie pu « tuer le papa ou la maman d'un pauvre petit caneton ».

Ces expériences m'ont confortée dans l'opinion que la chasse et la possession d'une arme à feu étaient profondément enracinées dans notre culture. Aux yeux de beaucoup de citoyens, c'est un lien avec notre passé de pionniers et avec une certaine idée de l'autosubsistance qui est très américaine. Pour eux, avoir le droit de détenir une arme est autant une affaire de liberté fondamentale que d'autodéfense. C'est également quelque chose qui apporte un sentiment de sécurité et de confiance dans un monde chaotique. Je comprends tout cela. C'est pourquoi la question est aussi chargée affectivement. D'un côté comme de l'autre, c'est un sujet extrêmement personnel.

Chaque fois que j'ai fait campagne, je me suis efforcée de trouver la juste mesure entre la défense de régulations sensées et le respect des possesseurs d'arme responsables. J'ai toujours affirmé que je reconnaissais le Deuxième Amendement et je n'ai jamais proposé d'interdire toutes les armes à feu.

Pourtant, alors que la campagne de 2016 n'avait même pas débuté, le vice-président de la NRA, Wayne LaPierre, a déclaré que son organisation se battrait de toutes ses forces pour me barrer l'accès à la Maison-Blanche. Si je gagnais, clamait-il, « un linceul permanent de tromperie et de désespoir s'abattrait sur le peuple américain ». Dans ce tableau, il ne manquait plus que les remèdes miracle des charlatans.

Wayne LaPierre a contribué à faire de la NRA une des organisations les plus réactionnaires et les plus dangereuses des États-Unis. Au lieu de se soucier des véritables intérêts des détenteurs d'arme, qui sont nombreux à approuver la mise en place d'une régulation sensée, la NRA est essentiellement devenue une filiale à la solde des puissantes industries qui fabriquent et vendent des armes. Il n'y a que leurs profits et leur idéologie dévoyée qui les intéressent, et tant pis pour les milliers de vies américaines détruites chaque année.

Je ne nourrissais aucune illusion sur les torts politiques que la NRA pouvait me causer. Je l'avais déjà vue à l'œuvre et me préparais au pire. Cependant, j'étais également consciente que beaucoup d'électeurs indécis, en particulier les femmes, étaient horrifiés par la violence armée et ouverts à des solutions intelligentes pour préserver la sécurité de leur famille et de leur quartier. J'ai donc fait abstraction des menaces et me suis mise au travail.

Avec l'aide d'associations comme Moms Demand Action – « Les mamans exigent des actes » –, mon équipe et moi avons réfléchi à de nouvelles propositions pour éviter que des armes à feu tombent entre les mains d'individus dangereux. Je voulais rendre la vérification d'antécédents plus rigoureuse, empêcher ceux qui figuraient sur la liste des personnes soupçonnées d'activités terroristes et interdites de vol d'acheter une arme à feu, et donner aux survivants et à leur famille la possibilité de poursuivre les fabricants et les vendeurs. J'estime par exemple que les parents qui ont perdu un enfant au cours de la tuerie de l'école primaire Sandy Hook à Newton dans le Connecticut en 2012 devraient avoir la possibilité d'attaquer en justice Remington Arms, qui commercialise son fusil d'assaut AR-15 pour le marché civil. Je suis hors de moi à l'idée qu'il existe une loi les protégeant de toute poursuite.

Après le carnage qui a coûté la vie à neuf personnes à l'église épiscopale méthodiste africaine de Charleston en Caroline du Sud il y a deux ans, mon équipe s'est penchée sur la raison pour laquelle un suprémaciste blanc de 21 ans avait pu acheter un fusil, malgré plusieurs arrestations dans le passé. La vérification d'antécédents obligatoire aurait dû le signaler. C'est ainsi que nous avons découvert que, si le FBI mettait plus de trois jours à réaliser les contrôles, le vendeur pouvait passer outre. Il s'agit du résultat d'un amendement que la NRA a réussi à faire voter par le Congrès durant les débats sur la loi Brady, en 1993 ; selon les experts, plus de 55 000 ventes qui auraient dû être interdites ont été autorisées à cause de ce vide juridique, que nous avons surnommé le « vide de Charleston ». Le combler, lui et d'autres, est devenu un thème majeur de ma campagne.

Alors que j'écoutais ces mères de famille, à Chicago, j'étais plus que jamais convaincue qu'il fallait s'opposer au lobby des armes, quel que soit le coût politique. Après avoir évoqué certaines réformes sur lesquelles travaillait mon équipe, j'ai demandé à chacune des femmes de rester en relation avec nous et de ne pas hésiter à nous transmettre idées et critiques. Je leur ai dit à quel point leurs histoires m'avaient touchée, et leur ai assuré que j'étais déterminée à être leur porte-parole. J'ai peur de ne pas avoir su trouver les bons mots : il était difficile d'exprimer combien je me sentais honorée par la sincérité avec laquelle elles avaient accepté de se confier à moi. « Nous valons mieux que ça, et nos actes doivent être à la hauteur de ce que nous sommes », ai-je conclu.

Notre réunion à peine achevée, elles ont commencé à discuter avec animation entre elles. Bientôt, elles prenaient des photos et projetaient de se revoir. Beaucoup d'entre elles se rencontraient pour la première fois, mais des liens se forgeaient déjà. Ensemble, elles dégageaient une force qui crevait les yeux. Plus tard, lorsqu'elles ont décidé de soutenir ma candidature, sillonnant la Caroline du Sud et les États où se déroulaient les premières primaires, j'ai été émue et reconnaissante. Les « Mères du mouvement » étaient nées.

Au cours des mois qui ont suivi, j'attendais toujours avec impatience nos retrouvailles sur le parcours de ma campagne. Si la journée avait été dure, une étreinte ou un sourire me redonnait de l'énergie. Et je mettais un point d'honneur à faire bonne figure en leur compagnie ; j'estimais que c'était la moindre des choses, ces femmes ayant connu plus que leur lot de tristesse.

Mais ce n'était pas toujours facile. Les tragédies s'enchaînaient. En juillet 2016, Philando Castile, d'origine afro-américaine, a reçu sept balles dans le corps lors d'un contrôle routier dans la banlieue de Minneapolis, sous les yeux de sa petite amie Diamond Reynolds et de la fille de celle-ci, âgée de 4 ans. La vidéo qui a été diffusée par la suite montrait l'enfant suppliant sa mère de se calmer pour qu'elle ne soit pas tuée elle aussi. « Je ne veux pas que tu sois abattue, disait la fillette. – D'accord, fais-moi un bisou, répondait Diamond. – Je peux te protéger », assurait ce petit bout de chou à sa mère, avant d'éclater en sanglots. Deux semaines plus tard, j'ai rencontré la famille en deuil dans le Minnesota, qui m'a confié que Castile était très apprécié dans le quartier comme dans l'excellente école qui l'employait à Saint-Paul. Diamond et lui étaient sur le point de se marier.

Ce même mois, cinq policiers ont été tués par un tireur embusqué à Dallas, alors qu'ils assuraient la sécurité d'une manifestation pacifique. Catastrophée, j'ai aussitôt annulé ma présence à un meeting où je devais rejoindre Joe Biden, à Scranton, en Pennsylvanie. Je ne me sentais pas le droit de participer à un rassemblement de campagne au lendemain d'une telle tragédie. À la place, je suis allée à une conférence de l'église épiscopale méthodiste africaine à Philadelphie, où j'ai rendu hommage aux policiers assassinés et prié pour leur famille. J'ai appelé Mike Rawlings, le maire de Dallas, pour lui offrir mes condoléances. David Brown, le chef de la police, a demandé aux Américains de manifester leur solidarité avec les hommes et les femmes courageux qui risquaient leur vie pour les protéger. « La plupart du temps, nous nous sentons peu soutenus. Faisons en sorte que ce qui s'est passé aujourd'hui ne se répète pas », a-t-il déclaré. Je n'aurais su mieux dire. Mais, moins de deux semaines plus tard, trois autres membres des forces de l'ordre ont été tués à Baton Rouge, en Louisiane. Et au moment où j'écris ces mots, une policière de New York, mère de trois enfants, a été abattue de sang-froid. Cette violence – contre la police, contre les jeunes Noirs, contre tous ceux qui en sont victimes – doit cesser.

Depuis l'élection, j'ai souvent pensé aux moments passés en compagnie des Mothers of the Movement. Chaque fois que je suis tentée de m'apitoyer sur mon sort, je me souviens qu'elles ont persévéré dans des circonstances autrement plus difficiles. Elles continuent de se battre pour faire avancer notre pays. Si elles le peuvent, alors, je le peux aussi et nous le pouvons tous.

Je repense à ce que j'ai ressenti alors que nous formions un cercle de prière au dîner annuel de la Trayvon Martin Foundation, en Floride. Nous étions huit. Nous nous tenions la main, nos têtes se touchaient et nous baissions les yeux, en contemplation. L'une des mères dirigeait la prière. Sa voix s'élevait et redescendait, tandis qu'elle remerciait Dieu de rendre toute chose possible.

Je songe aussi aux mots prononcés par Gwen Carr à l'église baptiste centrale de Columbia, en Caroline du Sud. Pendant des jours, après la mort de son fils Eric, elle était incapable de quitter son lit. « Puis, a-t-elle ajouté, le Seigneur s'est adressé à moi et il m'a dit : "Vas-tu rester allongée là et mourir comme ton fils, ou vas-tu te lever et célébrer son nom ?" » C'est à cet instant qu'elle a compris que nous n'avions pas le droit de nous reposer tant qu'il y avait des gens à aider autour de nous : « J'ai dû transformer mon chagrin en stratégie, et mon deuil en mouvement. »

Le contrôle des armes est devenu un sujet d'affrontement durant les primaires, puis pendant la présidentielle. Bernie Sanders – qui répétait à l'envi que les « vrais progressistes » ne ployaient pas devant les réalités politiques et les intérêts financiers – s'inclinait pourtant depuis longtemps devant la réalité politique de son État, le très rural Vermont. Il a défendu les revendications de la NRA à maintes reprises. Il a ainsi voté cinq fois contre la loi Brady dans les années 1990. En 2005, il a soutenu la Protection of Lawful Commerce in Arms Act, la loi relative à la protection du commerce des armes, qui interdit toute poursuite contre les fabricants et les marchands si leurs armes sont utilisées dans des fusillades mortelles. La NRA a déclaré à son sujet qu'il s'agissait de la loi la plus importante dans le domaine depuis plus de vingt ans. Barack Obama, alors sénateur, et moi-même avons tous les deux voté contre. Je n'en revenais pas que Bernie continue de défendre cette loi dix ans plus tard, pendant la campagne présidentielle.

Je le harcelais à ce sujet chaque fois que l'occasion s'en présentait. Nous avons eu un échange révélateur lors d'une réunion publique, en mars 2016. Un homme a pris le micro pour poser une question. Sa fille de 14 ans avait reçu une balle dans le crâne au cours d'une fusillade devant un restaurant du Michigan. Après plusieurs jours entre la vie et la mort, elle s'en était sortie, la seule survivante du carnage. Ce père nous demandait ce que nous comptions faire pour nous attaquer et endiguer l'épidémie de violence qui ravageait notre pays.

« Je pense à votre fille et je suis heureuse de savoir qu'elle rit et qu'elle est en voie de guérison, ai-je répondu. Mais ce drame n'aurait jamais dû arriver. » Je lui ai alors exposé les mesures que je comptais prendre pour protéger les familles, dont la suppression de l'immunité pour les fabricants d'armes. Le modérateur a demandé à Bernie Sanders ce qu'il pensait d'une remise en question de la loi protégeant ce secteur. À ma plus grande surprise, le sénateur s'est montré plus intransigeant que jamais. Il a déclaré que ce que les gens comme moi voulaient, quand ils parlaient de poursuivre les entreprises, c'était « mettre fin à la fabrication d'armes aux États-Unis ». Pour lui, l'idée qu'elles puissent être tenues pour responsables de ce qu'on faisait avec leurs fusils revenait à dire « qu'il ne devrait pas y avoir d'arme à feu aux États-Unis ». J'ai vigoureusement protesté. Aucune industrie dans ce pays ne bénéficiait d'une protection similaire. Dans tous les autres cas de figure, il était le premier à clamer que les grandes entreprises devaient répondre de leurs actes. En quoi cette situation était-elle différente ? Comme je l'ai dit ce jour-là, on avait l'impression qu'il récitait point par point les arguments mis en avant par la NRA. Depuis, sous la pression des activistes et des familles de victimes, Bernie a finalement déclaré qu'il allait peut-être revoir sa position.

Si Bernie et moi étions en désaccord sur la question des armes, les républicains avaient des vues encore plus extrêmes. En 2015, alors que, quelques jours plus tôt seulement, deux terroristes avaient tué quatorze personnes et en avaient blessé vingt-deux dans un centre social où se tenait une fête de fin d'année à San Bernardino, en Californie, les sénateurs républicains ont bloqué un projet de loi qui aurait permis d'empêcher les individus figurant sur la liste des personnes interdites de vol d'acheter des armes à feu et des explosifs. On aurait pu croire qu'il allait de soi que, si quelqu'un était jugé trop dangereux pour monter à bord d'un avion, il valait mieux éviter de lui confier un fusil. Mais les républicains refusaient de mettre au défi la NRA.

Puis est arrivé Donald Trump. Dès le début de la campagne, il a tout fait pour séduire le lobby des armes, qui craignait peut-être qu'un milliardaire new-yorkais connu, jusque-là, pour ses positions favorables à la régulation ne soit pas un allié naturel. Il a donc mis le paquet. Il s'est engagé à autoriser les armes dans les classes et à revenir sur les mesures prises par Barack Obama pour renforcer le système de vérification des antécédents. Après la fusillade qui a coûté la vie à huit étudiants et à un professeur sur le campus de l'Umpqua Community College à Roseburg, dans l'Oregon, Donald Trump a déclaré en substance que c'était horrible, mais qu'on n'y pouvait rien : « C'est des choses qui arrivent », a-t-il dit négligemment. Après l'attentat du Pulse, une boîte de nuit d'Orlando, qui a fait 49 victimes – dont beaucoup de jeunes homosexuels et de transsexuels de couleur –, Trump a dit qu'il était « dommage » que les gens présents n'aient pas porté « de pistolet à leur ceinture », alors que toutes les études et le nombre croissant de cadavres indiquent que plus d'armes signifient toujours plus de morts.

Les républicains aimaient attiser la colère de leurs électeurs en leur racontant que j'allais mettre à mal la Constitution et leur prendre leurs fusils. Qu'importe si j'avais clairement affirmé le contraire, notamment à l'occasion de ma désignation à la Convention nationale démocrate : « Je ne suis pas là pour abroger le Deuxième Amendement. Je ne suis pas là pour vous prendre vos armes. Mais je ne veux pas que quelqu'un à qui l'on n'aurait jamais dû vendre un fusil me tire dessus. » J'avais l'habitude d'être l'épouvantail préféré du lobby des armes – mais, comme souvent, Donald Trump a repoussé les limites de l'exercice. En août 2016, lors d'un meeting en Caroline du Nord, il a déclaré que, si j'étais élue, rien ne pourrait m'empêcher de nommer des juges progressistes à la Cour suprême. À moins que « les gens du Deuxième Amendement » trouvent un moyen de m'arrêter. Nous avons été nombreux à comprendre : peut-être alors m'abattrait-on.

Sa remarque a provoqué de vifs remous dans la presse. J'étais inquiète, car, si « quelqu'un du Deuxième Amendement » s'en prenait à moi, mes gardes du corps du Secret Service seraient en première ligne. Son entourage a essayé de minimiser l'importance de sa déclaration, mais tout le monde avait bien reçu le message. Il paraît que le Secret Service a fini par demander à l'équipe de Trump de se débrouiller pour que son candidat la mette en sourdine.

Quant à la NRA, elle a tenu sa promesse de tout faire pour m'empêcher de gagner. Le lobby a dépensé plus de 30 millions de dollars pour soutenir Donald Trump, plus d'argent qu'aucun autre groupe indépendant, et plus du double de la somme déboursée pendant la campagne de Mitt Romney en 2012. Les deux tiers de cet argent ont financé plus de 10 000 publicités négatives à mon sujet dans les « swing states ». L'association n'a pas eu le courage de critiquer mes propositions spécifiques, qui étaient largement approuvées, même parmi les détenteurs d'arme. Elle a préféré jouer la carte de la peur et de la diabolisation. Un spot montre une femme seule dans son lit alors qu'un cambrioleur entre par effraction chez elle. « Ne permettez pas que Hillary vous laisse sans autre protection que votre portable », dit le narrateur, insinuant que, si j'étais élue, j'empêcherais les Américains respectueux de la loi de posséder une arme.

Certains démocrates concluront certainement de cette offensive coûteuse – comme d'autres avant eux – que le jeu n'en vaut pas la chandelle et qu'il vaut mieux ménager la NRA. Certains estiment peut-être que le contrôle des armes, à l'instar des droits à la santé sexuelle et reproductive, est une cause « négociable » qui doit être sacrifiée au profit de mesures économiques populistes. Qui sait : on en dira peut-être bientôt autant de la réforme du système judiciaire et de la justice raciale en général. Ce serait une terrible erreur : les démocrates ne devraient pas réagir à ma défaite en revenant sur nos engagements forts dans des domaines où des vies sont en jeu. La grande majorité des Américains reconnaissent la nécessité de s'engager davantage pour le contrôle des armes – un débat que nous pouvons remporter si nous ne capitulons pas.

Plus je rencontrais des survivants et des familles de victime, plus je constatais avec admiration que beaucoup étaient convaincus qu'ils devaient transcender leur chagrin personnel et s'engager.

Paradoxalement, une des voix les plus fortes à s'être exprimées sur la question appartient à quelqu'un qui a du mal à parler : Gabby Giffords. L'ancienne représentante de l'Arizona au Congrès a été blessée d'une balle à la tête en 2011, alors qu'elle rencontrait ses électeurs sur le parking d'un supermarché de Tucson. Avant la fusillade, Gabby était une étoile montante de la politique : intelligente, charismatique et efficace. Après, elle a dû se soumettre à une rééducation intensive, réapprendre à marcher et à parler. Ces temps difficiles ne les ont pas empêchés, elle et son mari, le capitaine Mark Kelly, ancien astronaute et pilote de chasse, de défendre activement le contrôle des armes. J'adorais faire campagne avec eux et étais aux anges en voyant la foule tomber sous le charme de Gabby. « Parler m'est difficile, disait-elle. Mais, en janvier, je veux pouvoir prononcer ces mots : madame la présidente. »

D'autres militants sont moins célèbres, mais tout aussi courageux. Je pense notamment aux familles de l'école primaire Sandy Hook. Chaque fois que j'évoque les jeunes enfants massacrés dans cet établissement en 2012, j'ai la voix qui se brise. Je ne sais pas comment certains parents ont trouvé la force de parler de ce qu'ils avaient vécu pendant la campagne, mais je leur en serai éternellement reconnaissante.

Nicole Hockley m'a fait l'honneur de participer à l'une de mes réunions publiques avec les électeurs, dans le New Hampshire. Son fils de 6 ans, Dylan, est mort, malgré la conduite héroïque d'une enseignante qui a tenté de le protéger des balles en faisant rempart de son corps. Aujourd'hui, Nicole est la directrice de Sandy Hook Promise, une organisation qui s'est chargée de former près de deux millions de personnes à travers le pays pour identifier les comportements potentiellement dangereux avant qu'il ne soit trop tard.

Mark Barden fait partie des associés de Nicole à Sandy Hook Promise. Son fils de 7 ans, Daniel, a lui aussi été tué ce jour-là. Mark se souvient que, le matin de la fusillade, Daniel s'était réveillé tôt pour regarder le lever du soleil avec lui. Et lorsque son frère Jake est parti à l'école, il a couru dans l'allée pour lui faire un bisou et lui souhaiter une bonne journée.

Après la tragédie, Mark et sa femme, Jackie, ont porté plainte contre Remington Arms, le fabricant du fusil d'assaut militaire utilisé par le tueur, arguant qu'il s'agissait d'une arme de guerre qui ne devrait pas être vendue au grand public. (Le juge les a déboutés et ils ont fait appel.)

Nelba Márquez-Greene, quant à elle, a participé avec moi à une table ronde à Hartford, dans le Connecticut. Elle a perdu sa fille de 6 ans, Ana, à Sandy Hook. La veille de la tuerie, son mari et elle ont emmené Ana et Isaiah, son grand frère, dîner au restaurant Cheesecake Factory. Ils ont fait une petite folie et commandé une seconde tournée de desserts. Isaiah, également scolarisé à Sandy Hook, a entendu les tirs qui ont tué sa sœur dans une salle de classe voisine. La famille a enterré Ana deux jours avant Noël. Ses cadeaux sont restés sous le sapin.

Nelba est psychothérapeute et s'occupe plus particulièrement des enfants et des adolescents perturbés. Elle a fondé l'Ana Grace Project, qui propose des formations aux enseignants et aux établissements dans le but de réduire l'isolement social et de créer un environnement sûr et accueillant pour les élèves. Au début de l'année scolaire qui a suivi la fusillade, Nelba a écrit une lettre ouverte aux enseignants de son district : « Quand vous tapez "héros" sur Google, vous devriez tomber sur la photo d'un directeur d'école, d'un employé de cantine, d'un agent d'entretien, d'un instructeur de lecture, d'un professeur, ou d'un accompagnateur de transport scolaire. Les vrais héros ne portent pas de cape. Ils travaillent dans les écoles américaines. »

Dawn Hochsprung, la directrice de Sandy Hook, était sans conteste une héroïne. Lorsqu'elle a entendu les coups de feu, elle s'est précipitée dans le couloir et s'est jetée sur le tireur pour lui arracher l'arme. Elle est morte en essayant de protéger ses élèves.

Pendant la campagne, j'ai rencontré sa fille, Erica Smegielski. Au moment de sa disparition, Dawn aidait Erica à organiser son mariage, qui devait avoir lieu l'été suivant. Erica n'imaginait pas marcher jusqu'à l'autel sans sa mère. Mais, lentement, elle a reconstruit sa vie et célébré son mariage dans la joie malgré tout. Depuis, elle travaille à Everytown for Gun Safety, l'association de Michael Bloomberg, qui plaide pour le contrôle des armes à feu. Erica s'est investie dans ma campagne, elle a parlé partout aux États-Unis et raconté son histoire dans un spot télévisé bouleversant. Elle m'a confié un jour que je lui rappelais Dawn : c'est un compliment que je n'oublierai jamais.

Le contrôle des armes est un combat difficile qui divise notre pays, mais nous devons faire mieux. La NRA a les moyens de dépenser autant qu'elle veut. Et Donald Trump est complice d'Alex Jones[2], le conspirationniste qui prétend que la fusillade de Sandy Hook est un canular. Quel mensonge abject ! Ils sont du mauvais côté de la justice, de l'histoire et de l'humanité la plus élémentaire. C'est grâce aux parents de Sandy Hook, aux Mothers of the Movement, à Gabby, à Mark, au courage exceptionnel de tous les survivants et proches des victimes que je sais au fond de moi qu'un jour nous remporterons cette bataille et sauverons des vies.

Je pense à une phrase qu'Erica avait prononcée, pendant la campagne. Elle expliquait comment elle s'était ressaisie après la disparition de sa mère et avait décidé de consacrer sa vie à se battre pour que de telles tragédies ne se reproduisent pas : « Et si tous ceux qui traversaient des épreuves difficiles disaient : "C'est dur, alors

---

2. Animateur radio d'extrême droite, fondateur du site de « fake news » Infowars.

je vais renoncer" ? Ce n'est pas le genre de monde dans lequel j'ai envie de vivre. »

Moi non plus, Erica.

J'aime les gens qui, tel le bœuf, s'attellent à une lourde charrette,
Qui, tel le buffle d'eau, tirent avec une lourde patience,
S'éreintent dans la boue et la fange pour faire avancer les choses,
Et sans relâche font et refont ce qui doit être fait.

Marge Piercy

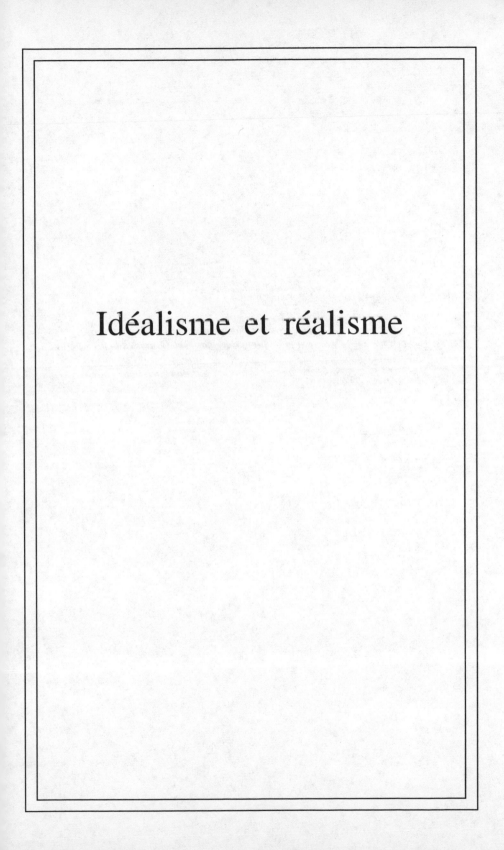

Idéalisme et réalisme

Servir est le loyer que nous payons pour le fait de vivre.
C'est son but même, et non pas quelque chose que l'on fait à ses heures perdues.

Marian Wright Edelman

Changer les choses

Tout au long de la campagne, on m'a renvoyé à la figure que j'étais une adepte du *statu quo*, alors que mes opposants, pendant la primaire puis pendant la présidentielle, ont accaparé le très prisé thème du « changement ». J'avais vécu la même histoire en 2008. Je n'ai jamais réussi à me débarrasser de cette image.

Le mot *changement* doit être le plus puissant de la politique américaine. C'est aussi l'un des plus difficiles à définir. En 1992 et en 2008, cela signifiait élire des présidents jeunes et dynamiques qui symbolisaient l'espoir et le renouveau ; en 2016, cela signifiait donner une allumette à un pyromane.

L'aspiration au changement est un trait profond du caractère de notre pays impatient, exigeant, qui ne cesse de se réinventer. C'est en partie ce qui fait la grandeur de l'Amérique. Mais nous ne réfléchissons pas toujours assez à ce qu'il faut faire pour réellement accomplir les changements désirés. Il est difficile de changer. Voilà pourquoi nous sommes parfois distancés par des concurrents qui prétendent que c'est simple, même s'ils n'ont pas la moindre idée de ce qu'il faudrait faire. Trop souvent, nous échouons parce que nous ne voyons pas assez grand, ou parce que nous n'agissons pas assez vite et laissons filer les occasions qui se présentent. Ou parce que nous n'avons pas la patience d'aller jusqu'au bout.

Changer les choses : j'ai passé ma vie à réfléchir à ce que cela signifie. Étudiante militante, puis citoyenne engagée, et enfin femme politique et législatrice, à chaque étape, j'ai poursuivi ma recherche du juste équilibre entre idéalisme et réalisme. Parfois, j'ai dû me résoudre à des compromis douloureux. Mais j'ai également eu le privilège de rencontrer en personne des gens qui jouissaient d'une meilleure santé, de plus de libertés et d'une vie plus épanouie grâce à mon travail. Il se peut que j'aie été battue en 2016, mais je suis plus que jamais convaincue que faire bouger les choses dans une grande démocratie turbulente comme la nôtre demande un mélange de principes et de pragmatisme – et puis beaucoup de persévérance.

Personne ne m'a autant aidée à saisir cela que Marian Wright Edelman, fondatrice du Children's Defense Fund[1], et ma toute première patronne. Lorsque je l'ai rencontrée au printemps 1970, son parcours était déjà impressionnant. Elle était la première femme noire à avoir été admise au barreau du Mississippi, après l'obtention de son diplôme de la faculté de droit de Yale, en 1963. Elle avait plaidé pour la NAACP[2] à Jackson pendant le mouvement des droits civiques et créé un programme préscolaire destiné aux enfants défavorisés. Elle avait travaillé avec Martin Luther King et ouvert les yeux à Bobby Kennedy[3] sur la réalité de la pauvreté aux États-Unis, au cours d'un tour du delta du Mississippi, où elle lui avait fait visiter des taudis minuscules et présenté des enfants si affamés qu'ils étaient presque catatoniques.

Marian m'a montré ce qu'il faut pour accomplir des changements réels et durables. C'est elle qui m'a mis le pied à l'étrier lorsque j'étais jeune militante. Plus tard, quand j'ai occupé des fonctions politiques, elle n'a jamais manqué de me rappeler mes responsabilités et était là pour me soutenir quand rien n'allait plus, à la fin de la campagne.

Comment agir sur le monde de manière efficace ? J'avais une vingtaine d'années lorsque j'ai rencontré Marian, mais c'était une question à laquelle j'avais déjà consacré beaucoup de temps.

Mes parents, et tout particulièrement ma mère, nous ont élevés, mes frères et moi, dans la tradition méthodiste pour laquelle la foi d'une personne s'exprime à travers ses actes. On nous y apprenait à être « des acteurs du monde et pas seulement des spectateurs ».

---

1. Fonds de défense des enfants : association créée en 1973 qui a pour mission d'aider les enfants américains défavorisés, en particulier dans le domaine de la santé et de la scolarité.

2. National Association for the Advancement of Colored People (Association pour la promotion des gens de couleur). Fondée en 1909, la NAACP promeut l'égalité des droits politiques, économiques et sociaux, et l'accès à l'éducation pour tous.

3. Frère cadet du président John F. Kennedy, assassiné lui aussi dans les années 1960.

Autrement dit, ne pas rester assis sur les bancs, mais retrousser ses manches et « faire tout le bien possible, pour autant de gens que possible, par tous les moyens possibles, aussi longtemps que possible ». Ce credo, attribué au fondateur du méthodisme John Wesley, a incité des générations de fidèles à travailler bénévolement dans des hôpitaux, des écoles et des quartiers pauvres. À moi qui ai eu une enfance relativement confortable, il a fourni un but et une direction, et m'a orientée vers une vie dédiée au service public.

Ma foi militante a été affûtée par les mouvements sociaux des années 1960 et 1970. À l'université, d'abord à Wellesley puis à Yale, mes amis et moi passions des nuits à débattre de la moralité et de l'efficacité de la désobéissance civile, de l'insoumission militaire et d'autres formes de résistance. Que fallait-il faire pour mettre un terme à la guerre illégitime au Vietnam, étendre les droits civiques et les droits des femmes, combattre la pauvreté et l'injustice ? Fallait-il réformer ou faire la révolution ? Souhaitions-nous le consensus ou le conflit ? Devions-nous protester ou participer ?

La « gauche » dont nous estimions faire partie était divisée. Les radicaux parlaient de révolution et considéraient que le conflit était la seule voie pour obtenir des résultats. Déjà, je me sentais plus proche des libéraux, qui visaient à réformer le système de l'intérieur. C'était en partie une question de caractère – je suis une pragmatiste par nature et par culture –, mais aussi le résultat de ce que j'avais appris en observant le tourbillon des événements autour de moi.

À Wellesley, je me suis efforcée de pousser l'université vers des positions plus progressistes, préférant les négociations aux perturbations. Je me suis présentée à la présidence du conseil étudiant en 1968, car je pensais être capable de convaincre l'administration de réaliser les changements que réclamaient mes condisciples. Je proposais notamment de faire entrer des étudiantes dans les comités d'enseignants, de recruter plus de professeurs et d'étudiantes de couleur, d'ouvrir le programme à d'autres matières, mais aussi d'assouplir le couvre-feu et les autres règlements de vie sociale. J'ai eu gain de cause et passé l'année suivante à m'efforcer de transformer les exigences de jeunes femmes impatientes en changements effectifs sur le campus.

J'étais au Grant Park de Chicago pour protester contre la guerre du Vietnam, l'été où les troubles ont éclaté devant la Convention nationale démocrate et où la manifestation a dégénéré, causant des affrontements qui ont secoué tout le pays. Une pierre jetée par quelqu'un dans la foule derrière a failli blesser mon amie Betsy Ebeling et moi-même. Il ne faisait aucun doute que la police du maire Richard Daley était en grande partie responsable de la violence, mais je craignais que les événements ne provoquent une réaction contre le mouvement, qui favoriserait l'élection de Richard Nixon et prolongerait ainsi la guerre. Être un jeune militant aux États-Unis à cette époque était une expérience à la fois terrifiante, enrageante, enivrante et déconcertante.

En mai 1970, alors que quelques jours plus tôt des soldats de la Garde nationale avaient tiré sur des manifestants rassemblés sur le campus de l'université d'État de Kent dans l'Ohio, tuant quatre étudiants, je devais parler à l'occasion du cinquantième anniversaire de la League of Women Voters[4], à Washington. Le discours que j'avais prononcé l'année précédente, lors de la remise des diplômes à Wellesley, avait eu un petit écho dans la presse nationale, qui m'avait valu d'être invitée par l'association. Ce jour-là, je portais un brassard noir en hommage aux étudiants morts. J'ai essayé de trouver les mots pour décrire le déchirement ressenti par de nombreux militants, oscillant sans cesse entre deux extrêmes, « d'un côté l'impression que parler était vain, et de l'autre la conviction qu'il fallait continuer à employer des mots ». C'était une époque où un jeune de 18 ans pouvait être contraint à participer à une guerre qu'il désapprouvait, alors qu'il n'avait pas le droit de s'exprimer à son sujet, n'étant pas encore en capacité de voter. Beaucoup de gens de mon âge étaient hors d'eux-mêmes et désespérés. Ils ne croyaient plus en la possibilité de changer le monde – pas avec des moyens traditionnels, en tout cas.

J'avais lu dans un article du *Washington Post* que des membres de la League of Women Voters avaient fait une veillée sur les marches du Capitole pour protester contre la récente invasion du Cambodge. Nixon avait promis de mettre un terme à la guerre, au lieu de quoi on assistait à une escalade des hostilités. Cette invasion était à la fois immorale et illégale à mes yeux, mais j'étais consciente que tout le monde dans la salle n'était pas de cet avis : la veillée au Capitole était controversée au sein même de l'association. Une membre originaire du Connecticut avait déclaré au *Washington Post* qu'elle ne croyait pas aux manifestations et redoutait que cela ne ternisse la réputation de la ligue. Cette remarque me paraissait

---

4. La « Ligue des électrices » est une association fondée en 1920 qui promeut le rôle des femmes dans les affaires publiques.

absurde et je n'ai pas mâché mes mots : « Ne pas se lever et pro-tester aujourd'hui contre les forces de la mort, c'est être dans leur camp », ai-je déclaré, usant d'un langage hyperbolique commun à l'époque, tout au moins parmi les jeunes militants. « Tous ceux – tous les êtres humains qui vivent, respirent et aiment – qui ne se sont jamais engagés jusqu'à aujourd'hui doivent se lancer mainte-nant. Le luxe des réflexions prospectives et des analyses verbeuses doit céder le pas à l'action. »

En dépit de ma rhétorique enflammée (et verbeuse !), ma vision de l'action était loin d'être radicale. Je cherchais plutôt à inciter les membres de la ligue à avoir recours à leur pouvoir économique – « Savez-vous dans quelles activités vos sociétés d'investissement sont impliquées ? Jusqu'à quand allons-nous permettre aux grandes entreprises de gouverner ? » – pour soutenir l'action politique des militants pacifistes. J'étais passionnément convaincue que personne ne pouvait rester passif en ces temps troublés.

Face aux événements d'alors, mes amis et moi nous demandions si étudier le droit à Yale était un choix moralement défendable ou si nous trahissions nos principes. Quelques-uns de nos condisciples ne visaient que des salaires exorbitants, et qu'à servir les grandes entreprises exploitant travailleurs comme consommateurs. Mais nous étions également nombreux à penser que des études juridiques étaient une arme puissante, capable de contribuer à changer le monde. Le droit pouvait sembler aride et abstrait dans les salles de classe et les manuels, mais nous acclamions les avocats engagés qui faisaient bouger les lignes en combattant les injustices au tribunal. Lorsque j'ai fait du bénévolat au service d'aide juridique de New Haven, j'ai pu voir de manière très concrète la capacité de la loi à améliorer ou détruire des vies. Je croyais toujours que les manifestations avaient un rôle à jouer. J'ai même animé une assemblée à Yale où les étudiants ont voté la grève après les événements tragiques de l'université de Kent – en partie, parce que les garçons ne pouvaient pas se mettre d'accord sur un dirigeant des débats –, mais, de plus en plus, je commençais à entrevoir comment on pouvait changer le système à force de travail acharné et de réformes.

Tout s'est cristallisé lorsque j'ai rejoint Marian au Children's Defense Fund. Elle m'a envoyée recueillir des preuves en Caroline du Sud, son État d'origine, dans le cadre d'un procès. Elle espérait faire cesser une pratique qui consistait à incarcérer des adolescents avec des adultes. Un avocat des droits civiques m'a prêté sa voiture et je me suis ainsi rendue dans plusieurs tribunaux de l'État, où j'ai rencontré les parents de garçons de 13, 14 ou 15 ans qui s'étaient retrouvés en prison avec des hommes coupables de graves délits. C'était choquant, mais très formateur.

Après cela, je suis allée à Dothan, dans l'Alabama, sous couverture – vraiment ! –, pour enquêter sur les écoles qui continuaient de pratiquer la ségrégation. Ainsi, me faisant passer pour la femme d'un homme d'affaires qui venait d'être nommé dans la région, j'ai visité un établissement privé ouvert depuis peu qui bénéficiait d'une exonération d'impôt. Lorsque j'ai commencé à poser des questions sur le profil des élèves et le programme, on m'a assuré qu'aucun Noir ne serait jamais admis. Grâce aux preuves recueillies par d'autres activistes et moi-même, Marian a fait pression sur le gouvernement pour que des mesures soient prises contre ces écoles. Le travail était excitant, car constructif et réel. Après des années passées à étudier la justice sociale de loin, je me rendais enfin utile.

J'ai également fait du porte-à-porte dans un quartier d'ouvriers portugais à New Bedford dans le Massachusetts, pour essayer de comprendre pourquoi tant de familles n'envoyaient pas leurs enfants à l'école. J'ai découvert que l'une des raisons était qu'à l'époque les établissements ne disposaient d'aucun aménagement pour accueillir les handicapés, si bien que les parents n'avaient d'autre choix que de garder ces enfants chez eux. Je n'oublierai jamais ma rencontre avec une fillette en fauteuil roulant sous une petite véranda, à l'arrière de sa maison. Elle rêvait d'aller à l'école ; mais, en fauteuil roulant, c'était hors de question. Cela semblait pourtant un problème qui aurait dû se résoudre facilement.

Il s'agissait d'un moment clé pour moi. On m'avait appris à croire au pouvoir de la raison, des preuves, de l'argumentation, et au rôle essentiel que jouent l'équité et l'égalité. Étudiante progressiste pendant les révolutionnaires années 1960, je prenais très au sérieux la « sensibilisation » de la population. Mais les grands discours sur l'équité ne construiraient pas de rampe pour le fauteuil roulant de cette fillette. Sensibiliser le public à ce genre de questions était nécessaire mais insuffisant pour que les écoles changent de politique et embauchent et forment du personnel pour faire de la promesse de l'égalité d'accès à l'éducation plus qu'un vœu pieux. Cette petite fille ne pouvait pas attendre une hypothétique révolution ; ce dont elle avait besoin s'apparentait plus à la politique telle que la décrit le sociologue Max Weber : « un effort tenace et énergique pour tarauder des planches de bois dur[5] ». J'étais prête à accomplir cet effort.

Sous la houlette de Marian, nous avons réuni des données pour établir l'ampleur du problème. Nous avons rédigé un rapport. Nous avons créé une coalition d'associations partageant les mêmes objectifs. Et nous sommes allés plaider notre cause à Washington. Il a fallu attendre 1975, mais le Congrès a fini par voter l'Education for All Handicapped Children Act, une loi qui contraint les écoles publiques à prévoir des équipements pour accueillir les élèves handicapés.

Ce genre de travail n'attire pas le feu des projecteurs. Mais mon passage au CDF m'a convaincue que c'était ainsi qu'on faisait réellement avancer les choses dans ce pays : pas à pas, année après année, et parfois même porte après porte. Il faut alerter l'opinion et faire pression sur les dirigeants. Il faut infléchir les politiques publiques et mobiliser des ressources. Et il faut remporter des élections. Il faut changer les cœurs *et* les lois.

À l'époque, je n'envisageais pas de me présenter un jour ; cependant, j'estimais que la politique partisane était la voie la plus efficace pour obtenir des progrès significatifs et durables en matière de démocratie. Comme aujourd'hui, un grand nombre d'activistes refusaient de s'encarter. Certains jugeaient que les démocrates comme les républicains étaient corrompus, prêts à trop de compromissions ; d'autres étaient découragés par des défaites répétées. Il faut reconnaître qu'il y avait de quoi être démoralisé : entre 1968 et 1988, les démocrates ont perdu toutes les présidentielles, à l'exception d'une seule. N'empêche que j'étais attirée par la politique, même quand est venu le temps des désillusions, sachant que les élections étaient la clé qui ouvrait la porte aux changements dont notre pays avait besoin. C'est pourquoi j'ai rempli des enveloppes pour Gene McCarthy[6] dans le New Hampshire, inscrit des électeurs pour George McGovern[7] au Texas, établi des bureaux de campagne pour Jimmy Carter dans l'Indiana, et soutenu avec enthousiasme mon mari quand il a décidé de se présenter dans l'Arkansas à la fonction de gouverneur.

---

5. Max Weber, *Le Savant et le politique*, trad. de Julien Freund, Paris, Plon, 1959.

6. Eugene McCarthy (1916-2005), sénateur démocrate, s'est présenté à plusieurs reprises aux primaires du parti, notamment en 1968, sans succès. Il était notamment connu pour ses positions contre la guerre du Vietnam.

7. George McGovern (1922-2012), homme politique démocrate qui a perdu l'élection présidentielle contre Richard Nixon en 1972.

Je n'ai jamais renié mon passé de citoyenne engagée et de militante. Devenue responsable politique, lorsque je devais faire face aux pressions des lobbies et aux critiques des manifestants, j'avais parfois l'impression de me retrouver de l'autre côté du miroir. Si j'éprouvais de l'agacement, j'essayais de me mettre à leur place ; je savais ce que c'était d'être de l'autre côté de la table, ou dans la rue avec une pancarte et un mégaphone. J'étais passée par là. Je me rendais compte que les activistes qui me menaient la vie dure faisaient leur travail, qu'ils essayaient de faire avancer les choses et mettaient les dirigeants face à leurs responsabilités. Cette pression n'est pas seulement importante, elle est vitale dans une démocratie saine. Pour reprendre une réponse que Franklin Roosevelt aurait faite à des représentants d'associations de droits civiques : « D'accord, vous m'avez convaincu. Maintenant, obligez-moi à le faire. »

Il persistait une tension inévitable. Certains activistes et avocats considéraient que leur rôle était de mettre sur la sellette les gens en place pour obtenir des résultats, y compris quand il s'agissait d'alliés, et ne voulaient pas entendre parler de compromis. Ils n'avaient pas à conduire les négociations pour passer des accords avec les républicains, ni à s'inquiéter des élections. Moi si. Il y a des principes et des valeurs qui ne tolèrent pas de compromis, mais, pour diriger efficacement en démocratie, on a besoin de stratégies et de tactiques souples, surtout sur des terrains politiques difficiles. J'ai dû l'apprendre à mes dépens pendant notre combat pour la réforme de l'assurance-maladie au début des années 1990[8]. Refuser tout compromis peut conduire à la défaite et faciliter les choses pour les forces opposées au progrès, qui peuvent se contenter de clamer non, non, encore et toujours, puis reprocher à leurs adversaires de n'avoir rien fait. Si l'on veut parvenir à des résultats, il faut trouver le moyen de leur arracher un oui.

Je n'ai donc jamais eu beaucoup de respect pour les activistes qui boycottent les élections, refusent le vote utile et sont prêts à tailler en pièces des alliés bien intentionnés au lieu de s'engager de manière constructive. Exiger la perfection au détriment du bien est une attitude aussi irréfléchie que contre-productive. Et quand on entend quelqu'un de gauche expliquer qu'il n'y a pas de différence

---

8. Projet de réforme du système de santé défendu par Bill Clinton en 1993, qui n'a jamais abouti. Attaqué par les républicains et l'industrie de l'assurance médicale, il a aussi été miné par les dissensions démocrates. Hillary Clinton dirigeait le groupe de travail qui a élaboré le plan.

entre les deux partis, ou qu'élire un républicain de droite précipitera peut-être « la révolution », ça donne envie de s'arracher les cheveux.

Dans mes fonctions de secrétaire d'État, j'ai rencontré au Caire un groupe de jeunes militants égyptiens. Ils avaient participé à l'organisation des manifestations sur la place Tahrir, qui ont sidéré le monde lorsqu'elles ont abouti à la chute du président Hosni Moubarak en 2011. Ils étaient enivrés de leur succès, mais la perspective de créer des partis, de rédiger des programmes, de présenter des candidats et de construire des coalitions ne les intéressait guère. La politique, ce n'était pas pour eux, soutenaient-ils. Je m'inquiétais pour la suite ; ils étaient en train de livrer leur pays aux forces les plus organisées en Égypte : les Frères musulmans et l'armée. Mes craintes n'ont pas tardé à se réaliser.

J'ai eu des conversations similaires avec des membres de Black Lives Matter pendant la campagne de 2016. La manière dont le mouvement était parvenu à placer la question raciale au centre du débat m'avait impressionnée, et j'étais heureuse quand des activistes comme Brittany Packnett et DeRay Mckesson m'interpellaient sur des sujets spécifiques. Ils collaboraient de manière constructive avec mon équipe pour améliorer notre programme et le rendre plus solide. Le fait d'être soutenue par eux en tant que candidate était un honneur. En revanche, je trouvais préoccupante l'attitude de certains, qui recherchaient avant tout l'agitation et la confrontation, quand nous aurions pu œuvrer ensemble à changer les politiques qui perpétuent le racisme du système.

C'est ce que j'avais à l'esprit lors d'une rencontre mémorable avec un groupe de jeunes militants de Black Lives Matter, en août 2015. Ils étaient venus de Boston pour assister à une réunion publique à Keene, dans le New Hampshire. Encore qu'*assister* n'est peut-être pas le mot le plus pertinent ; *perturber* serait plus juste. La discussion portait sur la recrudescence de la consommation d'opioïdes, un mal qui ravageait les petites villes américaines. Ces jeunes étaient déterminés à attirer l'attention sur une autre épidémie : les Afro-Américains tués lors de contrôles policiers, et plus largement le racisme généralisé qui dévaluait les vies noires et perpétuait les inégalités dans l'éducation, le logement, l'emploi et la justice. En résumé : une noble cause.

Ils sont arrivés trop tard pour entrer dans la salle, mais mon équipe leur a proposé une entrevue à la fin de la réunion, leur donnant l'occasion de soumettre en face à face leurs questions et revendications ; peut-être aurions-nous un dialogue intéressant. La rencontre s'annonçait plutôt bien : nous étions dans les coulisses, formant un petit cercle, ce qui donnait à la discussion un caractère intime et direct.

« Ce que vous faites en tant qu'activistes, en tant que citoyens qui pointent sans relâche ces problèmes du doigt, est très important, ai-je dit. Nous n'obtiendrons pas de changement sans une pression constante. » Puis je leur ai posé une question qui me préoccupait depuis un certain temps : comment envisageaient-ils de s'organiser après leurs premiers succès ? « Nous avons besoin d'un plan d'action global, dis-je. Et je serais plus qu'heureuse de travailler avec vous. »

J'ai vite découvert que le groupe ne tenait pas à parler de l'élaboration d'un programme politique. L'un d'eux en particulier avait une idée fixe : il me reprochait d'avoir soutenu certaines mesures, notamment la loi sur la criminalité que mon mari avait signée en 1994, qui, selon lui, avait créé une culture de l'incarcération de masse. Il insistait pour que je reconnaisse ma responsabilité : « Vous, Hillary Clinton, êtes indiscutablement complice de cet état des choses. Plus complice que beaucoup de gens. »

Ces activistes avaient raison sur un point : il est grand temps que les dirigeants politiques – et les Américains en général – cessent de se cacher derrière leur petit doigt et reconnaissent franchement le rôle que le racisme a joué dans notre histoire et continue de tenir dans la vie politique. Leur vision de la loi de 1994, en revanche, était plus que réductrice.

Le Violent Crime Control and Law Enforcement Act, la loi relative au contrôle des crimes violents et à la police, a été voté durant l'épidémie de crack qui décimait les villes américaines dans les années 1980 et au début des années 1990. Le texte final comportait des dispositions importantes, notamment le Violence Against Women Act, la loi relative aux violences contre les femmes, et l'interdiction de fabriquer des armes d'assaut destinées aux civils. Il prévoyait la mise en place de tribunaux spéciaux pour les délits liés à la drogue afin d'éviter la prison aux délinquants primaires, ainsi que le financement d'activités extrascolaires, de programmes d'emplois pour les jeunes « à risque » et l'embauche et la formation de policiers. Malheureusement, la seule manière de passer la loi était d'inclure certaines mesures exigées par les républicains – notamment des peines plus importantes pour les dealers. Les États qui avaient déjà commencé à rallonger la durée des condamnations se sont engouffrés dans la brèche ; ceux qui ne l'avaient pas encore fait s'y sont mis. Et cela s'est traduit par une explosion du nombre de détenus dans le pays. Joe Biden, qui présidait alors le comité judiciaire du Sénat, a participé à la rédaction de cette loi. Bernie Sanders l'a votée, tout comme la plupart des démocrates. Elle avait également été défendue par des personnalités afro-américaines déterminées à endiguer la vague de criminalité qui dévastait leurs quartiers. Ainsi que le souligne James Forman Jr, professeur à Yale : « Les Afro-Américains ont toujours considéré que la protection des vies noires relevait des droits civiques, que la menace vienne de la police ou de la délinquance urbaine[9]. »

Donc, oui, la loi était imparfaite. C'était un douloureux compromis. Et il faut reconnaître, comme Bill l'a fait lui-même, qu'elle a eu de lourdes conséquences, tout particulièrement chez les plus pauvres et les minorités. « J'ai signé une loi qui n'a fait qu'empirer le problème », a constaté Bill lors d'une conférence de la NAACP en juillet 2015, faisant référence à la surpopulation des prisons. Je suis d'accord avec lui. C'est pour cette raison que j'ai été la première candidate à réclamer « la fin de l'ère de l'incarcération de masse » et proposé un programme ambitieux de réforme du système judiciaire. C'est d'autant plus décevant que nous assistons aujourd'hui à une régression sur ces questions, avec un ministre de la Justice non seulement favorable à l'allongement des peines pour les délits relatifs à la drogue, mais aussi à la diminution des contrôles auxquels sont soumis les services de police. Cette attitude est clairement hostile aux mouvements de défense des droits civiques.

Je comprenais donc la frustration des membres de Black Lives Matter et je respectais leurs convictions. Je me rendais compte qu'ils parlaient ainsi parce que, toute leur vie, ils avaient été ignorés et méprisés par les autorités. Mais je m'efforçais d'orienter la conversation vers la question qui me semblait essentielle : comment élaborer et promouvoir un plan concret pour faire progresser la justice raciale ?

« Il faut proposer aux gens une vision et un projet positifs. La sensibilisation, l'engagement et la jeunesse de votre mouvement jouent un rôle primordial dans ce processus. Mais je vous demande aussi de mettre de côté un instant nos péchés pour essayer de trouver un terrain d'entente sur des mesures capables de changer les choses dans la vie des gens. Maintenant et tout de suite. »

---

9. James Forman Jr., *Locking Up Your Own: Crime and Punishment in Black America*, New York, Farrar, Straus and Giroux, 2017.

La conversation s'est poursuivie un moment, mais c'était un dialogue de sourds. Je pense que nous nous sommes quittés déçus d'un côté comme de l'autre.

Quand certains membres de Black Lives Matter ont mis en avant des propositions pour réformer le système judiciaire et investir dans les quartiers noirs, je leur ai accordé toute mon attention et ai demandé à Maya et à notre équipe de travailler en étroite collaboration avec eux. Nous avons inclus leurs meilleures idées dans nos projets, au côté de contributions venant d'associations de défense des droits civiques présentes sur le terrain depuis des décennies. En octobre 2015, mon amie Alexis Herman, l'ancienne secrétaire au Travail de Bill, a organisé une rencontre à Washington avec un autre groupe de Black Lives Matter, où nous avons eu une conversation passionnante sur le chemin à emprunter pour améliorer les relations avec la police, rétablir la confiance et créer un sentiment de sécurité et d'espoir dans les quartiers noirs. Les militants présents nous ont expliqué qu'ils se sentaient non seulement des outsiders dans la société américaine, mais des intrus : des gens dont personne ne veut, que personne n'estime. Ainsi qu'une femme l'a souligné : « Si vous me ressemblez, votre vie n'a pas de valeur. » C'était terrible d'entendre une jeune Américaine prononcer des mots pareils.

Trouver le juste équilibre entre les principes et le pragmatisme n'est jamais simple. La tentative de réformer le système d'aide sociale dans les années 1990[10] offre l'exemple d'un autre compromis difficile qui reste controversé. Bill et moi étions ardemment convaincus que de profonds changements étaient requis afin d'ouvrir la voie à l'accès universel aux prestations et aux services d'aide, en particulier dans le domaine des soins et de la garde des enfants – un élément crucial pour favoriser la transition vers le retour à l'emploi. Mais les républicains étaient déterminés à laminer le système. Ils voulaient amputer le budget des allocations, de Medicaid, de la cantine scolaire et des chèques alimentaires. Qui plus est, ils voulaient exclure du programme les immigrants *légaux* et envoyer les enfants de mineures célibataires dans des orphelinats, tout cela en ne fournissant qu'une aide minimum aux personnes à la recherche de travail. C'était cruel. J'ai encouragé Bill à opposer son veto à la loi, ce qu'il n'a pas hésité

---

10. Il s'agit du Personal Responsibility and Work Opportunity Act, la loi relative à la responsabilité et à l'incitation au retour à l'emploi, proposée par les républicains, alors majoritaires au Congrès, et signée par le président Clinton en 1996.

à faire. Le texte a été présenté une deuxième fois, à peine modifié. Bill s'y est opposé une deuxième fois. C'est alors que le Congrès s'est entendu sur un compromis. La loi comportait toujours des défauts, mais annonçait plus de bien que de mal dans son ensemble.

La décision était difficile. Mon mari et moi avons passé des nuits entières à en discuter : au lieu de verser une subvention globale aux États, le nouveau plan proposait d'allouer plus de moyens à Medicaid, aux chèques alimentaires, à la garde d'enfants, au logement et aux transports, pour accompagner les personnes dans leur démarche de retour à l'emploi. Nous espérions améliorer et élargir l'accès aux aides lorsque Bill serait, avec un peu de chance, réélu. Il s'est donc résolu à signer.

Deux des voix qui se sont élevées avec le plus de virulence contre le compromis furent celles de Marian Wright Edelman et de son époux Peter, alors secrétaire adjoint à la Santé et aux Services sociaux. Marian a publié une tribune libre passionnée dans le *Washington Post*, parlant de « mise à l'épreuve morale révélatrice », au sujet de la présidence de Bill. Peter a démissionné. Je respectais leur position – en fait, je n'en attendais pas moins d'eux –, mais j'ai souffert des tensions qui ont affecté mes relations avec Marian.

Fort heureusement, il n'y a jamais eu de véritable rupture et nous avons fini par nous retrouver autour de la cause qui nous avait initialement rapprochés et à laquelle nous étions tous restés farouchement attachés. Nous nous sommes engagés avec grand enthousiasme dans la bataille pour créer le Children's Health Insurance Program, ou CHIP, une assurance médicale destinée aux enfants qui a émergé des cendres du projet avorté d'assurance-maladie universelle en 1993-1994. J'ai essayé de tirer une leçon de mes échecs passés. Si l'on veut arriver à quoi que ce soit au Congrès, il faut être capable de collaborer avec ses adversaires et s'appuyer plus efficacement sur des alliés à l'extérieur comme Marian. Le CHIP a finalement été adopté avec le soutien d'une partie des républicains et continue d'offrir des soins à des millions d'enfants chaque année. À présent, Donald Trump parle de démanteler le dispositif, ce qui serait une tragédie.

En 1999, lorsque je me suis rendue à la ferme du Children's Defense Fund dans le Tennessee, pour l'inauguration d'une bibliothèque nommée en mémoire de l'écrivain Langston Hughes, Marian et moi sommes allées faire une longue promenade. J'étais heureuse d'être de nouveau à ses côtés. L'année d'après, j'ai assisté avec fierté à la cérémonie où Bill lui a décerné la médaille présidentielle de la Liberté, qui venait récompenser toute une vie d'engagement.

Rétrospectivement, nos désaccords sur la réforme de l'aide sociale témoignent de l'attachement que nous portons toutes deux à la chose publique, et soulignent l'écart irréductible entre le militant à l'extérieur et le législateur à l'intérieur. Ce qui n'a pas changé, et ce qui nous a permis de nous retrouver, c'est notre passion commune pour la cause des enfants.

Pour moi, on en revient toujours aux enfants. Je pense que chaque enfant devrait avoir la possibilité d'exploiter le potentiel que Dieu lui a donné ; c'est un principe fondamental qui m'a guidée tout au long de ma vie publique. J'ai répété cette phrase si souvent que j'ai cessé de compter. Mais elle n'a rien perdu de sa force et reste un moteur puissant pour moi. Je continue de croire qu'une société devrait être jugée sur la manière dont elle traite les plus vulnérables de ses membres, en particulier ses enfants, et que son succès se mesure au nombre de jeunes qui sortent de la pauvreté, bénéficient d'une bonne instruction et reçoivent l'amour et le soutien qu'ils méritent.

Les enfants sont le fil rouge de ma carrière. Il y a eu mes débuts avec Marian au Children's Defense Fund, mais aussi les cours sur le développement infantile que j'ai pris au Child Study Center de Yale et les cas de maltraitance dont je me suis occupée à l'hôpital Yale-New Haven quand j'étais étudiante. Il se peut même que cela remonte plus loin encore, à ma mère et à ce qu'elle m'a appris sur son enfance douloureuse. Elle était toujours la première à offrir son aide aux filles qui avaient des ennuis ou simplement besoin d'une amie dans notre ville, car elle croyait fermement que chaque enfant méritait une chance de s'en sortir et quelqu'un qui le défende. J'en suis moi-même tout aussi convaincue et me suis efforcée de jouer ce rôle dans toutes les fonctions que j'ai exercées. C'est l'une des raisons principales pour lesquelles je me suis présentée à l'élection présidentielle. En cas de victoire, j'aurais eu de grands projets en ce domaine.

Je ne doute pas qu'à notre époque, où le cynisme règne en maître, mes propos puissent passer pour des paroles creuses, le genre de déclarations que font les politiciens quand ils veulent se montrer sous leur meilleur jour. Après tout, qui n'aime pas les enfants ? Tout le monde prétend les aimer, même les candidats qui soutiennent des politiques qui leur seraient néfastes. Mais moi, je suis sincère. C'est un amour très tangible en ce qui me concerne.

Rien ne m'enrage plus que la vue d'enfants exploités, maltraités ou privés des chances, du soutien, des encouragements et de la sécurité dont ils ont besoin pour réussir. Je l'ai déjà dit, on a du mal à accepter que les femmes politiques expriment leur colère aussi vigoureusement que les hommes et je me suis parfois retrouvée dans des situations insolubles à cause de cette contrainte. Je vois les choses complètement différemment quand il s'agit des enfants. Je n'ai aucune patience avec les adultes qui les blessent ou les négligent ; j'explose, ce qui a déclenché un grand nombre des batailles majeures que j'ai menées au cours de ma carrière.

Ainsi, c'est en partie à cause des enfants dont j'ai fait la connaissance dans un hôpital de Cleveland que je me suis battue avec un tel acharnement pour la réforme de l'assurance médicale dans les années 1990. Ces enfants avaient tous des maladies préexistantes, si bien que personne ne voulait assurer les familles. Le père de deux fillettes atteintes de mucoviscidose m'a confié qu'une compagnie lui avait répondu : « Désolé, on n'assure pas les maisons en feu. » Les larmes aux yeux, il les a désignées et il a répété : « Ils ont traité mes petites filles de maisons en feu. » J'en suis restée sans voix. C'est la pensée de ces enfants qui m'a portée tout au long de notre combat, malgré les revers et les difficultés, jusqu'à ce que le Congrès vote enfin le CHIP.

J'ai éprouvé un sentiment similaire début 2016, lorsque j'ai lu un article sur le scandale de l'eau à Flint, dans le Michigan. Un nombre inquiétant d'enfants souffraient d'empoisonnement au plomb, de toute évidence parce que l'État n'avait pas analysé ou traité correctement l'eau destinée à la consommation. Du temps où j'étais première dame, puis sénatrice, j'ai passé des années à essayer de faire interdire la peinture au plomb, qui menaçait la santé de centaines de milliers de jeunes enfants à travers le pays. Mais jamais je n'avais assisté à un drame de cette étendue.

Flint était autrefois un centre de l'industrie automobile florissant, mais, ainsi que Michael Moore l'a dépeint de manière saisissante dans son documentaire *Roger et Moi* en 1989, la ville s'est étiolée lorsque les usines ont fermé les unes après les autres. En 2013, le revenu moyen par foyer était inférieur à 25 000 dollars par an et plus de 40 % des habitants, dont la plupart afro-américains, vivaient en dessous du seuil de pauvreté. En 2013 et 2014, le contrôleur nommé par le gouverneur républicain du Michigan pour assainir les finances de Flint a eu une fulgurance : pour économiser un peu d'argent, au lieu d'acheter de l'eau potable à Detroit comme on l'avait fait jusque-là, on allait la puiser dans la rivière.

Très vite, des familles ont commencé à se plaindre de la couleur, du goût et de l'odeur de l'eau, mais aussi d'éruptions cutanées et d'autres problèmes de santé. Des parents ont porté des bouteilles d'eau brunâtre et nauséabonde aux autorités : « C'est ce que boit mon bébé, disaient-ils. C'est là-dedans que ma petite fille se baigne. » On les a ignorés, quand on ne leur assurait pas carrément qu'il n'y avait aucun danger. C'est la forme d'indifférence la plus cruelle que l'on puisse imaginer. Il s'avère que le département de la Qualité de l'environnement du Michigan n'avait jamais soumis l'eau de la rivière à un traitement anticorrosion, une mesure qui ne leur aurait coûté pas plus de 200 dollars par jour. Résultat de cette violation de la loi fédérale : les canalisations en plomb du réseau endommagées ont contaminé l'eau, les enfants de moins de 5 ans y étant les plus vulnérables. L'empoisonnement au plomb peut causer des lésions irréversibles au cerveau et entraîner des problèmes de l'apprentissage et du comportement. À Flint, des milliers d'enfants ont potentiellement été exposés à ce danger, et le taux d'intoxication au plomb diagnostiqué chez les plus jeunes a presque doublé.

Dans les deux ans qui ont suivi, les autorités du Michigan n'ont pas levé le petit doigt. Il a fallu qu'un groupe de médecins indépendants réalise des examens de son propre chef et divulgue les résultats pour que la crise sanitaire tourne au scandale national. Lorsque j'ai appris ce qui se passait, en janvier 2016, j'étais catastrophée et ai aussitôt envoyé des membres de mon équipe sur place. J'ai également appelé la maire, Karen Weaver, et je lui ai demandé : « Que puis-je faire pour vous aider ? » Elle était preneuse de tout ce qui pouvait attirer l'attention sur la ville de Flint et obliger le gouverneur à intervenir.

Je ne me suis pas gênée. Sur le parcours de la campagne et à la télévision, j'ai crié au scandale et demandé au gouverneur de déclarer l'état d'urgence sanitaire, afin de débloquer rapidement une aide fédérale – ce qu'il a fait quelques heures plus tard. Mais ce n'était pas le moment de relâcher nos efforts. À la fin du débat suivant des primaires démocrates, l'animateur, Lester Holt, a demandé : « Y a-t-il quelque chose que vous n'avez pas encore dit et dont vous souhaiteriez vraiment parler ce soir ? » J'ai sauté sur l'occasion.

« Chaque Américain devrait être scandalisé, ai-je martelé. Une ville des États-Unis d'Amérique où la population est pauvre et en majorité afro-américaine a bu et s'est lavée dans une eau contaminée par le plomb. Et le gouverneur de cet État se comporte comme s'il n'était pas concerné. » Je commençais à m'échauffer. « Je vais vous dire une chose : si les enfants d'une riche banlieue résidentielle de Detroit avaient bu de l'eau contaminée et s'étaient lavés dedans, tout le monde aurait bondi de son siège. »

Ce commentaire a fait grincer des dents, mais tout le monde savait que ce qui s'était passé à Flint ne se serait jamais produit dans une ville opulente comme Grosse Pointe. L'État serait aussitôt intervenu et n'aurait pas lésiné sur les moyens. De même, les écoles d'une banlieue prospère comme Bloomfield Hills ne ressembleront jamais à celles du centre-ville de Detroit, où les élèves travaillent dans des salles de classe infestées de rats et rongées par la moisissure, où les plafonds s'effondrent et le chauffage marche à peine. Les exemples ne manquent pas. Partout dans le pays, on trouve des populations pauvres ou appartenant aux minorités qui vivent dans un environnement dangereusement pollué – et toujours ce sont les enfants qui paient le prix fort.

Après le débat, les membres de mon équipe étaient enthousiastes. Je montrais enfin le genre de passion que, selon eux, les électeurs voulaient voir. Pendant des mois, nous avions été les gros perdants de la « campagne de l'indignation ». Bernie, quant à lui, s'indignait de tout. À chaque prise de parole, il tempêtait contre « les millionnaires et les milliardaires », tandis que je m'appliquais à proposer des solutions pratiques pour résoudre les problèmes sous-jacents et améliorer la vie des gens. À présent, en revanche, devant les enfants malades de Flint, j'étais celle qui bouillait d'indignation vertueuse.

Quinze jours plus tard, je me suis rendue sur place pour voir ce qui se passait par moi-même. C'était encore plus déchirant que tout ce qu'on pouvait imaginer. La maire et moi-même nous sommes assises avec un groupe de femmes dans le bureau du pasteur de l'église baptiste missionnaire. J'ai constaté que les fontaines à eau étaient toutes marquées « en panne », un rappel sinistre de ce que cette ville subissait depuis deux ans.

Les femmes présentes m'ont raconté leur histoire. L'une d'entre elles, alors enceinte de jumeaux, avait fait une violente réaction à l'eau empoisonnée. « C'était horrible », a-t-elle soupiré. D'abord, elle s'était présentée aux urgences en raison d'une éruption cutanée. Puis elle avait fait une fausse couche et dû subir une transfusion de sang. C'était émotionnellement dévastateur. Le pire, c'était pourtant le coût de l'eau : on les faisait « payer pour s'empoisonner », fulminait-elle.

« J'ai des crises, maintenant. Jamais ça ne m'était arrivé avant, a raconté une autre mère, luttant contre les larmes. Nos vies ont été bouleversées. »

« On ne parle plus des anniversaires. On ne parle plus des leçons de natation, a ajouté une troisième. Il n'est question que des visites à l'hôpital et aux urgences. »

Une des femmes, Nakiya, m'a présenté son adorable petit garçon de 6 ans. Il gambadait autour de nous avec un sourire jusqu'aux oreilles et prenait des photos à l'aide d'un téléphone. Nakiya m'a expliqué que, après avoir été exposé à des taux de plomb très élevés, son petit avait des problèmes à l'école. Tout ce que je voulais, c'était serrer Jaylon dans mes bras et lui dire que tout irait bien. Plus tard, après avoir parlé aux fidèles de l'église, j'ai retrouvé Nakiya et Jaylon. Barb Kinney, ma photographe de campagne, lui a proposé de prendre quelques clichés avec son Nikon dernier cri. Jaylon a ouvert de grands yeux brillants et a fait oui de la tête. Bientôt, il nous mitraillait comme un pro.

Avant de partir, j'ai serré Jaylon contre moi ; mais je ne pouvais pas lui promettre comme je l'aurais voulu que tout irait bien, ni que les problèmes de Flint seraient réglés rapidement. Pour dire la vérité, j'avais l'impression que les républicains du Michigan et de Washington continuaient à ne pas prendre au sérieux la crise.

Je voulais faire plus. Les habitants de Flint ne pouvaient pas attendre la prochaine élection ; et encore moins la révolution. Ils avaient besoin d'un changement de situation immédiat. « La maire a fait une réflexion qui m'a frappée, ai-je dit à quelques personnalités de la ville. Plutôt que d'avoir des gens qui viennent de l'extérieur, embauchons des habitants de Flint. Chaque église pourrait se transformer en centre de distribution ou en pôle d'organisation. » Nous avons décidé de rester en contact.

Aussitôt à bord de l'avion, je suis allée retrouver Maya. Ce que j'avais vu me rendait folle de rage. « Comment une chose pareille a-t-elle pu arriver ? fulminais-je. C'est criminel ! Il faut faire quelque chose. » Au cours des semaines suivantes, nous avons travaillé avec Karen Weaver, les pasteurs de la ville, l'université locale, la NAACP et d'autres groupes, afin de financer et d'organiser un nouveau partenariat public-privé qui emploierait des jeunes chômeurs pour livrer de l'eau propre aux familles qui en avaient besoin. Chelsea s'est rendue deux fois à Flint pour aider à mettre en place le dispositif de la municipalité. Des gens de tout le pays ont également répondu à l'appel. Des centaines de plombiers sont venus installer des filtres à eau sans demander de contrepartie. Des étudiants d'universités de tout le Midwest ont collecté des fonds pour financer les livraisons d'eau propre. Un élève de maternelle du New Hampshire qui venait de perdre sa première dent et à qui la petite souris avait laissé 5 dollars a déclaré à ses parents qu'il voulait en faire don, pour que « les petits enfants aient de l'eau ». Sa mère était si fière qu'elle m'a aussitôt écrit une lettre.

La situation à Flint aujourd'hui est toujours préoccupante. C'est le déchirant et scandaleux résultat d'une mauvaise gouvernance et d'une gestion politique honteuse, et ça n'aurait jamais dû arriver en Amérique, point. Il a fallu attendre fin 2016 pour que le Congrès se mette d'accord pour débloquer des aides. La plupart des 30 000 canalisations en plomb de la ville doivent être remplacées, si bien que les habitants sont toujours tributaires d'eau en bouteille ou bouillie. Cinq hauts responsables du Michigan, dont le chef du département de la Santé, ont été accusés d'homicide involontaire. Pendant ce temps, les écoles continuent d'être sous-équipées, il n'y a pas assez d'emplois et trop d'enfants vont se coucher le ventre vide.

Ma colère ne s'est pas apaisée depuis, même si la compassion et la générosité dont j'ai été témoin m'ont fait chaud au cœur. C'était sans doute un des aspects les plus gratifiants de ces élections au cours desquelles j'ai pu observer la générosité de mes concitoyens sous toutes ses formes. Ainsi, en septembre 2015, j'ai participé à une réunion publique à Exeter, dans le New Hampshire. L'un des habitants, un professeur de lycée qui enseignait depuis treize ans, cherchait des idées pour favoriser le soutien scolaire pendant l'été pour les enfants défavorisés. En faisait également partie une jeune femme qui venait de passer un an dans une école primaire de Watts, à Los Angeles, dans le cadre d'une mission pour AmeriCorps[11]. Il y avait également quelqu'un qui travaillait auprès de jeunes rescapés du commerce sexuel, puis un vétéran qui avait servi pendant vingt-deux ans dans l'US Navy et dont le fils était dans le Marine Corps. Les

11. Service civil volontaire créé en 1993 sous l'administration Clinton, cofinancé par l'État fédéral, des fondations et des entreprises privées. Les jeunes bénévoles accomplissent des missions dans le domaine de la santé, de l'éducation, de l'environnement et de la sécurité sur le territoire national.

uns après les autres, ces citoyens m'ont posé leurs questions et tous avaient une histoire remarquable à raconter sur les services qu'ils rendaient à la collectivité. C'est ce que j'aime dans ce pays. Les gens qui s'étaient réunis à Exeter et tous ceux qui se sont portés volontaires à Flint nous enseignent la manière de réellement changer les choses : il faut retrousser ses manches et se mettre au travail.

Flint ne m'a pas simplement fourni un prétexte pour vitupérer pendant la campagne, même si l'indignation paie en politique. D'autant plus que, dans ce cas, elle m'a peut-être desservie. J'ignore si ma défense de la population en grande partie afro-américaine de Flint m'a aliéné des électeurs blancs dans d'autres parties du Michigan, mais elle ne m'en a manifestement pas gagné, car j'ai perdu l'État[12] de peu lors des primaires et de la présidentielle. Cela n'a pourtant aucune importance, car ce n'était pas la question pour moi. Il y avait des enfants en chair et en os à aider. Des gamins comme Jaylon. Et, ainsi que je l'ai appris en travaillant aux côtés de Marian Wright Edelman il y a près d'un demi-siècle, rien n'est plus important.

Marian avait encore une leçon à m'apprendre. Au cours des jours sombres qui ont suivi le 8 novembre 2016, alors que je rêvais seulement de me blottir au fond de mon lit et de ne plus jamais sortir de chez moi, elle m'a envoyé un message. Rejoins-nous à CDF, me disait-elle. Le Children's Defense Fund organisait une célébration en l'honneur d'un groupe de jeunes qui, déjouant tous les pronostics, avaient réussi en dépit de la pauvreté, de la violence et de l'abandon. Avant l'élection, Marian m'avait demandé de me charger du discours d'ouverture. À présent, elle me faisait savoir qu'il était encore plus important que je sois présente.

Je me voyais mal faire un discours si rapidement après ma défaite ; mais s'il y avait quelqu'un qui n'avait pas peur de se secouer pour se relever et se remettre au travail, c'était bien Marian. Elle l'avait fait durant toute son existence et avait toujours aidé les autres à en faire autant. Pendant des décennies, je l'avais entendue dire : « Servir est le loyer que nous payons pour la vie. » Ma foi, ai-je décidé, on ne va pas cesser de payer son loyer simplement parce qu'on n'a pas obtenu ce qu'on voulait.

C'est ainsi que nous nous sommes retrouvées une fois de plus au Children's Defense Fund, le 16 novembre. Marian est montée

---

12. Le Michigan est un État traditionnellement démocrate.

sur l'estrade et a parlé de notre longue collaboration, de tout ce que nous avions fait ensemble pour aider des familles et des enfants à s'en sortir. Puis, elle a désigné ses deux petites-filles dans le public et ajouté : « Parce qu'elle leur a ouvert la voie, un jour, bientôt, votre fille ou ma fille, ou bien nos petites-filles, s'installeront dans le Bureau ovale – et nous remercierons Hillary Rodham Clinton. »

J'avais envie de pleurer, de jurer et d'applaudir, tout en même temps.

Laisser le monde en meilleur état,
que ce soit en laissant derrière soi un enfant en bonne santé,
un carré de potager, ou la résolution d'un problème social ;
savoir que ne serait-ce qu'un seul être a respiré plus librement
parce que vous avez vécu. C'est cela, avoir réussi.

Attribué à Ralph Waldo Emerson

L'obsession des détails

« Les décisions d'un commandant en chef peuvent avoir des conséquences profondes et durables sur la vie de tous les Américains, mais jamais autant que pour les hommes et les femmes courageux qui servent notre pays, qui se battent et meurent pour lui. » C'est ainsi que le journaliste Matt Lauer a introduit le « Forum du commandant en chef » de NBC sur le pont du porte-avions USS *Intrepid* à New York, le 7 septembre 2016. Hors champ, j'écoutais en hochant la tête.

Matt Lauer m'avait assuré que l'émission serait l'occasion de parler de « la sécurité nationale et des problèmes mondiaux complexes auxquels devra faire face notre nation ». C'était précisément ce que j'avais en tête. À deux mois de l'élection, il était grand temps d'avoir une discussion sérieuse sur les qualifications de chaque candidat et sur la manière dont il entendait diriger le pays. Ce ne serait pas un débat classique, où Donald Trump et moi-même nous affronterions sur scène ensemble. Nous disposerions au contraire de trente minutes chacun pour répondre individuellement aux questions que Lauer et le public nous posaient. Je ne doutais pas que, si l'on se concentrait sur le fond et que l'on comparait nos parcours respectifs, il apparaîtrait clairement que j'étais prête à me lancer dans le rôle de commandant en chef des armées de notre pays, et que Donald Trump manquait dangereusement de préparation.

En outre, il se trouve que j'aime parler politique étrangère. Lorsque j'occupais le poste de secrétaire d'État dans l'administration Obama, je n'ai quasiment rien fait d'autre pendant quatre ans dans 112 pays. Depuis le début de la campagne présidentielle, il était pourtant principalement question des problèmes nationaux – à une exception notable, dans l'Iowa, lorsqu'un électeur m'avait interrogée sur les dangers des bombes datant de la guerre du Vietnam qui continuaient à exploser au Laos. C'était tellement inattendu que j'avais failli en lâcher le micro.

Matt Lauer et NBC nous ayant présenté ce débat comme l'occasion de parler enfin sérieusement de la politique étrangère et de la sécurité nationale, j'étais un peu étonnée que Donald Trump ait confirmé sa présence. Il s'était fait piéger sur des questions simples concernant l'arme nucléaire (il avait affirmé que plus de pays devraient pouvoir en disposer, dont notamment l'Arabie saoudite), l'OTAN (qu'il avait qualifiée d'obsolète), la torture (qu'il défendait), et les prisonniers de guerre (il préférait les soldats qui ne se faisaient pas capturer). Il avait menti à plusieurs reprises au sujet de sa prétendue opposition à la guerre d'Irak, alors même que des documents prouvaient le contraire. Et il avait la fâcheuse habitude de proférer des absurdités comme : « J'en sais plus sur Daesh que les généraux, croyez-moi. » Bien entendu, personne ne le croyait, aussi peu que plus de cent personnalités ayant occupé des postes liés à la sécurité nationale dans des gouvernements républicains avaient publiquement exprimé leur profonde inquiétude. Beaucoup d'entre elles avaient signé une lettre ouverte affirmant que Trump n'avait « ni le caractère, ni les valeurs, ni l'expérience » requis pour être commandant en chef. Pire encore, il serait selon eux « le président le plus dangereux dans l'histoire des États-Unis » et « mettrait en danger la sécurité nationale et le bien-être de notre pays ».

En dépit de toutes ces circonstances, l'équipe de Trump avait accepté l'invitation. Il avait gagné au tirage au sort et décidé de passer en second. J'attendais donc en coulisse d'être appelée sur scène.

Matt Lauer a commencé par une question générale sur les qualités que devait indispensablement posséder un commandant en chef. J'ai évoqué la pondération, un trait que personne ne songerait à associer à Donald Trump, sur quoi Lauer m'a interrompue pour décréter : « Vous parlez de jugement. » Ce n'était pas vraiment le cas, mais soit : c'était suffisamment proche de mon sujet. J'ai alors précisé : « De tempérament et de jugement, oui. »

Je fais de la politique depuis assez longtemps pour savoir que ça sentait le roussi. Lauer avait l'air faraud de quelqu'un qui vient de tendre un piège habile.

« Le mot *jugement* a beaucoup été employé à votre propos au cours de l'année et demie écoulée, en particulier à propos de l'utilisation de votre serveur de messagerie privé lorsque vous étiez secrétaire d'État. Vous avez admis que c'était une erreur. Vous avez déclaré que vous n'aviez pas fait le meilleur choix. Vous aviez pourtant l'habitude d'y communiquer sur des sujets extrêmement sensibles. Pourquoi n'était-ce qu'une erreur ? Pourquoi cela ne vous disqualifie-t-il pas pour prétendre au contrôle des armées ? »

Le tour qu'avait pris cet entretien était décevant, d'autant plus que le directeur du FBI avait conclu des mois plus tôt qu'il n'y avait pas matière à poursuites et que l'enquête était close. On pouvait malgré tout s'attendre à ce que Lauer détourne le noble débat annoncé pour parler de mes e-mails. Chaque journaliste politique veut se servir sur la bête, je peux le comprendre. Pourtant, Matt Lauer m'avait déjà abondamment interrogée sur le sujet en avril. Je présumais alors qu'il s'agissait d'« équilibrer », beaucoup de médias traditionnels se mettant en quatre pour éviter que la droite ne leur reproche d'être trop conciliants avec les démocrates. S'il voulait poser des questions difficiles à Trump, il devait montrer ostensiblement qu'il ne me ménageait pas.

En réalité, cette pensée est totalement faussée, car « équilibré » n'est en rien un synonyme d'« égal ». En réalité, cela signifie raisonnable. Poser des questions intelligentes qui s'appuient sur un travail journalistique solide, et prendre des décisions éditoriales qui fourniront aux électeurs les informations dont ils ont besoin pour voter en toute connaissance de cause. Mettre le curseur précisément au milieu, même si un côté est beaucoup plus extrême que l'autre – c'est une équivalence illusoire. Si Trump déchire la chemise de quelqu'un à un meeting et qu'un bouton se détache de ma veste le même jour, le titre « Trump et Clinton ont des problèmes vestimentaires : campagnes dans la tourmente » peut sembler équitable à certains, mais il n'est pas équilibré et certainement pas juste. Plus important, les électeurs n'ont rien appris qui puisse les aider à choisir leur président.

L'épisode Lauer offre un parfait exemple de ce prétendu équilibre. J'ai commis une erreur avec mes e-mails. Je me suis expliquée. Je me suis excusée. Je me suis expliquée et excusée encore et encore. Pourtant, des mois plus tard, alors que le FBI avait terminé son travail, à l'occasion d'un débat qui était censé porter sur la sécurité de notre pays, et parce que Trump allait avoir du mal à répondre aux questions les plus élémentaires, on perdait du temps sur cette histoire d'e-mails.

Après l'élection, une analyse de Thomas Patterson, du centre de recherche Shorenstein qui suit les médias et la politique générale et publique à Harvard, a mis en évidence les dangers de cette fausse équivalence : « Si tout et tout le monde est représenté sous un jour négatif, il y a un effet nivelant qui ouvre la porte aux charlatans. Historiquement, le rôle de la presse était de guider les citoyens pour qu'ils distinguent le politicien honnête de l'imposteur. À présent, la couverture médiatique brouille les limites[1]. »

J'étais en train de vivre cette confusion en direct, tandis qu'un charlatan attendait en coulisse. Mais que pouvais-je faire ? Je me suis lancée dans ma réponse habituelle, réitérée déjà un million de fois : « C'était une erreur d'utiliser un compte privé. Jamais je ne le referais. J'ai eu tort, je le reconnais », et ainsi de suite. J'ai également expliqué que, ainsi que le FBI l'avait confirmé, aucun des e-mails que j'avais envoyés et reçus n'était classifié.

Au lieu de passer à une question de sécurité nationale – et les sujets ne manquaient pas, entre la guerre civile en Syrie, l'accord nucléaire iranien et la menace nord-coréenne, tout ce dont cette émission était censée traiter –, Lauer a préféré s'acharner sur les e-mails. Il m'a relancée quatre fois. Pendant ce temps, l'heure tournait et mes trente minutes pour discuter des problèmes de politique étrangère de fond filaient.

Enfin, alors que personne n'avait rien appris de nouveau, Matt Lauer a pris une question dans le public, composé d'anciens combattants choisis par NBC. L'homme s'est présenté comme républicain, un lieutenant de l'US Navy qui avait participé à la guerre du Golfe en 1991, et s'est empressé de reprendre les éléments de langage de la droite, déclarant que l'usage d'une messagerie privée aurait conduit n'importe qui d'autre en prison. Il a poursuivi en me demandant comment il pourrait me faire confiance en tant que présidente, alors que j'avais « clairement mis en danger la sécurité nationale ».

À présent, j'étais énervée. La chaîne savait parfaitement ce qu'elle faisait. NBC transformait l'émission en un épisode de « The Apprentice[2] », avec Trump en vedette pour faire grimper les taux d'audience. Ce qui aurait dû être un échange d'arguments sérieux tournait à l'embuscade absurde. Quelle perte de temps !

---

1. Thomas E. Patterson, *News Coverage of the 2016 General Election : How the Press Failed the Voters* (https://shorensteincenter.org/news-coverage-2016-general-election/).

2. Émission de télé-réalité où un entrepreneur fait passer des entretiens d'embauche et élimine un par un les candidats. La première saison, en 2004, était présentée par Donald Trump.

Lorsqu'on a autorisé un autre vétéran à me demander comment j'envisageais de vaincre Daesh, le présentateur m'a interrompue avant que j'aie pu ouvrir la bouche : « Soyez aussi brève que possible. » Trump aurait dû comptabiliser la performance de Lauer comme une contribution en nature à sa campagne.

Après l'émission, des rumeurs propagées sur Internet ont prétendu que j'étais tellement furieuse envers Matt Lauer que j'étais partie en tempêtant – non sans avoir fait une scène et brisé un verre d'eau. Rien de tout cela n'est vrai, mais je dois reconnaître que ce n'était pas l'envie qui me manquait de lui faire retrouver un peu de bon sens.

À présent, je regrette de ne pas avoir été plus combative. J'aurais dû dire : « Vous savez, Matt, c'est moi qui étais là, dans la salle de crise, et qui ai conseillé au président de poursuivre Oussama Ben Laden. C'est moi qui, avec le secrétaire à la Défense Leon Panetta et le directeur de la CIA David Petraeus, ai insisté pour qu'on agisse plus tôt en Syrie. C'est moi qui ai œuvré pour reconstruire le sud de Manhattan après le 11 Septembre et fournir une assurance-maladie aux premières équipes de secours. C'est aussi moi qui m'inquiète des tentatives de Poutine pour miner notre démocratie. C'est moi qui ai entamé des négociations avec l'Iran pour prévenir une course à l'armement nucléaire au Moyen-Orient. Et c'est à moi que les experts de la sécurité nationale font confiance lorsqu'il s'agit de l'avenir de notre pays. » Et bien d'autres choses encore. Une fois de plus, je suis restée polie en dépit de mon exaspération. J'ai joué le jeu, et j'ai eu tort de le faire, car les règles avaient changé.

Après, j'ai assisté, impuissante, au spectacle de Lauer mettant des gants avec Trump tout au long de leur interview : « Qu'est-ce qui, selon vous, prépare à prendre les décisions qui incombent à un commandant en chef ? » lui a-t-il demandé. Il n'a même pas cherché à le reprendre sur ses mensonges à propos de l'Irak. J'en étais malade.

Fort heureusement, je n'étais pas la seule. Le *Washington Post*, notamment, a publié un éditorial cinglant à ce sujet :

> *À en juger par le temps que Matt Lauer de NBC a passé à interroger Hillary Clinton sur ses e-mails mercredi dernier, lors du forum présidentiel sur la sécurité nationale, on pourrait penser que son serveur de messagerie privé constitue le problème numéro un auquel devra faire face ce pays à l'issue de cette élection. Ce n'est pas le cas. Il y*

*a mille autres sujets importants – les mouvements offensifs
de la Chine en mer de Chine méridionale, les collectes de
données de la National Security Agency ou les dépenses
militaires, pour n'en citer que quelques-uns – qui nous
en apprendraient plus sur les compétences des candidats
et sur la manière dont ils gouverneraient. Non seulement
rien de tout cela n'a été ne serait-ce que mentionné durant
la première des précieuses cinq heures et demie que les
deux candidats partageront d'ici l'élection, mais l'affaire
des e-mails a occupé un tiers du temps de Mme Clinton[3].*

Les critiques ont déferlé. Le chroniqueur du *New York Times*
Nicholas Kristof a qualifié l'émission de « honte du journalisme ».
Will Saletan de *Slate* a écrit qu'il avait rarement vu « un animateur
aussi mauvais et aussi peu incisif lors d'un débat présidentiel ». Mais
c'est le commentaire de Trevor Noah du « Daily Show[4] » qui remporte la palme : « Pendant la Seconde Guerre mondiale, à de multiples
reprises, des avions kamikazes se sont écrasés sur l'*Intrepid*. Hier soir
Matt Lauer a perpétué cette tradition. Je ne sais pas ce qu'il foutait,
et manifestement lui non plus. »

Hélas, des millions de personnes ont suivi le débat. Et, à mon avis,
il était très représentatif de la couverture de la campagne dans son
ensemble. Toujours selon Thomas Patterson du centre Shorenstein,
les médias n'ont consacré à la politique publique pas plus de 10 %
du temps alloué aux élections. Les 90 % restants étaient presque
exclusivement dédiés à un rabâchage obsessionnel des controverses,
telles que l'affaire des e-mails. L'assurance-maladie, les impôts, le
commerce, l'immigration, la sécurité nationale : on n'a accordé à tous
ces sujets réunis que 10 % de la couverture médiatique. L'auteur souligne que pas un seul de mes projets politiques détaillés n'a bénéficié
du moindre écho : « Si elle avait un programme, il n'apparaît pas
dans les médias, conclut l'article. Sa longue expérience politique n'a
guère reçu plus d'attention. » Alors que mes e-mails ont fait les choux
gras de la presse, en revanche, aucun des scandales liés à Donald
Trump – qu'il s'agisse des étudiants escroqués à Trump University,
des petites entreprises spoliées à Atlantic City, de la façon dont il tire
profit de sa fondation, de son refus de divulguer sa déclaration fiscale

---

3. « The Hillary Clinton Email Story Is Out of Control », *Washington Post*, 8 septembre 2016.

4. Émission satirique sur l'actualité et les médias de la chaîne Comedy Central.

alors que tous les candidats l'ont fait depuis 1976, et j'en passe – n'a reçu ce genre de publicité suivie et décisive pour la campagne.

Le déclin du journalisme politique sérieux ne date pas d'hier, mais il a gravement empiré en 2016. En 2008, les journaux télévisés du soir des grandes chaînes ont diffusé un total de 220 minutes dévolues à la politique. En 2012, on en était à 114. En 2016, on n'en comptait plus que 32. (Ces chiffres datent de deux semaines avant les élections, mais n'ont guère changé dans la dernière ligne droite.) En revanche, un total impressionnant de 100 minutes a été accordé à mes e-mails. En d'autres termes, les journaux d'information signifiaient aux électeurs que mes e-mails étaient trois fois plus importants que tous les autres enjeux nationaux confondus.

Si cela me gêne autant, c'est peut-être que je suis une incorrigible mordue de la politique. Il est vrai que je voue un culte aux détails, qu'il s'agisse du taux précis de plomb dans l'eau que buvaient les habitants de Flint, du nombre d'établissements psychiatriques dans l'Iowa, du coût de certains médicaments, ou du fonctionnement de la triade nucléaire. Mais ces détails deviennent déterminants si la vie de votre enfant ou d'un de vos parents âgés en dépend, voire, dans le cas de l'arme nucléaire, si la vie sur notre planète en est affectée. Ils devraient l'être pour quiconque prétend diriger notre pays.

J'ai toujours eu une conception très terre-à-terre de la politique. Pour moi, son exercice consiste à résoudre des problèmes et améliorer la vie des gens. Je me renseigne aussi complètement que possible sur les difficultés qu'ils rencontrent, puis je travaille avec les meilleurs spécialistes pour aboutir à des solutions viables, abordables et qui permettront de changer les choses de manière substantielle. Pour la campagne, j'ai recruté une équipe de conseillers politiques qui avaient une expérience approfondie du gouvernement et me suis appuyée sur un réseau de conseillers indépendants, issus de l'université, de think tanks et du secteur privé. L'équipe de Brooklyn avait fièrement accroché au-dessus de nos bureaux une pancarte arborant le slogan « Wonks for the Win[5] ». Ils ont rédigé des tonnes de notes de synthèse dont beaucoup comprenaient des budgets prévisionnels et des notes de bas de page détaillées : carton plein. C'était une maquette de la Maison-Blanche, exactement ce que j'avais à l'esprit. Je voulais pouvoir me mettre au travail sur-le-champ, prête à signer des décrets

---

5. Littéralement « Les fanas de la politique pour la victoire ».

et à collaborer avec le Congrès pour faire passer autant de lois que possible durant les cent premiers jours de mon mandat. Je souhaitais en outre que les électeurs sachent exactement à quoi s'attendre si je parvenais au pouvoir, ce qui changerait dans leur vie, et qu'ils aient la possibilité de me rappeler mes promesses si je ne les tenais pas.

Au cours de la campagne de 2016, j'en suis venue à regarder autrement un programme politique. J'ai compris que c'était aussi une fenêtre sur l'âme du candidat et un outil de mobilisation.

Joe Biden aime à dire : « Ne me dites pas ce qui compte pour vous. Détaillez-moi votre budget et je saurai vous dire ce qui compte pour vous. » C'est également ma vision des choses : les mesures qu'il propose en disent long sur les principes et les priorités d'un candidat. Ainsi, on peut évaluer ses propositions pour la garde d'enfants d'après leur coût, la population visée, et en induire la probabilité que le Congrès les adopte. En même temps, on peut voir son programme comme une fenêtre sur son âme : des propositions généreuses signifient que c'est quelqu'un qui s'intéresse aux enfants et estime que la société a une responsabilité envers les plus vulnérables d'entre nous. Les détails des mesures ont peut-être moins d'importance que la manière dont elles sont présentées au public ; c'est peut-être un mélange que j'ai mal dosé. En d'autres termes, le visuel joue un rôle crucial. J'attachais de l'importance à l'image, mais bien moins qu'aux mérites de la mesure, et ça se voyait.

Un projet politique peut également faire rêver. J'ignore combien parmi les supporters de Trump croyaient sincèrement qu'il allait construire un mur géant tout le long de la frontière sud et se débrouiller pour que le Mexique le finance. Mais l'entendre en parler les enthousiasmait. Même si l'on trouve l'idée déplaisante, force est de constater que le sujet alimentait leurs discussions, leurs tweets et leurs publications sur Facebook. C'était un cri de ralliement plus qu'un projet politique crédible, mais il n'en était pas moins puissant, surtout si les électeurs ne m'entendaient parler ni de l'immigration ni de leurs inquiétudes économiques, parce que l'affaire des e-mails écrasait tout le reste.

Cette autre manière d'aborder la politique a concouru à façonner les primaires, puis l'élection de 2016.

Dès le départ, je m'attendais à une offensive vigoureuse de la gauche pendant les primaires. C'est presque systématique et, cette fois, il était évident qu'il y avait un puissant potentiel d'énergie populiste qui cherchait son champion. La colère contre l'industrie financière enflait depuis des années. Occupy Wall Street avait contribué à braquer le projecteur sur le problème des inégalités. Et après s'être retenue pendant des années au sujet des compromis de l'administration Obama, la gauche du Parti démocrate était prête à se déchaîner.

Le nom de la sénatrice Elizabeth Warren était celui qui revenait le plus souvent, mais je n'étais pas certaine qu'elle désirait se lancer dans la bataille. Après tout, elle s'était jointe à toutes les autres sénatrices démocrates pour signer une lettre m'encourageant à me présenter. J'admire depuis longtemps la passion et la ténacité d'Elizabeth. Elle s'est battue avec une remarquable clairvoyance pour la création du Bureau américain de protection des consommateurs en 2011, qui a rendu près de 12 milliards de dollars à plus de 29 millions d'Américains escroqués par des prêteurs sans scrupule, des sociétés de crédit et d'autres entreprises scélérates. Avant d'annoncer ma candidature, je l'ai invitée chez moi à Washington pour voir si nous pourrions éventuellement travailler ensemble. Il me semble que nous étions toutes deux un peu méfiantes, mais de bonne foi, bien intentionnées, et que nous avions l'esprit ouvert. Je l'ai quittée convaincue que, si elle estimait que ses positions et ses priorités étaient prises en compte et respectées, elle m'apporterait son soutien plutôt que de me mettre au défi. Lors de notre entrevue, nous avions abordé certains des sujets qui lui tenaient particulièrement à cœur, notamment les emprunts étudiants et la réforme de la finance. Sachant que pour Elizabeth « le choix du personnel est politique », je lui ai demandé de me recommander des experts. Elle m'a remis une liste de noms, et mon équipe a consulté chacun d'entre eux, afin que leur point de vue nourrisse notre programme. Nous sommes restées en relation par l'intermédiaire de deux amis communs : la conseillère politique Mandy Grunwald, qui travaillait aussi pour Elizabeth, et l'ancien régulateur des marchés à terme Gary Gensler, que j'ai nommé responsable financier de ma campagne. Elizabeth figurait par ailleurs sur ma liste de vice-présidents potentiels.

Elle ne s'est pas présentée, mais Bernie Sanders, sénateur démocrate socialiste du Vermont, avait franchi le pas. J'étais consciente qu'une partie de notre électorat réclamait un candidat plus à gauche ; cependant, je dois avouer que je ne m'attendais pas au succès de Bernie. Rien dans mon expérience de la vie politique américaine n'indiquait qu'un socialiste du Vermont pouvait réunir assez de soutien pour en arriver à monter une campagne présidentielle crédible. Pourtant, Bernie s'est révélé un homme politique discipliné et efficace qui a su toucher une corde sensible chez les électeurs. Qui plus est, il a bénéficié du fait que les primaires commençaient dans des bastions progressistes blancs, l'Iowa ainsi que le New Hampshire, l'État voisin du sien. Lorsqu'un sondage du *Des Moines Register*, en janvier 2016, a annoncé que 43 % des électeurs susceptibles de participer au caucus démocrate de l'Iowa se déclaraient socialistes, j'ai compris qu'il faudrait compter avec lui.

Tout au long de la campagne, Bernie et moi avons eu un débat d'idées vigoureux que j'ai trouvé vivifiant, mais je ressortais souvent exaspérée de nos échanges. Peu lui importait si le chiffrage de ses projets était bancal ou si ses propositions n'avaient aucune chance de franchir le barrage du Congrès et d'aboutir à une loi. Pour Bernie, faire de la politique signifiait créer un mouvement de masse et susciter une discussion sur les valeurs et les priorités du Parti démocrate. Je dirais même qu'il y est parvenu – mais cela m'inquiétait. J'ai toujours pensé qu'il était dangereux de faire de grandes promesses qu'on n'était pas sûr de pouvoir tenir. Si l'on ne respecte pas ses engagements, les gens deviennent encore plus cyniques au sujet du gouvernement.

Si audacieuses et progressistes mes propositions soient-elles – et elles l'étaient largement plus que tout ce que le président Obama ou moi-même avions présenté en 2008 –, Bernie avait toujours une idée plus grande, plus noble ou plus à gauche, qu'elle soit réaliste ou non. Je me retrouvais donc coincée dans le rôle peu enviable de la maîtresse d'école rabat-joie, qui n'arrêtait pas de rappeler que Bernie n'avait aucune chance de tenir ses promesses, ni d'obtenir des résultats concrets.

Jake Sullivan, mon principal conseiller politique, me disait que cela lui évoquait une scène du film de 1998, *Mary à tout prix*. Un auto-stoppeur un peu dérangé déclare avoir un plan génial : au lieu de la célèbre séance d'exercices « Abdos en 8 minutes », il va commercialiser « Abdos en 7 minutes ». On obtient les mêmes résultats – en moins de temps. Le conducteur, interprété par Ben Stiller, réplique alors : « Sauf si un mec débarque avec "Abdos en 6 minutes" ! » C'est exactement ce qui se passait dans les débats politiques avec Bernie. J'exposais un vaste plan d'investissement pour rénover les infrastructures ou un programme d'apprentissage ambitieux pour les jeunes, puis Bernie annonçait plus ou moins la même chose, mais en plus grand. Quel que soit le sujet, il proposait des abdos en 4 minutes, ou bien, attendez, des abdos en 0 minute. Des abdos magiques !

Quelqu'un m'a envoyé une publication Facebook qui résumait parfaitement le cercle vicieux dans lequel nous étions pris :

BERNIE : Je pense que l'Amérique devrait avoir un poney.

HILLARY : Où trouverez-vous l'argent pour le poney ? D'où viendra le poney ? Comment convaincrez-vous le Congrès d'approuver le poney ?

BERNIE : Hillary pense que l'Amérique ne mérite pas de poney.

SUPPORTERS DE BERNIE : Hillary hait les poneys !

HILLARY : En fait, j'adore les poneys.

SUPPORTERS DE BERNIE : Elle a changé d'avis sur les poneys !

#WhichHillary ? #WitchHillary[6]

GROS TITRES : « Hillary refuse de donner à chaque Américain un poney. »

MODÉRATEUR DE DÉBAT : Hillary, que répondez-vous à ceux qui disent que vous mentez au sujet des poneys ?

TITRE DE SITE INTERNET : « Enquête du Congrès sur les mensonges de Clinton à propos des poneys. »

TENDANCE TWITTER : #Poneygate

Au début de la course à la présidentielle, en 2015, Bernie et moi nous sommes tous deux retrouvés dans une salle d'attente de Penn Station, à New York, avant de prendre le train pour Washington. Nous avons bavardé un peu, et il m'a dit qu'il espérait que nous pourrions éviter les attaques personnelles, notamment sur la famille. Je savais ce que c'était. J'ai accepté et ajouté que, de mon côté, j'espérais que nous resterions concentrés sur le fond.

Pourtant, en dépit de ce vœu, Bernie a vite pris l'habitude de me décrire comme une alliée de la finance corrompue à qui on ne pouvait pas se fier. Ce qu'il insinuait, c'était que, dans la mesure où j'avais accepté des dons de personnalités de Wall Street – comme Barack Obama avant moi –, j'étais « vendue ».

Cette attaque était d'autant plus irritante que Bernie et moi étions d'accord sur la réforme du financement des campagnes, la nécessité d'éliminer l'argent opaque et d'empêcher de toute urgence les milliardaires, les puissantes entreprises et les intérêts particuliers d'acheter

---

6. #QuelleHillary ? #Hillarylasorcière. Hashtag devenu viral sur Twitter début 2016, reprochant à Hillary des revirements qualifiés d'opportunistes.

les élections. Nous défendions tous les deux un amendement à la Constitution pour casser la désastreuse décision de la Cour suprême dans l'affaire *Citizens United*, citoyens unis contre la commission électorale fédérale, qui avait ouvert grand les portes aux super-PAC[7] et à l'argent opaque. J'avais également présenté de nouvelles mesures pour encourager la transparence et proposé que les contributions des petits donateurs soient complétées par une subvention publique du même montant, en m'inspirant des règles en vigueur à New York, afin que les Américains moyens puissent faire entendre leur voix de manière audible.

Il y avait cependant un point sur lequel Bernie et moi différions. Alors que, à le croire, le dysfonctionnement de notre système politique était uniquement une question d'argent, j'estimais que l'idéologie et l'esprit de clan jouaient également un rôle significatif. Bernie parlait comme si 99 % des Américains soutiendraient son programme du jour où les lobbyistes et les super-PAC disparaîtraient. Mais les conservateurs en poste au niveau local n'allaient pas soudain se transformer en socialistes scandinaves, pas plus que les fondamentalistes religieux n'allaient soutenir le mariage homosexuel et les droits à la santé sexuelle et reproductive. J'étais préoccupée – et je le suis encore – lorsque je voyais les nouvelles mesures républicaines destinées à restreindre le droit de vote, les tentatives de redécoupage électoral et les blocages au Congrès. J'estimais que nous devions assainir le financement politique, mais également gagner la bataille des idées et négocier plus durement avec nos adversaires pour obtenir des compromis. C'était ce qui nous permettrait de sortir de l'impasse et de recommencer à avancer.

Dans la mesure où nous avions beaucoup de points communs dans ce domaine, Bernie ne pouvait pas m'attaquer sur le plan politique. Il a donc dû recourir à des insinuations et mettre en cause ma personnalité. Certains de ses supporters, les fameux « Bernie Bros[8] », harcelaient mes partisans en ligne. Puis la situation a dégénéré, le sexisme jouant un rôle non négligeable dans l'affaire. Lorsque j'ai

---

7. Super Political Action Committee : associations politiques de soutien censées être indépendantes des candidats. Elles ont pris beaucoup d'importance depuis 2010, en raison d'un arrêt de la Cour suprême qui autorise les entreprises et les syndicats à faire des dons illimités aux super-PAC. Cet argent sert souvent à financer des campagnes de dénigrement.

8. Les « potes à Bernie », surnom péjoratif donné à certains supporters de Bernie Sanders blancs, jeunes et de sexe masculin, très actifs sur Internet.

mis Bernie au défi de citer une seule fois où j'avais changé de position ou modifié mon vote en raison d'une contribution financière, il a été incapable de répondre. Toutefois, ses attaques ont causé des dégâts durables : elles nous ont compliqué la tâche au moment de rallier les progressistes, et elles ont ouvert la voie à la campagne « Crooked Hillary[9] » de Trump.

J'ignore si Bernie a fini par regretter ses propos. L'idée d'avoir Donald Trump pour président lui faisait certainement autant horreur qu'à moi, et je lui suis reconnaissante de m'avoir apporté son soutien après ma désignation. Pourtant, il n'est pas démocrate : ce n'est pas une insulte, c'est lui-même qui l'affirme. Il ne s'est pas présenté parce qu'il voulait assurer une présidence démocrate, mais pour secouer le parti. Certes, il a eu raison de nous inciter à nous recentrer sur les familles dont les deux parents travaillent et de nous rappeler que notre système de financement démentiel nous pousse parfois à passer trop de temps à courtiser les donateurs. Qui plus est, il a su éveiller l'intérêt politique de beaucoup de jeunes qui ont voté pour la première fois, ce qui est extrêmement important. Je pense en revanche qu'il avait fondamentalement tort au sujet du Parti démocrate. Il ne faut pas oublier que c'est le parti à qui l'on doit les premières mesures d'aide sociale sous Franklin D. Roosevelt, Medicare et Medicaid sous Lyndon Johnson, la paix entre Israël et l'Égypte sous Jimmy Carter, une prospérité plus largement partagée et un budget à l'équilibre sous Bill Clinton. C'est également le parti qui a sauvé l'industrie automobile, réformé l'assurance-maladie et imposé des règles plus dures à Wall Street sous Barack Obama. Je suis fière d'être démocrate et j'aimerais que Bernie le soit aussi.

Chaque fois que je voulais répondre à ses attaques durant les primaires, on me conseillait de me retenir. Si je soulignais que ses projets étaient impraticables, qu'il faudrait pour les réaliser inévitablement augmenter les impôts des familles de la classe moyenne, ou qu'ils étaient carrément utopiques, il pouvait le retourner contre moi et me reprocher de ne pas être une véritable progressiste. Mon équipe ne cessait de me rappeler que nous ne pouvions pas nous aliéner ses partisans. Le président Obama lui-même me conseillait de serrer les dents et de laisser Bernie tranquille dans la mesure du possible. J'avais l'impression d'être dans une camisole de force.

---

9. « Hillary la crapule », surnom inventé par Donald Trump, qui s'est transformé en vrai slogan contre Hillary Clinton pendant la campagne.

J'attendais donc avec impatience notre premier débat en octobre 2015. Là, au moins, je pourrais me permettre de riposter. J'ai fait de longues séances de préparation chez moi pour élaborer des attaques et des parades avec Jake, Ron Klain, Karen Dunn, et Bob Barnett, qui jouait le rôle de Bernie lors de ces répétitions.

J'étais déterminée à profiter de ce premier débat pour aller au cœur des différences essentielles entre nous. On me reprochait de ne pas être une vraie progressiste ; je voulais expliquer pourquoi c'était faux, pourquoi je pensais que le socialisme ne marcherait pas aux États-Unis, et pourquoi ces deux propositions n'étaient absolument pas contradictoires. C'était exaspérant de voir Bernie se conduire comme s'il avait le monopole de la pureté politique et s'ériger en seul arbitre du progressisme, alors qu'il expédiait sans ménagement des sujets importants tels que l'immigration, les droits à la santé sexuelle et reproductive et le contrôle des armes. Je croyais que nous pouvions et devions nous battre pour faire avancer l'égalité des chances économiques *et* la justice sociale : l'une ne va pas sans l'autre, et on aurait tort de vouloir sacrifier la seconde au nom de la première.

Alors que la date approchait, le premier débat revêtait de plus en plus d'importance. Bernie grimpait dans les sondages. Le vice-président Biden envisageait de se présenter. Et je devais témoigner devant le comité créé tout exprès par les républicains pour enquêter sur les attaques terroristes de Benghazi. Cette semaine d'octobre s'annonçait décisive.

En fin de compte, Joe Biden a renoncé à sa candidature. Les républicains et leur comité ont raté leur coup, malgré une audition de onze heures. Le débat lui-même s'est mieux passé que je l'avais l'espéré.

J'étais fébrile, mais consciente d'avoir fait le maximum pour me préparer. Et, après m'être bridée pendant tout ce temps, il me tardait de me jeter enfin dans la mêlée. Je n'ai pas eu à attendre longtemps. Bernie et moi nous sommes accrochés dès la mise en jeu au sujet du socialisme et du capitalisme, sur la question de savoir si le Danemark devait être un modèle pour les États-Unis, et sur la définition du progressisme. « J'aime beaucoup le Danemark », ai-je déclaré. Ce qui est vrai. « Mais nous ne sommes pas le Danemark. Nous sommes les États-Unis d'Amérique. Notre rôle est de maîtriser les excès du capitalisme pour qu'il ne devienne pas incontrôlable et ne provoque pas le genre d'inégalités susceptibles d'affecter notre système économique. Mais ce serait une grave erreur de tourner le dos à ce qui a construit la plus grande classe moyenne dans l'histoire du monde. » Ma défense de la libre entreprise à l'américaine ne m'a sans doute pas fait marquer beaucoup de points auprès des socialistes auto-désignés de l'Iowa, mais ce qui comptait pour moi, c'était d'être sincère.

Le journaliste Anderson Cooper de CNN m'a demandé si, dans le fond, j'étais une progressiste, une modérée molle, ou une opportuniste inconstante. J'ai répondu que, tout au long de ma carrière, je m'étais battue avec persévérance pour une série de valeurs et de principes essentiels. « Je suis une progressiste, mais je suis une progressiste qui obtient des résultats. » Il me semblait que cela résumait assez bien mon désaccord fondamental avec mon adversaire.

Cela dit – et c'est capital – il faut accorder à Bernie qu'il a parfaitement saisi la puissance politique des grandes idées audacieuses. Sa défense d'un système de santé unique entièrement géré par l'État, de l'université gratuite et de réformes financières rigoureuses a parlé à des millions d'Américains, et plus particulièrement aux jeunes. Après ma désignation officielle, nous avons réfléchi conjointement à un projet pour rendre les études supérieures plus abordables en combinant les meilleurs éléments de ce que nous avions proposé l'un et l'autre durant les primaires. Ce genre de compromis est essentiel, si l'on veut des résultats. Puis nous avons travaillé ensemble à la rédaction du projet démocrate le plus progressiste de l'histoire du parti.

Si Bernie et moi avions une vision différente du rôle d'un programme politique – une feuille de route pour gouverner d'un côté, un outil de mobilisation de l'autre –, Donald Trump, en revanche, s'en souciait comme d'une guigne. Il était fier de son ignorance et ne faisait même pas semblant de disposer d'un plan pour construire son mur, réformer l'assurance-maladie, rétablir tous les emplois perdus dans l'industrie et l'exploitation du charbon, ou vaincre Daesh. Il avait l'air de croire qu'il suffisait d'agiter une baguette magique et se moquait de moi parce que je prenais la question au sérieux. « Elle a des gens assis à des bureaux qui passent leurs journées à écrire des mesures politiques, a-t-il déclaré au magazine *Time*. C'est du gaspillage de papier[10]. » J'ai attendu en vain que les journalistes et les électeurs le mettent face à ses promesses creuses. Lors des présidentielles précédentes, il y avait toujours un moment de vérité où les candidats devaient montrer s'ils étaient sérieux et si leur programme

---

10. Zeke J. Miller, « Mismatch 2016 », *Time*, 7 juin 2016.

était crédible. Pas cette fois-ci. La grande majorité des médias était trop occupée par la course à l'audience et aux scandales, et Trump était trop habile pour se laisser mettre au pied du mur. Il avait parfaitement compris les besoins et les réflexes des journalistes politiques et se rendait compte que, s'il leur jetait en pâture un nouveau lièvre chaque matin, ils ne pourraient jamais tous les attraper. Le moment de vérité n'a donc jamais eu lieu.

Donald Trump refusait aussi obstinément de se préparer aux débats – et cela se voyait. Lors de notre premier face-à-face, le 26 septembre 2016 à l'université Hofstra de Long Island, il se décomposait davantage à chaque question, si bien qu'on aurait dit qu'il allait imploser en direct. Quand il a tenté de retourner la situation en me reprochant de ne pas avoir débarqué aussi maladroite et incohérente que lui, je ne me suis pas laissé faire. « Oui, je me suis préparée, dis-je. Et vous savez à quoi d'autre je me suis préparée ? À être présidente. »

Après le débat, Chuck Todd, le présentateur de l'émission politique « Meet the Press » (« Rencontrez les journalistes ») sur NBC m'a reproché de m'être « trop préparée ». Je ne comprends pas : peut-on réellement être trop préparé quand on prétend aux plus hautes fonctions ? Chuck lui-même débarque-t-il sur le plateau de son émission les mains dans les poches ? Si l'on ajoute à cela que je me présentais contre Donald Trump – l'homme sans doute le moins préparé de l'histoire des États-Unis, que ce soit à un débat ou à la présidence –, sa remarque devient encore plus déroutante. Sa stratégie de faux-fuyants les avait-elle séduits au point où les insultes, les accusations mensongères et les affirmations dénuées de fondement étaient devenues les meilleures preuves d'authenticité ?

J'ai souvent songé à cet échange alors que j'assistais aux cent premiers jours de sa présidence. Je me suis même autorisé un gloussement lorsque Trump a fulminé : « Personne ne savait que le système de santé pouvait être aussi compliqué. » Il a également découvert que la politique étrangère était plus difficile qu'il n'y paraissait. Le président chinois a dû lui expliquer pourquoi le problème nord-coréen était très complexe. « Après l'avoir écouté pendant dix minutes, je me suis rendu compte que ce n'était pas si simple », a déclaré Trump au *Wall Street Journal*. Est-ce que vous entendez ma paume claquer sur mon front ? Parfois, c'est à se demander s'il voulait véritablement être président. « J'ai plus de travail que dans ma vie d'avant, a-t-il confirmé à un journaliste. Je m'attendais à ce que ce soit plus facile. »

Quand je vois ça, je ne peux pas m'empêcher de penser à mes projets pour mes cent premiers jours à moi. Les vers lancinants du poète du XIXe siècle John Greenleaf Whittier me viennent à l'esprit : « De tous les mots que l'on puisse dire ou écrire, les plus tristes sont : "Cela aurait pu être." »

La première initiative majeure de Trump a été le « Muslim ban », un décret anti-immigration visant les musulmans qui a immédiatement été attaqué en justice. Moi, j'aurais commencé par une série de mesures pour l'emploi et l'amélioration des infrastructures, financées par une hausse d'impôts pour les plus riches. Au moment où j'écris ces lignes, il n'a toujours pas, lui, commencé à construire sa grande muraille payée par le Mexique. J'aurais ensuite proposé une importante réforme des lois sur l'immigration et facilité l'accès à la citoyenneté. Trump, quant à lui, a placé à la tête de la Justice un homme avec un si lourd passif dans le domaine des droits civiques que Coretta Scott King s'est vue obligée de prévenir que le nommer juge fédéral causerait des « dégâts irréparables » au travail de son mari, Martin Luther King. Moi, j'aurais poursuivi en essayant de trouver un compromis avec les républicains, afin de réformer le système judiciaire ; le moment était propice pour avancer sur ce dossier. Donald Trump, lui, a tenté d'abroger l'Obamacare, ce qui aurait laissé des dizaines de millions d'Américains sans assurance-maladie. Je me serais aussi attaquée à l'industrie pharmaceutique pour faire baisser le prix des médicaments et me serais battue pour la mise en place d'une assurance médicale publique en parallèle aux compagnies privées, afin de progresser vers un système de santé abordable et réellement universel. Trump s'est mis à dos des alliés comme la chancelière allemande Angela Merkel et a loué des dictateurs comme le président russe Vladimir Poutine. Qu'aurais-je fait à sa place ? Je rêvais de montrer à Poutine que ses tentatives d'influencer la campagne et d'installer au pouvoir un pantin compréhensif avaient échoué. Notre premier face-à-face aurait été mémorable. Étant donné la tournure des événements, je ne doute pas qu'il savoure chaque minute depuis l'élection. Mais rira bien qui rira le dernier.

Depuis novembre 2016, j'ai beaucoup réfléchi à la manière dont on pouvait redonner du sens à la politique dans ce pays.

Je porte un nouveau regard sur la puissance mobilisatrice des grandes idées simples. Et si je continue de penser que mes projets pour le système de santé et l'université étaient plus réalisables et plus viables que ceux de Bernie, les siens étaient plus aisés à expliquer et à comprendre, et ce facteur compte. Rien de plus facile que de tourner en dérision les idées qui « tiennent sur un autocollant de voiture », mais ce n'est pas pour rien que les campagnes y ont recours : ça marche.

Bernie nous a rappelé l'importance de se fixer des buts ambitieux qui fédéraient et faisaient rêver les gens, même si plusieurs générations devaient œuvrer pour les atteindre. C'est, après tout, ce qui s'est passé avec l'assurance-maladie universelle : pendant un siècle, les démocrates ont milité pour que chaque Américain, sans exception, ait accès à des soins de qualité abordables. Bill et moi avons entrepris d'accomplir le projet dans les années 1990 et avons obtenu la création du CHIP, fournissant ainsi une couverture à des millions d'enfants. Ce n'est que lorsque Barack Obama a été élu avec une large majorité au Sénat que l'Affordable Care Act a enfin pu être voté. Il constitue peut-être un fatras de compromis imparfaits, mais cette réussite historique n'a été possible que parce que les démocrates ont maintenu le cap pendant des décennies, avec l'assurance-maladie universelle en guise d'étoile polaire.

Il y a là une ironie : la présidence de Bill est souvent associée à des initiatives étriquées, comme le « match de basket de minuit[11] » et le port de l'uniforme scolaire, à l'opposé des grandes idées transformatrices dont rêvent certains. Ce point de vue est très réducteur. À mon avis, Bill a réussi à modifier en profondeur notre parti et notre pays. Il a réinventé un Parti démocrate moribond qui avait perdu cinq des six élections précédentes, lui a insufflé une énergie et des idées nouvelles, prouvant que l'on pouvait être pro-croissance tout en étant pro-environnement, pro-affaires et pro-travailleurs, et pro-sécurité publique tout en restant pro-droits civiques. Il a tiré un trait sur la théorie du ruissellement[12], ramené à l'équilibre le budget fédéral, promu une nouvelle éthique du service national avec la création d'AmeriCorps et présidé pendant deux mandats dominés par la paix et une prospérité largement partagée.

---

11. « Midnight basketball » : dispositif mis en place dans les années 1990, à destination des jeunes des quartiers défavorisés, où le taux de criminalité était particulièrement élevé entre 22 heures et 2 heures du matin. Des centres de loisirs étaient ouverts tard le soir et les participants pouvaient également assister à des cours d'éducation civique.

12. En anglais *trickle down economics* : terme critique désignant une théorie économique d'inspiration libérale selon laquelle la richesse créée au sommet finit par profiter aux plus pauvres, par le biais des investissements et de la consommation. Cette théorie est généralement utilisée pour justifier les baisses d'impôts bénéficiant aux plus fortunés ainsi qu'une politique de l'offre.

Le Parti démocrate rénové a remporté le vote populaire dans six (sur sept) élections de 1992 à 2016. Il a en outre inspiré toute une génération de progressistes occidentaux désireux de moderniser leur formation politique, dont Tony Blair et son Parti travailliste au Royaume-Uni. En bref, l'ère Clinton n'avait rien de bien étriqué.

Je pense que ma présidence elle aussi aurait été transformatrice, car je proposais de construire une économie qui bénéficierait à tous, et pas seulement aux plus riches. Voici quelques-unes des grandes idées que je voulais mettre en œuvre :

Tout d'abord, nous avons besoin du plan d'investissement pour l'emploi le plus ambitieux qui ait été entrepris depuis la Seconde Guerre mondiale. Il comprendrait un vaste programme de rénovation des infrastructures (modernisation des routes, des ponts, des tunnels, des ports, des aéroports et des réseaux haut débit) ; de nouvelles mesures incitatives pour attirer et soutenir l'industrie dans les villes durement touchées par la crise, en particulier dans les régions de production du charbon et dans les réserves indiennes ; des établissements d'enseignement supérieur abordables ; des programmes de formation et d'apprentissage plus performants destinés à ceux qui n'ont pas de diplôme universitaire pour qu'ils puissent prétendre à des emplois mieux rémunérés ; un dispositif d'aides aux petites entreprises qui leur faciliterait l'accès aux financements et aux nouveaux marchés, leur permettrait de bénéficier de réductions d'impôts et simplifierait les démarches administratives ; le développement de la production d'énergie propre, avec, entre autres, la mise en place d'un demi-milliard de panneaux solaires en quatre ans ; et des investissements majeurs dans la recherche scientifique pour créer les emplois et les industries de demain.

Ensuite, si l'on veut rendre l'économie plus juste, nous avons besoin de nouvelles règles et mesures incitatives. Il faut d'une part que les entreprises puissent plus facilement augmenter les salaires et partager les profits avec les employés, et d'autre part qu'elles aient plus de mal à délocaliser et à entraver l'action syndicale. Nous devons faire en sorte que Wall Street ne puisse pas détruire une seconde fois l'économie réelle et être plus habiles et plus durs dans nos relations commerciales avec l'étranger, pour que les travailleurs américains ne soient pas pénalisés face à des industries nationalisées ou subventionnées, des conditions de travail médiocres, ou des interventions sur le marché des changes.

Vient ensuite la modernisation indispensable de la protection de la main-d'œuvre, qui doit obligatoirement passer par l'augmentation du salaire minimum, l'égalité des salaires entre hommes et femmes, le paiement de congés maladie et familiaux, un système de garde d'enfants abordable. Il faut aussi défendre et améliorer l'Affordable Care Act afin que les soins coûtent moins cher aux usagers, que ces derniers soient plus nombreux à pouvoir en profiter et qu'ils aient la possibilité de choisir entre assurance privée et assurance publique.

Enfin, nous pouvons financer toutes ces mesures en augmentant les impôts des 1 % de la population qui se taillent la part du lion des revenus et des profits depuis 2000, mesure qui contribuerait en outre à réduire les inégalités.

Mais la liste est encore longue : ce n'est qu'un aperçu de ce que j'aurais essayé de mettre en œuvre si j'avais été élue. Je regrette que, en dépit de mes efforts, ces idées n'aient pas reçu l'attention qu'elles méritaient dans les médias, et que la plupart des gens n'en aient jamais entendu parler. Je ne suis pas parvenue à convaincre la presse que l'économie était d'une importance beaucoup plus grande que mes e-mails – c'était pourtant bien le cas. Je n'ai aussi jamais réussi à convaincre certains sceptiques de mon sincère désir d'aider les familles qui travaillent, persuadée que mon bilan parlerait de lui-même : toutes ces années où je m'étais employée à réformer le système de santé, les emplois que j'avais contribué à créer pendant mon mandat de sénatrice, mes efforts pour tirer la sonnette d'alarme avant la crise financière et mon engagement précoce contre l'épidémie de consommation d'opioïdes. Je pensais sincèrement que cela suffirait à prouver que j'étais de ceux qui faisaient changer les choses et que j'étais prête à me mettre en quatre pour les enfants et les familles. En dépit de tous mes efforts, je n'ai jamais vraiment réussi à me débarrasser de cette fausse image d'adepte du *statu quo*.

Avec le recul, je dois admettre qu'il manquait à ma campagne de 2016 la passion et le sentiment d'urgence qui animaient celle de Bill en 1992. Nous avions alors une mission : régénérer le Parti démocrate et raviver notre pays exsangue après douze ans de dérégulation et de baisses d'impôts qui avaient fait exploser le déficit, affaibli la classe moyenne et fait augmenter la pauvreté. En 2016 en revanche, nous cherchions à bâtir sur huit ans de progrès. Pour un électorat avide de changement, c'était plus difficile à vendre. Les plus optimistes ont suivi ; les pessimistes, non.

L'autre leçon à tirer de cette élection en général et du phénomène Trump en particulier, c'est que l'idéologie républicaine traditionnelle est en crise. Pendant des décennies, les grands débats qui
agitaient la classe politique américaine concernaient la taille et le rôle
du gouvernement. Les démocrates plaidaient pour un État fédéral plus
interventionniste et une protection sociale plus étendue, alors que les
républicains réclamaient un gouvernement réduit, moins d'impôts et
moins de régulation. Le pays semblait divisé à peu près également,
ou penchait peut-être légèrement vers le centre droit. Puis Trump est
arrivé et a fait tomber les masques. Nous avons appris que beaucoup
d'électeurs républicains voulaient bien d'un État fédéral fort, tant qu'il
les servait. Cela a peut-être toujours été le cas – vous vous souvenez
peut-être des lamentables pancartes aux manifestations du Tea Party,
qui clamaient le plus sérieusement du monde : « Keep Your Govern-
ment Hands off My Medicare[13] » (ces gens ignoraient manifestement
que leur assurance-maladie était administrée par l'État fédéral) –, mais
Trump l'a révélé au grand jour. Il a promis de sauvegarder les dispositifs de protection sociale, Medicare et Medicaid, de se retirer des traités
de libre-échange et de serrer la vis aux banques, tout cela en totale
contradiction avec l'orthodoxie républicaine. Au lieu d'être sanctionné
par l'opinion, il a balayé tous ses rivaux plus traditionnels. Avec son
élection en revanche, il a, semble-t-il, oublié presque toutes ses promesses populistes de se rallier à la ligne du parti – une démarche qui
ne devrait pas pour autant occulter le fait que beaucoup des adhérents
du parti sont pourtant désireux de préserver leurs prestations et de
rompre avec les valeurs traditionnellement républicaines[14]. Force est
de constater que les républicains qui contrôlent le Congrès disposent
d'un pouvoir énorme, tandis que la politique qui leur est propre n'a
pas de véritable soutien en dehors de la classe des grands donateurs.
Lorsqu'ils s'opposaient à Obama ou m'attaquaient verbalement, ils
arrivaient facilement à s'unir face à leur ennemi commun. À présent
qu'ils sont au pouvoir et leurs électeurs en droit d'exiger des résultats,
il devient évident qu'il n'y a pas grand-chose pour les souder.
   Ce serait une erreur de sous-estimer les implications d'une telle
situation. Si Trump se révèle incapable de satisfaire les attentes de la

13. « Bas les pattes, gouvernement, ne touche pas à mon Medicare ! »
14. La nécessité des programmes de santé publique ou de sécurité sociale n'est traditionnellement pas ressentie par les républicains. Leur conviction est plutôt proche du
« chacun pour soi ». Toutefois, une partie considérable des électeurs de Trump veulent
maintenir ces acquis, mettant au défi cette conception traditionnelle.

population, les démocrates vont devoir y répondre et être en mesure d'expliquer comment ils comptent s'y prendre. Il se peut que nous ayons du mal à rivaliser avec ses promesses grandioses, car nous croyons toujours à l'arithmétique, mais nous pouvons offrir des résultats concrets. Nous continuons à croire au libre-échange, mais devons être plus clairs sur les mesures que nous prendrions contre les pays qui pratiquent la concurrence déloyale et sur l'aide que nous pourrions fournir aux travailleurs américains qui en souffrent. De même, nous croyons toujours à l'immigration, mais ne pourrons nous passer des bons arguments pour expliquer que, si elle est bien encadrée, tout le monde en ressort gagnant.

Les démocrates devraient par ailleurs revoir leurs préjugés sur la viabilité de certaines politiques. L'évolution de la société nous apprend que l'opinion publique est de plus en plus favorable aux mesures universelles. C'est à l'assurance-vieillesse ou à Medicare que je pense, dont bénéficient tous les Américains, contrairement à Medicaid, aux bons alimentaires et à d'autres initiatives destinées spécifiquement aux plus défavorisés. Certes, les programmes ciblés sont peut-être plus efficaces et plus progressistes, et c'est la raison pour laquelle j'ai critiqué « l'université gratuite pour tous » de Bernie lors des primaires, car cette idée revient à faire aux enfants issus des familles les plus aisées un cadeau financé par l'argent du contribuable. Mais c'est précisément parce qu'elles ne s'adressent pas à tous que ces mesures sont si facilement stigmatisées et taxées de démagogie. C'est ce qui s'est passé avec l'Affordable Care Act. On lui a reproché d'être une aide de plus qui ne profiterait qu'aux minorités. Beaucoup de Blancs des classes populaires ne se croyaient pas concernés, surtout s'ils vivaient dans des États où les dirigeants républicains refusaient d'étendre Medicaid à une plus large population. Dans les États majoritairement blancs qui ont pleinement appliqué ces dispositifs, en particulier dans l'Arkansas et le Kentucky, les bénéficiaires étaient pourtant principalement des familles blanches. Beaucoup ont néanmoins voté pour Trump, pariant qu'il retirerait leur assurance aux « autres » tout en les épargnant eux-mêmes. C'est seulement quand beaucoup d'Américains ont réalisé que l'abrogation de la loi les priverait eux aussi des protections sociales qu'ils ont appris à l'apprécier, notamment en ce qui concerne les maladies préexistantes. Soudain, elle a été plébiscitée, et Medicaid aussi est devenu plus populaire une fois que plus de personnes en bénéficiaient.

J'en conclus que les démocrates devraient redoubler d'efforts pour concevoir des idées audacieuses s'adressant à un large public.

Avant la campagne, j'ai lu un livre intitulé *With Liberty and Dividends for All : How to Save Our Middle Class When Jobs Don't Pay Enough*, de Peter Barnes. Ce dernier y propose de créer un nouveau fonds qui serait abondé par les revenus des ressources nationales communes, afin de verser un dividende à chaque citoyen, comme l'a fait l'Alaska Permanent Fund en distribuant les dividendes de l'État tous les ans. Les ressources nationales partagées comprennent le pétrole et le gaz extraits du territoire public, mais aussi les ondes utilisées par les sociétés de diffusion et les opérateurs de téléphonie mobile. Le nombre de domaines impliqués reste pourtant limité. Si l'on considère le système financier comme une ressource partagée, alors, on pourrait recueillir des sommes substantielles, par exemple grâce à une taxe sur les transactions financières. *Idem* pour l'air que l'on respire et la taxation du carbone. Une fois la caisse mise en place, on pourrait fournir à chaque Américain un modeste revenu de base annuel. Autre avantage, chacun se sentirait ainsi plus lié à son pays et à ses concitoyens : ce serait une façon de renforcer le sentiment que nous faisons tous partie de quelque chose de plus grand que nous.

Cette idée nous a fascinés, mon mari et moi, au point que nous avons passé des semaines à l'étudier avec notre équipe politique pour voir s'il était possible d'en faire une promesse de campagne. Nous l'aurions appelée « Alaska for America ». Malheureusement, nous avons dû conclure que le projet ne serait pas viable. Pour fournir un revenu annuel appréciable à chaque Américain, il faudrait prélever des sommes énormes, ce qui signifierait soit instaurer de nouvelles taxes, soit amputer le budget d'autres mesures importantes. Nous avons donc reconnu que l'idée était séduisante, mais irréaliste, et l'avons rangée dans un tiroir. C'était une attitude responsable. À présent, je me demande si nous n'aurions pas dû mettre de côté la prudence et adopter « Alaska for America » en la présentant comme un objectif à long terme. Nous aurions réfléchi plus tard aux détails.

On notera que des vétérans du Parti républicain, comme les anciens secrétaires au Trésor James Baker et Hank Paulson, ont récemment proposé de taxer l'utilisation des énergies fossiles et de redistribuer l'argent aux Américains. Ils estiment que c'est une réponse conservatrice raisonnable au problème du changement climatique et des inégalités, et une bonne solution pour remplacer la régulation par l'État. Si l'on adoptait un tel dispositif, les familles des classes populaires avec une faible empreinte carbone pourraient voir leurs revenus augmenter considérablement. Nous avons aussi étudié cette solution en vue de la campagne, mais cela semblait impraticable sans imposer de nouveaux coûts aux familles de la classe moyenne supérieure, ce que je m'étais engagée à ne pas faire. Malgré tout, c'est tentant. En 1991, un gouvernement conservateur suédois a mis en place une mesure similaire. En l'espace d'une décennie, le pays a réduit l'émission des gaz à effet de serre tout en enregistrant une croissance économique de 50 %, notamment parce que beaucoup de Suédois ont utilisé leur trop payé pour accroître leur efficacité énergétique, ce qui a à son tour créé de nouveaux emplois, augmenté la productivité et fait baisser leur facture d'électricité.

Nous devons plus que jamais réfléchir à des solutions novatrices, car les défis à surmonter ne vont que s'amplifier et se complexifier ; le changement climatique en est un. Mais il y a également les conséquences à long terme de l'automatisation et de l'intelligence artificielle sur l'emploi et la sécurité nationale. C'est une question qui me préoccupe, car, au cours de ces dernières années, j'ai eu une série de conversations alarmantes avec les meilleurs spécialistes de la Silicon Valley : selon eux, il pourrait s'agir de la première grande révolution technologique qui supprime plus d'emplois qu'elle n'en crée. L'impact de la mondialisation sur notre secteur industriel a reçu beaucoup d'attention durant la campagne, mais de nombreux économistes affirment que, au cours des dernières décennies, les avancées techniques ont déjà fait disparaître bien plus d'emplois que le commerce international.

Ainsi, entre 1962 et 2005, environ 400 000 postes ont été supprimés dans la sidérurgie. La concurrence étrangère, notamment de l'acier chinois, a joué un rôle non négligeable. Mais pas autant que les innovations techniques et l'automatisation. Très vite, on a pu produire la même quantité d'acier avec de moins en moins d'ouvriers, à un coût inférieur.

Beaucoup de secteurs de l'économie ont connu un sort similaire et le processus n'est pas près de ralentir. L'arrivée des voitures autonomes pourrait rendre superflus des millions de chauffeurs de poids lourd et de taxi. Certains économistes estiment que l'automatisation pourrait mettre au chômage un tiers des hommes américains de 25 à 55 ans d'ici 2050. Même si nous créons de nouvelles industries et de nouvelles catégories d'emplois pour remplacer ceux qui disparaissent, la rapidité et l'ampleur des changements qui nous attendent bouleverseront sans conteste la vie de millions de personnes.

Je n'insinue pas qu'il faudrait essayer d'entraver la marche du progrès. Une telle attitude causerait plus de problèmes qu'elle n'en résoudrait. Mais nous devons faire en sorte qu'il nous serve plus qu'il ne nous desserve. Si nous y parvenons, et si nous savons en parler de manière à ce que la population nous comprenne et nous soutienne, alors nos politiques à long et court terme s'en trouveront améliorées.

Il y a aussi un autre aspect à prendre en compte. Des entrepreneurs comme Elon Musk, Sam Altman et Bill Gates, mais aussi des physiciens comme Stephen Hawking, estiment que l'intelligence artificielle pourrait un jour constituer une menace pour notre sécurité. Elon Musk affirme même qu'il s'agit du « plus grand risque qui pèse sur notre civilisation ». Et il faut reconnaître que les scénarios catastrophe ne manquent pas : connaissez-vous beaucoup de films qui se terminent bien quand y figurent des machines qui se mettent à penser ? Chaque fois que je me suis rendue dans la Silicon Valley pendant la campagne, j'en suis revenue plus inquiète. Mon équipe vivait dans l'angoisse que je me lance dans une tirade sur « la révolte des robots » au fin fond de l'Iowa – peut-être aurais-je dû me lâcher. Dans tous les cas, les législateurs ont intérêt à se tenir constamment informés des évolutions techniques, au lieu de continuer à courir derrière.

De manière plus générale, nous ne devrions pas avoir peur d'étudier attentivement des idées novatrices. Imposer le patrimoine plutôt que le revenu, par exemple, ce qui rendrait notre société plus équitable, réduirait les inégalités et financerait les investissements majeurs dont notre pays a besoin. Ou une initiative de service national plus large que tout ce que nous connaissons aujourd'hui, peut-être même universel. Nous devrions complètement réinventer notre système de formation et d'insertion professionnelles afin que les employeurs et les syndicats deviennent de véritables partenaires, et que les gens qui ne suivent pas un parcours d'études supérieures aient accès à des emplois corrects et aux privilèges de la classe moyenne. Nous devons repenser les aides sociales, notamment la retraite et l'assurance-maladie, pour qu'elles deviennent ouvertes à tous, automatiques et indépendantes de l'État de résidence. Comme vous avez dû vous en apercevoir, je suis intarissable sur le sujet. Mais nous devons voir grand et changer notre mode de penser.

Quoi que je décide au cours des années à venir, je serai toujours à la chasse d'idées nouvelles susceptibles de changer la vie des gens. Le venin, la désinformation, la rancœur et les ingérences extérieures ont marqué cette présidentielle, mais il y aura d'autres élections. Les solutions reviendront au centre du jeu politique, et les démocrates feraient bien d'être prêts quand ce jour viendra.

Les femmes bien élevées entrent rarement dans l'histoire.
Laurel Thatcher Ulrich

Au seuil d'un moment historique

« Permettez-moi de vous montrer une chose, m'a dit David Muir, jeune présentateur d'"ABC News", alors qu'il m'escortait à la fenêtre. La foule qui vous attend. »

C'était le mardi 7 juin 2016, jour des dernières primaires démocrates. David Muir et moi-même nous tenions au premier étage de l'arsenal maritime Brooklyn Navy Yard, dans une petite pièce bourrée de caméras, de projecteurs et de techniciens qui achevaient les derniers préparatifs avant notre interview. La fenêtre devant laquelle il m'avait conduite donnait sur un vaste hangar rempli de milliers de personnes en liesse qui agitaient le drapeau américain et tapaient des pieds. Au milieu se trouvait une estrade vide.

« Oh mon Dieu ! Regardez ça ! me suis-je exclamée, les mains jointes devant ma poitrine.

– Il y a exactement huit ans, vous avez reconnu votre défaite lors de votre première primaire. Ce soir, vous allez monter sur scène pour une tout autre raison. »

J'ai songé à ce douloureux jour de 2008 où je m'étais tenue devant une foule beaucoup plus morose, au National Building Museum, le musée d'architecture de Washington, pour remercier mes supporters d'avoir fait dix-huit millions de fissures dans le plus haut et le plus dur de tous les plafonds de verre. Jamais je n'avais été aussi près de le briser une bonne fois pour toutes que ce soir.

« Ça vous fait quelque chose ?

– *Ça*, ça fait quelque chose, ai-je répondu en désignant la foule. C'est un sentiment bouleversant, David, sincèrement. »

La semaine avait été rude. Non, l'année avait été rude. Les primaires avaient été plus longues et plus douloureuses que prévu : le compte des délégués était en ma faveur depuis mars, mais Bernie s'était battu jusqu'au bout, frappant chaque fois que l'occasion se présentait. D'une certaine façon, je pouvais le comprendre. Après tout, je m'étais moi aussi accrochée le plus longtemps possible, en 2008. Mais la course avait été beaucoup plus serrée à l'époque, et j'avais déclaré que je me ralliais à Barack immédiatement après les dernières primaires. Il faudrait que j'attende un mois entier avant que Bernie ne m'apporte son soutien officiel.

J'avais passé les jours précédents en Californie et n'avais pas ménagé mes efforts. Même si ma victoire semblait assurée, je tenais à remporter cet État. Je voulais que les primaires s'achèvent sur un élan enthousiaste et me diriger vers notre convention à Philadelphie avec le vent dans le dos. Les sondages étaient encourageants, mais j'étais anxieuse : trop souvent au cours de cette campagne je m'étais sentie comme Charlie Brown qui se fait piquer le ballon au moment où il veut taper dedans – et atterrit sur son derrière. Il y avait eu la courte victoire dans l'Iowa, et la défaite-surprise dans le Michigan et l'Indiana. Cette fois, je ne voulais rien laisser au hasard.

Le lundi, j'avais sillonné la Californie, participé à des rassemblements, fait des interviews pour la télévision et la radio, et encouragé tous mes supporters à aller voter. Peu après 17 heures, alors que nous nous dirigions vers un autre meeting au Long Beach City College, mon téléphone avait vibré. L'Associated Press venait de lancer une alerte info : ses journalistes avaient sondé les super-délégués[1]. Selon les derniers comptes de l'AP, j'avais atteint le nombre magique requis pour gagner. « Hillary Clinton, probable candidate à la présidence du Parti démocrate », annonçait le flash. J'ai dû le relire deux fois pour réaliser.

Cette victoire aurait dû me réjouir. Mais je n'en ai pas eu le temps. D'une part, j'étais concentrée sur les primaires du lendemain en Californie, mais aussi au Nouveau-Mexique, dans le Montana, le Dakota du Nord, le New Jersey et le Dakota du Sud. D'autre part, je craignais que certains de mes électeurs ne prennent pas la peine de se déplacer en apprenant la nouvelle. Enfin, j'avais envie de monter

---

1. Responsables et personnalités du parti qui, à la différence des délégués élus lors des primaires, sont libres de soutenir le candidat de leur choix à la Convention nationale démocrate.

sur scène le mardi et d'annoncer moi-même ma victoire, plutôt que de découvrir qu'un tweet de l'AP s'en était chargé à ma place. J'ai confié à Huma et à Greg Hale – un agriculteur de l'Arkansas doublé d'un petit génie de la production événementielle et que je connaissais depuis qu'il avait 4 ans – que j'imaginais une mer humaine agitant des petits drapeaux américains en toile de fond, et ils se sont gentiment moqués de ma prévoyance. Mais j'espérais ce moment depuis des mois et voulais que tout soit parfait.

Nous sommes arrivés à l'université à Long Beach et on m'a indiqué une salle d'attente de fortune. Cet espace délimité à l'intérieur d'un vestiaire était si petit que j'avais l'impression d'être en cage. Je constatai avec agacement que je n'avais pas la moindre idée de ce que je devais dire. Comment évoquer la nouvelle sans en faire tout un événement ? J'aurais voulu prétendre qu'on ne savait rien, mais ce n'était pas une option. Nick, qui était au téléphone avec Huma, a formulé une proposition : « Pourquoi ne dis-tu pas que nous sommes au seuil d'un moment historique ? » Il faudra faire avec, avais-je grommelé.

Par ailleurs, je n'étais pas satisfaite du discours que j'étais censée prononcer mardi soir. Je trouvais qu'il manquait d'envergure : trop politique, pas à la hauteur d'un tel moment. Je me sentais écrasée par le poids des attentes et de l'histoire.

Si les primaires étaient terminées et que j'étais la candidate probable, cela signifiait que j'étais tout ce qui séparait Donald Trump de la Maison-Blanche, à présent. Il n'y avait plus que nous deux, face à face devant des enjeux colossaux. Tout le monde comptait sur moi. Nous devions absolument gagner.

De surcroît, je m'apprêtais à devenir la première femme désignée par un grand parti pour se présenter à la présidence des États-Unis. C'était un objectif qui avait paru inatteignable pendant très longtemps, mais était à présent sur le point de se réaliser.

Je pensais à toutes les femmes qui avaient défilé, manifesté, fait la grève, été emprisonnées, ridiculisées, harcelées, battues, pour qu'un jour quelqu'un comme moi puisse prétendre aux plus hautes fonctions. Je pensais aux femmes et aux hommes courageux qui s'étaient rassemblés à Seneca Falls, dans l'État de New York, en 1848, à l'occasion de la première grande convention sur les droits des femmes. Frederick Douglass, abolitionniste et réformateur afro-américain, était présent. Voici comment il décrivit les participants quelques années plus tard, dans un discours, à Washington : « Nous étions en nombre limité, de ressources modestes, et très peu connus dans le monde. Ce qui nous rapprochait avant tout, c'était la ferme conviction d'être dans le vrai, et la foi tout aussi ferme que le vrai finirait par l'emporter. »

Soixante-huit femmes et trente-deux hommes signèrent la Déclaration des sentiments, qui affirmait hardiment : « Nous tenons pour évidente cette vérité que tous les hommes et les femmes ont été créés égaux. » Tous les hommes *et* les femmes. La riposte fut féroce. On les traita de dangereux fanatiques et l'on refusa de les prendre au sérieux sous prétexte que ce n'était qu'une bande de vieilles filles cinglées. J'ignore comment on peut être les deux à la fois, mais elles y étaient manifestement parvenues. Un journal déclara : « Accorder ces droits aux femmes serait causer une blessure monstrueuse à l'humanité tout entière. » Pourtant, ces courageuses suffragettes ne perdirent jamais la foi.

Que pourrais-je dire ce mardi soir qui soit digne de cet héritage et de l'espoir que des millions de personnes plaçaient en moi ?

Pendant longtemps, nous avions cherché un moyen d'évoquer le caractère historique de ma candidature. Il y avait eu des séances de brainstorming à Brooklyn, ainsi que des sondages et des réunions en groupe de réflexion. Parmi le noyau dur de nos supporters, un grand nombre se réjouissait d'avoir enfin la possibilité de briser le plafond de verre. Et le fait de fêter cet événement pouvait contribuer à maintenir le moral et la mobilisation de nos troupes pendant la campagne présidentielle. En même temps, il y avait aussi des jeunes femmes qui ne comprenaient pas pourquoi on en faisait une telle affaire. Et beaucoup d'électrices indécises dans les « swing states » ne voulaient même pas en entendre parler. Certaines craignaient de décourager les hommes en insistant trop sur cet aspect, une éventualité déprimante mais très plausible. Force était de constater que je n'étais guère plus avancée à l'issue de ces discussions qu'avant.

J'étais partagée. Je voulais être jugée sur ce que je faisais, et pas sur ce que je représentais ou ce que l'on projetait sur moi. Mais j'étais consciente que j'étais au cœur d'un progrès décisif pour le pays, en particulier pour les petites filles et les petits garçons qui verraient qu'il n'y avait pas de limites à ce qu'une femme pouvait entreprendre. Je voulais rendre hommage à la portée symbolique de l'événement, mais ignorais comment m'y prendre.

J'étais toujours aussi indécise en quittant la Californie pour me rendre chez David Muir, dans l'arsenal de la Marine à Brooklyn, ce mardi soir. Les résultats commençaient à tomber. J'avais remporté la primaire du New Jersey. Bernie avait gagné le caucus du Dakota du Nord. On attendait toujours le décompte de l'État le plus important, la Californie, mais tout annonçait une victoire supplémentaire pour mon camp. Bill et moi avions passé beaucoup de temps à réviser mon discours, mais j'étais toujours indécise. Se pouvait-il que je ne fusse pas tout à fait prête à entendre ce « oui » ? J'avais travaillé d'arrache-pied pour en arriver là et, maintenant que je touchais au but, je ne savais plus quoi en faire.

C'est à ce moment-là que David Muir m'a escortée à la fenêtre et que j'ai vu tous ces gens : des milliers de personnes qui avaient investi leur temps et leur énergie, et qui ne s'étaient jamais laissé décourager par une primaire clivante et une couverture médiatique hostile. Elles avaient placé leurs rêves dans ma campagne. Nous avions déjà eu des foules importantes, mais celle de ce soir était différente et incarnait autre chose que l'enthousiasme dont j'avais été témoin jusque-là. C'était une énergie vibrante, un déferlement d'amour, d'espoir et de joie. Pendant un instant, j'ai été submergée – puis le calme est revenu. C'était le moment. J'étais prête.

Après l'interview, je suis descendue rejoindre mon mari, qui revoyait une dernière fois mon discours avec les rédacteurs. Je l'ai relu, satisfaite. Alors qu'ils s'apprêtaient à l'enregistrer dans le prompteur, j'ai dit que j'avais quelque chose à ajouter : « Je vais parler de Seneca Falls. Insérez juste un espace entre crochets et je me débrouillerai. »

J'ai inspiré profondément. Je ne voulais pas que l'émotion me fasse perdre mes moyens. Après avoir fait une rapide prière, je me suis dirigée vers la scène. Au dernier moment, Huma m'a attrapée par le bras et a chuchoté : « N'oubliez pas de prendre une minute pour savourer ce moment. » C'était un bon conseil. Un rugissement assourdissant a salué mon entrée. J'ai éprouvé un élan de fierté, de gratitude et de pur bonheur qui m'a retenue quelques instants sur l'estrade, les bras ouverts.

« La victoire de ce soir n'est pas celle d'une seule personne. Elle appartient à des générations de femmes et d'hommes qui se sont battus et ont fait des sacrifices pour que ce moment advienne. »

Comme lors du lancement de ma campagne sur Roosevelt Island, j'en ai profité pour parler de ma mère. Chaque fois que je pense aux jalons qui ont marqué l'histoire des femmes, elle me vient à l'esprit. Elle aurait fêté son anniversaire quelques jours plus tôt. Le 4 juin 1919, le jour de sa naissance, était précisément celui où le Congrès a voté le Dix-Neuvième Amendement à la Constitution, accordant enfin le droit de vote aux femmes.

« J'aurais vraiment aimé que ma mère puisse être avec nous ce soir », ai-je déclaré à la foule à Brooklyn. J'avais répété ce passage plusieurs fois sans avoir réussi à retenir les larmes. « J'aurais aimé qu'elle voie la mère fantastique que Chelsea est devenue, et qu'elle rencontre notre magnifique petite-fille, Charlotte. » J'ai avalé ma salive avec difficulté. « Et, bien sûr, j'aurais aimé qu'elle soit là pour voir sa fille être désignée candidate du Parti démocrate pour la présidence des États-Unis. »

Un mois et demi plus tard, je me préparais à accepter officiellement l'investiture à notre convention nationale à Philadelphie. Celle des républicains venait de s'achever à Cleveland. Donald Trump avait prononcé un discours particulièrement sombre et mégalomaniaque dans lequel il décrivait une Amérique brisée, et déclarait : « Moi, je suis le seul à pouvoir la recoller. » J'ignorais comment les électeurs allaient y réagir, mais je considérais ses déclarations comme étant aux antipodes de l'esprit volontaire et optimiste de notre pays, qui lui répliquerait plutôt : « Nous allons réparer ça ensemble. » Son discours, comme sa campagne tout entière, reposait sur la manipulation et attisait les émotions les plus viles : il voulait inciter les Américains à se craindre entre eux, et à craindre l'avenir.

D'autres républicains lui avaient emboîté le pas. À Cleveland, l'ancien procureur et actuel gouverneur du New Jersey, Chris Christie avait fait sur scène une parodie de procès, m'accusant d'une série de crimes supposés, tandis que la foule hurlait son verdict : « Coupable ! » C'était d'autant plus ridicule que, si la justice avait décidé qu'il n'y avait pas lieu de me poursuivre au sujet de mes e-mails, elle enquêtait toujours sur son rôle dans la fermeture du Washington Bridge à des fins de vengeance politique et finirait par condamner à des peines de prison deux de ses proches collaborateurs[2].

C'était triste de voir le Parti républicain passer du « nouveau matin américain[3] » de Ronald Reagan au « minuit américain » de Donald Trump. La grand-messe dystopique et désorganisée de Cle-

---

2. Sa chef de cabinet adjointe et un haut responsable de l'autorité portuaire ont été condamnés après avoir fermé un pont en 2013. On leur reprochait d'avoir volontairement créé des embouteillages pour punir un maire du New Jersey qui refusait de soutenir Chris Christie alors qu'il briguait un second mandat de gouverneur. Celui-ci n'a pas été poursuivi, mais plusieurs témoins ont affirmé pendant le procès qu'il était au courant.

3. « It's morning again in America » (« C'est de nouveau le matin en Amérique »), phrase d'ouverture d'un clip de campagne de Ronald Reagan en 1984.

veland avait été vivement critiquée par la presse, nous fournissant la possibilité de créer un contraste fort avec notre propre convention le 25 juillet.

Bill, Chelsea, les principaux membres de mon équipe et presque tous les dirigeants démocrates du pays étaient présents. Moi-même, j'étais absente. C'est la tradition qui le veut : le candidat choisi par le parti ne rejoint la réunion qu'à la fin. J'étais donc à la maison, à Chappaqua, révisant mon discours d'acceptation devant la télévision. Je me sentais un peu seule, mais j'appréciais aussi ce rare moment d'intimité après la frénésie de la campagne.

Fidèle à elle-même, Michelle Obama a dominé la première soirée avec son allocution élégante et éminemment personnelle. Comme elle l'avait fait pendant les huit ans qui s'étaient écoulés, elle incarnait aussi ce soir ce qu'il y a de meilleur en nous, et nous a rappelé que, « *when they go low, we go high*[4] ». Le sénateur Cory Booker, qui figurait aussi sur ma liste de vice-présidents potentiels, a fait un discours sincère et entraînant. Reprenant une des phrases les plus puissantes de la Déclaration d'indépendance, il nous a tous encouragés à suivre l'exemple de nos pères fondateurs et à engager « nos vies, nos fortunes et notre bien le plus sacré, notre honneur ».

Le deuxième jour, la convention s'est attelée à la tâche en procédant à un vote État par État. L'issue est rarement incertaine, ce qui peut être un peu fastidieux, mais, quand on est désigné, on ne peut pas s'empêcher d'avoir le cœur qui bat la chamade.

En 2008, j'avais surpris tout le monde en prenant la parole en pleine séance, alors que la délégation de New York s'apprêtait à choisir son candidat. J'avais proposé qu'on suspende le vote pour désigner Barack Obama par acclamation. Sur l'estrade, Nancy Pelosi avait demandé si quelqu'un soutenait ma motion, et la salle tout entière avait bruyamment manifesté son accord.

Cette fois, nous n'escomptions pas de vote écourté. Lorsque le tour de l'Illinois est arrivé, mon amie d'enfance Betsy Ebeling s'est avancée au micro et a annoncé 98 voix en ma faveur. « En ce jour historique et merveilleux, en l'honneur de la fille de Dorothy et Hugh, ma très chère amie – je sais que tu regardes –, celles-ci sont pour toi, Hill. » De chez moi, à Chappaqua, je n'ai pas pu m'empêcher de sourire.

Lentement, État par État, le score progressait et je me rapprochais de la majorité. Enfin, un peu après 18 h 30, le Dakota du Sud m'a fait

---

4. « Quand ils s'abaissent, nous nous élevons. »

franchir le seuil des voix nécessaires et mes supporters ont explosé de joie. Il restait encore quelques États et le vote s'est poursuivi. Quand est venu le tour du Vermont, qui avait demandé à passer en dernier, Bernie s'est avancé et, comme moi huit ans plus tôt, il a déclaré : « Je propose que Hillary Clinton soit désignée comme candidate du Parti démocrate à la présidence des États-Unis. » Une ovation s'est élevée dans la salle.

Ces longues primaires s'achevaient enfin. Le score final était de 2 842 voix pour moi et de 1 865 pour Bernie. Cela n'a pas dû être facile pour lui de faire cette déclaration, et je lui en sais gré.

Ce soir-là, l'actrice Elizabeth Banks a présenté une série de témoignages joyeux et émouvants de personnes qui m'avaient connue tout au long de ma carrière, des gens qui m'avaient laissée entrer dans leur vie et étaient devenus une part de la mienne.

Il y avait Anastasia Somoza, que j'ai rencontrée alors qu'elle avait 9 ans. Anastasia est née atteinte d'une infirmité motrice cérébrale et œuvre avec passion pour les personnes handicapées. Elle a participé à ma première campagne de sénatrice, a été stagiaire dans mon bureau, et a fini par devenir une amie fidèle.

Jelani Freeman, un autre de mes anciens stagiaires au Sénat, a vécu dans six familles d'accueil différentes de 8 à 18 ans. Beaucoup d'enfants dans cette situation décrochent au lycée. Lui, en revanche, a obtenu un master d'histoire et est diplômé de droit. Il m'a rappelé que je l'avais encouragé à persévérer et à aller aussi loin que possible – mais, en vérité, c'est lui qui m'a encouragée. Son exemple m'a donné la motivation nécessaire de poursuivre mon combat au service des enfants, notamment ceux qui sont placés en famille d'accueil.

Ryan Moore a également prononcé quelques mots. Lorsque je l'ai rencontré, Ryan avait 7 ans et portait un appareillage orthopédique contraignant qui devait peser au moins quinze kilos. Il était atteint d'une rare forme de nanisme qui l'obligeait à rester dans un fauteuil roulant, mais rien n'entamait son sourire et son sens de l'humour. J'ai fait la connaissance de la famille de Ryan à une conférence sur la réforme de l'assurance-maladie, en 1994, et j'ai découvert les batailles usantes que son entourage devait livrer pour le remboursement de ses opérations et de ses traitements coûteux. Le récit de sa famille et la ténacité de Ryan m'ont soutenue tout au long de notre combat pour la réforme du système de santé.

Puis est apparue Lauren Manning, grièvement blessée lors du 11 Septembre. Son corps était brûlé à plus de 82 % et ses chances de survie ne dépassaient pas les 20 %. Mais Lauren s'est battue et s'en est sortie. Elle et son mari Greg se sont faits les porte-parole d'autres familles victimes de l'attentat. En tant que sénatrice, je m'étais démenée pour aider ces familles et les premières équipes arrivées à Ground Zero, qui vivaient à présent avec les conséquences que leur intervention avait eues sur leur santé.

J'étais émue en écoutant ces êtres qui m'étaient chers, comme je l'avais été en voyant Betsy lors du vote. J'avais l'impression d'être dans un épisode de « This Is Your Life[5] ». Une multitude de souvenirs sont remontés à ma mémoire, et j'étais fière de tout ce que nous avions accompli ensemble.

Mais rien ne me préparait à l'intervention de Bill.

Il était magnifique, avec sa crinière blanche distinguée et son maintien plein de dignité. « Il est à sa place », ai-je songé. Quatre ans plus tôt, il avait prononcé un plaidoyer éloquent pour la réélection de Barack Obama. Cette fois-ci, il a mis de côté les résultats économiques pour laisser parler son cœur.

« Au printemps 1971, j'ai fait la connaissance d'une fille. » Dès les premiers mots, j'ai su que ce serait différent. Et en effet, je crois qu'il n'y a jamais eu de grand discours politique comparable à celui-ci. Bill a évoqué notre rencontre et les débuts de notre histoire d'amour. « Depuis, nous n'avons pas cessé de nous promener, de discuter et de rire, et nous l'avons fait pour le meilleur et pour le pire, dans les moments de joie et de chagrin. » Il a pris les Américains par la main et les a guidés sur le chemin de notre vie commune, avec amour, humour et sagesse. Il a partagé des anecdotes personnelles, comme le jour où nous avons emmené Chelsea à l'université pour la première fois et que nous l'avons aidée à s'installer dans sa chambre. « Moi, j'étais tout juste bon à regarder par la fenêtre en retenant mes larmes, mais Hillary était là qui s'affairait, à quatre pattes, tapissant de papier tiroir après tiroir. »

Alors que je l'écoutais, assise seule dans la maison que nous avions bâtie ensemble, entourée de souvenirs, j'ai eu l'impression que mon cœur allait éclater. « J'ai épousé ma meilleure amie », a ajouté Bill. C'était comme d'entendre une lettre d'amour lue à voix haute à la télévision.

Aussitôt le discours achevé, j'ai sauté dans notre minibus pour rejoindre un groupe d'amis et de voisins dans un restaurant du coin.

---

5. Émission télévisée créée sur NBC dans les années 1950, où l'animateur présentait à ses invités une rétrospective de leur vie, tandis que défilaient parents, amis et collègues.

J'étais littéralement rayonnante lorsque j'ai pénétré dans la salle. Quelle soirée !

Une équipe de télé m'attendait, prête à faire un duplex avec Philadelphie. Une adorable fillette de 6 ans, Remie, s'est approchée pour m'embrasser. Nous étions toutes les deux en rouge et je l'ai complimentée sur sa robe. Elle a eu un sourire timide. Avec Remie à mes côtés, j'étais prête à m'adresser à la convention et au pays.

Dans la salle omnisport de Philadelphie, des portraits des précédents présidents américains défilaient sur un écran géant placé en hauteur, une succession d'hommes blancs, jusqu'à Barack Obama. Puis l'écran a paru se briser en milliers de morceaux et je suis apparue, en direct du restaurant Crabtree's Kittle House, à Chappaqua. Dans la salle, des gens brandissaient des pancartes rouges et bleues où était marqué « History ».

J'ai remercié la convention pour l'immense honneur qu'elle m'accordait. « S'il y a des petites filles qui ont veillé pour regarder, ai-je déclaré, tandis que la caméra reculait pour montrer Remie et tous nos amis derrière moi, sachez-le : je serai peut-être la première femme présidente, mais l'une de vous sera la suivante. »

J'ai étreint et remercié tous ceux qui étaient autour de moi. Je ne voulais pas rentrer, ne voulais pas que la soirée s'achève. Plus tard, j'ai appris que, sur les réseaux sociaux, une foule de parents avaient publié des photos de leurs filles qui avaient veillé pour assister au direct, tandis que d'autres partageaient des portraits de mères et de grand-mères mortes trop tôt. L'écrivain Charles Finch a tweeté : « Il y a des jours où on croit à ce truc sur l'arc de l'histoire[6]. » C'était exactement ce que je ressentais : tous ensemble, nous faisions ployer un peu plus l'arc de l'histoire vers la justice.

Le lendemain, je me suis rendue discrètement à Philadelphie pour faire une apparition-surprise avec le président Obama, après son discours. Il a été magistral, bien entendu, et incroyablement généreux. Il a parlé des qualités nécessaires pour s'asseoir derrière le Bureau ovale et prendre des décisions sur des questions de vie ou de mort qui affectent le monde entier, ajoutant que je m'étais tenue à ses côtés, l'aidant à faire des choix difficiles. Il a regardé mon mari dans l'assistance et a déclaré avec un sourire : « Il n'y a jamais

---

6. Référence à une citation du théologien Theodore Parker, reprise par Martin Luther King : « L'arc de l'univers moral est long, mais il tend vers la justice. »

eu d'homme ni de femme – ni moi, ni Bill, ni personne – de plus qualifié. » Bill a bondi sur ses pieds pour applaudir. À la fin, je suis sortie des coulisses pour étreindre Barack.

Le dernier jour de la convention, j'ai prononcé le discours le plus important de ma vie. D'une certaine manière, c'était plus facile qu'à Brooklyn. Je me sentais prête à défendre les valeurs du parti dans la bataille à venir, et j'étais sûre de la vision que je souhaitais partager avec mes concitoyens. Je dirais que les Américains étaient toujours « plus forts ensemble » et que, si nous travaillions la main dans la main, nous pourrions nous élever ensemble. Nous pourrions être dignes de la devise de notre pays, *e pluribus unum* : à plusieurs, nous ne formons qu'un. Trump, au contraire, ne ferait que nous diviser.

Nous avions choisi « Plus forts ensemble » comme thème principal de la campagne après de longues réflexions et discussions. En fait, trois processus distincts étaient parvenus au même résultat. Mon équipe de Brooklyn était partie de trois différences essentielles entre Trump et moi. Il était dangereux et incompétent, alors que j'étais pondérée et prête à me mettre au travail dès le premier jour. Lui, c'était un imposteur qui ne se présentait que pour lui-même, alors que, moi, j'étais là pour les enfants et les familles, pour que notre économie profite à tous, et pas seulement à ceux au sommet. Il était clivant, alors que j'œuvrerais pour rassembler notre pays. La difficulté était de réunir ces trois points dans un slogan marquant, qui refléterait mes valeurs et ce que j'avais accompli. « Plus forts ensemble » s'est imposé comme la formulation la plus juste et la plus efficace.

Pendant que l'équipe de Brooklyn planchait sur la question, j'avais demandé à Roy Spence de réfléchir de son côté à des thèmes et à des messages électoraux. Roy est un vieil ami que j'ai rencontré pendant la campagne présidentielle de George McGovern, en 1972, et qui a créé une grande agence de communication à Austin, au Texas. Lorsque Jake Sullivan et Dan Schwerin, ma « plume », ont discuté par téléphone avec Roy pour échanger des idées, ils ont été sidérés de découvrir qu'il avait abouti au même slogan que l'équipe de Brooklyn. Nos principaux conseillers politiques, Joel Benenson, Mandy Grunwald et Jim Margolis, indépendamment des autres, sont parvenus au même résultat. Sachant que tous ces gens très intelligents tombaient rarement d'accord, nous avons décidé que c'était un signe. Ce serait donc « Plus forts ensemble ».

Lorsque je suis arrivée à la convention, j'étais encore plus sûre de notre choix. C'était une réponse parfaite au « moi seul peux réparer ça » de Donald Trump à Cleveland. En outre, Philadelphie nous offrait un cadre historique approprié. Notre hôtel était tout proche d'Independence Hall. C'était là que, 240 ans plus tôt, les représentants de treize colonies indisciplinées s'étaient entendus pour former une seule nation. Cela n'avait pas été sans mal. Certains voulaient rester fidèles au roi. D'autres voulaient l'indépendance. Ils avaient des origines, des aspirations et des intérêts différents. Pourtant, ils s'étaient écoutés, avaient fait des compromis, et finalement s'étaient trouvé un but commun. Et ils avaient compris que, ensemble, ils seraient plus forts que seuls.

Le jeudi, le dernier jour de la convention, Bill et moi nous sommes assis à la table de notre suite au Logan Hotel pour peaufiner mon discours et essayer de trouver le juste ton. Je m'efforçais de ne pas penser aux millions de personnes qui assisteraient à l'événement, ni à l'énormité des enjeux. Il fallait que mon propos soit clair et convaincant, c'était primordial. Si j'y parvenais, si le pays me voyait réellement, sans toutes les sottises qui s'interposaient habituellement, ça irait tout seul. Soudain, avec un gloussement de joie, notre petite-fille Charlotte a fait irruption dans la pièce et s'est précipitée vers nous. J'ai tout lâché pour jouer avec elle et je l'ai finalement enlacée pour l'embrasser. Ma tension s'était dissipée d'un coup. J'étais là où je voulais être, avec ma petite-fille dans mes bras, et je ne pensais à rien d'autre.

Après quelques heures supplémentaires passées à réviser et répéter mon discours, j'ai enfilé un de mes éternels tailleurs-pantalons blancs en l'honneur des suffragettes, prête à me rendre à la convention. La télévision était allumée et, juste avant de franchir la porte, j'ai vu Khizr et Ghazala Khan monter sur scène. J'avais entendu parler d'eux pour la première fois en décembre 2015, lorsqu'un stagiaire de mon équipe de rédacteurs était tombé sur l'histoire de leur fils, Humayun, un héroïque capitaine de l'armée américaine, tué en protégeant ses hommes. J'avais évoqué le capitaine Khan dans un discours à Minneapolis au sujet du contre-terrorisme, soulignant qu'il était important de travailler avec les musulmans américains au lieu de les diaboliser. Mon équipe était restée en contact avec la famille et l'avait invitée à partager son expérience à la convention.

Aucun de nous ne s'attendait à ce que leur intervention soit aussi forte. M. Khan a solennellement offert de prêter à Donald Trump l'exemplaire de la Constitution qu'il avait dans sa poche. C'est aussitôt devenu l'un des moments les plus iconiques de l'élection. Comme des millions d'autres, j'étais fascinée : en regardant M. et Mme Khan, qui, en dépit de leur deuil, affichaient une incroyable dignité et un profond patriotisme, j'ai ressenti une bouffée de fierté qui a encore accru ma confiance dans notre parti et dans notre pays.

À présent, il fallait se hâter. Nous avions la radio réglée sur NPR pendant tout le trajet, si bien que je n'ai rien raté.

J'étais en coulisse pendant que Chelsea a tenu son superbe discours d'introduction. J'avais les larmes aux yeux.

« Mes parents m'ont appris à être consciente que c'était une chance de toujours avoir à manger, de ne pas devoir s'inquiéter d'aller dans une bonne école et de pouvoir jouer dehors dans un quartier sûr. Ils m'ont aussi appris à me soucier de ce qui se passe dans notre monde et à faire tout ce que je peux pour changer ce qui me révoltait, ce qui me semblait injuste. Ils m'ont appris que c'est la responsabilité qui incombe à ceux qui étaient favorisés par le sort.

« Je sais que mes enfants sont encore jeunes, a-t-elle poursuivi. Mais j'essaie de leur transmettre dès maintenant les mêmes valeurs. »

À la fin de sa présentation, Chelsea a annoncé un film sur mon parcours réalisé par Shonda Rhimes. J'aimais la façon dont Shonda donnait vie à des figures de femmes coriaces et intelligentes à la télévision et j'espérais qu'elle en ferait autant pour moi. Je n'ai pas été déçue. Une fois son discours terminé, Chelsea est venue me chercher pour m'accueillir – « ma mère, mon héroïne » – sur scène, sous les ovations du public.

Je me suis imprégnée des acclamations, des banderoles et de la musique ; j'ai regardé les milliers de personnes enthousiastes dans la salle, et j'ai songé aux millions d'autres qui étaient installées chez elles, le cœur gonflé d'une fierté et d'une émotion indescriptibles.

« Alors que je me tiens devant vous, la fille de ma mère et la mère de ma fille, je me réjouis incroyablement que ce moment soit venu. Je me réjouis pour les grand-mères, les petites filles, et toutes celles entre ces deux âges. Je me réjouis tout autant pour les petits garçons et les hommes, car, quand une barrière tombe pour quelqu'un en Amérique, la voie a été ouverte pour tous. Et quand un plafond se brise, alors, on peut décrocher la lune. »

Malgré tout ce qui s'est passé depuis, je le crois toujours.

Je crois toujours que faire progresser les droits des femmes et l'égalité des chances est le grand chantier du XXIe siècle. Cela signifie entre autres réussir là où j'ai échoué, et voir un jour une femme à la Maison-Blanche.

Le 8 novembre et les jours suivants, des centaines de femmes se sont rendues sur la tombe de celle qui avait conduit le mouvement des suffragettes, Susan B. Anthony, à Rochester, dans l'État de New York. Elles ont couvert la stèle d'autocollants « J'ai voté ». D'autres en ont fait autant à Seneca Falls, sur la sculpture qui marque le lieu au bord de la rivière où Amelia Bloomer a présenté Susan Anthony à Elizabeth Cady Stanton, une rencontre qui donnerait naissance au mouvement des suffragettes.

Un grand nombre de femmes m'ont confié des histoires similaires à ce témoignage que m'a envoyé une Californienne prénommée Marcia :

> *Ma mère a 92 ans ; elle se trouve dans un établissement de soins palliatifs, et elle est très fragile. Il y a une quinzaine de jours, ma sœur et moi l'avons aidée à remplir son bulletin par correspondance. « Pour qui je veux voter ? Hillary, bien sûr », nous a-t-elle dit. Nous l'avons acclamée ! D'une voix frêle et douce, elle a murmuré : « Je l'ai fait. Je l'ai fait. Je l'ai fait. » Ce sera son dernier vote. Et, parce que j'habite loin, c'est peut-être la dernière fois que je la verrai dans cette vie. Je suis heureuse qu'elle ait pu voter pour une femme à la présidence une fois dans son existence, et c'est un souvenir que je chérirai éternellement.*

Dans mon discours de défaite, je déclarais : « Nous n'avons toujours pas brisé le plafond de verre, car il est haut et solide, mais, un jour, quelqu'un le fera – et peut-être plus tôt que nous le pensons. » L'histoire nous réserve parfois des surprises. Ce qui hier semblait inatteignable peut soudain devenir plus proche et plus réel qu'on ne l'imaginait.

Parmi les soixante-huit femmes qui signèrent la Déclaration des sentiments de 1848, une seule vécut assez longtemps pour voir le 19e Amendement ratifié. Elle s'appelait Charlotte Woodward et elle remercia Dieu de lui avoir permis d'assister à ce progrès avant de mourir.

En 1848, Charlotte avait 19 ans. Elle cousait des gants à Waterloo, une petite ville de l'État de New York. Chaque jour, elle travaillait de longues heures en échange d'un maigre salaire, sans espoir de recevoir un jour la moindre instruction ni de posséder quoi que ce soit. Elle savait que, si elle se mariait elle-même, ses enfants et tous ses biens terrestres appartiendraient à son époux. Elle ne serait jamais une citoyenne à part entière, ne voterait jamais et ne pourrait jamais se présenter à une élection. Par une chaude journée d'été, elle entendit parler d'une conférence sur les droits des femmes dans une ville voisine. Elle courut de maison en maison pour répandre la nouvelle. Certaines de ses amies réagirent avec enthousiasme. D'autres avec amusement ou dédain. Quelques-unes acceptèrent de l'accompagner par curiosité. Elles partirent tôt le matin du 19 juin, dans une charrette tirée par des chevaux de trait. Au début, la route était déserte et elles se demandaient si elles étaient seules à se rendre à cette conférence. Mais, au carrefour suivant, elles virent des charrettes et des carrioles, puis d'autres encore les rejoignirent, toutes s'acheminant vers la chapelle méthodiste wesleyenne de Seneca Falls. Charlotte et ses amies se mêlèrent à la procession, en route pour ce qui leur semblait un rêve lointain.

Charlotte Woodward avait plus de 90 ans lorsqu'elle a enfin obtenu le droit de vote, mais elle y est parvenue. Ma mère venait de naître et a pu voter pour sa fille à des primaires présidentielles avant de mourir.

Je compte bien vivre assez longtemps pour voir une femme gagner.

Bien se connaître, c'est avant tout connaître ses manques.
C'est se mesurer avec la vérité, non l'inverse.

Flannery O'Connor[1]

1. Flannery O'Connor, *Le Mystère et les mœurs*, trad. de André Simon, Paris, Gallimard, 1975, p. 43.

Frustration

Un sacrifice trop long
Peut changer le cœur en pierre.

William Butler Yeats[1]

1. W. B. Yeats, *Michael Robartes et la Danseuse*, suivi de *Le Don de Haroun Al-Rachid*, trad. de Jean-Yves Masson, Lagrasse, Verdier, 1994, p. 29.

Routes de campagne

« Nous allons mettre beaucoup de mines de charbon et de mineurs au chômage[1]. » Sortie de son contexte, ma phrase semble impitoyable et cruelle. Les dirigeants républicains ont fait en sorte qu'elle soit martelée quasiment en boucle : Facebook, les radios locales, la télévision et des publicités politiques diffusées dans tous les Appalaches durant des mois.

J'avais fait ce commentaire malheureux sur les mineurs à la mairie de Columbus, deux jours à peine avant les primaires de l'Ohio. En campagne, on prononce des millions de mots et on essaie constamment d'être clair et précis. Mais, parfois, il n'y a rien à faire, ça sort de travers. Ce n'était pas ma première maladresse au cours de la présidentielle de 2016 et ce ne serait pas la dernière. Mais c'est celle que je regrette le plus. Je voulais expliquer l'exact opposé de ce que j'ai dit.

Il faut replacer la phrase dans son contexte. L'animateur m'avait demandé comment je comptais gagner le soutien de la classe ouvrière blanche, traditionnellement républicaine. Excellente question ! J'avais beaucoup à dire à ce sujet. J'ai regardé mon ami Tim Ryan, qui représente au Congrès ces habitants du sud-est de l'Ohio qui ont été victimes de la suppression d'emplois dans les mines de charbon et la sidérurgie. Je souhaitais répondre à leurs inquiétudes et faire part de mes idées sur la façon de créer de nouvelles opportunités dans

---

1. « *We are going to put a lot of coal miners and coal companies out of business.* » Hillary Clinton a utilisé l'expression « *out of business* », « hors circuit », « à l'arrêt », mais elle indique clairement que des mines vont être fermées et que des mineurs vont se retrouver au chômage.

cette région. Malheureusement, certains de mes mots se sont agencés de la pire façon :

« Au lieu de diviser la population comme le fait Donald Trump, rassemblons-nous autour de politiques qui créeront des emplois dans les localités pauvres et marginalisées. Je suis, par exemple, la seule candidate qui prévoit de réhabiliter les bassins miniers en créant des opportunités économiques centrées sur les énergies renouvelables. Nous allons mettre beaucoup de mines de charbon et de mineurs au chômage, n'est-ce pas, Tim ? Que cela soit bien clair : nous ne les oublierons pas. Les habitants de ces régions travaillent dans les mines depuis des générations, au prix de leur santé, souvent même de leur vie, pour que nous puissions nous éclairer et faire fonctionner nos usines. À présent, nous devons abandonner le charbon et les autres énergies fossiles, mais nous n'abandonnerons pas ceux qui ont tout donné pour produire l'énergie dont nous avions tant besoin. »

Si l'on écoute la réponse complète – pas simplement la phrase choc sortie de son contexte –, mes propos sont assez compréhensibles. Dans les Appalaches, les emplois liés au charbon déclinent depuis des décennies, pour diverses raisons : les progrès de la technologie minière ; la concurrence avec le charbon du Wyoming, à plus faible teneur en soufre, avec le gaz, moins cher et moins polluant, et avec les énergies renouvelables ; enfin, la baisse de la demande mondiale de charbon. J'étais extrêmement inquiète de l'impact de ce déclin sur les familles et les localités qui dépendent des métiers de la mine depuis des générations. C'est pourquoi j'avais proposé un plan global de 30 milliards de dollars pour aider à revitaliser et à diversifier l'économie de la région. Mais la plupart de ses habitants ne l'ont jamais su : ils n'ont entendu qu'un bout de phrase où j'avais l'air ravie de faire souffrir les mineurs et leur famille.

Si l'on ressentait déjà quelque méfiance à mon égard, on avait là de quoi la conforter.

Cette histoire m'a rendue complètement malade. Je me suis expliquée, je me suis excusée, j'ai fait référence à mon plan détaillé d'investissement dans les bassins miniers. Mais le mal était fait.

Aux yeux de beaucoup, les mineurs sont un symbole : une image de l'Amérique blanche avec ses travailleurs laborieux en col bleu, vivant dans la crainte de Dieu et le respect du drapeau – une Amérique qui leur glisse des mains, qui s'en va. Si je ne respectais pas les mineurs, c'est que je ne respectais pas la classe ouvrière, ou du moins pas les ouvriers blancs des communes rurales et des États rouges[2]. Et, avec cette vidéo de ma phrase qui tournait en boucle sur Fox News, rien de ce que j'aurais pu dire ne les aurait fait changer d'avis.

Face à un tel déchaînement, j'avais plusieurs raisons d'être furieuse. D'abord, le deux poids deux mesures. Au cours de cette campagne, Donald Trump lançait quotidiennement des insanités et des assertions à l'emporte-pièce. Il s'attirait des critiques, mais on les oubliait assez vite (à une ou deux exceptions près, de taille). La presse et la classe politique s'étonnaient que tout glisse ainsi sur Trump, sans se demander si elles y étaient elles-mêmes pour quelque chose. Moi, on ne me passait rien. La moindre erreur tournait au scandale majeur. En même temps, on me reprochait sans arrêt de tenir des propos trop mesurés, trop prudents : c'était une situation inextricable.

Mais ma gaffe sur les mines m'a fait bien plus mal que les injustices habituelles. Ce n'était pas un commentaire maladroit de plus sur un sujet de second ordre. Je suis vraiment inquiète pour les familles ouvrières en difficulté des petites villes sur le déclin. Je me soucie vraiment des communautés minières en particulier. Pas pour des raisons politiques : je savais que je n'allais pas gagner des voix dans des États comme la Virginie-Occidentale. Pour des raisons personnelles.

J'ai habité longtemps en Arkansas et je suis tombée amoureuse des villes des Ozarks, qui ressemblent beaucoup à celles des Appalaches. En Arkansas, on a exploité le charbon pendant des décennies ; Bill et moi connaissons personnellement des mineurs à la retraite qui souffrent de l'anthracose, causée par l'inhalation de particules de charbon. Lorsqu'il était avocat, Bill a représenté plus d'une centaine d'entre eux, afin de les aider à obtenir les prestations sociales auxquelles ils avaient droit. À mon arrivée au Sénat, j'ai œuvré avec le sénateur de Virginie-Occidentale Robert Byrd pour protéger par une loi la sécurité et les pensions des mineurs de charbon.

J'ai aussi représenté au Sénat d'anciennes villes industrielles du nord de l'État de New-York. Autrefois prospères, elles ont vu leurs usines fermer et les emplois se raréfier, tout comme dans le sud-est de l'Ohio et l'ouest de la Pennsylvanie. J'avais beaucoup de respect

---

2. Les « États rouges » désigne les États où la population vote en majorité républicain, tandis que l'on vote majoritairement démocrate dans les États bleus. Ces dernières années, le sens de ces termes s'est élargi pour différencier les États plutôt conservateurs des États plus libéraux.

pour la fierté des habitants de cette région : ils souffrent pour leur territoire. Je comprends aussi leur défiance envers les étrangers qui débarquent avec de grands discours sur leur vie et leur avenir. J'ai découvert qu'en écoutant les gens, en les amenant à coopérer et en les aidant à s'en sortir par eux-mêmes, il était possible de renverser la dynamique et de créer de nouvelles opportunités pour les entreprises et des emplois. J'ai collaboré avec eBay pour connecter à Internet les petites entreprises de communes rurales et les aider à démarcher ainsi de nouveaux clients. Mon bureau a fait bondir les ventes des maraîchers et des vignerons de la vallée de l'Hudson et des Finger Lakes en les mettant en contact avec des chefs et des propriétaires de restaurant à Manhattan. J'ai aussi œuvré avec des universités du nord de l'État afin d'ouvrir de nouveaux fonds de recherche aux habitants de la région ; elles pourraient ainsi devenir des pôles pour des industries créatrices d'emplois, comme les biotechnologies ou les énergies renouvelables. J'ai adoré ce travail, car il produisait des résultats tangibles et améliorait concrètement la vie des gens.

Qu'on imagine que je puisse dénigrer les hommes et les femmes de l'industrie minière – ou n'importe quel Américain qui travaille dur, en dépit de tout, pour améliorer son sort et celui de sa famille –, j'avais du mal à l'avaler. J'étais révoltée, vraiment, et je tenais à y mettre bon ordre.

Prenons un peu de recul pour mieux voir le contexte général. Nous utilisons les expressions « classe ouvrière » et « cols bleus » à tort et à travers, et chacun leur donne le sens qu'il entend. Pour les chercheurs et les analystes politiques, font partie de la classe ouvrière ceux qui n'ont pas de diplôme universitaire. Mais le terme est souvent pris dans une acception plus large. On dessine le portrait de la classe ouvrière en recoupant le salaire, le type d'emploi, le lieu de résidence, la sensibilité générale ou les valeurs. On a alors souvent tendance à l'imaginer blanche et rurale. Notre pensée et notre discours sur cette catégorie de la population ont un grand impact sur notre vie politique.

J'ai grandi à une époque où les républicains gagnaient les élections en attirant toujours plus d'électeurs blancs en col bleu, traditionnellement démocrates. Quand Bill s'est présenté à l'élection présidentielle de 1992, il voulait prouver que les démocrates pouvaient s'imposer, sans trahir leurs valeurs, dans les régions ouvrières et les petites villes rurales. En se concentrant sur l'économie, en obtenant des résultats et en faisant des compromis qui désamorçaient des problèmes sensibles comme la criminalité et l'aide sociale, il est devenu le premier démocrate depuis la Seconde Guerre mondiale à effectuer deux mandats complets.

En 2016, le pays était plus diversifié, plus urbain et plus éduqué. La classe ouvrière blanche est une fraction de l'électorat qui diminue. Barack Obama a brillamment montré comment gagner l'élection présidentielle en mobilisant les jeunes et les minorités, et ma campagne a suivi son exemple. Mais je voulais malgré tout aider les habitants des petites villes dont Bill avait gagné la confiance vingt-quatre ans plus tôt, et les localités de la Rust Belt[3], comme celles que je représentais lorsque j'étais au Sénat. Avant même d'entrer en campagne, j'étais alarmée du nombre important de Blancs pauvres, hommes et femmes, qui meurent plus jeunes que leurs parents à cause du tabac, des drogues et du suicide – on a parlé d'une épidémie de désespoir. Ce recul de l'espérance de vie est sans précédent dans l'histoire moderne de notre pays ; c'est le genre de phénomène que l'on a observé en Russie après la désintégration de l'Union soviétique.

Dès 2013-2014, j'ai commencé à citer en exemple le comté de McDowell en Virginie-Occidentale : plus d'un tiers de ses habitants vivaient dans la pauvreté et seulement la moitié avaient un diplôme de fin d'études secondaires. Les emplois y étaient rares et la drogue faisait des ravages. Ce comté était l'un des plus déshérités du pays, mais bien d'autres petites villes et zones rurales voient également les salaires plafonner et les emplois disparaître. Les structures sociales qui soutenaient les générations précédentes étaient plus fragiles que jamais : les écoles périclitaient, les syndicats de travailleurs rétrécissaient comme peau de chagrin, les emplois s'en allaient, la fréquentation des églises déclinait et la confiance dans les pouvoirs publics se détériorait. Ceux qui tentaient de se construire un avenir dans ces localités frappées de plein fouet ne se heurtaient pas seulement à un plafond : le sol aussi se dérobait sous leurs pieds.

Que pouvait-on faire pour les aider ? J'avais remarqué que la Fédération américaine des enseignants, sous la présidence de Randi Weingarten, menait un combat ambitieux dans le comté de McDowell. Elle avait rassemblé près d'une centaine de partenaires issus de la

---

3. La Rust Belt (Ceinture de la rouille) est une région du nord-est des États-Unis. Elle s'étend de Chicago jusqu'à la côte atlantique. Ancienne « Manufacturing Belt » (Ceinture des usines), elle doit son changement d'appellation dans les années 1970 à l'effondrement économique de la région et au déclin des industries lourdes.

population locale, des pouvoirs publics, des entreprises, des syndicats, du milieu associatif et des fondations privées. Elle avait compris que les problèmes de McDowell (école, emploi, immobilier, infrastructures et santé publique) étaient tous interconnectés : il fallait donc travailler sur tous les fronts simultanément, avec de nouveaux investissements, des idées neuves et beaucoup d'énergie. On ne savait pas si ce partenariat public-privé, baptisé « Reconnecter McDowell », allait réussir, mais je trouvais l'idée excitante. Au bout de quelques années, ses efforts ont porté des fruits : le taux de réussite aux études secondaires était passé de 72 % à presque 90 %, alors que les taux de décrochage scolaire et de grossesses précoces avaient baissé. Les écoles étaient connectées en haut débit, les maisons par la fibre, et on avait donné un ordinateur portable à tous les collégiens.

Mais les meilleurs efforts philanthropiques n'allaient pas renverser la vapeur dans les Appalaches sans le soutien de politiques fortes et efficaces, au niveau des États comme à celui du gouvernement fédéral – et les républicains, au Congrès comme dans les assemblées législatives d'État, n'en ont jamais voulu.

Ça faisait longtemps que les métiers du charbon des Appalaches étaient en déclin, mais, entre 2011 et 2016, ils ont touché le fond : la production nationale a chuté de 27 %. Près de 60 000 mineurs et travailleurs sous contrat ont perdu leur emploi – 40 % d'entre eux vivaient dans le Kentucky et en Virginie-Occidentale. Les grandes entreprises minières, comme Peabody Energy, Arch Coal et Alpha Natural Resources, ont fait faillite, menaçant les pensions de milliers de mineurs à la retraite.

Cette crise exigeait une réaction sérieuse. La situation était tendue entre l'urgence de réduire la dépendance de l'Amérique vis-à-vis des énergies fossiles – le charbon en particulier –, qui sont la cause principale du réchauffement climatique, et la nécessité d'aider les communautés humaines dont la vie dépend de la production de ces énergies. Je pensais possible et impératif de faire les deux. C'est ce que j'ai essayé d'expliquer plus tard dans cette fameuse mairie : nous devons abandonner le charbon, mais nous ne pouvons pas abandonner les travailleurs qui ont éclairé nos maisons et fait tourner nos usines pendant des générations.

Quand j'ai lancé ma campagne présidentielle en juin 2015, j'ai parlé spécifiquement des Appalaches et de la nécessité d'aider les communautés en détresse à engager une transition vers un futur économique viable. J'ai renouvelé cet appel à chacune de mes interventions, dans le pays entier.

Je me suis aussi attelée à la tâche de développer le plan d'investissement détaillé évoqué plus haut : 30 milliards de dollars destinés à revitaliser les régions minières. Multipliant les rencontres avec des experts nationaux et des dirigeants locaux, mon équipe a élaboré des propositions remarquables : mettre en place de nouvelles incitations pour attirer des emplois et des entreprises dans les Appalaches, améliorer les infrastructures et l'Internet à haut débit, lancer des programmes de formation débouchant sur de vrais emplois et non sur des diplômes sans valeur, et financer davantage les écoles et les étudiants. Nous avons aussi collaboré avec le syndicat United Mine Workers of America[4] pour obliger les entreprises minières à assumer leurs responsabilités et garantir l'accès à la santé et une retraite sûre aux mineurs et à leurs familles. J'ai pris la parole publiquement quand le syndicat l'a jugé opportun, et j'ai fait pression en coulisse quand cela s'est avéré nécessaire. Finalement, Peabody Energy, une des plus grosses compagnies charbonnières, a accepté de prolonger les prestations de plus de 12 000 retraités et de leurs familles. Si j'avais gagné l'élection, j'aurais usé de tous les pouvoirs de l'État fédéral pour en faire encore davantage.

Aucun autre candidat ne portait une telle attention aux problèmes réels des bassins miniers, loin de là. À gauche, Bernie Sanders préconisait de mettre fin à toute extraction d'énergie fossile, charbon compris. À droite, Donald Trump promettait de rouvrir des mines, mais ne proposait aucune idée concrète pour réparer des années de déclin et de perte d'emplois. Il était donc exaspérant et douloureux de constater qu'à cause d'une seule phrase malheureuse de ma part – et de l'opposition, en Virginie-Occidentale, au décret de Barack Obama imposant de réduire les émissions de dioxyde de carbone – ces deux candidats avaient de loin les meilleures cartes en main pour remporter cet État.

Quelques semaines après ma « gaffe », je suis allée dans les Appalaches m'excuser directement auprès des gens que j'avais

---

4. L'United Mine Workers of America (Syndicat des travailleurs miniers d'Amérique du Nord) est un syndicat qui représente les travailleurs du secteur minier. Il a été fondé à Colombus dans l'Ohio en 1890 et a été une force syndicale de premier plan dans les luttes ouvrières américaines.

offensés. Je savais que cela ne changerait rien au résultat des primaires en Virginie-Occidentale, ni à celui de l'élection présidentielle de novembre, mais je souhaitais faire preuve de respect. Je voulais montrer que je serais la présidente de tous les Américains, pas simplement de ceux qui voteraient pour moi.

Des responsables démocrates de Virginie-Occidentale m'ont proposé de faire de Charleston, la capitale de l'État, ma base et de prononcer un discours devant un public de sympathisants. Mon équipe de terrain était d'accord – c'est ce qui prendrait le moins de temps sur mon agenda de campagne surchargé et je m'assurais un accueil plus chaleureux que celui qui m'attendait sans doute dans les zones rurales. Mais ce n'était pas ce que j'avais en tête. Je voulais aller au fin fond des bassins houillers du sud, dans les localités qui affrontaient les plus grandes difficultés, là où Trump était le plus populaire et où ma gaffe sur les mineurs avait fait le plus de dégâts. « Un peu comme si Trump organisait un meeting en Californie en plein Berkeley ? » m'a dit l'un de mes conseillers. C'était à peu près ça.

Nous avons fini par organiser un itinéraire qui allait de l'est du Kentucky au sud-est de l'Ohio en passant par le sud de la Virginie-Occidentale. Il se clôturerait par un discours de politique économique à Athens, dans l'Ohio, avec mon ami le sénateur Sherrod Brown, dont le nom figurait sur la liste de mes vice-présidents potentiels.

Nous avons démarré à Ashland, Kentucky, où j'ai rencontré une douzaine de sidérurgistes licenciés à la fermeture de l'aciérie où ils avaient travaillé pendant plusieurs décennies. J'ai aussi parlé à des cheminots : le déclin de la production de charbon et d'acier entraînait une réduction des services ferroviaires, ce qui détruisait encore plus d'emplois et isolait encore davantage la région.

Lorsque je me suis lancée dans cette campagne, je savais que de nombreuses localités ne s'étaient toujours pas remises de la Grande Récession et que la classe ouvrière américaine était meurtrie et en colère. Le chômage était faible et l'économie florissante, mais les salaires stagnaient depuis quinze ans. Le revenu du foyer moyen était inférieur de 4000 dollars à ce qu'il avait été lorsque mon mari a quitté la Maison-Blanche en 2001. Je connaissais ce discours par cœur.

À mon arrivée à Ashland, j'ai compris l'intensité du désespoir, et ces chiffres sont devenus bien plus réels. Les gens m'ont dit à quel point ils étaient inquiets pour l'avenir de leurs enfants. Beaucoup d'hommes vivaient dans la honte de l'obligation de payer leurs factures avec des pensions d'invalidité, car les emplois qu'ils trouvaient ne leur permettaient pas d'accéder à un niveau de vie de classe moyenne. Ils étaient furieux qu'après avoir autant participé à notre économie, à nos guerres, à nos impôts, personne à Washington ne s'intéresse à eux, sans même parler de les aider.

J'ai pour habitude, lorsque je rencontre des gens à bout de force et en colère, d'essayer de formuler des solutions à leurs problèmes. C'est pourquoi j'ai consacré beaucoup de temps et d'énergie à imaginer de nouvelles politiques afin de créer des emplois et d'augmenter les salaires. Mais, en 2016, quantité de gens ne voulaient pas entendre parler de plans ni de politiques. Ils voulaient un candidat aussi enragé qu'eux, et un bouc émissaire à fustiger. Pour beaucoup, cette élection était d'abord un vote sanction, un état d'esprit qui ne me venait pas naturellement. Certes, je ressens de la colère face aux injustices, aux inégalités, aux abus de pouvoir, au mensonge, au harcèlement. Mais j'ai toujours été convaincue que les dirigeants politiques devaient proposer des solutions au lieu de se contenter d'alimenter le ressentiment ; personnellement, c'est ce que j'attends de mes dirigeants. Dommage que, une fois que l'exaspération a dépassé les bornes, ceux que vous voulez aider n'ont plus envie d'écouter vos solutions.

Puis nous avons quitté le Kentucky pour la Virginie-Occidentale. Je me souviens qu'en 2008 nous avions eu beaucoup de mal à nous connecter sur les routes de cet État montagneux, le réseau ne couvrant la région que de façon épisodique – mon équipe n'en pouvait plus. De mon côté, je m'inquiétais du fait que ce manque de connexion devait freiner les entreprises et les écoles et ralentir le développement économique. Et la Virginie-Occidentale est loin d'être seule : dans l'Amérique rurale, près de 40 % de la population n'a pas accès à l'Internet à haut débit. Les recherches montrent que ces régions ont des revenus inférieurs et un taux de chômage supérieur à la moyenne, mais c'est un problème qui peut se régler, et j'étais prête à m'y atteler.

Je me suis rappelé le plaisir que j'avais eu à faire campagne en Virginie-Occidentale lors des primaires de 2008 : j'avais gagné cet État avec quarante points d'avance. Nous avions célébré la fête des Mères avec ma mère et ma fille dans la petite ville de Grafton, en Virginie-Occidentale, où cette fête avait été inventée cent ans plus tôt. C'était l'une des dernières fois que je la passerais avec ma mère, et elle fut plus que mémorable – l'un de mes plus beaux souvenirs.

Nous sommes ensuite entrés dans le comté de Mingo, le Ground Zero de la crise du charbon, pourrait-on dire. En 2011, plus de 1 400 mineurs y travaillaient. Cinq ans plus tard, il n'en restait que 438. Nous nous rendions à Williamson, petite ville où un partenariat public-privé prometteur, proche de celui de McDowell, tentait désespérément de rassembler les ressources et de susciter la volonté politique nécessaire pour étendre et diversifier l'économie locale et améliorer la santé publique.

Après trois heures de route, nous sommes arrivés au Williamson Health and Wellness Center[5]. Il bruinait, mais, dehors, les rues étaient noires de monde. Plusieurs centaines de manifestants en colère hurlaient : « On veut Trump ! » ; « Hillary, rentre chez toi ! » Ils brandissaient des pancartes fustigeant la prétendue guerre contre le charbon. Une femme interrogée par un journaliste a expliqué pourquoi elle soutenait Trump : « On en a marre de toutes ces maudites allocations ! Personne ne s'occupe de *nous* ! » Une autre, les mains peintes rouge sang, vociférait sur Benghazi. Et au milieu se tenait le multimillionnaire Don Blankenship, ancien PDG d'une grande compagnie charbonnière, condamné pour violation délibérée des réglementations de sécurité minière après l'explosion qui avait tué vingt-neuf mineurs dans la mine Upper Big Branch en 2010. Il allait être incarcéré quelques jours plus tard, mais avait pris le temps de venir manifester contre moi.

Je savais que je n'allais pas être accueillie chaleureusement en Virginie-Occidentale. C'est précisément pour cela que je m'y rendais. Mais je n'étais pas préparée à un tel déchaînement de violence. Ce spectacle n'était pas seulement dû à mon discours à la mairie. C'était l'expression d'une haine bien plus profonde.

Depuis l'élection, je me suis beaucoup demandé pourquoi je n'ai pas réussi à créer du lien avec davantage de Blancs de la classe ouvrière. Aux yeux de nombreux commentateurs, c'est un phénomène nouveau, dû à mes propres faiblesses et à l'attrait populiste exceptionnel de Trump. Pour preuve, selon eux, les électeurs blancs

---

5. Le Williamson Health and Wellness Center est un centre clinique associatif qui utilise des pratiques de santé holistiques afin de stimuler l'économie locale et d'apporter du bien-être à la population. Il a pour mission de servir l'ensemble de la communauté et de fournir à tous ses patients un traitement d'excellence dans un lieu confortable. Il prend en charge les personnes n'ayant aucune assurance-maladie ou bénéficiant de Medicaid.

qui sont passés d'Obama à Trump. Pourtant, la Virginie-Occidentale, qui est un État très ouvrier et très blanc, nous raconte une tout autre histoire. De l'élection de Roosevelt en 1932 à la réélection de Bill en 1996, les démocrates y ont gagné quatorze des dix-sept présidentielles. Mais, depuis 2000, nous perdons à chaque fois, avec des écarts de plus en plus importants. En 2012, Obama a perdu contre Romney pratiquement à deux contre un. C'est une tendance lourde : comment conclure qu'il ne s'agit que de moi, ou de Trump ?

L'explication la plus évidente, bien qu'elle soit insuffisante, est la « guerre contre le charbon ». Les démocrates ont servi de boucs émissaires : puisqu'ils soutiennent de longue date les réglementations environnementales qui protègent l'air et l'eau et tentent de limiter les émissions carbone, il était facile de leur reprocher les malheurs de l'industrie affectée et des régions qui en dépendent. Le désamour a atteint son apogée durant le mandat d'Obama, même si des preuves flagrantes démontrent que les réglementations publiques ne sont pas la cause principale du déclin de l'industrie charbonnière.

L'administration Obama n'a pas été au rendez-vous pour s'attaquer immédiatement à ce préjugé. Lorsqu'elle se préparait à rendre public le nouveau plan d'énergie propre – perçu comme la politique la plus anti-charbon jamais proposée –, j'avais suggéré que le président en fasse l'annonce dans le bassin houiller et l'accompagne d'un gros effort pour aider les mineurs et leurs familles en attirant de nouveaux investissements et en créant des emplois. Cela aurait adouci un peu le coup.

Mais le président Obama a annoncé ces nouvelles réglementations à la Maison-Blanche, au côté de l'administrateur de l'Agence américaine pour la protection de l'environnement (EPA). En Virginie-Occidentale, beaucoup y ont vu une nouvelle preuve de ce dont ils étaient déjà convaincus : les démocrates ne se souciaient pas d'eux. Une fois que ce sentiment s'installe, il est difficile de le déloger.

Cela dit, les tensions entre les démocrates et les électeurs de la classe ouvrière blanche ne datent pas de l'administration Obama et sont loin de se limiter au charbon.

Après la défaite de John Kerry face à George W. Bush en 2004, l'écrivain Thomas Frank[6] a popularisé une théorie : les républicains auraient persuadé les électeurs des régions telles que la Virginie-

6. Thomas Franck, *What's the Matter with Kansas ?* ; trad. de Frédéric Coton, *Pourquoi les pauvres votent à droite*, Agone, Marseille, coll. « Contre-feux », 2008.

Occidentale de voter contre leurs intérêts économiques en les attirant sur le terrain culturel – en trois mots : « les homos, les armes et Dieu ». Ce n'est pas faux. Souvenez-vous de cet homme en Arkansas que j'ai évoqué plus haut : il affirmait que les démocrates voulaient confisquer son arme et le forcer à assister à un mariage gay !

Et il y a le racisme. Depuis des décennies, les républicains flirtent avec des idées racistes sur des sujets comme le ramassage scolaire, la criminalité et l'aide sociale. Ce n'est pas un hasard si Ronald Reagan a lancé sa campagne de 1980 par un discours sur les « droits des États » près de Philadelphie, Mississippi, où trois militants des droits civiques avaient été assassinés en 1964. En 2005, le président du Comité national républicain s'est excusé officiellement pour ce qu'on en était venu à appeler la « stratégie du Sud » ; mais, en 2016, elle est revenue en force. La politique a été réduite à une lutte tribale, identitaire, un « nous » contre « eux », des « eux » de plus en plus nombreux : les Noirs, les Latinos, les immigrés, les libéraux, les citadins, et j'en passe. Pour Trump, comme pour beaucoup de démagogues avant lui, la vie est un jeu à somme nulle : si l'autre gagne, alors tu perds. On entend cette colère dans la bouche de cette manifestante de Williamson qui clamait : « On en a marre de toutes ces maudites allocations ! Personne ne s'occupe de *nous* ! »

Comment se battre contre un démagogue quand toutes les réponses qu'on peut offrir sont insatisfaisantes ? Des années de souffrances économiques ont créé un terrain fertile pour les exhortations culturelles et racistes des républicains. Le nombre de syndicats, autrefois le rempart des démocrates dans des États comme la Virginie-Occidentale, a décliné. Appartenir à un syndicat contribue à forger une personnalité, une vision du monde, une façon de penser la politique. Une fois qu'ils auront disparu, beaucoup cesseront de se considérer d'abord comme des travailleurs – et de voter en conséquence. Ils ont commencé à se percevoir et à voter d'abord comme des Blancs, des mâles, des ruraux, ou tout cela à la fois.

Prenez Don Blankenship, le patron de compagnie minière qui, avant d'aller en prison, s'était joint aux manifestants de Williamson. Ces dernières années, alors même que l'industrie charbonnière périclitait et que les ouvriers perdaient leur emploi, les grands patrons comme lui ont empoché d'énormes hausses de salaire : leur rémunération a augmenté de 60 % entre 2004 et 2016. Blankenship a mis ses ouvriers en danger, affaibli leur syndicat, pollué leurs fleuves et leurs rivières, tout en faisant d'énormes profits et en donnant des millions aux candidats républicains. Il aurait dû être l'homme le plus détesté de Virginie-Occidentale, avant même sa condamnation liée au décès des vingt-neuf mineurs. Pourtant, il a été accueilli chaleureusement par les manifestants pro-Trump de Williamson. L'un d'eux a confié à un journaliste qu'il voterait pour Blankenship s'il se présentait à la présidentielle. De mon côté, je m'engageais à durcir les lois qui protègent les travailleurs et obligent des patrons comme Blankenship à assumer leurs responsabilités – il n'a d'ailleurs écopé que d'un an de prison, c'est dire –, et c'était contre moi que l'on manifestait.

À gauche, à l'instar de Bernie Sanders, certains pensent que la classe ouvrière blanche s'est détournée des démocrates, le parti étant devenu la marionnette des donateurs de Wall Street, coupé de son enracinement populaire. J'ai du mal à croire que les électeurs potentiels de Don Blankenship aient envie de politiques économiques progressistes. Après tout, pratiquement à tous égards, le Parti démocrate a évolué vers la gauche ces quinze dernières années, pas vers la droite. Mitt Romney n'était certainement pas plus populiste que Barack Obama quand il l'a écrasé en Virginie-Occidentale. En même temps, les républicains sont ouvertement alliés à de puissants intérêts d'affaires, notamment les entreprises charbonnières qui tentent de retirer aux mineurs retraités leur assurance-maladie et leur pension. En dépit de tout, ils continuent de remporter les élections. À l'époque de ma visite, le leader de la majorité au Sénat, Mitch McConnell, élu du Kentucky, faisait barrage à la législation proposée par Joe Manchin, sénateur de Virginie-Occidentale, pour protéger les retraites des mineurs. Pourquoi ? « Parce qu'il n'aime pas le syndicat United Mine Workers » qui a soutenu son adversaire démocrate en 2014, m'a répondu le sénateur Brown. Pourtant, les républicains ne subissent aucun retour de bâton, et, à ce jour, aucune conséquence politique pour ce qui est, de mémoire, l'une des plus flagrantes preuves d'irrespect envers les besoins des mineurs.

Bien sûr, j'ai rencontré dans ces communautés rurales et pauvres beaucoup d'hommes et de femmes très ouverts de cœur et d'esprit. On ne peut pas leur en vouloir d'essayer de secouer le système politique après tant d'années de déception. Mais la colère et la rancœur sont profondes : l'auteur J. D. Vance, natif des Appalaches, a remarqué qu'une culture de la récrimination, de la victimisation et de la recherche du bouc émissaire a pris racine là où les valeurs traditionnelles – compter sur ses propres forces et travailler dur – se sont flétries. Les gens ont de plus en plus tendance à penser que leurs problèmes sont de la faute de quelqu'un d'autre : Obama, les élites libérales des grandes villes, les immigrés sans-papiers qui volent le travail, les minorités qui pompent les aides de l'État – ou moi. Ce n'est pas par hasard que l'on croirait entendre la rhétorique de Trump.

Une situation peut être exploitée à des fins politiques, elle n'en reste pas moins problématique. La douleur – et la panique – que beaucoup d'ouvriers blancs ressentent est bien réelle, le vieux monde qu'ils évoquent avec nostalgie, où les hommes étaient des hommes et les emplois des emplois, ayant vraiment disparu.

Il ne faut pas sous-estimer l'importance du genre. Dans une économie où les femmes sont obligées de travailler et où les hommes gagnent rarement assez pour nourrir seuls leur famille, la répartition traditionnelle des rôles est automatiquement redéfinie. Dans un contexte favorable, c'est un processus qui peut être libérateur pour les femmes, bénéfique pour les enfants et même un soulagement pour les hommes, qui peuvent enfin partager le fardeau économique. Mais, lorsqu'il est provoqué par l'incapacité des hommes à gagner assez pour vivre décemment, emplis d'envie de travailler mais ne trouvant pas d'emploi, c'est leur fierté qui est touchée, parfois avec des effets dévastateurs.

Tous ces éléments se combinent dans une dynamique complexe : il y a à la fois trop de changement et pas assez.

Quand on se sent mis à l'écart, laissé pour compte, impuissant, on éprouve une sensation profonde de manque. C'est un terrain qui favorise la dépression et le désespoir ou la colère et la rancœur envers ceux qui, pense-t-on, ont volé notre gagne-pain, ou nous ont devancés en resquillant.

Le slogan de Trump « Make America Great Again » et ses deux autres messages de campagne choc : « Qu'avez-vous à perdre ? » et « Elle est là depuis trente-cinq ans et rien n'a changé », manipulent brillamment ces sentiments et répandent le message de fond que Trump cherche à transmettre : « Vous retrouverez la vieille Amérique une fois que j'aurai chassé les migrants, en priorité les Mexicains et les musulmans ; renvoyé les produits chinois et abrogé l'Obamacare ; quand j'aurai jeté aux oubliettes le politiquement correct, ignoré les faits qui dérangent et cloué au pilori Hillary et toutes les élites libérales. Nous détestons les mêmes personnes ! Et, contrairement aux autres républicains, je ferai quelque chose pour améliorer votre vie. »

Quand mon mari était encore un petit garçon qui grandissait à Hope en Arkansas, son oncle Buddy lui disait : « Celui qui cherche à te faire sortir de tes gonds pour t'empêcher de réfléchir n'est pas ton ami. Penser, c'est ce qu'il y a de plus important. » Mais, comme tous les bons conseils qu'on donne dans la vie, c'est plus facile à dire qu'à faire. Il est bien plus simple de jouer à colin-maillard et de choisir un coupable au hasard, les yeux bandés – c'est ce qui est arrivé aux démocrates dans de trop nombreuses régions.

Il y a une tendance lourde et pourtant méconnue dans la politique américaine : les républicains gagnent dans les régions où les gens sont le plus pessimistes ou inquiets pour leur avenir. Les démocrates, en revanche, sont populaires dans les zones où les populations sont optimistes. Cette géographie des sentiments ne correspond pas à la dichotomie surmédiatisée entre les côtes et l'intérieur des terres. Dans des États bleus comme dans des États rouges, il existe de nombreuses localités florissantes qui ont réussi à éduquer leurs travailleurs, à exploiter leurs talents et à participer à l'économie du XXIe siècle. Certains des Américains les plus pessimistes sont des Blancs relativement aisés d'âge mûr ou à la retraite – le public cible de Fox News –, alors que beaucoup d'immigrés pauvres, de gens de couleur et de jeunes débordent d'énergie, d'ambition et d'optimisme.

En 2016, par exemple, j'ai été battue dans l'Arkansas, mais j'ai gagné de 18 points dans le comté de Pulaski, où se trouve Little Rock, la dynamique capitale de cet État. J'ai perdu en Pennsylvanie, mais je me suis imposée à Pittsburgh avec 75 % des voix. Il se peut que Trump voie cette ville comme le symbole de notre passé industriel – il l'a opposée à Paris lorsqu'il s'est retiré de l'accord sur le climat en 2017 –, mais, en réalité, Pittsburgh s'est complètement réinventée. La ville est aujourd'hui un haut lieu des énergies vertes, de l'éducation et de la recherche biomédicale ; comme je l'ai constaté chaque fois que j'ai fait campagne là-bas, les habitants de Pittsburgh brûlent d'énergie et d'optimisme concernant l'avenir.

Comment savoir ce que les gens qui criaient « Hillary, rentre chez toi ! » sous la pluie de Williamson avaient dans le cœur et dans la tête ? Me détestaient-ils, ayant entendu sur Fox que je voulais mettre les mineurs au chômage ? Pensaient-ils que je leur avais tourné le dos après les primaires démocrates de 2008 où ils avaient voté pour moi ? S'étaient-ils retournés contre moi parce que j'avais été la secrétaire d'État d'Obama et que je voyais dans le changement climatique une véritable menace pour notre avenir ? Ou leur rage venait-elle d'une politique identitaire primitive plus profonde ? Tout ce dont je suis sûre, c'est qu'ils étaient furieux, extrêmement bruyants, et ils me détestaient viscéralement. Je leur ai fait un grand sourire, les ai salués de la main, et je suis entrée dans la clinique.

Le docteur Dino Beckett, directeur du Williamson Health and Wellness Center, m'attendait, accompagné d'une douzaine de personnes, dont le sénateur Joe Manchin. Ils étaient impatients de m'expliquer ce qu'ils faisaient pour renverser la vapeur dans leur communauté meurtrie. Ils avaient créé un incubateur pour aider des entrepreneurs locaux à lancer de nouvelles petites entreprises. Le comté voulait transformer des terrains miniers abandonnés en parcs industriels qui pourraient attirer de nouveaux employeurs. Le docteur Beckett et ses salariés savaient qu'ils devaient se procurer de meilleures infrastructures immobilières ; c'est ainsi qu'ils ont embauché du personnel du secteur de la rénovation de maisons et d'entreprises. Ils avaient remarqué que beaucoup de leurs voisins souffraient d'addiction aux opioïdes, ainsi que de maladies chroniques comme le diabète ; sur la base de ces observations, une clinique à but non lucratif est née. Un ancien drogué, devenu conseiller en toxicomanie, m'a expliqué à quel point ce travail était crucial, même si juguler l'épidémie de consommation de drogue reste une entreprise digne de Sisyphe.

Le docteur Beckett tenait à me présenter un échantillon représentatif des différents points de vue. Il avait donc invité Bo Copley, qu'il connaissait par l'équipe de football de l'école de leurs enfants, et sa femme Lauren. Travailleur des mines licencié, Bo était républicain et fervent pentecôtiste ; son tee-shirt arborait le message « #JesusIs-Better ». Gestionnaire de maintenance dans un centre minier local, il avait été mis à pied l'année précédente. Depuis, la famille joignait difficilement les deux bouts grâce au travail de photographe de sa femme, Lauren. Lorsqu'il a pris la parole, sa voix tremblait d'émotion.

« Je voudrais m'excuser pour ce qui se passe dehors, a-t-il commencé, alors qu'on entendait toujours rugir les manifestants. Mais si ces gens-là disent ce qu'ils disent, c'est parce que, lorsque vous tenez des propos comme : "Nous allons mettre beaucoup de mineurs au chômage", ce sont eux qui vont en pâtir. »

Il m'a tendu une photo de ses trois jeunes enfants, un fils et deux filles. « Je veux qu'ils sachent qu'ils ont un avenir dans cet État, parce que c'est un État phénoménal. J'ai passé toute ma vie ici. Les gens d'ici sont des gens fiers. Nous sommes fiers de notre foi, fiers de notre famille et fiers de notre travail. Nous sommes fiers de travailler dur. »

Puis il est entré dans le vif du sujet : « Je veux juste – je veux juste comprendre comment vous pouvez dire que vous allez mettre beaucoup de mineurs au chômage, et avoir le culot de venir ici nous expliquer que vous allez être notre amie. Les gens qui manifestent dehors ne vous voient pas comme une amie.

– Je sais bien, Bo, lui ai-je répondu. Il n'y a qu'une seule explication : ce n'était absolument pas ce que je voulais dire. » Je voulais tant qu'il me comprenne ! Certes, je n'avais aucune chance de convaincre la foule dehors, mais je pouvais peut-être lui montrer que je n'étais pas la caricature cruelle qu'on voulait leur vendre. J'ai dit à quel point j'étais désolée, et que je comprenais la colère des gens.

« Je vais faire tout ce que je peux pour vous aider, ai-je ajouté. Que les gens de la région votent pour moi ou non, je vous jure que je vous soutiendrai. »

Bo m'a regardée en me montrant la photo de ses enfants. « Un beau jour, j'ai dû rentrer chez moi annoncer à ces trois jolis visages que je venais de perdre mon emploi. J'ai dû rentrer chez moi promettre que nous trouverions un moyen de nous en sortir ; et que je n'étais pas inquiet, car Dieu prendrait toujours soin de nous, d'une façon ou d'une autre ; je devais m'efforcer de garder la tête haute pour qu'ils comprennent ce que je voulais dire. »

Il a raconté que, quelques heures plus tôt, il était allé chercher son benjamin à l'école et lui avait proposé de s'arrêter manger quelque part. « Non, papa, lui avait répondu son fils, il ne faut pas qu'on dépense nos sous. » Ça m'a brisé le cœur.

Après cette discussion, j'ai pris à part Bo et Lauren. Je voulais les remercier de leur sincérité. Bo m'a confié que, dans les moments difficiles, il s'en remettait à sa foi chrétienne. Elle était au cœur de sa vie. J'ai moi aussi parlé de ma foi, et le temps d'une minute, nous étions simplement trois personnes partageant la sagesse du prophète Michée : « Pratique la justice, aime la miséricorde et marche humblement avec ton Dieu[7]. »

Bo était un homme fier, mais il comprenait que sa région et lui avaient besoin d'aide. Pourquoi n'y avait-il pas plus de programmes en place pour aider les gens motivés à trouver de bons emplois pour

---

7. Michée, VI, 8.

remplacer ceux qui disparaissent ? Pourquoi n'avait-il personne vers qui se tourner ? m'a-t-il demandé. Je lui ai parlé de mes projets pour attirer de nouveaux employeurs dans la région et soutenir les petites entreprises comme celle de sa femme. Ils n'allaient pas résoudre tous leurs problèmes en une nuit, mais ils contribueraient à améliorer leur vie. Et si nous obtenions des résultats positifs, les gens recommenceraient à croire que le progrès n'est pas hors d'atteinte. Le fait que mes promesses de campagne n'avaient pas beaucoup de poids ne m'échappait pas. En partant de Charleston, j'ai appelé mon mari. « Bill, nous devons aider ces gens. »

Comment donner une chance aux populations de comtés ruraux comme Mingo et McDowell ?

Tout d'abord, nous devons trouver un moyen d'empêcher l'administration Trump d'empirer gravement les choses.

J'espère que, au moment où vous lirez ces lignes, les républicains auront échoué à abroger l'Obamacare, mais rien n'est moins sûr. Le plan santé de Trump aurait des conséquences dévastatrices sur les régions rurales qui manquent de moyens, en particulier pour les personnes âgées et les familles qui bénéficient de Medicaid. À l'heure où l'addiction aux opioïdes ravage les communautés rurales des États-Unis, Trump et les républicains du Congrès veulent abroger la disposition de l'Affordable Care Act qui impose aux assureurs de rembourser les soins psychiatriques et le traitement des addictions. J'ose à peine imaginer ce que cela signifierait pour les usagers de drogue en rémission, leurs familles, les médecins, les conseillers en toxicomanie et les officiers de police que j'ai rencontrés en Virginie-Occidentale et dans tout le pays : même aujourd'hui, ils arrivent à peine à contrôler cette épidémie.

Au-delà du domaine de la santé, Trump veut retirer pratiquement tout financement fédéral à la diversification économique et au développement des régions minières. Il a proposé de fermer la Commission régionale des Appalaches qui a investi plus de 387 millions de dollars pour la seule Virginie-Occidentale, contribuant ainsi à créer des milliers d'emplois, et soutenu des efforts locaux comme le Williamson Health and Wellness Center. Il faut aux Appalachiens plus d'investissement et non moins ; plus d'accès à l'Internet haut débit, bon marché et fiable, pour les particuliers et les entreprises ; plus de programmes de formation de haute qualité préparant efficacement les étudiants à des emplois qui existent réellement, au lieu de distribuer des diplômes inutiles qui finissent encadrés au mur comme décoration, mais ne débouchent sur rien ; et des incitations comme les crédits d'impôt pour les nouveaux marchés, capables d'attirer de nouveaux employeurs, extérieurs au secteur minier, pour construire une économie durable.

Les promesses de Trump sonnent de plus en plus creux. Après l'élection, il s'est targué d'avoir persuadé le fabricant de systèmes de climatisation Carrier de garder en Indiana des centaines d'emplois manufacturiers qu'il voulait délocaliser au Mexique. Depuis, on a appris qu'il s'agissait d'une arnaque : Carrier a reçu des millions en subventions des contribuables et a délocalisé malgré tout 630 postes. Rien de bien surprenant pour qui suit un peu la carrière de Trump.

Il a aussi promis de rouvrir des mines de charbon et de rendre à ce secteur sa gloire d'antan. Mais quoi qu'il dise, et quoi qu'aient envie de croire beaucoup de gens, la dure vérité est que le charbon ne reviendra pas. Même Gary Cohn, le propre directeur du Conseil économique national de Trump[8], l'a confessé dans un moment de franchise en mai 2017 : « Le charbon n'a plus aucun sens aujourd'hui. » La classe politique se doit de dire honnêtement à la population qui vivait de cette industrie depuis des générations ce qui va lui arriver.

J'ai l'impression que tout ce débat sur le charbon se déroule dans une réalité parallèle. Lorsqu'on écoute les informations ou les discours des politiques, on a l'impression que le charbon est l'unique industrie de la Virginie-Occidentale. En réalité, le nombre de mineurs diminue depuis déjà la fin de la Seconde Guerre mondiale. Dans les années 1960, moins de 50 000 habitants de Virginie-Occidentale travaillaient dans ce secteur. À la fin des années 1980, ils étaient moins de 28 000. Les effectifs ont suivi les fluctuations des prix du charbon, mais cela fait vingt-cinq ans que l'industrie charbonnière n'atteint même plus 5 % de l'emploi total dans cet État. Aujourd'hui, les habitants de Virginie-Occidentale sont bien plus nombreux à travailler dans la santé ou l'éducation – c'est pourquoi maintenir l'Affordable Care Act est vital pour sécuriser les emplois de la région.

Dans notre pays, la production d'énergie solaire représente deux fois plus d'emplois que l'industrie du charbon. Figurez-vous : depuis 2001, la grande distribution a perdu un demi-million d'emplois. C'est

---

8. Le National Economic Council (Conseil économique national), ou NEC, est un organisme qui fait partie du Bureau exécutif du président des États-Unis. Créé le 25 janvier 1993 sous Bill Clinton, il s'occupe de la politique économique américaine. Le NEC est notamment chargé de mettre en pratique le programme économique du président.

bien plus que dans le charbon, et de très loin ! Entre octobre 2016 et avril 2017 seulement, près de 89 000 Américains ont perdu leur emploi dans la vente – ce qui est plus que tous les travailleurs actuels des mines de charbon réunis. Pourtant, le charbon continue à peser beaucoup plus lourd dans notre politique et dans notre imaginaire national.

Au fond, nous sommes prisonniers d'une vision obsolète de la classe ouvrière américaine, qui représente nos priorités politiques de façon irréaliste. Depuis l'élection, la presse et les analystes politiques partent du présupposé que « la vraie Amérique » est un pays d'hommes blancs, d'âge mûr, qui travaillent sur des chaînes de montage, une casquette sur la tête – ou qui le faisaient du moins avant qu'Obama ne saccage tout. Bien entendu, il y a des Américains qui correspondent à cette description, et qui méritent notre respect et une chance de gagner confortablement leur vie. Mais moins de 10 % des Américains travaillent aujourd'hui à l'usine et à la ferme, contre 36 % en 1950. De nos jours, la plupart des Américains de la classe ouvrière occupent des postes de service : les infirmières, les assistants médicaux, les assistantes maternelles et les programmateurs informatiques, par exemple, en font partie. Beaucoup d'entre eux sont des gens de couleur et des femmes. Il se trouve en effet que les deux tiers des emplois payés au minimum légal sont occupés par des femmes dans notre pays.

Abroger l'Obamacare ou se lancer dans une guerre commerciale contre la Chine n'améliorera en rien la vie de ces Américains, alors qu'augmenter le salaire minimum garanti le ferait certainement. Et comment ! Il y a des moyens de faire une différence : lancer un programme ambitieux pour construire et réparer nos ponts, nos tunnels, nos routes, nos ports, nos aéroports, et étendre notre réseau Internet à haut débit aux régions reculées. Renforcer les syndicats et faciliter l'organisation des travailleurs afin qu'ils négocient de meilleurs salaires et avantages sociaux, voilà qui contribuerait grandement à reconstruire la classe moyenne. On ne ferait aussi que gagner de l'aide apportée aux familles sous pression, en leur accordant des congés parentaux payés et des possibilités abordables de garde d'enfant et de soins aux personnes âgées. Il faudrait aussi assurer une « option publique » pour l'assurance-maladie et autoriser plus de gens à accéder à Medicare et à Medicaid contre paiement, ce qui contribuerait à augmenter le nombre d'assurés et à réduire les coûts.

Il y a un autre point que nous devons évoquer sincèrement : quels que soient nos efforts, il sera très difficile de créer des opportunités économiques significatives dans toutes les régions reculées de notre grand pays. Dans certaines zones, les emplois perdus ne reviendront pas, et il n'y a ni les infrastructures ni la main-d'œuvre nécessaires pour y accueillir de nouveaux secteurs d'activité importants. Certains vont sans doute devoir prendre la dure décision de quitter leur ville natale pour aller chercher du travail ailleurs dans le pays.

Nous savons que cette évolution des choses est aussi un moteur de puissants changements. Dans les années 1990, l'administration Clinton a lancé le programme expérimental « Moving to Opportunity for Fair Housing[9] ». On a donné à des familles pauvres vivant dans des logements sociaux des « chèques loyer » qui leur ont permis de déménager vers des quartiers plus sûrs et plus aisés. Les enfants vivaient tous les jours dans un environnement plus facile. Vingt ans plus tard, ces mêmes enfants avaient grandi et gagnent en moyenne mieux leur vie – et sont plus nombreux à être allés à l'université – que leurs camarades qui sont restés dans les quartiers défavorisés. Plus ils ont déménagé jeunes, plus la différence est nette.

Les générations d'Américains qui nous ont précédés se déplaçaient bien plus fréquemment dans le pays que nous le faisons aujourd'hui. Des millions de familles noires ont ainsi quitté le Sud rural pour le Nord urbain ; beaucoup de Blancs pauvres ont quitté les Appalaches pour venir travailler dans les usines du Midwest ; mon propre père a sauté dans un train de marchandises en provenance de Scranton en Pennsylvanie à Chicago en 1935, pour trouver un emploi.

Force est néanmoins de constater que, en dépit de progrès technologiques de taille, les Américains sont de moins en moins mobiles. L'un des sidérurgistes en reconversion que j'ai rencontrés au Kentucky m'a raconté avoir trouvé un travail qui lui plaît à Colombus, dans l'Ohio, mais qu'il préférait faire les 200 kilomètres aller-retour chaque semaine plutôt que de déménager. « Quand on est né au Kentucky, on veut vivre au Kentucky, m'a dit un autre. C'est dans notre ADN. » Je comprends ce sentiment. Notre identité et nos bases d'appui – la famille élargie, les amis, la paroisse, etc. – sont enracinées dans notre lieu d'origine, un point sensible qui peut se révéler très douloureux. Et aucun politique ne veut prendre sur lui d'attaquer le sujet.

---

9. « Moving to Opportunity for Fair Housing » (MTO) est une expérience de terrain menée dans les années 1990 auprès de 4600 familles américaines et leurs enfants. Cette étude a montré l'importance de l'environnement sur la réussite sociale et scolaire, en particulier sur les jeunes de moins de 13 ans.

Après avoir fait des pieds et des mains pour créer de nouveaux emplois dans les petites villes et zones rurales en détresse, nous devons leur fournir les outils et connaissances nécessaires pour partir en quête d'opportunités ailleurs – et proposer un filet de sécurité solide à la fois à ceux qui partent et à ceux qui restent.

Qu'il s'agisse d'améliorer nos politiques pour les adapter aux changements de situation des travailleurs américains ou d'encourager une plus grande mobilité, le principe est le même : ne nous engageons pas dans une bataille perdue d'avance en cherchant à retarder la fin d'un monde. Nous devons créer de nouvelles opportunités, pas simplement ralentir la disparition des anciennes. Abandonnons toute tentative de ressusciter l'économie du passé. Il nous incombe de trouver des solutions pour améliorer les conditions d'emplois qui existent toujours, sans quoi nous ne pourrons créer ceux de demain dans des domaines tels que les énergies renouvelables, la santé, le bâtiment, la programmation informatique et la fabrication de pointe.

Les républicains seront toujours plus forts pour défendre le passé – les démocrates doivent s'occuper de l'avenir. La bonne nouvelle est la foule d'idées dont nous disposons pour améliorer la vie des citoyens dans une économie moderne. Comme vous avez pu le constater, j'ai formulé de nombreuses propositions dans le cadre de ma campagne. Il se peut que les démocrates ne soient que dans l'opposition à Washington, mais nous devons pourtant continuer à promouvoir des solutions meilleures et innovantes.

Lors de ce déplacement en Virginie-Occidentale, je me suis entretenue avec un groupe de mineurs à la retraite. Ces hommes avaient fait pendant des années un métier dangereux et étaient terrifiés à l'idée de perdre l'assurance-maladie et la pension qu'on leur avait promises, souvent en échange d'une baisse de leur salaire.

L'un d'eux m'a raconté une histoire qui m'a beaucoup marquée.

Il y a des années, lorsqu'il avait commencé à travailler à la mine, il avait promis à sa femme : « Tu n'as pas de soucis à te faire, dans notre entreprise nous sommes syndiqués, nous aurons notre assurance-maladie, notre retraite, ne t'inquiète pas ! » Mais il était ennuyé que beaucoup de ses voisins n'aient pas droit aux mêmes avantages.

En 1992, il a décidé de voter pour la première fois de sa vie, car il tenait à voter pour Bill. Quand ses amis mineurs lui demandaient pourquoi, il répondait qu'il n'avait qu'un seul motif : l'assurance-maladie. « Mais tu en as déjà une ! Pourquoi t'inquiéter ? » répliquaient les autres. Lui n'en voulait pas entendre parler : « Il y a des gens qui n'en ont pas », répondait-il catégoriquement. Quand l'Obamacare a finalement été voté, il a pensé que cette loi n'allait pas assez loin.

Certaines compagnies charbonnières tentent à présent de retirer les pensions et prestations promises depuis si longtemps. La sécurité qu'il avait présentée à sa femme comme une certitude absolue risquait soudain de s'évaporer.

« Nous devons prendre soin les uns des autres, m'a-t-il dit. Nous sommes tous le gardien de notre frère. Je suis croyant et sais que Dieu nous aidera à traverser cette période difficile. Mais nous ne devons pas oublier de prendre soin de nos frères. »

La plupart des personnes que je rencontre dans des régions comme Ashland au Kentucky ou Williamson en Virginie-Occidentale sont des gens bien qui vivent mal et aspirent désespérément au changement. J'aurais tellement voulu réussir à adoucir leurs peurs et leurs frustrations ! Mais il n'y avait aucune chance : la méfiance était trop profonde, et le poids de l'histoire, trop lourd. Je n'ai pas su créer le lien affectif ni trouver les mots pour leur faire sentir à quel point j'avais envie d'aider leurs localités et leurs familles.

Là où il y a la volonté de condamner, les preuves vont suivre.

Proverbe chinois

Ces fichus e-mails

Nous sommes en 2037 et vous êtes un collégien en cours d'histoire. La leçon porte sur la présidentielle de 2016 qui a mis au pouvoir le président le moins expérimenté, le moins instruit et le moins compétent que notre pays ait jamais connu. Il a dû se passer quelque chose d'extrêmement grave, vous dites-vous, avant qu'on vous explique qu'un seul sujet a monopolisé l'attention de la presse et le débat public pendant cette élection. « Le changement climatique ? demandez-vous. La santé ? – Non, répond l'enseignante, c'étaient des e-mails ! »

L'e-mail, poursuit-elle, était une forme primitive de communication électronique très populaire à cette époque. Une candidate avait pris la décision peu intelligente d'utiliser un compte de messagerie personnel à des fins professionnelles – comme de nombreux autres hauts responsables du gouvernement, qui avaient, par ailleurs, continué à le faire. L'affaire a rapidemment tourné au scandale et éclipsé tous les autres sujets de la campagne. À la télévision en 2016, on avait trois fois plus de chances d'entendre parler de ces e-mails que de tous les problèmes nationaux réunis.

« Quelqu'un a-t-il commis un crime ? demandez-vous, en vous creusant la tête, ou mis en danger notre sécurité nationale ?

– Ni l'un ni l'autre », répond l'enseignante dans un haussement d'épaules.

Ce petit récit vous paraît-il absurde ? À moi aussi.

Quant à vous qui êtes encore dans le présent, on vous en a déjà rebattu sérieusement les oreilles, de mes e-mails. Ces « fichus e-mails », pour citer la formule mémorable de Bernie Sanders ! Et c'est sûrement la dernière chose sur laquelle vous avez envie d'en apprendre davantage. Si c'est le cas, je vous invite à passer au chapitre suivant – même si je préférerais que vous jetiez un coup d'œil sur les pages à suivre, pour comprendre comment ce qui se passe aujourd'hui est lié à cette histoire. D'un autre côté, si je pouvais effacer cette séquence de ma mémoire, je le ferais bien volontiers.

Après l'élection, pendant des mois, j'ai tenté de me sortir cette affaire de la tête. À quoi bon ressasser mon erreur ? Il n'était ni sain ni productif de broyer du noir en pensant aux coups de poignard de Jim Comey, l'ancien directeur du FBI – et il y en a eu trois durant les cinq derniers mois de la campagne.

Puis, à ma grande surprise, mes e-mails ont refait surface à la une des journaux. Le 9 mai 2017, Donald Trump a démis Comey de ses fonctions. La Maison-Blanche a par la suite fait circuler un mémorandum rédigé par Rob Rosenstein, le vice-ministre de la Justice, qui dénonçait le manque de professionnalisme de Comey dans l'enquête sur mes e-mails. Selon ce texte, c'était la raison pour laquelle il avait été renvoyé. (Vous avez bien lu. Donald Trump a affirmé avoir viré Comey parce que son enquête sur mes e-mails était trop injuste envers… moi.) « De l'avis quasi unanime », écrivait Rosenstein, Comey avait commis de sérieuses erreurs : en particulier me dénigrer lors d'une conférence de presse, ou informer le Congrès de la réouverture de l'enquête onze jours seulement avant le scrutin. Le 19 mai 2017, témoignant devant le Congrès, Rosenstein a déclaré que la conférence de presse de Comey avait été « tout à fait malvenue et injuste ».

Alors que j'ai lu ce mémorandum, je n'en croyais pas mes yeux. Voilà que le numéro deux du ministère de la Justice de Trump avait écrit noir sur blanc tout ce que j'avais en tête depuis des mois. Il citait d'anciens ministres et vice-ministres de la Justice des deux partis. C'était comme si, après plus de deux ans d'hystérie collective, le monde retrouvait enfin la raison.

Mais cette version s'est vite effondrée. Sur une chaîne de télévision nationale, Trump a avoué à Lester Holt de NBC que le véritable motif du licenciement de Comey avait été son enquête sur une coordination possible entre sa campagne et les services secrets russes – sur « ce truc russe », a été le choix exact des mots du président. Je n'en fus pas surprise. Trump savait que, même si Comey commettait des erreurs, il ne mentait pas sur les points de droit. Il avait ainsi souligné qu'il n'y avait aucune charge contre moi, malgré l'insistance des républicains (et des pressions internes au FBI) pour lui faire dire le contraire. Quand il a confirmé au Congrès en 2017 que le FBI enquêtait sur la Russie, j'ai tout de suite su que son temps était compté.

Ce fut tout de même incroyable de voir Comey passer du statut de méchant à celui de martyr en quelques secondes.

Pour saisir la portée de ces événements, il faut garder simultanément deux idées en tête : Rosenstein avait raison à propos de l'enquête sur mes e-mails, et Comey tort ; mais Trump a commis une erreur en renvoyant Comey à cause de la Russie. Ces deux affirmations sont vraies. Et consternantes.

Bien qu'il me soit très douloureux de revenir sur cette saga délirante, il est aujourd'hui plus important que jamais de comprendre comment cette affaire a pu gonfler jusqu'à prendre les dimensions d'une polémique capable de faire basculer l'élection. Beaucoup n'y comprennent toujours rien ; ils savent juste que c'était grave. Comment leur en vouloir ? C'est ce qu'on leur a répété en boucle pendant un an et demi. Durant la campagne présidentielle proprement dite, lorsqu'on demandait aux gens le premier mot qui leur venait à l'esprit en pensant à moi, ils répondaient majoritairement : « e-mail ».

D'abord, je tiens à le répéter, utiliser une messagerie privée et non un compte gouvernemental officiel était ma décision. À moi seule. Je n'ai jamais voulu tromper personne, je n'ai jamais caché que j'utilisais ce compte personnel, et j'ai toujours traité les informations confidentielles sérieusement.

Lors de la campagne, j'ai essayé sans relâche d'expliquer que j'avais agi en toute bonne foi. J'ai tenté de m'excuser, même si je savais que les attaques qui me visaient étaient fausses ou largement exagérées, et avaient des motivations partisanes. Parfois, j'entrais dans tous les détails. D'autres fois, je prenais de la hauteur. Un jour, j'ai même fait une mauvaise blague. Mais je n'ai jamais trouvé les mots justes. Laissez-moi donc essayer à nouveau :

J'ai commis une erreur stupide.

Mais ce « scandale » a été plus stupide encore.

J'étais dans des sables mouvants : plus je me débattais, plus je m'enfonçais. Parfois j'avais l'impression de devenir folle, ou que le monde entier devenait fou. D'autres fois, je devenais irascible avec mon équipe. J'avais envie de fabriquer des poupées vaudoues pour certains journalistes et parlementaires et de les cribler d'aiguilles. Mais, surtout, j'étais furieuse contre moi-même.

Étant donné mon incapacité à expliquer cette histoire chaotique, j'ai décidé de laisser le soin à d'autres de le faire à ma place cette fois-ci. J'espère que ce choix aidera à mettre en relation les informations afin de comprendre ce qui s'est passé, et – c'est tout aussi important – ce qui ne s'est pas passé.

Ce qui est fait est fait, rien ne peut le défaire, mais cette méthode m'aide à évacuer ma colère – et c'est nécessaire à ma santé mentale !

Selon nos renseignements, elle a choisi cette messagerie par commodité.

Jim Comey, directeur du FBI, témoignage au Congrès, 7 juillet 2016.

Oui, c'était censé être pratique. Quelques-uns ont douté de cette explication, mais c'est ce que le FBI a conclu après des mois d'enquête. Et c'est la vérité.

De nos jours, les jeunes ont l'habitude de se balader avec plusieurs appareils ; ils ont un téléphone personnel et un deuxième pour le travail. Mais je ne suis pas née à l'ère numérique. (Je n'ai d'ailleurs compris cette formulation que très récemment.) Je n'ai pas envoyé un seul e-mail lorsque j'étais première dame à la Maison-Blanche, ni durant l'essentiel de mon premier mandat de sénatrice. Je ne m'étais jamais servie d'un ordinateur à la maison ou au travail. Ce n'est qu'en 2006 que j'ai commencé à recevoir et à envoyer des e-mails avec mon BlackBerry. J'avais un simple compte AT&T comme des millions de personnes, et je l'utilisais pour mes e-mails professionnels et personnels. C'était mon système, et il me convenait.

Une fois devenue secrétaire d'État, ajouter un autre compte m'aurait obligée à jongler avec deux téléphones, car les deux messageries ne pouvaient pas cohabiter sur l'appareil appartenant au département d'État. Je savais que Colin Powell, lorsqu'il était secrétaire d'État, se servait exclusivement de sa messagerie privée. Je savais aussi que le gros du travail d'un secrétaire d'État ne se faisait pas par e-mail. Pour toutes ces raisons, je n'ai pas vraiment réfléchi à la question à mon entrée en fonction – j'avais d'autres choses en tête. Bien sûr, je m'en mords les doigts aujourd'hui.

Début 2009, j'ai transféré mon compte de messagerie du serveur AT&T sur celui que le bureau de mon mari avait fait installer dans notre maison de Chappaqua, gardée par le Secret Service. On m'a demandé : « Pourquoi avez-vous installé ce serveur ? » La réponse est que je ne l'ai pas installé ; il était déjà là. Mon mari s'en servait depuis des années et l'avait récemment mis à jour. Cela faisait sens de l'utiliser aussi pour mes e-mails. J'ai donc transféré mon compte sur ce serveur. Je pouvais continuer à me servir de mon BlackBerry comme je l'avais toujours fait.

J'envoyais souvent des e-mails à Chelsea et aux collaborateurs de Bill – s'agissant de sa vie privée, il ne communique jamais par e-mail, nous préférons toujours le téléphone –, ainsi qu'à des parents et amis. Mais, lors des quatres années de fièvre qui ont suivi, j'ai très peu utilisé le courrier électronique dans mon travail. J'ai participé à énormément de réunions, discuté par téléphone (à la fois sur des lignes normales et sécurisées), lu des tonnes de dossiers de synthèse et parcouru plus d'un million de kilomètres pour rencontrer mes interlocuteurs en personne dans 112 pays.

Plus tard, quand nous avons entrepris de rassembler tous mes e-mails professionnels, nous en avons trouvé beaucoup de ce type :

De : H
À : John Podesta
Envoyé : dimanche 20 septembre 2009, 22:28
Objet : Re : Quand peut-on se parler ?

Je suis constamment au téléphone au sujet des Nations unies. Ça n'arrête pas. Je peux t'appeler demain matin ? Entre 6 h 30 et 8 heures, ou c'est trop tôt ? N'oublie pas de mettre des chaussettes cette nuit pour garder tes pieds au chaud.

Oui, je dis à mon ami John de porter des chaussettes chaudes. Il y a aussi celui-ci, où je tente désespérément de faire fonctionner le fax :

De : H
À : Huma Abedin
Envoyé : mercredi 23 décembre 2009, 14:50
Objet : Re : Peux-tu raccrocher la ligne du fax, ils vont rappeler et faxer.

C'est fait.

– Message d'origine –
De : Huma Abedin
À : H
Envoyé : mercredi 23 décembre 2009, 14:43
Objet : Re : Peux-tu raccrocher la ligne du fax, ils vont rappeler et faxer.

Oui, mais raccroche à nouveau. Pour qu'ils puissent rétablir la communication.

– Message d'origine –
De : H
À : Huma Abedin
Envoyé : mercredi 23 décembre 2009, 14:39
Objet : Re : Peux-tu raccrocher la ligne du fax, ils vont rappeler et faxer.

Je croyais qu'il fallait décrocher pour que ça marche ?

Et celui-ci, qui me fait toujours sourire :

De : H
À : Huma Abedin
Envoyé : mercredi 10 février 2010, 15 : 19
Objet : Re : Diane Watson prend sa retraite.

J'aimerais l'appeler.
Mais je me bats avec le standardiste de la Maison-Blanche. Il ne me croit pas quand je lui dis qui je suis. Il réclame la ligne directe de mon bureau, alors que je n'y suis pas. Je viens de lui donner le numéro de mon domicile et du département d'État, mais je lui ai expliqué que je n'avais pas la moindre idée du numéro de mon bureau, car il est rare que je passe des coups de fil à moi-même ! J'ai fini par raccrocher et cette fois-ci j'appelle *via* notre standard comme une vraie secrétaire d'État complètement assistée – aucune composition de numéro autonome autorisée !

Finalement, ce qui était censé être pratique s'est révélé compliqué. Si je l'avais su depuis le début, j'aurais sans aucun doute choisi un autre système. N'importe lequel aurait été meilleur. Graver les messages dans la pierre et les traîner à travers la ville jusqu'à leur destinataire aurait été préférable.

La législation et les réglementations n'interdisaient pas aux employés d'utiliser leurs comptes de messagerie personnels pour la conduite des affaires officielles du département d'État.

Rapport de l'inspecteur général du département d'État, mai 2016.

C'est clair, non ? Il y a dans chaque ministère du gouvernement fédéral un inspecteur général qui contrôle la conformité aux lois et aux réglementations. L'inspecteur général du département d'État et ses principaux collaborateurs – dont un travaillait précédemment pour le sénateur républicain Chuck Grassley – n'étaient pas de mes amis. Ils ont vraiment cherché la petite bête. Mais, après avoir vérifié toutes les règles en vigueur lorsque j'étais secrétaire d'État, ils en ont tiré la conclusion ci-dessus. Il y a eu sur ce point beaucoup de confusion et d'émoi dans la presse – en partie parce que certaines règles ont changé après que j'ai quitté mes fonctions. Mais, comme l'a confirmé le porte-parole de l'inspecteur général du département d'État, utiliser sa messagerie personnelle n'était pas interdit.

Avant John Kerry, aucun secrétaire d'État n'a utilisé d'adresse mail « state.gov ».

Karin Lang, diplomate de carrière chargée de la gestion du personnel secondant le secrétaire d'État, déposition de juin 2016.

Je n'ai pas été la première à me servir d'une messagerie privée. Et pas la dernière non plus. Colin Powell n'utilisait qu'un compte AOL. John Kerry, le premier secrétaire d'État à disposer d'une adresse mail « state.gov », a reconnu qu'en 2015 il continuait à utiliser sa messagerie personnelle à des fins professionnelles. Tout cela n'était pas vraiment surprenant. Et ce n'était pas un secret. J'écrivais depuis mon adresse personnelle à plus d'une centaine de dirigeants gouvernementaux, dont le président et des responsables de la Maison-Blanche. Les informaticiens du département d'État m'ont souvent aidée à utiliser mon BlackBerry, surtout lorsqu'ils ont compris à quel point j'étais brouillée avec la technologie.

Quant à l'archivage, puisque l'écrasante majorité des personnes avec qui je correspondais étaient des responsables publics utilisant leur adresse « .gov », j'avais toutes les raisons de croire que les e-mails que je leur envoyais étaient enregistrés par les serveurs de l'État, archivés et mis à disposition pour les requêtes au titre du FOIA[1].

En ce qui concerne une potentielle intrusion électronique d'agents hostiles, nous n'avons trouvé aucune preuve directe indiquant que le compte personnel de la secrétaire d'État Clinton, dans ses différentes configurations depuis 2009, avait été piraté.

Jim Comey, directeur du FBI, conférence de presse du 5 juillet 2016.

On a très souvent laissé entendre que le serveur du bureau de mon mari était vulnérable au piratage. Or, on a découvert que le réseau du département d'État et beaucoup d'autres systèmes gouvernementaux très sensibles, dont ceux de la Maison-Blanche et du Pentagone, avaient été piratés. Les e-mails de Colin Powell ont été piratés. Mais, de l'aveu même de Comey, il n'y a jamais eu aucune preuve indiquant que les miens l'avaient été. Quelle ironie ! Il se pourrait qu'ils aient été bien plus en sécurité là où ils étaient.

Tout le monde pensait que Hillary Clinton était imbattable, n'est-ce pas ? Mais nous avons monté un comité spécial sur Benghazi, composé de personnes triées sur le volet. Et que disent les sondages aujourd'hui ? Elle plonge.

Kevin McCarthy, leader de la majorité républicaine à la Chambre des représentants, sur Fox News, 29 septembre 2015.

C'est ici que l'histoire prend une tournure partisane et nauséabonde. Depuis des années, les républicains tentent sans vergogne de tirer parti de l'attaque terroriste de septembre 2012 à Benghazi, en Libye. Ce fut une tragédie, qui me tient encore éveillée la nuit à me demander ce

---

1. Le Freedom of Information Act (loi sur la liberté d'information), ou FOIA, est une loi américaine signée le 4 juillet 1966 par le président Lyndon B. Johnson. Elle a été mise en place pour donner au public un accès plus facile aux documents administratifs américains. Elle oblige les agences fédérales à transmettre leurs documents non classés secrets à tous ceux qui en font la demande.

que nous aurions pu faire de plus pour l'empêcher. Lors des drames précédents, notamment les attentats à l'explosif contre notre ambassade et le cantonnement des Marines à Beyrouth, en 1983, qui ont tué 241 Américains, et ceux qui ont visé nos ambassades au Kenya et en Tanzanie en 1998, tuant 12 Américains et des centaines d'Africains, il y avait eu de vrais efforts bipartisans pour apprendre de nos erreurs et renforcer la sécurité. Après les attaques de Benghazi, en revanche, les républicains se sont servis de la mort de quatre Américains courageux pour monter une mascarade partisane. Il ne leur suffisait pas que sept enquêtes du Congrès (dont cinq menées par des républicains) et une commission externe aient conclu, après examen approfondi des faits, que ni le président Obama ni moi n'étions personnellement responsables de cette tragédie. Les présidents du comité républicains avaient fait leur travail, mais les dirigeants de leur parti n'étaient pas satisfaits. Ils voulaient tirer de cette affaire plus d'avantages politiques. Ils ont donc créé un « nouveau » comité spécial afin de me faire le plus de mal possible.

Comme l'a laissé échapper Kevin McCarthy, le numéro 2 des républicains à la Chambre, dans sa déclaration d'une rare sincérité, il fallait faire quelque chose pour me nuire. Il se trouve qu'il ambitionnait également de devenir président de la Chambre, et voulait ainsi faire impression à droite.

Ce n'est qu'en octobre 2015 que les républicains m'ont enfin appelée à témoigner. À ce moment-là, leur obsession pour mes e-mails avait éclipsé depuis longtemps les enquêtes sur les attentats terroristes. Les républicains qui dirigeaient le comité avaient annulé dix auditions prévues sur des questions de sécurité pour se concentrer uniquement sur moi. J'avais déjà témoigné sur les attaques à la Chambre et au Sénat en 2013 ; je n'avais donc pas grand-chose de nouveau à raconter. Pourtant, j'ai dû répondre à leurs questions pendant onze heures. Aussi clairement partisan qu'ait été cet exercice, j'étais heureuse de pouvoir clarifier la situation.

Juste avant le début de l'audition, les républicains m'ont remis un énorme classeur bourré d'e-mails et de mémos, dont certains que je n'avais jamais lus. Ils m'ont prévenue qu'ils pouvaient m'interroger sur n'importe lequel. Puis ils ont joué des coudes pour obtenir un de ces spectaculaires « je te tiens ! » qui passerait en boucle à la télévision. Tout cela était un peu maladroit. Un membre du Congrès, pointant un doigt accusateur sur un paragraphe d'un de mes e-mails, affirmait qu'il contenait la révélation de quelque méfait. J'attirais son attention sur le paragraphe suivant, qui prouvait le contraire. Et ainsi de suite.

Après quoi le président républicain Trey Gowdy a piteusement admis que tout cela n'avait servi à rien. Quand on lui a demandé quelles nouvelles informations avaient emergé de ces onze heures d'interrogatoire serré, il a réfléchi plusieurs secondes, sans trouver rien à répondre. J'étais au fond du couloir dans une petite salle de conférence, où je félicitais mes collaborateurs. Ils avaient travaillé d'arrache-pied pour me préparer à cette audition. Souhaitant les remercier, j'ai invité tout le monde chez moi, dans le nord-ouest de Washington. Nous nous sommes fait livrer des plats indiens et avons enfin relâché la pression.

La presse a reconnu que le comité avait été un fiasco pour les républicains. Mais j'avais assez d'expérience des scandales à Washington pour savoir que le mal était fait. Si elles sont répétées assez souvent, les accusations vous collent à la peau, ou du moins laissent sur vous une trace indélébile.

L'ex-secrétaire d'État Clinton avait tout à fait le droit d'effacer ses e-mails personnels sans supervision du département d'État.

Mémoire du ministère de la Justice à la cour, septembre 2015.

Le comité sur Benghazi a demandé au département d'État un nombre faramineux de documents. En août 2014, parmi les 15 000 pages d'e-mails qui lui ont été fournies, huit messages étaient de moi ou pour moi. À l'époque, personne ne s'intéressait à la raison pour laquelle j'utilisais un compte non « state.gov ».

Quelques mois plus tard, à l'automne 2014, le département d'État, qui souhaitait compléter ses archives, a écrit aux quatre secrétaires d'État précédents – Madeleine Albright, Colin Powell, Condoleezza Rice et moi – pour demander copie de tous les e-mails professionnels que nous aurions encore en notre possession. Les trois autres secrétaires d'État n'ont rien fourni. Aucun document sur les armes de destruction massive et les délibérations qui ont mené à la guerre en Irak. Rien sur la polémique autour de la maltraitance des détenus de la prison d'Abu Ghraib ou sur l'utilisation de la torture. Pas un mot. Madeleine a dit qu'elle n'avait jamais utilisé le courrier électronique au département d'État. Condi non plus, mais certains de ses principaux collaborateurs se servaient de leur messagerie personnelle. Powell a répondu qu'il n'avait gardé aucun de ses messages électroniques de l'époque.

Quant à moi-même, j'ai demandé à mes avocats de rassembler tous les e-mails en ma possession qu'ils pouvaient considérer comme professionnels et de les remettre au département d'État. Il y en avait plus de 30 000. Mes avocats ont délibérément interprété « professionnel » au sens le plus large possible. Plus tard, le département d'État et les Archives nationales ont estimé que 1 258 de ces courriels étaient en fait purement personnels et n'avaient pas à être communiqués à leurs services.

Plus de 30 000 e-mails, c'est énorme, dira-t-on. Mais ils s'étalent sur une période de quatre ans, et beaucoup sont de simples « Merci » ou « À imprimer svp » – ou ne contiennent aucun texte. L'un de mes assistants a calculé le nombre d'e-mails qu'il envoie et reçoit chaque jour. Sur quatre ans, il en avait traité des centaines de milliers. Cela remet les chiffres en perspective.

31 000 autres messages étaient purement personnels et n'avaient rien à voir avec mon travail de secrétaire d'État. J'ai dit qu'ils parlaient de cours de yoga et de la préparation d'un mariage, et on me l'a beaucoup reproché. Mais ces messages contenaient aussi des discussions avec mes avocats, mes médecins, des informations sur la propriété de ma mère, des nouvelles très personnelles, joyeuses ou tristes, envoyées par mes parents et amis – bref, du contenu tout à fait privé. Bien sûr, je ne voulais pas que des étrangers les lisent.

Nous nous sommes donc assuré que nous suivions les règles à la lettre et avons fait en sorte de fournir tous les e-mails qui pouvaient avoir un intérêt, et d'effacer ceux qui étaient privés.

Plus tard, mes adversaires se jetteraient sur cette dernière décision pour m'accuser de tricherie. Mais, comme l'a dit le département de la Justice, les règles étaient claires, et elles s'appliquaient aussi aux e-mails personnels envoyés sur un compte « .gov ». Pour une excellente raison : personne ne veut que ses messages personnels soient rendus publics.

Qu'on l'enferme !

Michael Flynn, conseiller de Donald Trump, à la Convention nationale républicaine, 18 juillet 2016.

J'aurais pu emprunter cette formule à n'importe quel meeting de campagne de Trump, mais il y a une certaine justice poétique à rappeler avec quel enthousiasme Michael Flynn voulait m'envoyer derrière les barreaux.

« Qu'on l'enferme ! » Cette interminable litanie était une nouvelle preuve de la bassesse des marchands de haine républicains et de leurs plus fervents supporters, situation qui m'est tristement familière. Depuis des décennies, des adversaires politiques m'accusent des pires crimes – jusqu'au meurtre – et promettent que je finirai un jour sous les verrous.

L'histoire se répète, mais cela a-t-il appris aux journalistes scrupuleux à réfléchir avant de s'élancer joyeusement dans un nouveau scandale ? Ou aux électeurs à reconnaître le schéma classique des fausses accusations et à accueillir de telles nouvelles avec méfiance ? Loin de là ! Ils se souviennent vaguement des pseudo-scandales passés, mais cela ne fait que renforcer l'idée qu'« il doit y avoir chez elle quelque chose de suspect » et nourrir le fameux « ras-le-bol Clinton », comme on l'a appelé.

Tout au long de la campagne de 2016, j'ai vu comment on enfonce des mensonges dans la tête des gens : tout simplement en les répétant en boucle. Le *fact checking*, la vérification et la rectification des faits, ne sert à rien. J'ai des amis qui démarchent par téléphone ou font du porte-à-porte pour moi. Ils ont rencontré des gens qui leur ont dit qu'ils ne pouvaient pas voter pour moi parce que j'avais tué quelqu'un, vendu de la drogue et commis quantité de crimes non signalés – ce que j'avais fait avec mes e-mails, par exemple. Les attaques étaient si fréquentes que, pour beaucoup, c'est devenu un article de foi : j'avais *forcément* fait quelque chose.

L'hystérie autour des e-mails est devenue sérieuse en mars 2015. Un samedi soir, David Kendall, mon avocat, a reçu un message du *New York Times* qui lui posait plusieurs questions sur mes pratiques en matière de correspondance en ligne. Le quotidien réclamait un retour « avant dimanche soir ou lundi matin au plus tard ». Nous nous sommes hâtés de répondre au plus grand nombre de questions possible. Clairement, quelque chose se tramait. L'article du *New York Times* a été posté sur Internet tard le lundi 2 mars, sous le titre : « Hillary Clinton utilisait sa messagerie personnelle au département d'État, contrevenant peut-être aux règles. »

Comme le rapport de l'inspecteur général a fini par l'établir, c'étaient des foutaises. Le *New York Times* ajoutait de sombres insinuations : « La révélation de ce compte de messagerie privé rappelle des critiques récurrentes adressées à l'ex-secrétaire d'État et à son mari, l'ancien président Bill Clinton, sur leur manque de transparence et leur propension au secret. » Ce n'est qu'au huitième paragraphe que l'article précisait : « Mme Clinton n'est pas la première responsable gouvernementale – ni la première secrétaire d'État – à utiliser un compte de messagerie personnel pour sa correspondance officielle. »

Pour le *New York Times*, l'emploi d'une messagerie privée renforçait la perception commune qui me prêtait un penchant pour le secret, mais j'ai toujours trouvé cette accusation stupéfiante. Bill et moi sommes tellement observés : on en sait plus sur nous que sur toute autre personnalité de la vie politique. Nous avons rendu publics trente-huit ans de déclarations d'impôts (trente-huit de plus qu'une certaine personne), tous mes e-mails du département d'État, les déclarations d'impôts de la Fondation Clinton et la liste de ses donateurs, nos dossiers médicaux – et nous aurions le goût du secret ? Si nous avons parfois fixé des limites, nous ne l'avons pas fait pour garder des secrets, mais pour ne pas devenir fous. Sans compter que, si je voulais garder mes e-mails secrets, j'aurais été bien bête d'utiliser @clintonemail.com !

Les faits objectifs n'ont pas grippé la machine à scandales de Washington. Au contraire, telle une roue de hamster, elle s'est mise à tourner à toute vitesse : d'autres organes de presse ont considéré que, si cette information faisait la une du *New York Times*, elle était forcément importante.

Deux jours après la parution de l'article du *Times*, j'ai demandé, afin de calmer les esprits, que tous les e-mails que j'avais fournis au département d'État soient rendus publics. Un tel niveau de transparence, je le savais, serait du jamais-vu dans la vie publique. De fait, aujourd'hui, j'ai plus d'e-mails accessibles au public que tous les présidents, vice-présidents et secrétaires du cabinet de l'histoire de notre pays réunis. Je n'avais rien à cacher. Si les gens lisaient vraiment ces centaines de messages, me disais-je, ils comprendraient que je ne me servais pas d'un compte personnel pour dissimuler des horreurs. Cela explique peut-être pourquoi la presse s'est jetée sur le moindre détail d'ordre mondain et a ignoré, pour le reste, le contenu des messages : ils n'avaient, pour la plupart, aucun intérêt médiatique. Ils ne contenaient aucune révélation surprenante, pas de secret honteux, pas de trace de malfaisance ni de négligence. Ce qu'ils démontraient, en revanche, me paraissait tout aussi important : l'immense travail et le dévouement des hommes et des femmes du département d'État.

Quand les gens se sont mis à les lire, il y a eu de drôles de réactions. Je suis toujours amusée lorsque certains découvrent qu'en fait je suis une personne normale. Une lectrice a commenté : « Je détestais Hillary plus que personne... jusqu'à ce que je lise ses e-mails. J'ai découvert une Hillary Clinton dont je ne soupçonnais pas l'existence, une femme qui prend soin de ses employés quand ils ont perdu un être cher... qui, si occupée soit-elle, a toujours pris le temps d'envoyer des lettres de condoléances et de félicitations… C'est une négociatrice parfois féroce et intransigeante, mais elle trouve toujours un moment pour écrire un mot d'encouragement à ses amis s'ils traversent une mauvaise passe. » Malheureusement, la plupart des gens n'ont pas lu mes e-mails ; ils ont cru ce que la presse et les républicains en ont dit, et conclu qu'il y avait là, forcément, une part d'ombre, des secrets inavouables.

Le 10 mars, j'ai tenu une conférence de presse. Elle fut assez désagréable. Les journalistes étaient sur les dents, et moi, rouillée, car cela faisait des années que je vivais en dehors de la politique partisane. « Quand j'y repense, il aurait mieux valu que j'aie un second compte et un second téléphone. Mais, à l'époque, cela ne semblait pas être un problème. » C'était vrai. Mais personne ne s'en est satisfait. À ce moment précis, j'aurais dû le comprendre : aucune formule magique ne pourrait prouver que cette histoire était complètement idiote et qu'il fallait tourner la page.

Il aurait été bien préférable pour le **Times** *de se faire voler un scoop plutôt que de publier un article injuste et préjudiciable à sa réputation.*

Margaret Sullivan, *New York Times*, 27 juillet 2015.

Le 23 juillet 2015 au soir, le *New York Times* publie une autre bombe. On pouvait lire en première page : « Demande d'ouverture d'une enquête pénale sur l'utilisation de la messagerie de Clinton. » L'article indiquait que deux inspecteurs généraux avaient demandé au ministère de la Justice « d'ouvrir une enquête pénale pour déterminer si des informations gouvernementales importantes avaient pu être mal gérées à cause de la messagerie personnelle utilisée par Hillary Rodham Clinton lorsqu'elle était secrétaire d'État ». À présent, ma campagne devait aussi répondre à ceux qui voulaient savoir si on était en train de prendre mes mensurations pour une combinaison orange de prisonnière.

Pourtant, le ministère de la Justice a rapidement clarifié la situation : « Nous avons reçu une demande d'examen en lien avec une compromission potentielle d'informations classées », mais « pas de demande de renvoi devant la justice pénale ». Le *New York Times* a dû publier deux rectificatifs et une note du rédacteur en chef afin d'expliquer pourquoi il avait laissé au lecteur « une image confuse de la situation ».

Elijah Cummings, le principal représentant démocrate au sein du comité sur Benghazi, a expliqué ce qui s'était passé : « Je me suis entretenu personnellement avec l'inspecteur général du département d'État jeudi. Il m'a confirmé qu'il n'avait jamais demandé au ministère de la Justice d'ouvrir une enquête pénale sur les pratiques de messagerie électronique de la secrétaire d'État Clinton. Il m'a également dit que l'inspecteur général des services de renseignement avait notifié au ministère de la Justice et au Congrès qu'il avait identifié des informations classées dans quelques e-mails accessibles au titre du FOIA, et qu'aucun de ces messages n'avait été marqué ou classé précédemment. »

Après l'élection, le *New York Times* a défini sa méprise comme une « distinction sans importance », puisque nous savons maintenant qu'il y avait bel et bien une enquête en cours. Mais nous savons également qu'il y avait un désaccord entre le ministère de la Justice et le FBI sur la bonne façon de la qualifier. La position du ministère, telle qu'elle ressort du communiqué d'éclaircissement où ses porte-parole rectifient l'article du *New York Times*, était conforme à la pratique traditionnelle : on s'abstient de confirmer ou d'infirmer qu'une enquête est en cours. Cette règle, Comey l'a scrupuleusement respectée quand il a refusé de parler des investigations sur les liens éventuels entre la Russie et la campagne de Trump. Mais pas sur mes e-mails : là, il a eu beaucoup à dire. Quoi qu'il en soit, le *New York Times* a eu des ennuis parce qu'il n'avait fourni aux lecteurs qu'un seul point de vue. Sa journaliste Margaret Sullivan a publié une cinglante analyse à froid, intitulée : « Un article sur Clinton criblé d'inexactitudes : comment est-ce arrivé et où va-t-on ? » C'était un texte à charge contre le *New York Times* pour ses reportages bâclés. « On ne peut pas rattraper des articles pareils – leur onde de choc touche tout le système médiatique, écrit Sullivan. Ce fut, pour le dire poliment, un vrai bazar. »

Si tous ces agents respectés et expérimentés du Service extérieur, et tous ces ambassadeurs chevronnés envoient ce type d'e-mails, le problème n'est pas la façon dont Hillary Clinton a géré sa messagerie, mais le mode de communication du département d'État au XXIᵉ siècle.

Phil Gordon, ex-secrétaire d'État adjoint et ancien membre de l'équipe du Conseil de Sécurité nationale, dont certains e-mails qui m'étaient adressés ont été rétroactivement classés, New York Times, 10 mai 2016.

L'enquête du ministère de la Justice, et pratiquement tout ce qui a suivi, portait sur des questions de classement. Le problème n'était plus l'utilisation d'une messagerie personnelle au travail. Il s'agissait à présent de savoir ce que l'on considère comme une information classée secrète, et si j'avais eu – ou si d'autres avaient eu – l'intention de les utiliser improprement.

Malgré son nom pseudo-scientifique, le classement au titre du secret défense n'est pas une science exacte. Si l'on demande à cinq personnes d'examiner le même ensemble de documents, on obtient facilement cinq décisions différentes. Cela arrive quotidiennement entre les ministères et agences de l'État : ils sont constamment en désaccord sur les informations sensibles. Lorsque j'étais secrétaire d'État, il n'était pas rare que l'un de nos agents du Service extérieur, après avoir discuté avec des diplomates étrangers et des journalistes, nous envoie un rapport sur les événements politiques ou militaires en cours dans un pays, et archive cette information sans la confidentialiser. Mais un agent de la CIA qui travaille dans le même pays avec des informateurs cachés et des techniques clandestines communiquera les mêmes faits en les classant dans un rapport secret. L'information est exactement la même : est-elle confidentielle ou non ? Les experts et les agences sont souvent en désaccord.

C'est ce qui s'est passé quand le département d'État et les agences de renseignement ont examiné mes e-mails en vue de les publier. Souvenez-vous : j'avais demandé à ce qu'ils soient *tous* rendus publics afin que les Américains puissent les lire et juger par eux-mêmes. Il y avait également un certain nombre de demandes au titre du FOIA en cours d'examen devant les tribunaux. Il aurait été tellement facile de tout balancer sur un site et d'en finir avec cette histoire. Mais l'État a des règles qu'il est tenu de suivre pour les demandes au titre de cette loi. Pas question de publier par inadvertance le numéro de sécurité sociale ou de téléphone de quelqu'un.

En examinant mes 30 000 e-mails, des représentants de différentes agences de renseignement américaines ont cherché à faire confidentialiser rétroactivement certains messages qui n'avaient pas été classés secrets auparavant. De nombreux diplomates du département d'État très expérimentés dans les affaires sensibles n'étaient pas d'accord avec ces décisions. C'était comme si une ville changeait ses limitations de vitesse et décidait d'infliger des contraventions rétroactives aux conducteurs qui avaient respecté l'ancienne limite mais pas la nouvelle.

Par exemple, un e-mail de Dennis Ross, l'un des diplomates les plus expérimentés du pays, a été rétroactivement classé confidentiel. Il décrivait des négociations informelles qu'il avait menées en 2011, à titre privé, entre les Israéliens et les Palestiniens. Des agents de l'État l'avaient déjà autorisé à publier la même information dans un livre, ce qu'il avait fait, mais, à présent, d'autres agents de l'État voulaient la classer secrète. « Cela prouve combien est arbitraire le classement actuel au titre du secret défense », a observé Dennis.

C'est aussi arrivé à Henry Kissinger à peu près au même moment. Le département d'État a publié la transcription d'une discussion qu'il avait eue en 1974 à propos de Chypre avec le directeur de la CIA, alors qu'il était secrétaire d'État, mais une bonne partie du texte était noircie parce qu'elle était à présent classée secrète. Les historiens ont été très étonnés, car le département d'État avait publié l'intégralité de cette conversation, non corrigée, huit ans plus tôt dans un livre d'histoire officiel… et sur son propre site Internet !

L'ambassadeur Princeton Lyman, autre diplomate chevronné, a été également surpris d'apprendre que certains e-mails tout à fait banals qu'il m'avait écrits avaient été rétroactivement classés. « Mes rapports quotidiens sur ce qui se passait dans les négociations ne comprenaient aucune information que j'estimais secrète », a-t-il affirmé au *Washington Post*.

C'est absurde. Pourquoi ne pas fermer tout le département d'État, pendant qu'on y est !

Colin Powell, ancien secrétaire d'État, *New York Times*, 4 février 2016, en apprenant que deux messages envoyés sur son compte personnel avaient été classés rétroactivement.

J'étais d'accord avec Colin. Il me semblait ridicule que certains, dans les agences de renseignement, prétendent mieux savoir que des diplomates chevronnés et des professionnels de la sécurité nationale du département d'État si leurs propres messages doivent ou non être classés. Il était encore plus absurde de suggérer que j'aurais dû mieux le savoir qu'eux sur le moment.

Dans ces conditions, ne nous étonnons pas d'apprendre que, selon de nombreux experts, le classement secret excessif est devenu un problème majeur dans l'ensemble des pouvoirs publics ; même Comey, le directeur du FBI, l'a reconnu lors d'une audition au Sénat. Il a admis qu'une grande partie des informations classées sont, en fait, connues du grand public et ne présentent que peu ou pas de risque pour la sécurité nationale.

Il a aussi confirmé qu'aucun de mes e-mails n'était marqué correctement comme classé. Je pouvais donc raisonnablement conclure qu'ils ne l'étaient pas. Son dialogue avec le parlementaire Matt Cartwright de Pennsylvanie, lors de l'audition du 7 juillet 2016, mérite d'être lu en intégralité :

> CARTWRIGHT : On vous a interrogé au sujet des marques que portent certains documents – j'ai le manuel ici –, indiquant une information classée sécurité nationale. Et je ne crois pas qu'on vous ait pleinement donné l'occasion de parler de ces trois documents qui portaient le petit *c*. Étaient-ils correctement traités ? Étaient-ils marqués correctement comme le prévoit le manuel ?
> COMEY : Non.
> CARTWRIGHT : Selon le manuel, si un document est sur le point d'être classé, il doit y avoir un en-tête à ce document. N'est-ce pas ?
> COMEY : C'est exact.
> CARTWRIGHT : Y avait-il un en-tête aux trois documents dont nous avons parlé aujourd'hui, et qui comportaient le petit *c* quelque part dans le texte ?
> COMEY : Non. Il y avait trois e-mails. Le *c* était dans le corps du texte, mais il n'y avait pas d'en-tête, ni à l'e-mail ni au texte.
> CARTWRIGHT : Donc, si la secrétaire d'État Hillary Clinton était une experte en la matière et savait reconnaître un document classé en suivant à la lettre les directives du manuel, l'absence d'en-tête lui indiquerait tout de suite que ces trois documents ne sont pas classés. Ai-je raison ?
> COMEY : Ce serait une déduction raisonnable.

La sécurité nationale de l'Amérique n'était pas en danger.

Président Barack Obama, dans l'émission « 60 minutes », 11 octobre 2015.

Ce n'était pas seulement l'avis du commandant en chef. Beaucoup de hauts dirigeants de notre politique étrangère issus des deux partis étaient d'accord, et ils m'ont soutenu à la présidentielle. Michael Chertoff, par exemple, le secrétaire à la Sécurité intérieure de George W. Bush, a affirmé sur NPR : « Elle protégera bien le pays. [...] Dans un monde en guerre, il faut se concentrer sur la priorité numéro un : protéger les États-Unis, protéger nos amis et nos alliés. »

Les Américains en ont vraiment plus que marre d'entendre parler de vos fichus e-mails ! Assez avec ces e-mails ! Parlons des vrais problèmes de l'Amérique !

Sénateur Bernie Sanders, au premier débat des primaires, 13 octobre 2015.

Je ne l'aurais pas mieux dit. Merci, Bernie, pour cette judicieuse remarque faite lors de notre premier débat. La foule a applaudi bruyamment, et à raison : Bernie avait compris que cette polémique n'avait aucun sens. Si seulement la presse l'avait traitée de cette façon. J'aurais bien voulu que ce soit le point final de cette saga. Mais, malheureusement, elle a continué.

Notre opinion, c'est qu'aucun procureur raisonnable ne porterait une affaire pareille devant les tribunaux.

Jim Comey, directeur du FBI, conférence de presse du 5 juillet 2016.

L'enquête sécuritaire du FBI a été minutieuse, professionnelle – et lente. Mon avocat avait écrit au ministère de la Justice dès le mois d'août 2015. Il avait garanti mon entière coopération, que j'avais déjà annoncée publiquement, et proposé que je vienne volontairement répondre aux questions. Je souhaitais être entendue le plus tôt possible, car les primaires démocrates approchaient. Mais on nous répondait sans cesse : « C'est trop tôt. »

Je commençais à comprendre que je serais la dernière interrogée. C'était l'ordre logique, mais j'étais frustrée qu'on ne me donne pas l'occasion de dissiper le nuage d'incertitude qui planait sur moi.

Finalement, en juin 2016, ils se sont déclarés prêts à me recevoir. Nous avons convenu d'une audition le 2 juillet. C'était un samedi paisible lors d'un chaud week-end férié. Pour éviter autant que possible le vacarme de la presse, nous avions fixé le rendez-vous à 8 heures au siège du FBI, dans l'immeuble J. Edgar Hoover au centre de Washington.

Mes collaborateurs et moi avons pris l'ascenseur du parking souterrain jusqu'au huitième étage, puis on nous a conduits à une salle de conférence sécurisée. Huit juristes et agents du ministère de la Justice et du FBI nous y attendaient. L'une de mes avocates, Katherine Turner, était enceinte de huit mois et demi ; nous avons donc brisé la glace en parlant un peu du bébé.

L'audition a duré trois heures et demie. Tous les juristes des services de l'État ont posé des questions, mais l'interrogatoire a surtout été conduit par deux agents du FBI. Ils voulaient savoir, entre autres, comment j'avais décidé d'utiliser ma messagerie électronique personnelle au département d'État, à qui j'en avais parlé, ce qu'on m'avait dit, ce que je savais de la maintenance du système, et comment j'avais fait faire le tri de ces courriels. Ils étaient professionnels, précis et courtois. Leurs questions étaient soigneusement tournées, pas tendancieuses, et, quand ils obtenaient une réponse, ils n'insistaient pas. Je les ai trouvés efficaces. Lorsqu'ils m'ont dit qu'ils n'avaient plus de questions et qu'ils m'ont remerciée, je me suis excusée auprès d'eux tous. Je leur ai dit à quel point j'étais désolée qu'ils aient dû passer tant de temps sur ce dossier.

Comey, le directeur, n'était pas présent lors de mon audition ce samedi-là. Mais, trois jours plus tard, le mardi 5 juillet, il a tenu une conférence de presse très inhabituelle. Quel choc ! Personne ne nous avait prévenus et nous n'avions eu aucun retour après la séance de samedi.

Comey a fait une déclaration en deux volets. Il a d'abord annoncé qu'aucune charge pénale ne serait retenue contre personne, car « aucun procureur raisonnable » n'engagerait de poursuites pénales pour mauvaise utilisation d'informations classées secrètes dans cette situation. Nous le savions. Mais nous étions heureux de l'entendre.

Puis vint le second volet, totalement inattendu et déplacé. Comey a ajouté que, si mes collègues du département d'État et moi n'avions pas violé la loi sur la gestion des informations classées, nous n'en avions pas moins été – nous tous, les 300 rédacteurs des e-mails qui allaient être *a posteriori* confidentialisés – d'une « extrême négligence ». Le FBI avait découvert, a-t-il dit, que « les habitudes sécuritaires du département d'État en général, et dans l'utilisation des systèmes de correspondance électronique non classée en particulier, sont totalement dénuées du type de précaution avec laquelle on traite les informations confidentielles dans les autres services de l'État ». Il ne se contentait pas de m'attaquer personnellement ; il dénigrait l'ensemble du département d'État. C'était sortir totalement de son rôle, et ces propos montraient combien des rivalités institutionnelles très anciennes entre les agences entachaient toute cette procédure.

Heureusement, la presse et le public ont surtout retenu que, après des mois de polémique, il n'y avait pas d'affaire. Les critiques qui prédisaient mon inculpation prochaine étaient très déçus. De mon côté, j'étais furieuse que Comey ait profité de ses fonctions officielles pour me critiquer, moi, mon équipe et le département d'État, sans que nous ayons aucun moyen de répliquer ou de réfuter son accusation.

Je me suis souvenue de Ray Donovan, le ministre du Travail du président Reagan. Accusé de fraude, il avait été acquitté des charges qui pesaient contre lui. Comme lui, j'avais envie de demander : « À quel bureau dois-je me présenter pour récupérer ma réputation ? »

S'il n'avait tenu qu'à moi, j'aurais réagi violemment. J'aurais expliqué au public que Comey avait gravement outrepassé les limites de sa fonction – comme Rod Rosenstein le dira quelques mois après l'élection. Cette réplique aurait pu atténuer les dommages politiques et Comey y aurait peut-être réfléchi à deux fois avant d'enfreindre à nouveau les usages. Mais mon équipe a soulevé des objections à ce genre de réaction frontale. Finalement, nous avons donc préféré laisser couler et continuer d'avancer. Avec le recul, c'était sans doute une erreur.

Le directeur a exposé sa version des faits à la presse comme s'il s'agissait d'un réquisitoire, mais sans procès. C'est l'illustration parfaite de ce qu'on apprend aux procureurs et aux agents fédéraux à ne pas faire.

Rod Rosenstein, vice-ministre de la Justice, mémorandum du 9 mai 2017 au ministre de la Justice Jeff Session.

Le mémorandum de Rosenstein décrivant la façon dont Comey a géré l'enquête sur mes e-mails est accablant. Bien qu'il ait été exploité par l'administration Trump pour justifier le renvoi du directeur du FBI dans l'espoir de stopper net les enquêtes sur la Russie, ses conclusions sont très sérieuses. Rosenstein est un procureur chevronné, qui a prouvé à nouveau son indépendance en nommant procureur spécial le très respecté Bob Mueller, ancien directeur du FBI.

Selon Rosenstein, lors de la conférence de presse du 5 juillet, Comey a « usurpé » l'autorité du ministre de la Justice, « violé des règles et des traditions profondément enracinées » au ministère, et « bafoué un autre principe de base : on ne tient pas de conférence de presse pour rendre publiques des informations désobligeantes sur une personne qu'on n'a aucune raison de poursuivre au pénal ».

Comey a expliqué qu'il m'avait dénoncée publiquement, au mépris des usages, parce que « cette affaire suscitait un grand intérêt public ». Mais, comme Matt Miller, responsable des relations publiques du département de la Justice de 2009 à 2011, l'a souligné le lendemain de la conférence de presse, « le ministère enquête continuellement sur des affaires qui suscitent un grand intérêt public ». La volonté de Comey « de réprimander publiquement une personne, alors même qu'il pensait qu'il n'y avait pas de motif à l'ouverture d'une enquête pénale contre elle, a-t-il ajouté, devrait choquer tous ceux qui croient à l'État de droit et aux principes fondamentaux de l'équité ».

Comey avait décidé de donner cette conférence de presse puisqu'il avait des soupçons concernant l'indépendance de sa patronne, la ministre de la Justice Loretta Lynch. Sa décision a été influencée, a-t-on dit, par un document russe qui visait à la discréditer. C'était un faux, mais Comey avait des doutes malgré tout (j'en dirai plus à ce sujet au chapitre suivant). Il a également souligné que, fin juin 2016, Lynch et mon mari, dont les avions se trouvaient par hasard côte a côte à l'aéroport de Phoenix, avaient eu une brève discussion impromptue sur le tarmac. Rien d'inapproprié n'avait été dit, mais cette rencontre a causé une telle tempête médiatique qu'ils ont tous deux amèrement regretté d'avoir échangé quelques banalités ce jour-là. Vu de l'extérieur, bien sûr, ça n'était pas très heureux, mais rien n'autorisait Comey à ignorer les règles du ministère de la Justice et à outrepasser les limites de ses fonctions. Sous-entendre que Lynch, éminente magistrate de carrière, était soudainement compromise et indigne de confiance était scandaleux et insultant. C'était insultant aussi pour la vice-ministre Sally Yates et pour tous les autres hauts fonctionnaires du ministère de la Justice en position de responsabilité.

Malheureusement, ce ne fut pas la dernière erreur de Comey – ni la plus dangereuse.

Il a violé toutes les règles de conduite des agents fédéraux de la force publique, et cela d'une façon partisane qui a indubitablement influencé le résultat de l'élection.

Elliott Jacobson, un des anciens collègues de Comey au bureau du procureur du district sud de New York, procureur pendant près de trente-sept ans, dans une lettre au rédacteur en chef du *New York Times*, 26 avril 2017.

Le 28 octobre, j'étais dans l'avion, en route pour Cedar Rapids dans l'Iowa, avec mon amie Betsy. Je me rendais à un meeting, où j'allais rencontrer les dirigeantes de plusieurs grandes organisations de défense des droits des femmes. Annie Leibovitz, la légendaire photographe, était de la partie pour prendre des clichés de campagne sur le vif. On n'était plus qu'à onze jours de l'élection ; les votes anticipés battaient déjà leur plein dans trente-six États et dans le district de Columbia. Rien n'était joué, mais je sentais un bel élan : trois débats victorieux, de bons sondages, et les projections sur le vote anticipé.

Lorsque nous avons atterri, Robby Mook, Nick Merrill et Jennifer Palmieri, la directrice de la communication de ma campagne, nous ont dit qu'il y avait du nouveau. « Nous avons quelque chose à vous dire et ce n'est pas bon », a annoncé Jennifer. J'ai eu un mauvais pressentiment. Cela faisait un peu trop longtemps que tout allait plutôt bien. Il fallait qu'il nous arrive quelque chose. « Quoi encore ? ai-je demandé. – Jim Comey... », a commencé Jennifer ; j'ai tout de suite compris que c'était sérieux.

Nous n'avions que peu d'informations, car la connexion dans l'avion avait été très mauvaise. Mais Jennifer nous a expliqué que Comey avait envoyé une courte lettre à huit commissions différentes du Congrès ; formulée en termes imprécis, elle signalait que, grâce à d'autres affaires en cours, « le FBI avait pris connaissance d'e-mails qui paraissaient pertinents » pour l'enquête, précédemment close, sur ma gestion des informations classées – bien que « le FBI ne puisse affirmer à ce stade si ces nouveaux éléments sont importants ou non ».

Tweet immédiat de Jason Chaffetz, alors président du comité de surveillance de la Chambre des représentants[2] : « Affaire rouverte. »

Ça ne pouvait être qu'une mauvaise blague ! Depuis quand le FBI était-il devenu le Bureau fédéral des insinuations ? Son travail était d'établir les faits. Alors à quoi pouvait bien jouer Comey ?

Je suis descendue de l'avion et j'ai rejoint le convoi automobile qui m'attendait, en faisant signe à Betsy de monter dans ma voiture. Quel soulagement d'avoir une amie avec soi !

À la fin du meeting, de retour dans l'avion, mon équipe en savait un peu plus. J'ai pris place en face de Huma et de Betsy, et demandé à Jennifer de tout m'apprendre. Cette histoire pouvait-elle vraiment devenir plus dingue qu'elle ne l'était déjà ?

Oui, et pas qu'un peu !

L'« autre affaire en cours » était une enquête fédérale sur Anthony Weiner, l'ex-mari de Huma. Ses avocats avaient remis l'un de ses ordinateurs portables au bureau du procureur. Des agents du FBI du

---

2. Le House Oversight Commitee. Il s'agit d'un comité permanent de la Chambre des représentants qui est chargé de surveiller les opérations du pouvoir exécutif.

bureau local de New York l'avaient fouillé et y avaient trouvé des échanges d'e-mails entre Huma et moi.

Huma était sous le choc. Anthony lui avait déjà brisé le cœur – et maintenant ça !

« Cet homme va finir par avoir ma peau », a-t-elle soupiré dans un sanglot.

J'ai énormément de respect pour Huma ; nous travaillions ensemble depuis plus de vingt ans, et j'étais désespérée de la voir dans cet état. Avec Betsy, nous avons échangé un regard et nous nous sommes levées toutes les deux pour la réconforter. Je l'ai prise dans mes bras pendant que Betsy lui caressait l'épaule.

Les jours suivants, certains pensaient que je devais la licencier ou « prendre mes distances ». Hors de question. Elle n'avait rien fait de mal. Huma était une collaboratrice inestimable dans mon équipe. Je voulais être là pour elle, comme elle avait toujours été là pour moi.

Plus nous obtenions d'informations, plus nous étions furieuses. Le FBI n'avait demandé ni à Huma ni à moi la permission de lire la correspondance qu'il avait trouvée – nous la lui aurions pourtant remise immédiatement. En fait, il ne nous avait absolument pas contactées. À ce moment-là, le FBI ne savait rien sur ces courriers. Il ne savait pas s'il s'agissait de nouveaux messages ou de copies d'e-mails déjà examinés ; s'ils étaient personnels ou professionnels ; et encore moins s'ils pouvaient être considérés comme classés rétroactivement ou non. Il ne savait rien du tout. Et Comey n'a pas attendu d'en savoir davantage. Il a envoyé sa lettre au Congrès deux jours avant que le FBI ne reçoive mandat de lire ces e-mails.

Pourquoi faire une telle déclaration publique, politiquement désastreuse pour ma campagne, alors que le FBI lui-même ne savait pas si les nouveaux documents avaient la moindre importance ? En conclusion de sa conférence de presse du 5 juillet, Comey avait déclaré benoîtement : « Ce qui compte, ce sont les faits », mais, dans cette affaire, le FBI ne connaissait pas les faits, et ça ne l'a pas empêché de précipiter l'élection présidentielle dans le chaos.

Les décisions de Comey ont été rapidement condamnées par d'anciens hauts responsables du ministère de la Justice des deux partis, notamment par les ex-ministres de la Justice républicains Alberto Gonzales et Michael Mukasey, ce dernier ayant confirmé que Comey était « totalement sorti du cadre de ses fonctions ».

Avant que Comey n'envoie sa lettre, des responsables du ministère de la Justice avaient rappelé à ses adjoints la politique traditionnelle : éviter toute activité qui pourrait être perçue comme susceptible d'influencer une élection. À en croire le *New York Times*, ils leur avaient également dit qu'il n'était pas nécessaire d'informer le Congrès avant que le FBI ait déterminé si ces e-mails étaient pertinents ou non. Même un membre de l'équipe de Comey a émis des doutes. Si Comey avait attendu que le FBI ait examiné les e-mails, il aurait vite vu qu'il n'y avait aucune preuve nouvelle. Mais il a tout de même envoyé sa lettre.

Le résultat, selon le vice-ministre de la Justice Rosenstein, a été absolument désastreux : « Le FBI, écrit-il, ne retrouvera la confiance du public ou du Congrès que si l'on met à sa tête une personne qui comprenne la gravité de ces erreurs et qui s'engage à ne jamais les répéter. »

Alors, pourquoi Comey a-t-il agi comme il l'a fait ?

Lors d'une audition du comité judiciaire du Sénat, le 3 mars 2017, Comey a expliqué qu'il n'avait eu que deux options : « parler » ou « dissimuler ». Mais, comme le relève Rosenstein dans son mémorandum, « "dissimuler" est un terme tendancieux qui ne correspond pas à la situation. Quand des agents fédéraux ouvrent discrètement une enquête pénale, ils ne dissimulent rien ; ils suivent simplement la procédure habituelle et s'abstiennent de rendre publique une information qui ne l'est pas. Dans ce contexte, le silence n'est pas de la dissimulation ».

Je ne peux pas savoir ce qui s'est passé dans la tête de Comey. Avait-il quelque chose contre moi personnellement ? Pensait-il que j'allais gagner l'élection et que, s'il se taisait, il serait attaqué plus tard par les républicains ou par ses propres agents ? Tout ce que je sais, c'est que, lorsqu'on est à la tête d'une agence aussi importante que le FBI, on doit se soucier beaucoup plus de la réalité des choses que des apparences, et être prêt à supporter la pression indissociable de ce poste de commandement.

Quels qu'aient pu être les sentiments ou les craintes de Comey, la situation au sein du FBI était vraiment inquiétante.

Une révolution est en cours à l'intérieur du FBI, et elle arrive à ébullition.

Rudy Giuliani, sur Fox News, 26 octobre 2016.

Selon Rudy et d'autres sources proches du FBI, une faction turbulente dans cette institution était furieuse que Comey « m'ait laissé filer » en juillet. « Les agents sont en rage », a confié à la presse Jim

Kallstrom, ex-directeur du bureau du FBI à New York, et proche allié de l'ancien maire de la ville. Kallstrom soutenait Trump et me qualifiait de « menteuse pathologique » et membre d'une « famille criminelle ». Il affirmait être en relation avec des centaines d'agents du FBI, en fonction et à la retraite. « Le FBI, c'est Trumpland », résume un autre agent. Pour certains, ajoute-t-il, j'étais « l'Antéchrist en personne ». Le *New York Post* a titré : « Les agents du FBI sont au bord de la révolte. »

Une série de fuites a été organisée pour nuire à ma campagne, dont la fausse nouvelle, vite démentie, d'inculpations imminentes liées à la Fondation Clinton.

Puis Rudy, l'un des champions de Trump, a fait la promesse, sur Fox News, d'« une ou deux surprises dont vous allez entendre parler dans les deux jours qui viennent ». Deux jours plus tard, Comey fait partir sa lettre.

Le 4 novembre, de retour sur Fox News, Rudy a confirmé qu'il en avait été averti d'avance. « Est-ce que j'en avais entendu parler ? Bien sûr que j'en avais entendu parler ! » s'est-il exclamé, tout en essayant de minorer ses déclarations.

Plusieurs mois plus tard, Comey a été interrogé à ce propos dans cette même audition du comité judiciaire du Sénat.

« Durant la campagne de 2016, quelqu'un au FBI a-t-il eu des contacts avec Rudy Giuliani au sujet de l'enquête Clinton ? » a demandé le sénateur Pat Leahy du Vermont. Comey a répondu que c'était « un sujet sur lequel le FBI enquêtait » et qu'il serait « extrêmement intéressé » de découvrir la vérité. « Je ne sais pas encore, mais si je découvre que des gens ont communiqué des informations sur nos enquêtes à des journalistes ou à des particuliers, ils en subiraient de lourdes conséquences », a-t-il dit. C'est une question cruciale à laquelle il faut répondre. Si quelqu'un au FBI a donné des informations confidentielles à Giuliani, à Kallstrom ou à n'importe qui d'autre, Comey doit la vérité au peuple américain – et les nouveaux dirigeants du FBI et l'inspecteur général du ministère de la Justice d'enquêter sur ce sujet et de punir les coupables.

Et dire que, dans la même période, Comey faisait si attention de ne rien révéler de l'enquête sur les liens possibles entre Trump et les services secrets russes ! Ce deux poids deux mesures n'a jamais été expliqué convenablement et me laisse sans voix.

La dernière semaine de campagne a été dominée par d'incessantes questions sur mes e-mails ; on disait que les prières des supporters de Trump seraient peut-être entendues et que j'allais finir en prison.

Après neuf jours de tempête – neuf jours durant lesquels des millions d'Américains ont procédé au vote anticipé – et à peine trente-six heures avant l'élection, Comey a envoyé une autre lettre. Il annonçait que les « nouveaux » e-mails n'étaient en fait pas nouveaux et ne contenaient aucune information susceptible de modifier la décision de ne pas poursuivre qu'il avait prise des mois auparavant.

Bravo ! Mais c'était trop peu, et surtout trop tard. On connaît la suite.

Il y a un dernier point que je voudrais aborder avant de clore cet horrible chapitre : le rôle de la presse.

La normalisation progressive de Trump est l'aspect le plus déroutant de cette campagne présidentielle, mais le plus important, c'est l'anormalisation de Clinton.

Jonathan Chait, *New York Magazine*, 22 septembre 2016.

« Anormalisation » décrit assez justement ce que j'ai subi dans le tourbillon de cette polémique sur mes e-mails. Selon le centre de recherche Shorenstein de Harvard, sur l'ensemble de la campagne, les articles négatifs à mon sujet ont été beaucoup plus nombreux que les positifs – 62 % contre 38 %. Pour Trump, le rapport a été plus équilibré : 56 % d'articles négatifs contre 44 % de positifs.

L'emballement médiatique autour de mes e-mails a évincé pratiquement tous mes messages de campagne. Pour la presse, c'était la seule information importante. Un exemple flagrant : en septembre 2015, Chris Cillizza, alors reporter au *Washington Post,* avait déjà écrit près d'une cinquantaine d'articles sur le sujet. Un an plus tard, le comité de rédaction du journal a pris conscience du dérapage, comme le montre cet éditorial de septembre 2016 : « Imaginez comment l'histoire jugerait les Américains d'aujourd'hui si, en réexaminant cette élection, on découvrait que nous avons mis au pouvoir un homme dangereux à cause… d'un scandale mineur sur des e-mails. »

Nul besoin d'imaginer. C'est déjà arrivé.

Le *Washington Post* poursuivait : « Il n'y a pas de comparaison possible entre les erreurs de Mme Clinton et l'inaptitude manifeste de Trump pour le poste. »

Cet éditorial voyait juste, et il y en a eu beaucoup d'autres de ce type. Je suis heureuse que ma candidature ait été appuyée par quasiment tous les journaux du pays. Certains n'avaient encore jamais soutenu de démocrate, ou ne le faisaient plus depuis des décennies. Malheureusement, la plupart des électeurs indécis ne lisent pas les éditoriaux, qui eux n'ont pratiquement aucune influence sur les médias audiovisuels. C'est l'article politique à la une qu'on lit, et qui est repris à la télévision. Même si des journalistes et rédacteurs en chef ont fini par regretter leur manque de recul et la surmédiatisation de cette affaire – après coup, certains m'ont même confié leurs remords –, le mal était fait.

Au regard des vrais défis qui attendent le prochain président, cette histoire de messagerie électronique qui a phagocyté l'essentiel de la campagne est un problème pour le service d'assistance technique.

New York Times, prise de position du journal en faveur de ma candidature à la présidence, septembre 2016.

Comme à l'accoutumée, le *New York Times* a eu, dans cette élection, une énorme influence sur la médiatisation de mes e-mails. J'ai trouvé son attitude quelque peu schizophrène. Durant près de deux ans, il m'a attaquée sans relâche sur ma correspondance électronique. Puis sa prise de position retentissante en faveur de ma candidature a largement contribué à remettre un peu de raison dans cette polémique. Mais finalement, dans les derniers instants de la course, au moment où son soutien aurait été le plus important, le journal est revenu à ses vieilles habitudes.

D'abord, le journal a consacré toute la première moitié de sa une à la lettre de Comey du 28 octobre, alors qu'elle ne contenait aucune preuve de fraude et pratiquement aucune information ; puis il lui a offert une couverture médiatique ininterrompue jusqu'à la fin de la semaine. Enfin, le 31 octobre, le *New York Times* a publié l'un des pires articles de la campagne : il affirmait que le FBI ne voyait aucun lien entre la campagne de Trump et la Russie quand, en réalité, une enquête de contre-espionnage très sérieuse était en plein essor. J'imagine que des sources cherchant à protéger Trump ont induit le quotidien en erreur. Quelle idée de publier cet article quelques jours avant l'élection ! Dans les deux cas, il semble que la spéculation et le sensationnalisme aient pris le dessus sur le journalisme.

Le *New York Times* a été accusé par sa médiatrice[3] d'avoir minimisé l'importance de l'ingérence de la Russie. « C'est un acte d'interférence étrangère dans une élection américaine d'une ampleur inégalée ; pourtant, cette affaire a été la grande oubliée du jeu médiatique », écrit Liz Spayd le 5 novembre, trois jours avant l'élection. Contrairement à ce qui s'est passé pour mes e-mails, « ce qui a manqué, c'est le sentiment de l'importance réelle de couvrir le sujet ». Reprenant son analyse dans une chronique du mois de janvier, Spayd précise que, dès le mois de septembre, le *New York Times* savait que le FBI enquêtait sur les liens entre l'organisation de Trump et la Russie, et disposait peut-être même de mandats secrets de la Foreign Intelligence Surveillance Court[4] – mais il n'a rien écrit à ce sujet. « On résiste difficilement à l'envie de se demander quel impact cette information aurait pu avoir sur les électeurs indécis », conclut-elle. Bonne question ! Elle donne un sens tout à fait nouveau à une expression favorite de Bill, « *majoring in the minors*[5] ».

Cela fait des années, depuis le traitement inquisitorial sans fondement de l'affaire Whitewater, que de nombreux journalistes politiques du *New York Times* me regardent avec hostilité et scepticisme. Dans leurs écrits, ils appliquent ce qu'on appelle parfois « les règles Clinton ». Comme l'a écrit Charles Pierce dans le magazine *Esquire*, « en vertu des règles Clinton, tout événement ou activité politique relativement ordinaire devient suspect et obscur si un Clinton y est mêlé ». Dans ces conditions, beaucoup de journalistes estiment que leur travail consiste à révéler les perfides machinations secrètes de la mystérieuse « machine Clinton ». Le *New York Times* n'a pas été le seul coupable – ni même le pire –, mais c'est celui qui m'a fait le plus mal.

Je suis une fidèle lectrice du *New York Times* depuis plus de quarante ans. Je l'attends chaque matin avec toujours autant d'impatience. Je lis avec plaisir la plupart des très bons articles qui ne

---

3. La « *public editor* », médiatrice, était une personne chargée de superviser l'éthique du journal en toute indépendance. Elle évaluait l'intégrité et la qualité journalistique du *New York Times*. Liz Spayd a été la dernière à occuper ce poste, après Margaret Sullivan, le poste ayant été supprimé le 31 mai 2017.

4. La United States Foreign Intelligence Surveillance Court (Cour de surveillance du renseignement étranger des États-Unis) est un tribunal fédéral américain dont les travaux sont secrets. C'est lui qui accorde au FBI ou à la NSA des mandats les autorisant à surveiller les agents secrets étrangers sur le sol américain et à enquêter sur leurs activités.

5. Elle signifie habituellement : « accorder beaucoup trop d'importance aux détails », mais, ici, ce sont les affaires « majeures » qui ont été « minorées ».

nous concernent pas, ainsi que l'excellente page des tribunes libres, et j'apprécie le généreux soutien que j'ai reçu lors de chacune de mes campagnes. Je comprends aussi la pression que subissent aujourd'hui tous les journalistes politiques, même les meilleurs. Certes, il est vrai que les attaques font plus de buzz que les articles positifs ou équilibrés ; mais ce journal est une des sources d'information les plus importantes du monde – celle qui, souvent, donne le ton à toutes les autres ; il se doit donc, me semble-t-il, de respecter les normes les plus exigeantes.

Il y a fort à parier que cette petite diatribe me vaudra une critique acerbe dans le *New York Times*, mais l'histoire me donnera raison : cette façon de couvrir l'actualité a pesé sur les résultats de l'élection. Et j'ai dit ce que j'avais sur le cœur : c'est un poids dont je devais me libérer.

Cette information risque de vous faire un choc : Hillary Clinton est fondamentalement honnête.

Jill Abramson, ancienne rédactrice en chef du *New York Times*, *The Guardian*, 28 mars 2016.

Jill Abramson, qui a supervisé des années d'articles politiques sans concession à mon sujet, est parvenue à cette conclusion en consultant les données de l'organisation de vérification des faits PolitiFact : celle-ci a constaté que j'ai dit plus souvent la vérité qu'aucun autre candidat à la présidentielle de 2016, plus souvent que Bernie Sanders et bien plus que Donald Trump, qui a été le candidat le plus malhonnête jamais mesuré. Cela a beaucoup surpris : voilà qui en dit long sur les effets corrosifs de cette interminable polémique à propos de mes e-mails, et des décennies d'attaques injustifiées qui l'ont précédée.

Mais ses e-mails ?

Internet, 2017.

Plus le temps passe, plus notre obsession nationale pour mes e-mails semble absurde. Le triste « mais ses e-mails ? » refait toujours surface en réponse à chaque révélation, scandale ou bourde de Trump.

C'est difficile à expliquer ou à croire, mais mes e-mails ont été *la* grande affaire de 2016. Peu importait que l'inspecteur général du département d'État ait affirmé qu'aucune loi n'interdisait d'utiliser une messagerie personnelle à des fins professionnelles. Peu importait que le FBI n'ait trouvé aucun motif juridique raisonnable de porter plainte à quelque titre que ce soit.

C'est moi seule qui ai initialement pris la décision d'utiliser une messagerie personnelle. Et je n'ai jamais réussi à faire comprendre aux gens d'où je venais, ni à les convaincre que je n'avais pas d'intention machiavélique. Mais ce n'est pas moi qui ai décidé de la façon dont Comey et le FBI allaient gérer cette affaire, ou dont les journalistes allaient en parler. C'est eux.

Depuis l'élection, nous avons appris que le vice-président Mike Pence utilisait une messagerie privée pour ses e-mails officiels lorsqu'il était gouverneur de l'Indiana, comme le font tant de dirigeants d'État ou fédéraux dans notre pays (notamment, soit dit en passant, de nombreux responsables de la Maison-Blanche de Bush, qui utilisaient un serveur privé du comité national du Parti républicain pour les affaires de l'État et ont ensuite « perdu » plus de vingt millions d'e-mails). Nous avons appris que l'équipe de transition de Trump avait copié des documents extrêmement sensibles et les avait retirés de leur site sécurisé. Nous avons appris que des membres du personnel de la Maison-Blanche de Trump utilisent une application de messagerie cryptée qui semble se dérober aux lois sur les archives fédérales. Et nous savons à présent que des collaborateurs de Trump font l'objet d'enquêtes fédérales pour des motifs bien plus graves. Pourtant, la plupart de mes tonitruants critiques sont silencieux aujourd'hui. On pourrait presque croire qu'ils ne se sont jamais vraiment intéressés à la tenue correcte des archives gouvernementales ou aux subtilités du classement rétroactif, et que toute l'affaire n'était qu'une piñata politique bien commode.

Plus le temps passe, plus il paraît étrange que cette polémique ait eu le pouvoir d'inverser une élection nationale, avec des conséquences si colossales. J'essaie d'imaginer la perplexité des futurs historiens qui tenteront de comprendre ce qui s'est passé. Je me le demande encore.

Si ce n'est pas la raison, c'est le diable !

Fedor Dostoïevski

Trolls, bots,
« fake news » et vrais Russes[1]

Certaines personnes ont le bonheur d'avoir un système immunitaire solide. D'autres ont moins de chance : leurs défenses usées par la maladie ou les blessures les exposent à toutes sortes d'infections auxquelles résisterait facilement un individu en bonne santé. Lorsque cela arrive à quelqu'un que vous aimez, le spectacle est effrayant.

Le « corps politique » fonctionne à peu près de la même façon. Notre démocratie s'est dotée de défenses qui nous maintiennent forts et en bonne santé, parmi lesquelles la séparation des pouvoirs inscrite dans notre Constitution. Nos Pères fondateurs étaient convaincus qu'une des défenses essentielles passait par des citoyens informés, capables de se forger une opinion juste fondée sur des faits et sur la raison. Perdre cette capacité équivaut à perdre son système immunitaire et laisse une démocratie vulnérable à toutes sortes d'attaques. Et une démocratie, comme un corps, ne peut garder sa force lorsqu'elle est victime de blessures à répétition.

En 2016, notre démocratie a été attaquée par un adversaire étranger déterminé à tromper nos concitoyens, à attiser nos divisions et à bouleverser une élection en faveur de son candidat préféré. Cette attaque a été couronnée de succès, car notre système immunitaire s'est érodé au fil des ans. Beaucoup d'Américains ont perdu leur foi dans les institutions sur lesquelles les générations précédentes comptaient pour disposer d'informations objectives, que ce soit le gouvernement,

1. Contraction de « robot », un bot désigne un logiciel capable de comprendre, de manière autonome et automatique, des informations et de déclencher des actions malveillantes ou non.

« Fake news » : fausses nouvelles.

le monde universitaire ou celui des médias, les laissant vulnérables face à une campagne de désinformation sophistiquée. Une multitude de raisons expliquent pourquoi cela est arrivé. L'une d'entre elles réside dans le fait qu'un petit groupe de milliardaires – des gens comme la famille Mercer ou Charles et David Koch – a reconnu il y a longtemps que, selon le bon mot de Stephen Colbert, « la réalité a un parti pris libéral bien connu ». Ou, autrement dit, la droite a passé beaucoup de temps, et dépensé beaucoup d'argent, à construire une réalité alternative. Songez à une boîte de Petri partisane où la science serait niée, les mensonges assénés comme des vérités, et la paranoïa se propagerait. Ils ont redoublé d'efforts en 2016 avec un candidat à l'élection présidentielle barbotant dans de sombres théories conspirationnistes, tirées de tabloïds de supermarché ou des confins d'Internet ; un candidat qui a écarté toute critique en insultant ses adversaires à coups de faits inventés et grâce à un don troublant pour les révélations humiliantes. Ce faisant, il a contribué à brouiller encore davantage la frontière entre information et divertissement, entre télé-réalité et réalité.

Quand Vladimir Poutine s'en est mêlé, notre démocratie était ainsi déjà beaucoup plus malade que nous le pensions.

Maintenant que les Russes ont infecté nos défenses et constaté combien elles étaient faibles, ils vont persévérer. D'autres puissances étrangères pourraient les imiter. Ils vont aussi continuer à prendre pour cibles nos amis et alliés, leur but final étant d'ébranler – et peut-être même de détruire – la démocratie occidentale elle-même. Comme l'ancien directeur du renseignement national James Clapper l'a dit au Congrès : « S'il a jamais fallu appeler à la vigilance et à l'action face à une menace contre les fondements mêmes de notre système démocratique, c'est en ce moment. »

Cela devrait inquiéter tous les Américains sans exception – républicains, démocrates, indépendants, tout le monde. Nous devons élucider cette affaire. L'élection de 2016 est peut-être derrière nous, mais de nouvelles élections auront lieu bientôt. Je ferai de mon mieux pour exposer ce qu'on sait aussi précisément que possible, pour nous permettre de comprendre ce qui s'est passé et ce qu'on peut faire pour que cela ne se reproduise plus. Nous ignorons encore beaucoup de choses, mais des enquêtes sont en cours, et l'histoire évolue tous les jours au rythme des révélations. Trump, ses alliés et d'autres ont vigoureusement nié avoir commis des méfaits. Examinez les faits et forgez-vous une opinion. Mais il est indéniable qu'une ingérence étrangère dans nos élections est inacceptable, un point c'est tout. Et la menace à laquelle nous sommes confrontés, extérieure et intérieure, ne se limite pas à une campagne électorale, un parti ou une élection. La seule façon de guérir notre démocratie et de la protéger à l'avenir, c'est de comprendre la menace et de la vaincre.

V pour vendetta (et Vladimir)

Le président Obama a un jour comparé Vladimir Poutine à « un gamin qui s'ennuie au fond de la classe ». « Il a ce côté avachi », a-t-il précisé. Chaque fois que je me suis retrouvée assise à côté de Poutine lors de réunions, il avait plus l'air d'un de ces types dans le métro qui écartent impérieusement leurs jambes, empiétant sur l'espace de tous, comme pour dire : « Je prends ce que je veux », et : « J'ai si peu de respect pour vous que je vais me comporter comme si j'étais chez moi en peignoir. » On appelle cet étalement masculin le « manspreading ». Ainsi était Poutine.

J'ai eu affaire à beaucoup de dirigeants dans ma vie, mais Poutine est un cas à part. Ancien espion du KGB, au goût prononcé pour les démonstrations machistes et à la violence baroque (une enquête publique au Royaume-Uni a conclu qu'il avait sans doute approuvé l'assassinat d'un de ses ennemis à Londres, avec du thé empoisonné au polonium 210, un isotope radioactif rare), Poutine apparaît dans l'imaginaire collectif comme l'archétype du méchant tout droit sorti d'un film de James Bond. En même temps, il est aussi constamment incompris et sous-estimé. George W. Bush, lors d'une sortie mémorable, a déclaré que, après avoir regardé Poutine dans les yeux, il l'avait trouvé « très franc et fiable », et avait « pu voir son âme ». Ma réponse quelque peu ironique : « Il a été agent du KGB – par définition, il n'a pas d'âme. » Je ne crois pas que Vladimir ait apprécié.

L'hostilité qui caractérise nos relations ne date pas d'hier. Poutine ne respecte pas les femmes et méprise quiconque lui tient tête ; je représente donc un double problème. Un jour où je m'étais permis de critiquer une de ses décisions, il a déclaré à la presse : « Mieux vaut ne pas s'engueuler avec une femme », puis il a continué à me traiter de faible. « La faiblesse n'est peut-être pas la pire des qualités pour une femme », avait-il plaisanté. Hilarant.

Poutine remâche encore ce qu'il considère comme les humiliations des années 1990, quand la Russie a perdu ses anciens territoires de l'époque soviétique, et que l'administration Clinton a présidé à l'expansion de l'OTAN. Et nos rapports n'ont fait qu'empirer lorsque j'étais secrétaire d'État.

Lorsque le président Obama et moi avons pris nos fonctions en 2009, Poutine et son Premier ministre, Dmitri Medvedev, avaient échangé leurs rôles pour contourner la limitation de mandats imposée par leur Constitution. Ce qui a surpris tout le monde, c'est que Medvedev a fait preuve d'une certaine indépendance et d'une volonté d'améliorer les relations avec les États-Unis. Nous savions que Poutine détenait encore le vrai pouvoir en Russie, mais avions décidé de chercher des sujets où nos intérêts se retrouvaient et où des progrès seraient possibles, l'origine de ce « redémarrage » tant décrié. Il a pourtant conduit à plusieurs succès concrets, dont un nouveau traité de contrôle des armes nucléaires, des sanctions supplémentaires contre l'Iran et la Corée du Nord, l'ouverture d'un corridor indispensable au ravitaillement de nos troupes en Afghanistan, l'augmentation des échanges commerciaux et des investissements, et une coopération antiterroriste élargie. Au printemps 2011, le président Medvedev a accepté de s'abstenir lors du vote du Conseil de sécurité de l'ONU de la résolution autorisant le recours à la force pour protéger les civils libyens de leur dictateur, le colonel Mouammar Kadhafi – une décision qui n'a pas plu à Poutine.

Le président Obama et moi étions d'accord : une coopération pragmatique avec la Russie sur certains problèmes n'était pas incompatible avec la défense de nos valeurs et apporterait notre soutien aux aspirations démocratiques du peuple russe. Je me sentais la responsabilité de dénoncer les exactions du Kremlin en matière de droits de l'homme en Russie, en particulier l'intimidation et l'assassinat de journalistes et d'opposants politiques. En octobre 2009, j'étais à Moscou, où j'ai été interviewée par l'une des dernières stations de radio indépendantes du pays. J'ai parlé de mon attachement aux droits de l'homme et de mon soutien à la société civile, et affirmé que beaucoup de Russes voulaient que les voyous à l'origine des attaques contre les journalistes soient traduits en justice. Je savais que Poutine n'apprécierait pas ce genre de sortie sur ses terres, mais je savais aussi que, si les États-Unis ne s'exprimaient pas sur ces problèmes, la décision aurait des répercussions non seulement en Russie, mais dans le monde entier.

Le KGB a appris à Poutine à se méfier de tout le monde. Les troubles des années 1990 en Russie et les « révolutions de couleur » des années 2000 – la série de révoltes populaires qui ont renversé les régimes autoritaires de plusieurs anciens pays du bloc soviétique – l'ont fait passer de la méfiance à la paranoïa. À présent, il considère la rébellion populaire comme une menace existentielle. Quand il m'a entendue, comme d'autres dirigeants occidentaux, soutenir la société civile en Russie, il y a vu un complot visant à saper son autorité.

Pour Poutine, le moment charnière est arrivé en 2011. En septembre, il a annoncé qu'il allait de nouveau se présenter à l'élection présidentielle. En décembre, des fraudes massives ont été rapportées lors des élections parlementaires, déclenchant des protestations au niveau national et la condamnation de la procédure électorale par l'étranger. Lors d'une conférence en Lituanie sur la promotion de la démocratie et des droits de l'homme en Europe, j'ai évoqué les inquiétudes de l'Amérique. « Le peuple russe, comme tous les peuples, mérite qu'on entende sa voix et qu'on prenne en compte son vote, ai-je affirmé. Pour cela, il lui faut des élections justes, libres et transparentes, ainsi que des dirigeants responsables[2]. » Des dizaines de milliers de Russes sont descendus dans la rue pour scander « Poutine est un voleur ! », une défiance populaire sans précédent, vu sa poigne de fer sur le pays. Poutine, plus paranoïaque que jamais, pensait que c'était un complot tramé depuis Washington. Il m'a accusée moi, nommément, prétendant que je leur avais « donné le signal ».

Poutine a étouffé la vague de protestations et est redevenu président – mais désormais craintif et plein de rage. À l'automne 2011, il a publié un article dans lequel il promettait de restaurer l'influence régionale et mondiale de la Russie, que j'ai lu comme un plan pour « resoviétiser » l'empire perdu. J'ai exposé ce point de vue publiquement. De retour en fonction, Poutine s'est employé à mettre sa vision en pratique. Il a raffermi son pouvoir et réduit au silence les derniers dissidents, usé d'un ton plus agressif envers l'Occident et nourri une rancune personnelle à mon égard. D'ailleurs, ce n'est pas simplement la façon dont je l'ai perçu ; *rancune* est le mot qui a été officiellement employé par le gouvernement des États-Unis.

Dans une série de notes, j'ai averti le président Obama que les choses changeaient en Russie et que l'Amérique allait devoir opter pour une ligne plus dure avec Poutine. Il était probable que nos relations se détérioreraient avant de se réchauffer, ai-je écrit au président,

---

2. *In* Hillary Rodham Clinton, *Le Temps des décisions – 2008-2013*, Fayard, 2014 ; Le Livre de poche, 2016, p. 385.

et nous devions faire clairement comprendre à Poutine que ses actions belliqueuses ne seraient pas sans conséquences.

Il y a un ours dans les bois[3]

Pendant le second mandat du président Obama, alors que je n'étais plus en fonction, la situation s'est effectivement dégradée. Quand le soulèvement populaire en Ukraine a forcé son dirigeant corrompu pro-russe à s'enfuir, Poutine est passé à l'action. Il a lancé une opération en Crimée pour qu'elle fasse sécession, cette péninsule ukrainienne étant une destination de vacances prisée des Russes aisés. D'autres tentatives ont suivi pour déstabiliser l'Ukraine orientale, peuplée de nombreux Russes de souche. Ces différentes actions ont fini par aboutir à une guerre civile armée.

Vue de l'extérieur, la sophistication de l'opération m'a frappée : elle était beaucoup plus efficace que l'invasion de la Géorgie par la Russie l'avait été en 2008. La propagande nationaliste à la télévision, à la radio et sur les réseaux sociaux a radicalisé les Russes de souche, tandis que des cyberattaques réprimaient la voix des opposants. Des commandos russes clandestins ont pénétré en Crimée pour organiser la révolte, réquisitionnant des bâtiments et intimidant ou cooptant les officiels ukrainiens. Pendant ce temps-là, le Kremlin niait en bloc, alors que le monde entier voyait des photos de soldats russes équipés d'armes russes, conduisant des véhicules russes et parlant avec des accents russes. Poutine les a qualifiés de « groupes d'autodéfense » autochtones ; les Ukrainiens les ont, eux, baptisés « petits hommes verts ». Une fois l'occupation devenue un *fait accompli*[4], les Russes ont mis en scène un référendum truqué pour se donner un vernis de souveraineté nationale, avant d'annexer la péninsule, l'intégrant officiellement à la Russie.

Les Russes ont fait une autre chose qui n'a pas suffisamment attiré l'attention à l'époque, mais qui, rétrospectivement, en disait long sur la suite. Début 2014, ils ont publié sur Twitter et YouTube ce qu'ils disaient être une conversation privée entre deux diplomates

---

3. Référence à une publicité de la campagne présidentielle de 1984 dans laquelle Ronald Reagan apparaissait comme celui qui allait combattre le danger représenté par un grizzly et apporterait la paix. L'expression « Il y a un ours dans les bois » est toujours utilisée, surtout en politique, quand un possible problème surgit à l'horizon. D'autre part, l'ours était l'emblème de l'Union soviétique.

4. En français dans le texte.

américains chevronnés, notre ambassadeur en Ukraine, Geoff Pyatt, et mon amie et ancienne conseillère, Toria Nuland, qui était alors la représentante la plus haut placée en charge de l'Europe au département d'État. Sur cet enregistrement russe, Toria employait un langage fleuri pour exprimer son exaspération à propos des réticences européennes sur l'Ukraine. Moscou espérait clairement que ses propos conduiraient à un blocage des relations entre l'Amérique et ses alliés ; et même si l'incident n'a pas eu de répercussions diplomatiques durables, il a montré que les Russes ne volaient pas seulement des informations pour se renseigner – comme le font tous les pays –, ils se servaient en plus des réseaux sociaux et des fuites stratégiques pour les « militariser ».

À la suite des opérations russes en Ukraine, j'ai fait part de mes préoccupations à certains de mes anciens collègues de la Sécurité nationale. Moscou avait manifestement développé de nouvelles capacités dans la guerre psychologique et de l'information, et comptait les utiliser. Je craignais que les États-Unis et nos alliés ne soient pas prêts à réagir. Je savais que, en 2013, un des plus importants officiers supérieurs russes, Valéri Guérassimov, avait écrit un article exposant une nouvelle stratégie en matière de guerre hybride. Dans le passé, les militaires soviétiques avaient voulu se battre avec des armes conventionnelles et nucléaires massives, lors de conflits à grande échelle. Guérassimov affirmait que, au XXIe siècle, la frontière entre guerre et paix allait se brouiller et que la Russie devait se préparer à des conflits clandestins à travers la propagande, des cyberattaques, des opérations paramilitaires, des manipulations financières et énergétiques et une subversion secrète. Les opérations en Crimée et en Ukraine orientale (et, j'ajouterais, l'accueil d'Edward Snowden, « fuiteur » de la NSA) ont prouvé que Poutine mettait en pratique les théories de Guérassimov.

Parfois, on qualifie ces tactiques de « mesures actives ». Thomas Rid, professeur en études de sécurité au King's College de Londres, a proposé une bonne introduction lors de son témoignage devant le comité sur le renseignement du Sénat en mars 2017. « Les mesures actives sont des opérations de renseignement clandestines, ou partiellement clandestines, qui visent à influencer les décisions politiques de l'adversaire, a-t-il expliqué. La manière testée et éprouvée des mesures actives est d'utiliser les faiblesses de l'adversaire contre lui-même. » De plus, le développement d'Internet et des réseaux sociaux a créé une multitude de nouvelles opportunités pour mettre cette tactique en œuvre. Comme l'a formulé le sénateur Sheldon Whitehouse, « les Russes y travaillent depuis un bout de temps », et ont désormais « adapté de vieilles méthodes aux nouvelles technologies – utilisant les réseaux sociaux, des logiciels malveillants et des transactions financières complexes ».

J'ai été également inquiète de voir l'argent et la propagande russes, ainsi que d'autres formes de soutien, revenir aux partis nationalistes d'extrême droite à travers l'Europe, comme le Front national de Marine Le Pen en France, l'Alternative pour l'Allemagne (AfD) et le Parti de la liberté d'Autriche. Selon le *Washington Post*, le Kremlin a aussi développé ses relations avec des leaders d'organisations américaines de droite telles que la NRA, la National Organization for Marriage, qui lutte contre la législation sur le mariage homosexuel aux États-Unis, mais aussi avec des individus tels que l'évangéliste Franklin Graham. Poutine s'est lui-même positionné comme leader d'un mouvement international xénophobe et autoritaire qui veut expulser les immigrés, désintégrer l'Union européenne, affaiblir l'Alliance atlantique et revenir sur la plupart des progrès accomplis depuis la Seconde Guerre mondiale. Les gens se moquent lorsque Poutine se fait photographier à cheval, torse nu, en train de remporter un combat de judo ou de conduire des voitures de course. Mais ces coups de pub machos font partie d'une stratégie : il s'est fait l'icône des traditionnalistes qui n'apprécient pas leurs sociétés de plus en plus ouvertes, diverses et progressistes. C'est la raison pour laquelle il a formé une alliance étroite avec l'Église orthodoxe russe, fait passer des lois homophobes brutales et dépénalisé les violences domestiques. Il s'agit de projeter une image de virilité, de moralité chrétienne, et d'une pureté et d'un pouvoir blancs nationalistes.

Pendant la campagne, j'ai demandé à mon équipe de commencer à travailler sur une approche stratégique plus agressive vis-à-vis de la Russie. Je ne voulais pas être entraînée dans une nouvelle guerre froide, et le meilleur moyen d'éviter un conflit et de laisser la porte ouverte à une future coopération, serait d'envoyer à Poutine un message de fermeté et de détermination dès mon investiture. On dit qu'il adhère au vieil adage de Vladimir Ilitch Lénine : « Sondez à la baïonnette. Si vous rencontrez de la bouillie, poursuivez ; si vous rencontrez de l'acier, repliez-vous. » Je voulais être sûre que, quand Poutine regarderait l'Amérique, il verrait de l'acier, et pas de la bouillie.

Je souhaitais aller plus loin que l'administration Obama, qui s'était opposée à fournir des armes défensives au gouvernement ukrainien ou à établir une zone d'exclusion aérienne en Syrie, où Poutine avait déclenché une intervention militaire afin de soutenir le dictateur meurtrier Bachar el-Assad. J'avais aussi l'intention d'augmenter nos investissements dans le domaine de la cyber-sécurité et de poursuivre par toutes les ressources disponibles la coopération entre le gouvernement et le secteur privé. C'est ainsi que nous arriverions à protéger des attaques nos infrastructures nationales et commerciales vitales, dont les centrales nucléaires, le réseau électrique, les barrages et le système financier.

En un mot, je gardais les yeux ouverts. Je savais que Poutine représentait une menace grandissante. Je savais qu'il entretenait une vendetta personnelle contre moi, ainsi qu'un profond ressentiment à l'égard des États-Unis.

Cependant, je n'aurais jamais imaginé qu'il aurait l'audace de lancer une attaque clandestine massive contre notre démocratie, juste sous notre nez – et qu'il s'en tirerait sans être inquiété.

Depuis l'élection, nous en avons beaucoup appris sur l'ampleur et la sophistication du complot russe, et de nouvelles informations sortent quotidiennement. Mais, même pendant la campagne, nous en savions assez pour comprendre que nous faisions face, pour reprendre les mots du sénateur Harry Reid, à « une des plus graves menaces pesant sur notre démocratie depuis la guerre froide ». Et cela n'a fait qu'empirer. Je ne vais pas tenter de fournir un compte-rendu définitif de tous les méandres de cette saga – les sources ne manquent pas pour cela –, mais je vais essayer de partager mon expérience, mon ressenti et ce que, de mon point de vue, nous devrions faire en tant que nation pour nous protéger à l'avenir.

Naissance d'une amitié virile

C'était une affaire étrange dès le départ. Pourquoi Donald Trump continuait-il de souffler des baisers à Vladimir Poutine ? Il a affirmé qu'il donnerait un A à Poutine pour ses qualités de dirigeant et dit que le président russe était « très respecté dans son pays et en dehors ». Trump s'est délecté du fait que Poutine l'avait qualifié de « brillant », même si une traduction plus juste serait « haut en couleur ». Au cours d'un échange particulièrement caractéristique dans l'émission « Morning Joe » sur MSNBC, Trump a justifié les meurtres présumés de journalistes par Poutine. « Au moins c'est un leader, contrairement à ce que nous avons dans ce pays », a-t-il dit. Et comme si cela ne suffisait pas, il a ajouté : « Je pense que notre pays est à l'origine de pas mal d'assassinats, lui aussi. » Aucun ancien candidat à la présidentielle américaine n'aurait osé salir notre pays de cette manière, ou suggérer une équivalence morale entre la démocratie américaine et l'autocratie russe. Pas étonnant que Poutine apprécie Trump.

Mais que se passait-il réellement ? J'étais totalement perplexe. Tout cela excédait largement les limites de la politique américaine classique, surtout pour un républicain. Comment le parti de Reagan se laissait-il transformer en parti de Poutine ?

À mon avis, il y avait trois explications plausibles à l'« amitié virile » naissante entre Trump et Poutine.

Tout d'abord, Trump semble étrangement fasciné par les dictateurs et les hommes forts. Il a fait l'éloge de Kim Jong-un, le jeune chef d'État sanguinaire de la Corée du Nord, pour ses capacités de consolidation du pouvoir et d'élimination des dissidents – « Il faut bien lui reconnaître ça », a déclaré Trump. Il a aussi évoqué avec admiration le massacre en 1989 d'étudiants chinois qui protestaient sans armes place Tian'anmen, et affirmé que c'était synonyme de force. La force, tout est là. Trump ne pense pas en termes de moralité ou de droits de l'homme, il ne pense qu'en termes de pouvoir et de domination. La force fait loi. Poutine pense la même chose, mais de manière beaucoup plus stratégique. Et il semble que Trump en pince pour le numéro macho d'« autocrate torse nu » de Poutine. Il ne se contente pas d'aimer Poutine – on dirait qu'il veut *ressembler* à Poutine, un dirigeant blanc autoritaire, capable de mater ses dissidents, de réprimer les minorités, de priver de leurs droits des électeurs, de censurer la presse et d'amasser en douce des milliards. Il rêve d'un Moscou sur le Potomac[5].

Et, malgré son total manque d'intérêt et de connaissances de la plupart des problèmes de politique étrangère, Trump a depuis longtemps une vision du monde calquée sur le programme de Poutine. Il se méfie des alliés de l'Amérique et ne pense pas que les valeurs morales devraient jouer un rôle en matière de politique étrangère. Il ne semble pas non plus croire que les États-Unis devraient conti-

---

5. Un fleuve de l'Est des États-Unis.

nuer de porter la responsabilité du leadership mondial. En 1987, Trump a dépensé presque 100 000 dollars pour de pleines pages de publicité dans le *New York Times*, le *Washington Post* et le *Boston Globe*. Son but ? Critiquer la politique étrangère de Ronald Reagan et presser l'Amérique d'arrêter de protéger ses alliés qui devraient, selon lui, assurer leur défense eux-mêmes. Il affirmait que le monde profitait et se moquait des États-Unis. Près de trente ans plus tard, il continue de dire la même chose : Trump a évoqué les alliances américaines comme s'il s'agissait de rackets en échange de notre protection, comme si nous pouvions extorquer les nations plus faibles et les faire payer en échange de leur sécurité. Il a menacé de quitter l'OTAN et a dénigré l'Union européenne. Il a insulté les dirigeants de pays tels que l'Angleterre et l'Allemagne. Il est même entré en conflit avec le pape François – sur Twitter ! Au vu de tout cela, il n'est pas étonnant que, une fois devenu président, Trump se soit brouillé avec nos alliés et ait refusé de perpétuer le principe de base d'une défense mutuelle lors d'un sommet de l'OTAN. L'Amérique a perdu de son prestige et s'est soudain retrouvée isolée, ce qui s'est malheureusement reflété dans l'image de dirigeants de démocraties occidentales déambulant ensemble dans une charmante rue italienne, tandis que Trump préfère les suivre, seul dans une voiturette de golf.

Tout cela sonne comme une douce mélodie aux oreilles de Poutine. Le but principal du Kremlin est d'affaiblir l'Alliance atlantique et de réduire l'influence américaine en Europe, laissant le continent à la merci d'une domination russe. Poutine ne pouvait espérer meilleur ami que l'actuel président américain.

La troisième explication est que Trump semble avoir des liens financiers importants avec la Russie. En 2008, Don Junior, le fils de Trump, a déclaré à des investisseurs à Moscou : « Les Russes sont surreprésentés dans nos actifs » et « nous voyons beaucoup d'argent affluer de Russie », à en croire le journal russe *Kommersant*. En 2013, Trump lui-même a déclaré à David Letterman dans une interview qu'il faisait « beaucoup d'affaires avec les Russes ». James Dodson, un journaliste sportif respecté, a raconté que l'autre fils de Trump, Eric, lui avait dit : « Nous ne comptons pas sur les banques américaines » pour financer des projets de golfs, « nous avons tous les financements nécessaires en Russie ».

Sans avoir accès aux déclarations fiscales de Trump, il est impossible de prendre la mesure de ces liens financiers. Si on se fonde sur ce qu'on sait déjà, il paraît logique que malgré les faillites à répétition

– et même si la plupart des banques américaines ont refusé de lui prêter de l'argent – Trump et ses sociétés et partenaires se soient, selon *USA Today*, « tournés vers de riches Russes et des oligarques d'anciennes républiques soviétiques – dont plusieurs semblent être liés au crime organisé ». Diverses procédures et plusieurs documents juridiques témoignent de ce point de vue. De plus, en 2008, Trump en a fait sourciller plus d'un en vendant un manoir à Palm Beach à un oligarque russe à un prix surévalué – 54 millions de dollars de plus que ce qu'il l'avait payé seulement quatre ans plus tôt. En 2013, son concours de Miss Univers à Moscou a été financé en partie par un milliardaire allié de Poutine. Et pour construire son hôtel new-yorkais, le Trump SoHo, il s'est associé à l'entreprise Bayrock Group et à un immigré russe, Felix Sater, qui avait été lié à la mafia et reconnu coupable de blanchiment d'argent. (*USA Today* a publié de très bons reportages sur tout cela, si vous avez envie d'en savoir plus.)

Les conseillers de Trump ont eux aussi eu des liens financiers avec la Russie. Paul Manafort, que Trump a engagé en mars 2016 et promu directeur de campagne deux mois plus tard, est un lobbyiste républicain qui a passé des années au service d'autocrates étrangers. Il a récemment gagné des millions de dollars en travaillant avec les forces pro-Poutine en Ukraine. Puis, il y a eu Michael Flynn, ancien directeur de l'Agence du renseignement de la Défense, qui a été limogé à raison par le président Obama en 2014. Flynn a accepté de l'argent de la chaîne de propagande de Poutine à destination de l'Occident, Russia Today (RT), et, en décembre 2015, il a assisté au gala célébrant le dixième anniversaire de RT à Moscou, à la table de Poutine (en compagnie de Jill Stein, candidate du Green Party à l'élection présidentielle). Était également présent Carter Page, ancien conseiller du géant du gaz russe Gazprom, qui a fait de fréquents allers-retours à Moscou – y compris en juin 2016, en plein milieu de la campagne présidentielle. Il semblait réciter les éléments de langage anti-américains du Kremlin.

Apprendre tout cela entre 2015 et 2016 semblait irréel. C'était comme peler un oignon : il y avait toujours une peau après l'autre.

Si vous additionnez tous ces éléments – l'affection de Trump pour les tyrans et son hostilité envers nos alliés, une sympathie pour les objectifs stratégiques de la Russie et des liens financiers avérés avec des Russes peu recommandables –, sa rhétorique pro-Poutine commence à prendre sens. Et tout cela était de notoriété publique pendant la campagne. Le point critique a été atteint fin avril 2016, lorsque

Trump a appelé à l'amélioration des relations avec la Russie lors d'un discours de politique étrangère au Mayflower Hotel à Washington. L'ambassadeur russe aux États-Unis, Sergueï Kislyak, applaudissait depuis le premier rang. (Il a plus tard assisté à la Convention nationale des républicains, mais a snobé la nôtre.)

Les experts républicains en matière de sécurité nationale étaient consternés par le ralliement de Trump à Poutine – tout comme moi-même. À chaque occasion, j'ai averti que laisser Trump devenir commandant en chef serait incroyablement dangereux et ferait le jeu des Russes. « Ce sera une sorte de Noël au Kremlin », ai-je prédit.

Violation

Puis, les choses sont devenues encore plus étranges.

Fin mars 2016, des agents du FBI ont rencontré l'avocat de ma campagne, Marc Elias, ainsi que d'autres cadres de mon équipe à notre QG de Brooklyn, pour nous avertir que des pirates informatiques étrangers pourraient s'en prendre à notre campagne par l'envoi d'e-mails frauduleux. Ils essaieraient de piéger les utilisateurs en les faisant cliquer sur des liens ou entrer des mots de passe, en pénétrant par ce moyen sur notre réseau – c'est ce qu'on appelle le phishing. Nous étions déjà au courant de la menace, parce que des vingtaines – voire des centaines – de ces e-mails atterrissaient dans nos boîtes mail. La plupart étaient faciles à repérer et, à l'époque, nous n'avions aucune raison de penser qu'une attaque de phishing aurait été couronnée de succès.

Puis, début juin, Marc a reçu un message du Comité national démocrate. Des hackers, dont on pensait qu'ils travaillaient pour le gouvernement russe, s'étaient introduits sur le réseau informatique du comité. Selon le *New York Times*, le FBI avait vraisemblablement découvert l'intrusion des mois plus tôt, en septembre 2015, et en avait informé le prestataire technique du comité – mais celui-ci ne s'était jamais rendu dans les bureaux et n'avait pas fait grand-chose par la suite. Comme l'a révélé plus tard au *Times* l'ancien patron de la cyber-division du FBI, ce fut une erreur coupable. « On ne parle pas d'un bureau au milieu des forêts du Montana », a-t-il déclaré. Leurs locaux n'étaient qu'à deux kilomètres l'un de l'autre. Après l'élection, le directeur du FBI, James Comey, a reconnu son erreur :

« J'aurais peut-être dû m'y rendre en personne, sachant ce que je sais aujourd'hui. »

En tout cas, l'information n'est pas arrivée aux oreilles des dirigeants du comité avant le mois d'avril. Ils ont alors sollicité une firme de cyber-sécurité respectée, CrowdStrike, pour éclairer la situation, se débarrasser des hackers et protéger le réseau de futures intrusions. Ces experts ont découvert que les hackers venaient sans doute de Russie et qu'ils avaient réussi à accéder à une large quantité d'e-mails et documents. Tout cela a été rendu public le 14 juin, lorsque le *Washington Post* a dévoilé l'affaire.

La nouvelle était troublante mais pas choquante : le gouvernement russe essaie de pirater des réseaux américains sensibles depuis des années, comme le font d'autres nations – la Chine, l'Iran et la Corée du Nord, par exemple. En 2014, les Russes ont violé le système non confidentiel du département d'État avant de s'attaquer à la Maison-Blanche et au Pentagone. Ils ont également piraté des think tanks, des journalistes et des hommes politiques.

Nous croyions tous que ces piratages et tentatives de piratage étaient de la collecte de renseignement tout ce qu'il y a de plus banal, simplement adaptée aux techniques du XXIe siècle – ce qui s'est révélé faux par la suite. Il se passait quelque chose de beaucoup plus insidieux. Le 15 juin, lendemain du jour où a été rendue publique l'attaque contre le Comité national démocrate, un pirate informatique nommé Guccifer 2.0 – dont on pense qu'il est une couverture des services de renseignement russes – a revendiqué l'attaque et posté en mémoire-cache des documents volés. Il a prétendu en avoir transmis des milliers à WikiLeaks, l'organisation censée être dévouée à une transparence radicale. Julian Assange, le fondateur de WikiLeaks, a promis de dévoiler des « e-mails concernant Hillary Clinton », même si le sens de ces mots n'était clair pour personne.

La publication de fichiers volés au Comité national démocrate s'est avérée être un tournant dramatique des événements pour plusieurs raisons. Tout d'abord, nous avions désormais la preuve que la Russie ne se contentait pas de collecter du renseignement sur la scène politique américaine – elle essayait activement d'influencer l'élection. Exactement comme elle l'avait fait un an plus tôt avec l'enregistrement audio de Toria Nuland, la Russie était en train de « militariser » des informations volées. À l'époque, il ne m'est pas venu à l'esprit que n'importe qui associé à Donald Trump pouvait être en relation avec les Russes, mais il semble plus que probable que Poutine essayait d'aider son candidat favori. Après tout, il ne m'aimait pas et me craignait, tandis qu'en Trump il avait un allié. Cela a été souligné quand l'équipe de campagne de Trump a quitté le terrain du langage républicain et a appelé les États-Unis à fournir à l'Ukraine des « armes de défense létales » – un cadeau fait à Poutine, auquel ne manquait que l'emballage et la jolie révérence.

L'analyse détaillée des documents de Guccifer a également révélé une perspective inquiétante : au moins l'un des fichiers semblait provenir du système informatique de notre campagne, et non de celui du Comité national démocrate. De plus amples recherches ont laissé supposer que le fichier pouvait avoir été dérobé sur le compte personnel Gmail de John Podesta, mon directeur de campagne. Il était impossible d'en être sûr, mais nous sentions que les ennuis ne faisaient que commencer.

Crier dans le désert

Le 22 juillet, WikiLeaks a publié une vingtaine de milliers d'e-mails volés au Comité national démocrate. L'accent était mis sur une poignée de messages comprenant des commentaires offensants à l'égard de Bernie Sanders et, comme on pouvait s'y attendre, ils ont déclenché une tempête parmi les partisans de Bernie, dont beaucoup ne s'étaient pas encore remis d'avoir perdu les primaires. En revanche, le contenu des e-mails volés ne confirmait en rien les accusations de trucage des primaires. Par ailleurs, la grande majorité des messages offensants avaient été écrits en mai, des mois après que j'ai cumulé une avance irrattrapable.

Plus important, cependant, était le fait que les Russes ou leurs mandataires avaient les compétences pour trouver et exploiter ces quelques e-mails volés afin de créer la discorde chez les démocrates. On peut en conclure à une fine connaissance et à une certaine familiarité avec notre scène politique et ses acteurs. Imaginez un moment combien de propos incendiaires et embarrassants ils auraient trouvé s'ils avaient piraté des cibles républicaines ! (Révélation : ils l'ont fait, mais n'ont jamais publié quoi que ce soit.)

Le timing de la publication par WikiLeaks a été terrible – et ce n'était sans doute pas une coïncidence. J'avais battu Bernie et bouclé l'investiture début juin, mais il a fallu attendre le 12 juin pour obtenir son soutien. Nous travaillions alors dur à rassembler le parti avant le début de la Convention nationale démocrate à Philadelphie le 25 juillet. En outre, la nouvelle est tombée le jour où je présentais Tim Kaine comme colistier, transformant ce qui aurait dû être un des plus beaux jours de notre campagne en un véritable cirque.

La révélation de ces documents semblait être organisée pour nous causer un maximum de tort à un moment crucial. Et cela a fonctionné. La présidente du Comité national démocrate, Debbie Wasserman Schultz, a démissionné deux jours plus tard, et l'ouverture de la convention s'est faite sous les huées et les sifflets des partisans de Sanders. Ça m'a rendue complètement malade. Après tous ces mois de campagne, je voulais que ce moment soit parfait. C'était la meilleure occasion pour moi, avant les débats télévisés, de présenter ma vision pour le pays directement aux électeurs. Je me souvenais à quel point la convention au Madison Square Garden avait soutenu Bill en 1992, et espérais profiter du même élan. Loin de là. Nous avions désormais fort à faire pour gérer un parti divisé et une presse distraite. Des dirigeantes démocrates, et en particulier la députée de l'Ohio Marcia Fudge, la révérend Leah Daughtry et Donna Brazile, ont fini par aider à mettre un peu d'ordre dans ce chaos. Le discours magistral et émouvant de Michelle Obama a rassemblé la salle et fait taire les contestataires. Puis Bernie s'est exprimé et m'a renouvelé son soutien, contribuant à sceller la *détente*[6].

Le 27 juillet, la veille du jour où j'ai formellement accepté l'investiture démocrate, Trump a tenu l'une de ses folles conférences de presse. Il a affirmé que, en tant que président, il accepterait l'annexion de la Crimée par la Russie et a écarté toute responsabilité du Kremlin dans le piratage du Comité national démocrate. Puis – chose étonnante – il a vivement conseillé aux Russes d'essayer de pirater ma boîte mail. « La Russie, si vous écoutez, j'espère que vous arriverez à dénicher les 30 000 e-mails qui manquent, a-t-il dit, faisant référence aux e-mails personnels sans lien avec le travail qui avaient été effacés, une fois que j'avais transmis les autres au département d'État. Je pense que nos médias ne manqueront pas de vous récompenser. » Comme l'a formulé le *New York Times*, Trump « encourageait une puissance souvent hostile aux États-Unis à enfreindre des lois américaines en s'introduisant sur un réseau informatique privé ».

Katy Tur de NBC News a creusé pour savoir s'il s'agissait d'une plaisanterie ou si c'était du sérieux. Elle a demandé à Trump s'il

6. En français dans le texte.

n'avait « aucun scrupule » à encourager un gouvernement étranger à pirater des boîtes mail américaines. Au lieu de faire machine arrière, Trump en a remis une couche : « Si la Russie, la Chine ou n'importe quelle autre nation détient ces e-mails, eh bien, voyez-vous, pour être honnête, j'adorerais les voir », a-t-il affirmé. Il a également refusé de demander à Poutine de ne pas interférer dans l'élection : « Je ne vais pas dire à Poutine quoi faire ; pourquoi devrais-je dire à Poutine ce qu'il doit faire ? » Il ne plaisantait pas.

Malgré les tentatives de Trump pour blanchir Poutine, les experts en cyber-sécurité et les services de renseignement américains sont certains que les Russes étaient derrière le piratage. Il n'y avait pas encore de consensus sur le fait que leur but était d'ébranler la confiance du peuple dans les institutions démocratiques américaines, ou si Poutine essayait activement de faire vaciller ma candidature pour aider Trump à être élu. Mais je n'avais aucun doute. Et le moment choisi pour la divulgation, tout comme la nature particulière des matériaux (les renseignements russes comprenaient-ils vraiment les subtilités de la politique interne du Comité national démocrate et les décisions de Debbie Wasserman Schultz ?), nous ont fait penser que les Russes s'étaient assuré le soutien de quelqu'un ayant une grande expérience de la politique américaine – une perspective réellement alarmante.

Nous avions un million de choses sur le feu cette semaine-là. La convention nous mobilisait entièrement. Difficile donc de prendre un moment pour se concentrer sur la gravité des événements. Mais j'ai compris que nous avions franchi une ligne. Exit l'habituel tumulte de la politique. C'était – il n'y a pas d'autre mot pour le décrire – la guerre. J'ai dit à mon équipe que je pensais que le moment était venu de « briser la vitre ». « On nous attaque », ai-je précisé. Il était temps de se montrer plus combative en public. Robby Mook a donné une série d'interviews dans lesquelles il a pointé du doigt la Russie, déclarant que les Russes n'essayaient pas seulement de créer le chaos, mais faisaient tout ce qu'ils pouvaient pour aider Trump. Ce commentaire n'aurait pas dû susciter de controverse, mais Robby a été traité de dingue. Jennifer Palmieri et Jake Sullivan ont briefé en coulisse les chaînes de télévision pour leur expliquer la situation plus en détail. Après l'élection, Jennifer a publié une tribune dans le *Washington Post* titrée : « La campagne de Clinton a mis en garde contre la Russie. Mais personne n'a écouté son message. » Elle a rappelé que les journalistes étaient généralement plus intéressés par les contenus cancaniers des e-mails volés que par la possibilité qu'une puissance étrangère essaie de manipuler nos élections. La presse a traité nos avertissements concernant la Russie comme si c'était du baratin conçu pour détourner l'attention de révélations embarrassantes – un point de vue encouragé par l'équipe de campagne de Trump. Les médias étaient habitués au rabâchage des absurdes théories du complot de Trump – comme celle qui voulait que le père de Ted Cruz ait aidé à assassiner John F. Kennedy – et se sont comportés comme si le piratage russe était « notre » théorie du complot, un équivalent bidon et prêt à consommer qui n'empêchait pas reporters et commentateurs de dormir sur leurs deux oreilles. Comme l'a décrit plus tard Matt Yglesias du site d'information *Vox*, la plupart des journalistes pensaient que l'hypothèse selon laquelle Moscou essayait d'aider Trump était « des salades à la limite de l'absurde », et que notre tentative de tirer la sonnette d'alarme était « trop agressive, intéressée et légèrement tirée par les cheveux ».

La presse ne voulait peut-être pas nous écouter, mais j'espérais qu'elle entendrait les cadres respectés du renseignement. Le 5 août, Mike Morell, l'ancien directeur adjoint de la CIA, a publié dans le *New York Times* une tribune des plus inhabituelles. Malgré un parcours professionnel non partisan du début à la fin, il affirmait avoir décidé de me soutenir à la présidentielle en raison de mon expérience en matière de sécurité nationale – y compris mon rôle pour qu'Oussama Ben Laden réponde de ses crimes. En revanche, il considérait Donald Trump comme « non seulement pas qualifié pour le job, mais susceptible de représenter une menace pour notre sécurité nationale ». C'était une déclaration choquante de la part d'un ancien maître espion américain ; mais ce n'était rien comparé à ce qu'il avait ajouté ensuite. Poutine, faisait remarquer Morell, était un officier de renseignement de carrière « entraîné à détecter les faiblesses d'un individu afin de les exploiter ». Et voici le passage le plus troublant : « Dans la sphère du renseignement, expliquait Morell, nous dirions que M. Poutine a recruté M. Trump pour en faire à son insu un agent de la Fédération de Russie. »

L'argument de Morell n'était pas que Trump ou son équipe de campagne complotaient de manière illégale avec les Russes afin de truquer l'élection – même s'il n'écartait pas totalement cette idée. Il suggérait plutôt que Poutine manipulait Trump pour lui faire prendre des positions qui aideraient la Russie et affaibliraient l'Amérique, y compris « soutenir l'espionnage russe contre les États-Unis, encourager l'annexion de la Crimée par la Russie et ainsi donner le feu vert à une possible invasion russe des États des Balkans ». Il est important de se rappeler ce point, car il se noie souvent parmi les autres potentielles actions criminelles. Même en l'absence de complot, les comportements troublants pro-Poutine – au vu et au su de tous – ne manquaient pas.

La tribune de Morell équivalait à déclencher l'alerte incendie dans un immeuble bondé. Et pourtant, la plupart des médias – et de nombreux électeurs – ont continué d'ignorer le danger qui nous fixait droit dans les yeux.

Serpents !

La découverte des liens entre WikiLeaks et les services de renseignement russes ne fut pas une surprise pour moi. Seul point positif, cela aidait à jeter un peu plus de discrédit sur son odieux fondateur, Julian Assange. De mon point de vue, Assange est un hypocrite qui mérite de répondre de ses actes. Il prétend être le champion de la transparence, mais a, pendant de nombreuses années, aidé Poutine – l'un des autocrates les plus répressifs et les moins transparents de la planète. WikiLeaks ne se contente pas simplement d'éviter de publier tout ce qui pourrait déplaire à Poutine ; il cible les adversaires de la Russie. C'est dans cet esprit qu'Assange a animé une émission télévisée sur Russia Today, le média de propagande de Poutine, et est adulé en Russie. Et comme si l'hypocrisie ne suffisait pas, Assange a été inculpé de viol en Suède. Pour ne pas devoir faire face à ces accusations, il s'est réfugié à l'ambassade d'Équateur à Londres après avoir payé une caution. Après plusieurs années d'attente, la Suède a renoncé à le faire extrader, mais a promis que, si Assange revenait sur son territoire, l'enquête pourrait être rouverte.

Assange, comme Poutine, a depuis longtemps une dent contre moi. Les mauvaises relations remontent à 2010, lorsque WikiLeaks a publié plus de 250 000 dépêches volées au département d'État, dont beaucoup d'observations sensibles de nos diplomates sur le terrain. En tant que secrétaire d'État, j'avais la responsabilité de la sécurité de nos agents à travers le monde, et je savais que la divulgation de ces rapports confidentiels les mettait non seulement eux-mêmes en danger, mais aussi leurs contacts – y compris des militants des droits de l'homme et des dissidents qui pourraient faire l'objet de représailles de la part de leur gouvernement. Nous avions dû agir vite pour évacuer les personnes menacées et heureusement, à notre connaissance, personne n'a été tué ou emprisonné. J'étais convaincue qu'Assange était dangereux et qu'il avait tort, et je l'ai affirmé publiquement.

Le fait que ces deux vieux adversaires de l'époque où j'étais secrétaire d'État – Assange et Poutine – semblaient collaborer pour nuire à ma campagne était exaspérant. Il était déjà suffisamment difficile d'affronter un milliardaire et tout le Parti républicain ; désormais, il me fallait aussi faire face à ces forces extérieures malfaisantes. La journaliste Rebecca Traister a un jour observé qu'il y avait « une fatalité à la *Indiana Jones*, "Fallait que ce soit des serpents" », à propos de mon affrontement avec Trump. « Évidemment, Hillary Clinton va devoir se présenter face à un homme qui semble à la fois incarner et rallier tout ce qui est mâle, blanc et furieux de l'ascension des femmes et des Noirs en Amérique », a-t-elle écrit. Je voulais relever le défi – et pourrais ajouter : évidemment, je ne devais pas faire face à un seul misogyne cognant sur l'Amérique, mais à trois. Évidemment, j'allais aussi devoir affronter Poutine et Assange.

Au milieu de l'été 2016, le monde entier savait que Trump et son équipe se réjouissaient de l'attaque russe contre notre démocratie et qu'ils faisaient tout leur possible pour l'exploiter. Trump n'a même jamais essayé de cacher qu'il faisait cause commune avec Poutine. Et s'ils ne s'étaient pas contentés de ça ? S'ils étaient en réalité en train de comploter avec le renseignement russe et WikiLeaks ? Il n'y en avait encore aucune preuve, mais les coïncidences s'accumulaient.

Puis, le 8 août, Roger Stone, conseiller de longue date de Trump, qui s'était fait les dents comme « porte-flingue » au service de Nixon, s'est vanté devant un groupe de républicains de Floride de communiquer avec Assange. Il a prédit une « surprise d'octobre », un aveu choquant, fait en public, par le plus ancien conseiller politique de Trump. Stone a fait des déclarations similaires les 12, 14, 15 et 18 août. Le 21 août, il a tweeté : « Croyez-moi, ce sera bientôt au tour de Podesta d'être dans le viseur. #CrookedHillary. » Ces affirmations nous intéressaient d'autant plus que nous avions le soupçon, comme évoqué plus haut, que les e-mails de John avaient été piratés – mais nous ne pouvions pas en être certains. Stone a continué de s'exprimer de cette façon pendant quelques semaines et est même allé jusqu'à appeler Assange son « héros ».

Je n'ai pas été la seule à faire cette observation. Fin juin, Harry Reid, membre de la « bande des huit » du Congrès, ces parlementaires qui sont tenus informés sur les questions les plus sensibles de renseignement, a écrit une lettre au directeur du FBI, James Comey, citant les déclarations de Stone et demandant une enquête exhaustive et approfondie. « Les preuves d'un lien direct entre le gouvernement russe et l'équipe de campagne de Trump continuent de s'accumuler », a écrit Reid. Il a aussi avancé l'hypothèse qu'il pourrait y avoir une tentative de falsification des résultats de l'élection. Il faisait référence à des rapports officiels déclarant que des hackers russes avaient pénétré des bases de données d'électeurs de l'Arizona et d'Illinois – une information qui incitait le FBI à mettre en garde les responsables des élections à travers tout le pays, pour les inciter à renforcer la sécurité de leurs systèmes. Comme la tribune de Morell, la lettre de Reid était une tentative pour sortir le pays de sa torpeur et faire en sorte que la presse, l'administration et tous les Américains se concentrent tous ensemble sur une menace pressante. Cela n'a pas marché.

Goutte-à-goutte

L'automne arrivé, les rumeurs et comptes-rendus alarmants ont continué d'affluer. Paul Manafort a démissionné le 19 août, alors que de plus en plus de questions se posaient sur ses liens financiers avec la Russie. Le 5 septembre, le *Washington Post* a rapporté que les agences de renseignement américaines pensaient désormais qu'il y avait « une vaste opération clandestine russe aux États-Unis afin de semer un sentiment de défiance populaire dans le contexte de l'élection présidentielle à venir et des institutions politiques américaines ». Cela signifiait que l'affaire ne se limitait pas, loin de là, au seul piratage du Comité national démocrate.

Nous avons appris l'existence d'une mission fédérale inter-agences enquêtant sur les liens financiers de l'équipe de Trump, mais aucun journaliste n'a réussi à le faire confirmer officiellement. Le FBI se serait aussi intéressé à d'étranges flux informatiques entre la Trump Tower et une banque russe ; des journalistes se sont également lancés sur cette piste, et Franklin Foer de *Slate* a fini par sortir l'affaire le 31 octobre. Puis des bruits de couloir ont circulé à Washington selon lesquels les Russes détenaient des informations compromettantes sur Trump, possiblement une vidéo salace tournée dans un hôtel de Moscou. Mais personne n'en avait la moindre preuve.

Lors de mon premier débat télévisé avec Trump, le 26 septembre, je l'ai vivement interpellé au sujet de la Russie. Il a continué à défendre Poutine et à contredire les conclusions de nos services de renseignement, des conclusions qui lui avaient pourtant été personnellement transmises. « Je pense que personne ne peut affirmer que c'est la Russie qui a pénétré par effraction sur le réseau du Comité national démocrate, a insisté Trump. Vous voyez, c'est peut-être la Russie, mais ça pourrait aussi être la Chine. Ou tout un tas d'autres gens. Ça pourrait même être quelqu'un sur son lit qui pèse 200 kilos, hein ? » Mais de quoi parlait-il ? Un type de 200 kilos dans son sous-sol ? Songeait-il à un personnage de *Millénium : Les Hommes qui n'aimaient pas les femmes* ? Je me suis demandé qui avait pu souffler ça à Trump.

Pendant ce temps, Roger Stone a continué de tweeter des avertissements sur le fait que WikiLeaks se préparait à lancer une nouvelle bombe qui détruirait ma campagne et m'enverrait en prison. Le personnage est si étrange qu'il était difficile de savoir à quel point il fallait prendre au sérieux ce qu'il racontait. Mais, étant donné ce qui s'était déjà passé, difficile de savoir quels autres sales tours nous attendaient.

Puis est arrivé le 7 octobre, un des jours les plus importants de toute la campagne. J'étais en pleine séance de préparation pour le second débat et essayais de me concentrer sur la tâche à accomplir.

Ce qui s'est passé ensuite, c'est que Jim Clapper, directeur du renseignement national, et Jeh Johnson, ministre de la Sécurité intérieure, ont diffusé un bref communiqué qui, pour la première fois, accusait formellement « les plus hautes instances russes » d'avoir commandité le piratage du Comité national démocrate. Nous le savions déjà, mais l'annonce officielle donnait à cela tout le poids du gouvernement des États-Unis. Chose frappante, le FBI n'a pas soutenu ce communiqué, et nous avons appris par la suite que Comey avait refusé de le faire, prétendant que c'était inapproprié si près de l'élection. (Hum hum.)

Puis, à 16 heures, le *Washington Post* a sorti la vidéo dans laquelle Trump se vante d'agresser sexuellement des femmes. Une catastrophe pour sa campagne. Moins d'une heure plus tard, WikiLeaks a annoncé avoir obtenu 50 000 e-mails de John Podesta et en publiait une première fournée d'environ 2 000. Cette démarche ressemblait fort à une tentative pour changer de sujet et distraire les électeurs – et fournissait des raisons supplémentaires de penser que WikiLeaks et ses mécènes russes étaient parfaitement synchronisés avec l'équipe de campagne de Trump.

Il s'est avéré que les pirates russes avaient eu accès à la boîte mail personnelle de John en mars, grâce à une attaque de phishing. WikiLeaks a continué de divulguer des e-mails volés presque tous les jours jusqu'à la fin de la campagne. Un temps, il a semblé que la tactique de WikiLeaks allait échouer. L'épisode de la vidéo du *Washington Post* a fait les gros titres, mis Trump sur la défensive et envoyé ses bailleurs de fonds républicains aux abris. La presse s'est empressée de faire ses choux gras de chaque e-mail volé – allant même jusqu'à imprimer la recette de risotto préférée de John –, mais aucun autre épisode n'a monopolisé les médias comme l'enregistrement du *Post*.

Je compatissais avec John de cette scandaleuse intrusion dans son intimité – j'étais l'une des rares à savoir ce qu'on peut ressentir dans cette situation –, mais il l'a bien surmontée. Il se sentait coupable de certaines formules qu'il avait employées. Mais encore plus vis-à-vis des amis et collègues qui lui avaient envoyé des messages privés et qui voyaient désormais leurs mots noir sur blanc, exposés aux yeux de tous. WikiLeaks ne s'était même pas donné la peine de masquer les informations personnelles, telles que les numéros de téléphone et de sécurité sociale, ce qui a fait du tort à des gens bien qui ne méritaient pas ça.

Mais en fin de compte la plupart des e-mails de John se sont révélés plutôt... ennuyeux. Ils ont dévoilé les rouages d'une campagne pendant laquelle les membres d'une équipe discutent politique, rédigent des discours et commentent les hauts et bas quotidiens de l'élection. Tom Friedman du *New York Times* a publié un édito sur ce que cette correspondance de coulisses disait de moi et mon équipe : « Quand je lis WikiHillary, j'entends une politicienne de centre gauche intelligente et pragmatique », a-t-il écrit, puis : « Je suis plus convaincu que jamais qu'elle peut être la présidente dont l'Amérique a besoin aujourd'hui. »

Il était plus difficile de voir à l'époque que ce flux ininterrompu d'histoires garantirait que « Clinton » et « e-mails » continueraient de faire les gros titres jusqu'au jour de l'élection. Rien de tout cela n'avait le moindre rapport avec le fait que je m'étais servie de ma boîte mail personnelle au département d'État, mais, pour beaucoup d'électeurs, tout allait se mélanger. Et tout ça était avant que Jim Comey n'envoie cette malencontreuse lettre au Congrès, ce qui n'a fait qu'aggraver les choses. Par conséquent, nous avons dû affronter une tempête phénoménale. Et Trump a fait tout ce qu'il pouvait pour aggraver nos problèmes, citant WikiLeaks plus de 160 fois au cours du dernier mois de campagne. Il avait du mal à contenir son excitation à chaque nouvelle fournée d'e-mails volés.

Comparer les effets de WikiLeaks et de la vidéo du *Washington Post* illustre le vieux cliché de Washington selon lequel le « goutte-à-goutte » du scandale peut être encore plus fatal qu'une seule histoire vraiment sale. Cette vidéo de Trump avait fait l'effet d'une bombe, avec des dégâts importants et instantanés. Mais aucun autre enregistrement n'est sorti, et l'histoire s'arrêtait là : la presse et le grand public ont fini par passer à autre chose. De nos jours, la vitesse à laquelle les médias s'emparent d'un sujet puis le délaissent est étonnante. En revanche, WikiLeaks n'a pas cessé de divulguer des e-mails. C'était comme le supplice chinois de la goutte d'eau. Individuellement, les jours n'avaient rien d'insurmontable, mais ils s'ajoutaient et il était impossible de passer à autre chose. WikiLeaks a joué sur la fascination des gens avec la méthode du « lever de rideau ». Tout ce qui se dit derrière des portes closes est automatiquement plus intéressant, important et sincère que les choses dites en public. Et c'est encore mieux lorsqu'il faut mettre un peu la main à la pâte et glaner l'info sur Google. On plaisantait parfois en disant que, si on voulait que la presse s'intéresse à notre plan pour l'emploi – que je n'arrêtais pas d'évoquer pour un effet proche de zéro –, nous devrions le faire fuiter sous forme d'e-mail privé. C'est seulement à ce moment-là que l'info mériterait d'être couverte.

WikiLeaks a également contribué à accélérer le phénomène qui a fini par être connu sous le nom de « fake news ». Des articles bidon ont commencé à apparaître sur Facebook, Reddit, Breitbart, Drudge Report et d'autres sites, qui prétendaient souvent se fonder sur des e-mails volés. Par exemple, WikiLeaks a tweeté le 6 novembre que la Fondation Clinton avait payé le mariage de Chelsea, une accusation totalement fausse, comme l'a rapporté plus tard Glenn Kessler du *Washington Post* dans sa rubrique dédiée à la vérification d'informations, le « fact checking ». Kessler, qui n'a jamais hésité à me critiquer, avait entendu dire que ce mensonge avait contribué à convaincre des lecteurs de voter Trump. Après l'élection, il a enquêté pour découvrir que c'était « une affirmation sans preuve » et a exhorté ses lecteurs « à être des consommateurs de *news* plus vigilants ». L'absence de preuve n'a pas empêché le *New York Post* et Fox News de répéter ce mensonge, s'adressant cette fois-ci à un public considérable : c'est ça, qui m'a vraiment prise aux tripes. Bill et moi sommes fiers d'avoir payé le mariage de Chelsea et Marc et nous chérissons chaque souvenir de ce moment. Les mensonges sur Bill ou moi sont une chose, mais je ne peux pas supporter de lire des histoires à propos de Chelsea. Elle ne mérite pas ça.

Les réseaux de propagande russes, RT et Sputnik, ont aussi été de fervents pourvoyeurs de « fake news ». Par exemple, les agences de renseignement américaines ont plus tard pointé du doigt une vidéo d'août 2016 produite par RT et intitulée : « Comment 100 % des "œuvres de bienfaisance" des Clinton ont profité à… eux-mêmes. » Encore un mensonge. Ça fait des décennies que Bill et moi dévoilons nos déclarations fiscales, et il est de notoriété publique que depuis 2001 nous avons donné plus de 23 millions de dollars à des associations caritatives telles que l'Elizabeth Glaser Pediatric AIDS Foundation, des institutions éducatives, des hôpitaux, des paroisses, le Children's Defense Fund – le Fonds de défense des enfants – et la Fondation Clinton. Et aucun de nous – ni Bill ni Chelsea ni moi – n'a jamais soustrait le moindre dollar à la Fondation.

À l'époque, j'étais à peine consciente que ces stupides calomnies russes circulaient sur les réseaux sociaux américains. Et pourtant, selon l'avis du renseignement américain, cette seule vidéo de RT a été visionnée plus de neuf millions de fois, essentiellement sur Facebook.

Même si je l'avais su, j'aurais eu du mal à croire qu'un grand nombre d'électeurs allaient prendre ça au sérieux. Cependant, selon BuzzFeed et d'autres, la propagation de « fake news » sur Facebook et d'autres moyens de diffusion était bien plus vaste que ce à quoi tout le monde s'attendait ; la plupart des opérations étaient menées depuis des pays lointains, comme la Macédoine. Toute cette affaire était étrange. Et Trump a fait tout son possible pour que ces « fake news » se propagent et prennent racine, répétant pendant ses meetings les gros titres mensongers des outils de propagande russes comme Sputnik, et retweetant des mèmes extrémistes.

La veille du jour de l'élection, le président Obama faisait campagne pour moi dans le Michigan (eh oui, nous avons fait campagne dans le Michigan !), et a donné libre cours à la frustration que nous ressentions tous : « Tant que c'est sur Facebook et que les gens le voient, tant que c'est sur les réseaux sociaux, les gens le croient, a-t-il dit, et cela forme ce nuage d'absurdités. » Absurdités était le mot juste.

Le 30 octobre, Harry Reid a écrit une autre lettre à Jim Comey, essayant une dernière fois d'attirer l'attention de la nation sur l'intervention étrangère sans précédent dans notre élection. L'ancien boxeur de Searchlight, dans le Nevada, savait qu'on disputait le combat de nos vies et avait du mal à croire que personne n'y prête attention. Harry avait été briefé par des officiels du renseignement et était frustré qu'ils n'informent pas le peuple américain de ce qui était vraiment en train de se passer. « Il semble clair que vous possédez des informations explosives concernant la coordination et les liens étroits entre Donald Trump, ses principaux conseillers et le gouvernement russe, a-t-il écrit à Comey. Le public a le droit d'avoir accès à cette information. » Et pourtant Comey – qui ne manquait jamais une occasion d'évoquer en public l'enquête en cours sur mes e-mails – a continué à refuser de dire le moindre mot sur Trump et la Russie.

Je craignais des sabotages encore plus francs le jour de l'élection. Mais qu'est-ce qu'on pouvait faire de plus ? Mon équipe et moi avions passé des mois à crier dans le désert. Il ne nous restait plus qu'à faire tout pour défendre notre projet auprès des électeurs et espérer que tout irait pour le mieux.

« Juste les faits, m'dame »

Après l'élection, j'ai essayé de me débrancher, d'éviter les informations et de ne plus trop penser à tout ça. Mais l'univers a refusé de coopérer.

Seulement quatre jours après l'élection, le ministre adjoint des Affaires étrangères russe s'est vanté dans une interview que son gouvernement avait eu des « contacts » avec l'« entourage proche » de Trump pendant la campagne. Le Kremlin et les hommes de Trump ont essayé de rétropédaler, mais il était impossible de revenir sur cet incroyable aveu. Quelques jours plus tard, le président Obama a demandé à la Communauté du renseignement – qui regroupe les dix-sept agences gouvernementales de renseignement – de faire toute la lumière sur les ingérences russes pendant l'élection.

Puis, début décembre, un homme de 28 ans, originaire de Caroline du Nord, a pris sa voiture et est allé à Washington D.C., avec un fusil d'assaut Colt AR-15, un revolver Colt de calibre .38 et un couteau. Il avait lu sur Internet qu'une pizzeria locale à la mode abritait en secret un cercle pédophile dirigé par John Podesta et moi.

Cette « fake news » particulièrement abjecte est partie d'un e-mail inoffensif révélé par WikiLeaks concernant une soirée pizza de John. Cette fausse info a bien vite rebondi dans les tréfonds d'Internet et refait surface sous forme de théorie du complot à glacer le sang. Alex Jones, le droitier animateur de talk-shows très apprécié par Trump, qui prétend que le 11 Septembre est un coup monté de l'intérieur et la tuerie de l'école primaire Sandy Hook un canular, a publié une vidéo sur YouTube à propos de « tous les enfants que Hillary a personnellement assassinés, démembrés et violés ». Sans perdre une seconde, ce jeune homme de Caroline du Nord a pris le chemin de Washington. Arrivé à la pizzeria, il a cherché partout les enfants prétendument retenus captifs. Il n'y en avait aucun. Il a tiré un coup de feu avant d'être arrêté par la police et condamné à quatre ans de prison ; heureusement, personne n'a été blessé. J'étais horrifiée. J'ai immédiatement contacté une amie qui dirige une librairie dans la même rue. Elle m'a raconté que ses employés avaient eux aussi été harcelés et menacés par des conspirationnistes fous.

Début janvier, la Communauté du renseignement a rendu ses conclusions au président Obama et publié à l'intention du grand public une version déclassifiée de ses découvertes. Ils y soulignaient que Poutine en personne avait ordonné une opération clandestine pour me dénigrer et me faire perdre, pour que Trump soit élu et la foi du peuple américain en son processus démocratique sapée. Ni moi ni ceux qui avaient suivi cette affaire n'étaient surpris ; mais il s'agissait désormais de la position officielle du gouvernement des États-Unis. La vraie information, cependant, résidait dans le fait que l'intervention russe avait largement dépassé le piratage de boîtes mail et la divulgation de dossiers. Moscou avait lancé une guerre de l'info sophistiquée à grande échelle, manipulant les réseaux sociaux en les inondant de propagande et de « fake news ».

Très vite, il y a eu des révélations quotidiennes sur les objectifs de l'opération russe et les contacts secrets avec l'équipe de campagne de Trump : une enquête fédérale était en train de tout déterrer. Les auditions devant le Congrès ont commencé. Le *New York Times* et le *Washington Post* ont alors rivalisé de scoops. Je reconnais que la presse et moi avons parfois des rapports compliqués, en particulier avec le *Times*, mais leur couverture du sujet a été d'une grande qualité.

Je n'étais pas simplement une ex-candidate essayant de comprendre pourquoi elle avait perdu. J'étais aussi une ancienne secrétaire d'État inquiète quant à la sécurité nationale de notre pays. Je ne pouvais pas m'empêcher de suivre de très près les nombreux rebondissements de l'affaire. Je lisais tout ce qui me tombait sous la main. J'ai appelé des amis à Washington, dans la Silicon Valley, et consulté des experts de la sécurité nationale et des spécialistes de la Russie. Je n'aurais jamais imaginé que j'en apprendrais autant sur les algorithmes, les « fermes de contenus » et l'optimisation des moteurs de recherche. Le volumineux dossier de coupures sur mon bureau n'arrêtait pas de s'épaissir. Pour ne pas perdre le fil, j'ai commencé à faire des listes de tout ce que nous savions sur ce scandale qui éclatait. Parfois, je me sentais comme l'agent de la CIA Carrie Mathison dans la série *Homeland*, qui, chaque jour un peu plus frénétique, essaie désespérément de prendre à bras-le-corps un sinistre complot.

C'est une image que personne ne souhaite renvoyer, encore moins une ancienne secrétaire d'État. Donc, au lieu de ça, je vais vous citer une série télé que je regardais enfant à Park Ridge : *Badge 714*. « Juste les faits, m'dame. »

Nous en avons appris beaucoup sur ce que les Russes ont fait, sur la campagne de Trump et sur les réactions du gouvernement américain. Passons cela en revue étape par étape.

Ce qu'ont fait les fédéraux

D'abord, nous avons appris que l'enquête fédérale a commencé beaucoup plus tôt que le public l'a su.

Fin 2015, des agences de renseignement européennes ont découvert des contacts entre des associés de Trump et des agents russes. Il semble aussi que l'interception de communications par les services américains et alliés a été poursuivie en 2016. Nous savons désormais que, en juillet 2016, la division de la sécurité nationale du FBI à Washington a commencé à enquêter pour savoir si oui ou non l'équipe de Trump et les Russes se coordonnaient pour influencer le résultat de l'élection. Ils s'intéressaient aussi aux relations financières de Paul Manafort avec des oligarques pro-Poutine.

En été 2016, selon le *Washington Post*, le FBI a convaincu la Cour de surveillance du renseignement étranger qu'il était possible que le conseiller de Trump, Carter Page, soit un agent russe, et a obtenu un mandat pour surveiller ses communications. Le FBI a également commencé à enquêter sur un dossier préparé par un ancien espion britannique très respecté contenant des allégations salaces et explosives sur des informations compromettantes que les Russes avaient sur Trump. La Communauté du renseignement a pris le dossier suffisamment au sérieux pour briefer à la fois le président Obama et le président élu Trump avant l'inauguration. Au printemps 2017, un grand jury fédéral a délivré des citations à comparaître visant des partenaires en affaires de Michael Flynn, qui a démissionné de ses fonctions de conseiller à la Sécurité nationale de Trump après avoir menti sur ses contacts avec la Russie.

Nous avons aussi beaucoup appris sur les façons différentes dont les services fédéraux ont réagi aux renseignements accumulés pendant l'année 2016 concernant les liens entre l'équipe de campagne de Trump et la Russie. La CIA semble avoir été la plus inquiète, convaincue que les Russes soutenaient Trump dans son intention de me nuire. Dès août 2016, le directeur de la CIA, John Brennan, a appelé son homologue à Moscou et exigé que les ingérences dans notre élection cessent. Brennan a aussi briefé individuellement les membres de la « bande des huit » du Congrès et partagé ses inquiétudes avec eux. C'est la raison pour laquelle Harry Reid a cherché à fixer l'attention du public sur la menace dans sa lettre d'août.

On nous a fait voir que le FBI a eu une approche différente. Ils ont lancé une enquête en juillet 2016, mais le directeur Comey n'en a pas informé les membres de la « bande des huit ». Il a été plus lent que Brennan pour en arriver à la conclusion que le but de la Russie était de faire élire Trump et a refusé de se joindre au communiqué commun des autres agences de renseignement du 7 octobre, affirmant qu'il ne voulait pas interférer si près d'une élection – chose qui n'a pas arrêté son flot de paroles sur l'enquête concernant mes e-mails. Des sources au sein du FBI ont aussi convaincu le *New York Times* de sortir un papier affirmant qu'elles ne voyaient « aucun lien clair avec la Russie » : il s'agissait d'une réponse au scoop de Franklin Foer dans *Slate* sur des échanges informatiques inhabituels entre la Trump Tower et une banque russe. C'est un des papiers que la médiatrice du *Times* a par la suite critiqués.

Ce n'est qu'après l'élection que le FBI a fini par retrouver ses esprits et a soutenu le reste de la Communauté du renseignement, déclarant en janvier 2017 que la Russie avait, en effet, activement aidé Trump. Et en mars 2017, Comey a finalement confirmé l'existence d'une enquête fédérale concernant une possible coordination.

Tyrone Gayle, un de mes anciens conseillers en communication, a résumé ce que la plupart d'entre nous ont ressenti à l'annonce de cette nouvelle : « Ce bruit que vous venez d'entendre, c'etait celui des anciens membres de l'équipe Clinton qui se cognaient la tête contre les murs depuis la Californie jusqu'à D.C. » Une partie de la frustration était due au fait que le silence du FBI avait aidé Poutine à réussir son opération, et privé les Américains des informations dont ils avaient besoin.

Tandis que Brennan et Reid s'arrachaient les cheveux et que Comey traînait des pieds, le leader des républicains au Sénat, Mitch McConnell, a activement défendu Trump et les Russes. Nous savons à présent que McConnell n'a pas tenu compte des renseignements même après avoir été informé par la CIA ; il a également prévenu l'administration Obama que, si elle essayait d'en informer le public, il l'accuserait de politique partisane. Je ne vois pas d'exemple plus honteux d'un homme politique de premier plan qui fait impudemment passer son sectarisme au-dessus de la sécurité nationale. McConnell n'était pas dupe, mais il l'a quand même fait.

Je sais que certains anciens officiels de l'administration Obama ont des regrets concernant le déroulement de toute cette affaire. L'ancien secrétaire à la Sécurité nationale, Jeh Johnson, a déclaré au House Intelligence Committee[7] en juin 2017 que l'administration n'avait pas adopté officiellement une position plus tranchée parce qu'elle ne voulait pas soutenir les allégations de Trump, qui affirmait que l'élection était « truquée ». Elle craignait d'être « perçue comme prenant parti dans l'élection ». L'ancien conseiller national adjoint à la Sécurité, Ben Rhodes, en qui j'ai confiance et que j'estime depuis que nous avons travaillé ensemble lors du premier mandat du président Obama, a confié au *Washington Post* que l'administration de ce dernier était concentrée sur une cyber-menace traditionnelle, alors que « les Russes jouaient une partie beaucoup plus importante » d'une guerre de l'information aux multiples facettes. « Nous n'avons pas été capables d'assembler toutes ces pièces en temps réel », a dit Ben.

Mike McFaul, l'ancien ambassadeur en Russie d'Obama, l'a résumé en un tweet concis :

---

7. L'United States House Permanent Select Committee on Intelligence (abrégé en House Intelligence Committee) est un comité du Congrès des États-Unis essentiellement chargé de surveiller les activités des agences de renseignement américaines.

> FAIT : La Russie a violé notre souveraineté pendant l'élection de 2016.
> FAIT : Obama a révélé cette attaque.
> OPINION : Nous aurions dû davantage nous concentrer là-dessus.

J'ai compris la situation délicate à laquelle faisait face l'administration Obama, avec McConnell qui la menaçait, et tout le monde qui partait du principe que j'allais gagner quoi qu'il arrive. Richard Clark, conseiller spécial de George W. Bush pour le contre-terrorisme lors du 11 Septembre, a écrit sur la difficulté de prendre en compte des avertissements concernant des menaces encore jamais vues. Il était en effet difficile d'imaginer que les Russes pourraient oser mener une opération clandestine et inédite d'une telle envergure. Le président Obama a enjoint Poutine en privé d'y renoncer.

Je me demande parfois ce qui se serait passé si Obama s'était adressé à la nation à la télévision à l'automne 2016, l'avertissant que notre démocratie était menacée. Peut-être que davantage d'Américains se seraient éveillés à temps. Nous ne le saurons jamais. Mais ce que nous savons sans l'ombre d'un doute, c'est que McConnell et d'autres dirigeants républicains ont fait tout ce qu'ils pouvaient pour laisser les Américains dans le flou, et ainsi vulnérables à l'attaque.

Ce qu'a fait l'équipe de Trump

Examinons ce que nous avons appris depuis l'élection sur les agissements de l'équipe Trump.

Nous savons aujourd'hui qu'il y a eu de nombreux contacts pendant la campagne et au cours de la transition entre les associés de Trump et les Russes – en personne, par téléphone et *via* des textos et e-mails. Beaucoup de ces échanges ont eu lieu avec l'ambassadeur Kislyak, dont on pense qu'il a aidé à superviser les opérations de renseignement russes aux États-Unis, assisté par d'autres officiels et agents russes.

Roger Stone par exemple, conseiller politique de Trump de longue date, a déclaré qu'il était en contact avec Julian Assange et avait suggéré en août 2016 que des informations sur John Podesta allaient sortir. En octobre, Stone a laissé entendre qu'Assange et WikiLeaks allaient dévoiler des infos qui nuiraient à ma campagne, et a par la suite admis avoir échangé directement des messages *via* Twitter avec Guccifer 2.0, tête de pont du renseignement russe, après que certains de ces messages avaient été publiés sur le site The Smoking Gun.

Désormais, nous savons aussi que, en décembre 2016, le beau-fils et principal conseiller de Trump, Jared Kushner, a rencontré Sergey Gorkov, directeur d'une banque contrôlée par le Kremlin, affectée par les sanctions américaines et proche des services de renseignement russes. Le *Washington Post* a fait sensation en rapportant que des officiels russes discutaient de la proposition de Kushner d'utiliser des bâtiments diplomatiques russes en Amérique pour communiquer en secret avec Moscou.

Le *New York Times* a révélé que les services de renseignement russes ont tenté en 2013 de recruter Carter Page – conseiller de Trump pour la politique étrangère – comme espion (selon le *Times*, le FBI pensait que Page ne savait pas que l'homme qui l'avait approché était un espion). Et à en croire Yahoo News, les officiels américains ont reçu des rapports du renseignement selon lesquels Carter Page aurait rencontré un des plus proches collaborateurs de Poutine en matière de renseignement.

Certains conseillers de Trump ont refusé de parler ou menti concernant leurs contacts avec les Russes, y compris lors de procédures d'habilitation de sécurité, ce qui peut constituer un crime fédéral. Le procureur général des États-Unis, Jeff Sessions, a menti au Congrès concernant ses contacts et s'est par la suite dessaisi de l'enquête. Michael Flynn a menti à propos de ses contacts avec Kislyak, puis a changé de version sur le fait qu'ils avaient discuté ou non de lever les sanctions américaines.

Les rapports parus depuis l'élection ont clairement établi que Trump et ses principaux conseillers n'étaient pas pressés pour s'informer sur l'opération clandestine russe contre la démocratie américaine. Trump lui-même n'a pas arrêté de qualifier l'affaire de canular – tout en accusant Obama d'avoir été trop passif. Pas plus tard qu'en juillet 2017, il continuait à diffamer la Communauté du renseignement et prétendait que d'autres pays que la Russie pouvaient être responsables du piratage des mails du Comité national démocrate. L'ancienne vice-ministre de la Justice, Sally Yates, a tweeté en réponse que le « refus incompréhensible de Trump de confirmer les ingérences russes pendant l'élection est une insulte aux spécialistes du renseignement et entrave notre capacité à l'empêcher dans le futur ».

Mais il est un sujet qui paraît avoir beaucoup intéressé l'équipe de Trump : l'assouplissement des sanctions américaines à l'encontre de la Russie, sujet abordé par Flynn avec l'ambassadeur russe. Reuters a rapporté que les enquêteurs du Sénat veulent savoir si Kushner en a également parlé lors de ses réunions, et si les banques russes allaient en retour offrir un soutien financier aux associés et entreprises de Trump. Dès que l'équipe de Trump a pris le contrôle du département d'État, elle s'est mise à travailler à un plan pour lever les sanctions et rendre à la Russie les deux bâtiments dans le Maryland et à New York que l'administration Obama avait confisqués – parce qu'ils étaient utilisés à des fin d'espionnage. Certains diplomates de carrière du département d'État étaient si inquiets qu'ils ont alerté le Congrès. Au moment où j'écris ces lignes, l'administration Trump envisage de lever la confiscation sans condition préalable. Tous ces éléments sont significatifs dans la mesure où ils nous font voir comment un échange de bons procédés avec la Russie pourrait avoir fonctionné.

Nous allons sûrement continuer à en apprendre davantage. Mais, sur la base de ce qui a déjà été rendu public, nous savons que Trump et son équipe ont publiquement applaudi l'opération russe et qu'ils en ont tiré le maximum de bénéfices. Ce faisant, ils n'ont pas seulement encouragé cette attaque contre notre démocratie par une puissance étrangère hostile – ils l'ont, de fait, aidée.

Ce que les Russes ont fait

Cela nous amène à ce que nous avons appris depuis l'élection sur les actions entreprises par des Russes. Nous sommes déjà informés du piratage et de la divulgation de messages volés par WikiLeaks, mais ce n'est qu'une fraction d'une entreprise beaucoup plus vaste. Il s'avère qu'ils ont aussi piraté le Comité démocrate pour les élections au Congrès et qu'ils ont abreuvé d'informations nuisibles des blogueurs et des journalistes à travers tout le pays et dans diverses circonscriptions. Cela n'aurait pas été possible sans un certain degré de sophistication – et ce n'est que le début.

Selon le rapport officiel de la Communauté du renseignement, la stratégie de propagande russe « mêle opérations clandestines de renseignement, comme la cyber-activité, à des initiatives officielles des agences gouvernementales russes. Cela inclut des médias financés par l'État, des acteurs intermédiaires et des individus rémunérés pour agir sur les réseaux sociaux, les trolls ». Essayons de comprendre ce que tout cela signifie.

La partie la plus simple sont les médias étatiques traditionnels, dans ce cas précis, des agences de presse ou chaînes de télévision russes telles que RT et Sputnik. Ils utilisent leur capacité de diffusion globale à répandre sur les ondes et les réseaux sociaux les sujets fixés par le Kremlin. Ils n'hésitent pas à se servir de gros titres malveillants comme « Clinton et Daesh financés par les mêmes fonds ». Sputnik utilise fréquemment le même hashtag que Trump sur Twitter : #CrookedHillary. Il est difficile de cerner précisément l'influence de RT. D'après un article du *Daily Beast*, la chaîne gonflerait ses chiffres d'audience, qui sont sans doute plus importants qu'on ne pourrait l'imaginer (probablement quelques centaines de milliers de personnes), mais pas assez pour avoir à elle seule un impact significatif sur une élection. Cependant, quand la propagande de RT est reprise en boucle par des médias américains tels que Fox News, Breitbart et Infowars d'Alex Jones, en plus d'être diffusée sur Facebook, son audience augmente considérablement. Il s'agit là d'un phénomène qui s'est répété tout au long de la campagne. Trump et son équipe ont également contribué à propager les sujets russes, constituant un porte-voix puissant.

Les Russes ont également généré leur propagande de façons moins traditionnelles, y compris *via* des milliers de sites de « fake news » et des trolls postant des attaques sur Facebook et Twitter. Comme l'a rapporté la Communauté du renseignement, « la Russie a utilisé des trolls en plus de Russia Today pour dénigrer l'ancienne secrétaire d'État Clinton… et des comptes sur les réseaux sociaux apparemment liés à des trolls professionnels russes. Ceux-ci encourageaient auparavant les opérations russes en Ukraine, et ont commencé à militer pour le président élu Trump dès décembre 2015 ». Certaines des histoires créées par ces trolls étaient totalement fausses, comme celle du pape soutenant Trump, mais d'autres étaient simplement des attaques perfides à mon égard, ou des papiers de complaisance sur Trump. La plupart de ces contenus ont ensuite été diffusés à l'aide du même processus d'amplification, repris par RT, puis par des médias américains tels que Fox News.

Les Russes voulaient être sûrs que les électeurs influençables des « swing states » voient leur propagande. Ils se sont donc lancés dans une manipulation d'Internet.

La plus grande part de ce que nous voyons en ligne est régie par un ensemble d'algorithmes qui déterminent quel contenu apparaît sur nos fils Facebook et Twitter, les résultats de recherche sur Google, et ainsi de suite. L'un des facteurs déterminants dans ces algorithmes est la popularité. Si de nombreux utilisateurs partagent le même post ou cliquent sur le même lien – et si des « influenceurs » clés disposant de vastes réseaux personnels font de même –, alors il est plus probable que cela apparaisse sur votre écran. Pour manipuler ce processus, les Russes ont « inondé le terrain » à travers un vaste réseau de faux comptes Twitter et Facebook, parfois soigneusement fabriqués pour passer pour des électeurs américains indécis. Certains de ces comptes étaient gérés par des trolls (derrière lesquels se trouvent des personnes en chair et en os) et d'autres automatisés, mais leur but était le même : gonfler artificiellement le volume et la popularité de la propagande russe et de droite. Les comptes automatisés sont appelés « bots », diminutif de robots. Les Russes n'ont pas été les seuls à les utiliser, mais ils l'ont fait à une échelle sans précédent. Des chercheurs à l'université de Californie du Sud ont découvert que 20 % de l'ensemble des tweets politiques postés entre le 16 septembre et le 21 octobre 2016 avaient été générés par des bots. Beaucoup d'entre eux étaient probablement russes. Ces tactiques, dit le sénateur Mark Warner, vice-président de la Communauté du renseignement, ont pu « submerger » les moteurs de recherche de façon à faire afficher sur les fils d'actualité des électeurs des gros titres tels que « Hillary Clinton est malade » ou « Hillary Clinton vole l'argent du département d'État ».

Selon Facebook, une autre tactique est la création de faux groupes d'affinités ou de pages communautaires pour mener des discussions en ligne et attirer des utilisateurs malgré eux. Imaginez, par exemple, un faux groupe Black Lives Matter créé pour lancer des attaques malveillantes ; il y relierait ainsi les démocrates au Ku Klux Klan et à l'esclavage, pour faire baisser la participation afro-américaine. Les Russes se sont servis de ce genre de technique. La ressemblance entre leurs attaques et les slogans de droite classiques les a servis. Un éminent supporter de Trump, l'évêque évangélique Aubrey Shines, a ainsi publié une vidéo qui prétendait que les démocrates auraient « donné à ce pays l'esclavage, le Ku Klux Klan et les lois Jim Crow[8] ». Cette charge a été largement diffusée par le groupe de télévision conservateur Sinclair Broadcast Group, qui l'a diffusée à

---

8. Ensemble d'arrêtés et de règlements promulgués dans les États du Sud entre 1876 et 1964 et qui introduisirent la ségrégation raciale dans les écoles et dans la plupart des services publics. Les lois Jim Crow ont été abolies par le Civil Rights Act de 1964.

l'intégralité de ses 173 stations télé locales à travers le pays, en plus d'autres matériaux de propagande de droite. Sinclair est aujourd'hui sur le point de passer à 223 stations, qui couvriront, selon des estimations, 72 % des foyers américains.

Quand j'ai appris que ces faux groupes se répandaient sur Facebook et envenimaient notre débat politique, je n'ai pu m'empêcher de penser aux millions de mes supporters qui se sont sentis tellement harcelés sur Internet qu'ils ont dû rendre leurs communautés en ligne, comme Pantsuit Nation, privées. Ils méritaient mieux, tout comme notre pays.

Cumulez tout cela, et vous obtenez une guerre de l'information aux multiples facettes. Le sénateur Mark Warner l'a bien résumé : « Les Russes ont employé des milliers de trolls payés et de robots pour donner une audience considérable à la désinformation et aux "fake news". Ils ont déversé ces matériaux sur vos fils Twitter et Facebook, et inondé nos réseaux sociaux avec cette désinformation, a-t-il dit. Ces "fake news" ont ensuite été promues par les médias américains et nos propres réseaux sociaux pour atteindre des millions d'Américains, et potentiellement les influencer. »

Et ça n'a fait qu'empirer. Selon le magazine *Time*, les Russes ont ciblé notamment des électeurs indécis et les supporters « mous » de Clinton avec leur propagande, sachant qu'on pouvait les persuader de rester chez eux ou d'apporter leur soutien à un troisième candidat ; ils n'ont également pas hésité à acheter des pubs sur Facebook. Il faut savoir qu'il est illégal d'utiliser des fonds étrangers pour soutenir un candidat, tout comme la coordination d'une campagne avec des entités étrangères. Se fondant sur ces faits, un délégué de la Commission des élections fédérales a demandé l'ouverture d'une enquête.

Nous savons que les électeurs indécis ont été submergés. Selon le sénateur Warner, « les femmes et les Afro-Américains ont été ciblés dans des endroits comme le Wisconsin et le Michigan ». Une étude a montré que, dans le seul Michigan, près de la moitié des infos politiques sur Twitter dans les jours précédant l'élection étaient fausses ou de nature trompeuse. Le sénateur Warner a demandé à raison : « Comment ont-ils su atteindre ce degré de précision dans ce genre de circonscriptions ? »

Curieusement, les Russes ont fait un effort particulier pour cibler les électeurs ayant soutenu Bernie Sanders lors des primaires, y compris en introduisant des « fake news » sur les forums de groupes pro-Sanders, ainsi que sur Facebook, amplifiant ainsi les attaques par les soi-disant Bernie Bros. Les trolls russes ont posté des histoires selon lesquelles j'étais une meurtrière, une blanchisseuse d'argent secrètement atteinte de la maladie de Parkinson. J'ignore comment quelqu'un aurait pu croire de telles affirmations, même en les lisant sur Facebook – bien qu'il y soit souvent compliqué de distinguer un article valable d'une intox –, mais peut-être que, si l'on est suffisamment en colère, on est enclin à croire tout ce qui peut renforcer son point de vue. Comme l'a expliqué au Congrès l'ancien directeur de la NSA, le général en retraite Keith Alexander, le but des Russes était clair : « Ce qu'ils ont essayé de faire, c'est de creuser un fossé au sein du Parti démocrate entre les partisans de Clinton et ceux de Sanders, puis au sein même de notre nation entre républicains et démocrates. » Cela pourrait expliquer pourquoi en 2016 les candidats de partis tiers ont récolté cinq millions de voix de plus qu'ils ne l'avaient fait en 2012. C'était à la fois l'intention des Russes et des républicains, et elle a été couronnée de succès.

Selon CNN, *Time* et McClatchy, le ministère de la Justice et le Congrès examinent si oui ou non les analyses de données réalisées sous la direction de Kushner par l'équipe Trump ont été cordonnées avec les Russes. Le député Adam Schiff, important élu démocrate de la House Intelligence Committee, a déclaré vouloir savoir s'ils « s'étaient coordonnés sur le ciblage, le timing ou autre chose ». S'ils l'ont fait, cela aussi serait illégal.

Vous pensez que c'est mal ? Ce n'est pas fini. Nous savions pendant la campagne que les pirates russes avaient pénétré par effraction le système informatique électoral de deux États. Nous savons aujourd'hui que ces actions ont été bien plus vastes que nous l'avions pensé dans un premier temps. En juin 2017, des officiels du département de la Sécurité intérieure ont témoigné devant le Congrès que les systèmes électoraux de 21 États ont été pris pour cible. Selon Bloomberg News, ce nombre pourrait atteindre 39 États. D'après une fuite d'un rapport de la NSA, les comptes de plus d'une centaine d'officiels locaux à travers le pays ont aussi été hackés. Et les pirates ont réussi à accéder au logiciel utilisé par les sondeurs le jour de l'élection. Le but de ces intrusions était apparemment d'accéder aux informations des listes électorales. Les pirates ont tenté d'effacer ou d'altérer les fichiers de certains électeurs en particulier. Ils auraient aussi pu utiliser les bases de données pour mieux cibler leurs opérations de propagande. Selon le *Time*, les enquêteurs veulent découvrir si des infos volées sur des électeurs ont fini entre les mains des équipes de campagne de Trump.

Je sais que la révélation de ces nouvelles a été très lente, ce qui a diminué son caractère choquant dans l'esprit de beaucoup de gens. Ce qui rappelle un peu la grenouille dans une marmite : elle ne se rend pas compte qu'elle est en train de cuire parce que cela se fait très progressivement. Mais prenons un peu de recul et réfléchissons-y : les Russes ont piraté notre système électoral. Ils s'y sont introduits. Ils ont essayé de supprimer ou de modifier les informations concernant certains électeurs. Ce qui devrait faire froid dans le dos à tous les Américains.

Et pourquoi s'arrêter en si bon chemin ? Selon le *Washington Post*, les Russes ont aussi utilisé de vieilles techniques pour fabriquer des faux afin d'influencer l'élection. Le *Post* affirme que Moscou a fourni incognito au FBI un faux document qui décrivait une discussion créée de toutes pièces entre le président du Comité national démocrate et un collaborateur du financier et donateur libéral George Soros, une discussion au cours de laquelle la ministre de la Justice Lynch aurait promis de me ménager dans l'enquête sur mes e-mails. Un étrange fantasme tout droit sorti d'un site d'extrême droite. Jim Comey avait beau savoir que le document était un faux, le *Post* affirme qu'il s'inquiétait que, s'il était rendu public, cela provoquerait un tollé. Son existence, bien que frauduleuse, lui a fourni une nouvelle raison de mépriser un protocole établi de longue date et de tenir en juillet cette odieuse conférence de presse à mon égard. J'ignore ce que Comey avait en tête, mais l'idée que les Russes auraient pu le manipuler à ce point, le poussant à déraper ainsi, semble ahurissante.

Enfin, pour ajouter encore une touche de mystère à toute cette histoire, nombre d'officiels russes semblent avoir été victimes de malheureux accidents depuis l'élection. Le jour même du vote, un agent du consulat à New York a été retrouvé mort. Première explication : il serait tombé d'un toit. Puis les Russes ont affirmé qu'il avait été victime d'une crise cardiaque. Le 26 décembre, un ancien agent du KGB dont on pense qu'il a aidé à compiler le dossier salace sur Trump a été découvert sans vie dans sa voiture à Moscou. Le 20 février, l'ambassadeur russe auprès des Nations unies est subitement mort, lui aussi victime d'une crise cardiaque. Les autorités russes ont également arrêté un expert en cyber-sécurité et deux fonctionnaires du renseignement travaillant sur des cyber-opérations, les accusant d'espionnage pour le compte des États-Unis. Tout ce que je peux dire, c'est que travailler pour Poutine doit être stressant.

Tout ça doit vous sembler incroyable, et je comprends ce que vous ressentez. On se croirait plongé dans un de ces romans d'espionnage que mon mari passe ses nuits à lire. Même en sachant ce que les Russes avaient fait en Ukraine, j'étais abasourdie qu'ils lancent une attaque à grande échelle contre les États-Unis. Mais les preuves sont accablantes, et les conclusions de la Communauté du renseignement sans appel.

De surcroît, nous savons désormais que les Russes ont monté des opérations similaires dans d'autres démocraties occidentales. Après l'élection américaine, Facebook a découvert et supprimé des dizaines de milliers de faux comptes en France et au Royaume-Uni. En Allemagne, les comptes de parlementaires ont été piratés. Le Danemark et la Norvège affirment que les Russes ont pénétré certains de leurs ministères clés. Les Pays-Bas ont remisé les ordinateurs de leurs élections et décidé de compter chaque vote manuellement. Et plus remarquable encore, en France, l'équipe de campagne d'Emmanuel Macron a été victime d'une cyber-attaque de grande ampleur juste avant l'élection présidentielle, rappelant furieusement l'opération menée contre moi. Mais les Français, ayant observé ce qui était arrivé en Amérique, étaient mieux préparés. L'équipe de Macron a contré l'attaque par phishing des Russes à l'aide de faux mots de passe et en truffant leurs dossiers de documents factices, tout cela dans le but de perturber et ralentir les pirates. Lorsque des e-mails volés à Macron sont apparus en ligne, les médias français se sont refusés à l'espèce de couverture sensationnaliste à laquelle nous avons assisté chez nous, en partie grâce à la législation française, qui prémunit contre ce genre de dérives à l'approche d'une élection. Les électeurs français semblent aussi avoir appris de nos erreurs, et ils ont fermement rejeté Le Pen, la candidate d'extrême droite pro-Moscou. Je me console en sachant que notre mésaventure a contribué à protéger la France et d'autres démocraties. Ce qui n'est pas négligeable.

La guerre contre la vérité

Comme je l'ai fait remarquer en début de chapitre, l'une des raisons du succès de la campagne de désinformation russe est que les défenses naturelles de notre pays ont été affaiblies pendant des années par de puissants intérêts qui cherchaient à brouiller chez les Américains la distinction entre vérité et mensonge. Si vous avez l'impression qu'il est de plus en plus ardu de faire le tri entre des voix marginales et celles de journalistes crédibles, surtout en ligne, ou que vous vous querellez de plus en plus fréquemment avec des gens à propos de ce qui devrait être tenu pour des faits indiscutables, vous n'êtes pas en train de devenir fou. Il y a eu un effort concerté afin de discréditer les sources d'information traditionnelles, créer une caisse de résonance pour donner de l'ampleur à des théories du complot marginales et ébranler l'attachement des Américains pour la vérité objective. Le service info de McClatchy affirme que les enquêteurs fédéraux cherchent à savoir s'il y a eu des liens directs entre la guerre de propagande russe et des organisations extrémistes de droite telle que Breitbart et InfoWars. Et même si aucun lien n'est jamais mis au jour, nous devons comprendre comment la guerre contre la vérité de la droite a ouvert la porte à l'attaque russe.

Après l'élection, un ancien présentateur radio conservateur du Wisconsin, Charlie Sykes, a tenté d'en expliquer les mécanismes. Pendant des années, a-t-il affirmé, médias et hommes politiques de droite ont conditionné leurs partisans afin qu'ils se méfient de tous les contenus des organes de presse traditionnels, soutenant dans le même temps des théories du complot paranoïaques émanant de gens comme Alex Jones et Trump lui-même – le promoteur en chef du mensonge raciste des théories sur la citoyenneté du président Barack Obama. « Le prix s'est révélé beaucoup plus élevé que je ne l'aurais imaginé, a dit Sykes. L'effet cumulatif des attaques a eu pour conséquences de délégitimer » les médias traditionnels et « surtout de détruire l'immunité naturelle envers la fausse information, ce qui a servi Trump lorsqu'il s'est porté candidat, en l'aidant à détourner l'attention des articles négatifs de sources traditionnelles à son égard, tout en trouvant une audience réceptive pour les charges mensongères contre moi. Il en a été de même pour les Russes. Et Trump a continué une fois installé à la Maison-Blanche. « Toutes les administrations mentent, mais ce à quoi nous assistons aujourd'hui, c'est une attaque envers la crédibilité elle-même », a affirmé Sykes. Il a cité Garry Kasparov, le grand maître des échecs russe et opposant à Poutine, qui a déclaré : « L'objectif de la propagande moderne n'est pas seulement de désinformer ou de soutenir un programme. Elle veut épuiser votre pensée critique, annihiler la vérité. »

Rupert Murdoch et feu Roger Ailes ont fait plus que n'importe qui pour rendre cela possible. Pendant des années, Fox News s'est faite la tribune la plus puissante et véhémente de la guerre droitière contre la vérité. Ailes, ancien conseiller de Richard Nixon, a bâti Fox en diabolisant et délégitimant les médias traditionnels qui tentaient de s'en tenir aux standards habituels d'objectivité et de précision. Fox a servi de porte-voix à ceux qui affirmaient que le changement climatique n'était pas prouvé scientifiquement, que la baisse du taux de chômage n'était que de la manipulation statistique, et qu'on ne pouvait se fier au certificat de naissance de Barack Obama. Ailes et Fox ont si bien réussi à diviser le grand public qu'en 2016 la plupart des progressistes et des conservateurs s'informaient *via* des sources aux antipodes les unes des autres, ne s'accordant plus sur aucun fait.

Pendant les années Obama, Breitbart News Network, soutenu par Robert et Rebekah Mercer, et dirigé par leur conseiller Steve Bannon, aujourd'hui éminence grise de Trump, a émergé pour concurrencer Fox. Selon le Southern Poverty Law Center, Breitbart épouse des « idées à la frange extrémiste de la droite conservatrice ». Pour que vous en ayez un aperçu, voici quelques gros titres mémorables de Breitbart :

LE CONTRÔLE DES NAISSANCES REND LES FEMMES FOLLES ET MOCHES

IL N'Y A PAS DE DISCRIMINATION À L'EMPLOI DANS LE SECTEUR TECHNOLOGIQUE, LES FEMMES SONT JUSTE NULLES EN ENTRETIENS

LA TEMPÉRATURE GLOBALE CHUTE. SILENCE GLACIAL DES ALARMISTES DU CLIMAT

LA NAACP SE JOINT À L'ARMÉE DE SOROS EN VUE DE FOMENTER DES TROUBLES À WASHINGTON, DÉSOBÉISSANCE CIVILE ET ARRESTATIONS DE MASSE

HISSEZ-LE HAUT ET FIER : LE DRAPEAU CONFÉDÉRÉ CLAME UN GLORIEUX HÉRITAGE

VÉRIF DES INFOS :
OBAMA ET HILLARY ONT-ILS CRÉÉ DAESH ?
MAIS OUI !

Cela pourrait être drôle si ce n'était pas effrayant. Ce genre d'immondices ont « conditionné » les Américains, pour reprendre le mot de Charlie Sykes, à accepter la propagande russe qui a inondé notre pays en 2016.

Robert Mercer est un personnage clé pour comprendre tout ça. Informaticien, Mercer a gagné des milliards de dollars en appliquant aux marchés financiers l'analyse de données et des algorithmes complexes. Le hedge fund qu'il codirige, Renaissance Technologies, est extrêmement prospère. De l'avis général, Mercer est un réactionnaire extrémiste anti-étatiste. Selon un ancien collaborateur de Renaissance cité par le *New Yorker* à l'occasion d'un portrait de Mercer, celui-ci est « content lorsque les gens ne font pas confiance au gouvernement. Et si le président est un charlot ? Ça lui va très bien. Il veut que tout s'effondre ». Toujours dans le *New Yorker*, un ancien cadre de Renaissance Technologies affirme que Mercer nous déteste, Bill et moi, et qu'il nous a une fois accusés de participer à un trafic de drogue organisé par la CIA et d'assassiner nos opposants. Vous trouvez ces accusations démentes ? Vous avez raison. Et cet homme est aujourd'hui l'un des individus les plus puissants d'Amérique.

Breitbart n'est que l'une des nombreuses entreprises contrôlées par Mercer et sa famille. Parmi lesquelles Cambridge Analytica, qui s'est taillé une réputation en utilisant des données de Facebook afin de cibler des électeurs pour des clients tels que Trump. Il est difficile de séparer la réalité du battage publicitaire concernant le palmarès de Cambridge Analytica, mais ce serait une erreur de sous-estimer Mercer. Comme le formule le *New Yorker* : « Ayant révolutionné l'utilisation des données à Wall Street », il « avait hâte d'accomplir la même prouesse dans la sphère politique ». Il n'y a rien de fondamentalement répréhensible à utiliser des mégadonnées et le micro-ciblage – toutes les équipes de campagne le font, y compris la mienne. Les problèmes apparaissent lorsque ces données sont obtenues ou utilisées abusivement. Après la publication de rapports soulevant des questions sur le rôle joué par Cambridge Analytica au moment du Brexit, les autorités britanniques enquêtent désormais sur son rôle possible avec Leave.eu pour savoir si les techniques de Cambridge Analytica ont violé les lois britanniques et européennes sur la protection de la vie privée (ce que conteste Cambridge Analytica).

Mercer n'est pas seul. Les frères Koch, qui dirigent la deuxième plus grande entreprise non cotée en Bourse des États-Unis, aux filiales tentaculaires dans le gaz et le pétrole, ont aussi investi des sommes d'argent considérables afin d'altérer le rapport du grand public à la réalité et de diffuser leur idéologie. Par exemple, ils ont dépensé dix millions de dollars pour créer un réseau de think tanks, fondations et organisations de défense, dans le seul but de promouvoir cette contre-vérité scientifique qu'est le déni du changement climatique. Il est probable que les Koch dépenseront encore davantage pour consolider leur emprise sur les gouvernements d'États et étendre leur pouvoir à Washington.

Et n'oublions pas Donald Trump lui-même. Mercer, les Koch et Fox News ont mis du temps à comprendre que Trump pourrait les aider à passer un cap dans leur guerre contre la vérité, mais le soutien qu'ils lui ont finalement accordé s'est révélé inestimable. À bien des égards, Trump est l'incarnation de tout ce à quoi ils avaient travaillé dur, et le parfait cheval de Troie pour Poutine. La journaliste Masha Gessen, grande spécialiste de Poutine, a observé : « Ce n'est pas juste que Poutine et Trump mentent, c'est qu'ils mentent de la même manière et dans le même but : de façon éhontée, pour affirmer leur pouvoir au détriment de la vérité elle-même. »

Et maintenant ?

Lors d'une audition au Sénat en juin 2017, Angus King, sénateur du Maine, a demandé à Jim Comey : « L'activité des Russes en 2016 avait-elle quelque chose d'exceptionnel ? Ou faisait-elle partie d'une stratégie à long terme ? Vont-ils revenir ?

– Ils vont revenir, a répondu Comey avec conviction. Ce n'est pas un problème propre aux républicains ou aux démocrates. C'est un problème qui concerne vraiment tous les Américains. »

Il est revenu sur ce point quelques minutes plus tard. « Nous parlons d'un gouvernement étranger qui, *via* l'intrusion informatique et de nombreuses autres méthodes, a essayé de façonner la manière dont nous pensons, votons et agissons. L'affaire est grave. Et les gens doivent l'admettre, a dit Comey. Cela dépasse le clivage républicains/démocrates. C'est à l'Amérique qu'ils en veulent. »

Sur ce point, Comey a parfaitement raison. Le rapport de juin 2017 de la Communauté du renseignement a qualifié la campagne d'influence russe de « nouvelle normalité », et prédit que Moscou allait poursuivre ses attaques contre les États-Unis et ses alliés. Vu le succès rencontré par Poutine, nous devons nous attendre à des ingérences lors de futures élections et à une cyber-propagande toujours plus agressive. Il va de soi que, depuis l'élection, de nouvelles cyber-attaques russes contre l'armée des États-Unis ont été rapportées, y compris en prenant pour cible les comptes sur les réseaux sociaux de milliers de soldats américains ; que les pirates ont également pénétré les systèmes de sociétés qui gèrent les centrales nucléaires américaines ; et que la Russie est en train d'étendre ses réseaux d'espionnage sur le territoire même des États-Unis.

Nous devrions aussi nous attendre à ce que la guerre de la droite contre la vérité continue. Tandis que Trump fait face à des défis politiques et judiciaires grandissants, ses alliés et lui vont sans doute intensifier leurs efforts pour délégitimer la presse traditionnelle, le système juridique et quiconque menace sa vision toute personnelle de la réalité.

Peut-on faire quelque chose pour affronter ces menaces jumelles et protéger notre démocratie ? La réponse est oui, dès lors que nous les prenons au sérieux. En 1940, une époque bien plus périlleuse pour notre pays, l'écrivain John Buchan a écrit : « Nous avons été tirés de notre suffisance et avertis contre un grand danger, et notre salut réside dans cet avertissement. Les dictateurs nous ont rendu un précieux service en nous rappelant les vraies valeurs de l'existence. » Aujourd'hui, les Américains se doivent d'être aussi vigilants et déterminés.

Voici quatre mesures qui y aideraient.

Premièrement, nous devons faire toute la lumière sur ce qui s'est passé en 2016. Les enquêteurs et la presse devraient continuer de creuser. Vu la tournure que prennent les événements, il est possible que, comme cela arrive souvent lors de scandales à Washington, la présumée tentative de dissimulation devienne le problème politique et judiciaire le plus grave que Trump aura à affronter. Mais, quoi qu'il arrive, il faudra bien que le peuple américain apprenne la vérité sur les agissements russes. Par conséquent, je pense qu'à l'enquête du procureur spécial devrait être adjointe celle d'une commission indépendante dotée d'un pouvoir d'assignation, semblable à celle ayant enquêté sur le 11 Septembre. Elle devrait rendre un rapport détaillé et public de l'attaque contre notre pays et faire des recommandations afin d'améliorer la sécurité à l'avenir. Il serait incompréhensible que les républicains, si prompts à mettre en place une commission spéciale chargée de m'interroger sur Benghazi, bloquent une telle étape.

Deuxièmement, il faut prendre à bras-le-corps le problème de la guerre informatique. Le gouvernement et le secteur privé doivent collaborer plus étroitement afin d'améliorer nos défenses. Cela va nécessiter des investissements significatifs pour protéger nos réseaux et nos infrastructures nationales, et les entreprises américaines doivent en faire une priorité, parce que le gouvernement ne peut agir seul. En même temps, l'armée et les services de renseignement devraient accélérer le développement de nos capacités en matière de guerres cybernétiques et de l'information, afin d'être prêts à répondre, si nécessaire, à ce genre d'agression.

À l'heure actuelle, nous n'avons pas de moyen de dissuasion efficace pour empêcher les guerres cybernétiques et de l'information comme nous en avons pour les conflits conventionnels et nucléaires. La Russie, la Chine et d'autres pensent pouvoir impunément manœuvrer dans une sorte de zone grise située entre guerre et paix, volant nos secrets, perturbant nos élections, manipulant notre vie politique et harcelant nos citoyens et nos entreprises. Pour changer la donne, je pense que les États-Unis devraient adopter une nouvelle doctrine selon laquelle une cyber-attaque contre nos infrastructures vitales serait traitée comme un acte de guerre et déclencherait une réponse proportionnée.

Troisièmement, il faut être ferme avec Poutine. Il ne comprend que la force, c'est donc ce dont nous devons faire preuve. C'était réjouissant de voir Emmanuel Macron, le nouveau président français, condamner l'ingérence et la propagande russes alors qu'il se tenait à côté de Poutine lors d'une conférence de presse à Paris. Si les Français en sont capables, assurément nos dirigeants le sont aussi. Le Congrès a récemment adopté une loi alourdissant les sanctions à l'encontre de la Russie, que Trump a signée malgré sa réticence. Nous devrions tenir bon et faire tout notre possible pour isoler Poutine.

Comme l'a dit l'ancienne secrétaire d'État Condoleezza Rice en mai : « Je suis révoltée par les agissements des Russes, et nous devrions trouver un moyen pour les punir. » Les sanctions drastiques prises contre l'Iran par l'administration Obama ont prouvé que des pressions de ce type peuvent contraindre nos adversaires à changer de ligne. La Russie est une nation beaucoup plus vaste et puissante, mais nous avons de nombreux outils à notre disposition, et même Poutine peut céder sous la pression. Nous devrions aussi renforcer l'OTAN ; aider nos alliés à diminuer leur dépendance énergétique vis-à-vis de la Russie, carte maîtresse de Poutine ; et armer le gouvernement ukrainien de manière à ce qu'il puisse résister à l'offensive de Moscou.

Quatrièmement, nous devons repousser l'offensive menée sur notre territoire contre la vérité et la raison, et rétablir la confiance en nos institutions. Tim Cook, PDG d'Apple, a appelé de ses vœux une « campagne d'envergure » pour lutter contre les « fake news ». « Nous tous, acteurs du numérique, devons créer des outils aidant à diminuer le volume des "fake news" », a-t-il dit.

Les sociétés telles que Facebook, Twitter et Google ont déjà pris quelques mesures – en ajustant leurs algorithmes, en désactivant des réseaux de bots et en nouant des partenariats avec des fact-checkers –, mais elles doivent en faire davantage. Leur grand pouvoir implique de grandes responsabilités, et elles doivent l'accepter.

Les médias traditionnels doivent aussi en faire plus pour tordre le cou aux mensonges polluant notre vie publique et demander de manière plus catégorique des comptes aux menteurs. Les journalistes américains qui se sont empressés – sans aucun sens critique – de répéter tout ce que WikiLeaks leur a servi pendant la campagne feraient mieux de prendre exemple sur la façon responsable dont la presse française a traité le piratage de l'équipe Macron. Il sera aussi important de rester vigilant face à des manœuvres de désinformation telles que la création de fausses fuites, procédé dont Rachel Maddow de MSNBC a révélé l'existence en juillet 2017. « Une manière de tuer dans l'œuf des sujets explosifs est de tendre des pièges aux journalistes », a-t-elle averti. Et tandis qu'il y a eu quantité de très bons reportages sur le scandale russe, la même rigueur doit être apportée aux trombes de mensonges que l'administration Trump et les républicains au Congrès déversent sur tous les sujets, du budget à l'assurance-maladie en passant par le changement climatique. (J'adore lorsque CNN fait de la vérification de faits en temps réel sur un bandeau à l'écran. Encore, s'il vous plaît !)

C'est à ces mêmes républicains, en fin de compte, de s'interdire – ainsi qu'à Trump – des génuflexions devant des milliardaires tels que les Mercer et les Koch. Une réforme radicale du financement des campagnes et un renforcement de la Commission électorale fédérale aideraient beaucoup. Mais, sans le réveil des consciences républicaines, notre démocratie continuera de payer le prix fort.

Nous allons tous devoir nous retrousser les manches si nous souhaitons rétablir la confiance, entre nous, et en notre gouvernement. Clint Watts, ancien agent du FBI et membre du Centre de recherche sur la sécurité intérieure et la cyber-sécurité de l'université George Washington, l'a ainsi formulé lors de son témoignage devant la Commission du Sénat sur le renseignement : « Tant que nous ne saurons pas distinguer clairement les faits de la fiction dans notre propre pays... nous aurons un gros problème. » Il est de la responsabilité de chacun de rester informé, de bien réfléchir et le temps nécessaire, afin de prendre les bonnes décisions. C'est particulièrement important lorsqu'il s'agit de voter. Choisissez intelligemment et ne vous laissez pas berner. Soyez aussi vigilant et informé quand vous votez que lorsque vous placez votre argent ou achetez une nouvelle voiture. Nous sommes tous capables de discuter avec des gens ayant des opinions politiques différentes des nôtres. Gardons l'esprit ouvert et soyons prêts à changer d'avis de temps à autre. Même si l'on refuse notre main tendue, ça vaut la peine de continuer d'essayer. Nous tous, Américains, avons un futur commun à partager – et mieux vaut le faire le cœur et les bras ouverts que l'esprit fermé et les poings serrés.

Pire que le Watergate

Alors que cette histoire s'éclaire un peu plus chaque jour, je ne cesse de me rejouer mentalement un moment de la campagne. Mon troisième débat avec Trump. Il venait juste de m'attaquer en citant hors contexte une phrase tirée d'un e-mail volé par les Russes et divulgué par WikiLeaks. Le modérateur, Chris Wallace de Fox News, y allait aussi de son couplet. Je pensais que le peuple américain méritait de savoir ce qu'il se passait réellement.

« La question la plus importante ce soir, Chris, est finalement de savoir si Donald Trump va reconnaître et condamner le fait que les Russes agissent de la sorte, et affirmer clairement qu'il ne recevra pas d'aide de Poutine lors de cette élection », ai-je dit. Trump s'est rabattu sur son sempiternel couplet pro-Poutine : « Il a dit des choses sympas sur moi. Si on s'entendait bien, ce serait super. » Puis, se tournant vers moi, il a ajouté : « Poutine, de ce que j'en vois, n'a aucun respect pour cette personne.

– Eh bien, ai-je rétorqué, c'est parce qu'il préférerait avoir une marionnette comme président des États-Unis. » Trump semblait dans les choux. « Suis pas une marionnette. Suis pas une marionnette. C'est vous la marionnette », a-t-il bégayé.

Désormais, je pense à cette phrase chaque fois que je le vois à la télé. Lorsqu'il se gondole dans le Bureau ovale en compagnie du ministre des Affaires étrangères russe en lui révélant des informations classifiées. Lorsqu'il snobe la chancelière allemande Angela Merkel et d'autres alliés européens. Lorsqu'il ment effrontément à propos de la Russie ou sur tout autre sujet. « Suis pas une marionnette. Suis pas une marionnette. C'est vous la marionnette. » Cet homme est président des États-Unis. Et personne n'est plus heureux que Vladimir Poutine.

À la mi-juillet 2017, tandis que j'apportais la touche finale à ce livre, Trump a rencontré Poutine en Allemagne. Il n'a pas seulement omis de l'attaquer publiquement sur l'ingérence dans notre élection – il a lancé l'idée d'une force conjointe de cyber-sécurité, ou comment demander au renard de surveiller le poulailler. Puis, on a appris que Donald Trump Jr., Paul Manafort et Jared Kushner avaient rencontré en juin 2016 un avocat russe proche du Kremlin qui avait promis de fournir des informations susceptibles de me nuire et voulait discuter d'un assouplissement des sanctions contre la Russie, Magnitsky Act[9] compris. Donald Trump Jr. a reconnu tout cela ! Il était déçu que la boue n'ait pas éclaboussé comme il l'aurait espéré. Cela ne s'invente pas. Je suis sûre que ce n'est qu'un début, alors restez à l'écoute !

Je sais que certains vont balayer l'intégralité de ce chapitre et y voir une tentative de ma part de rejeter la responsabilité de ma défaite en 2016. C'est faux. Il n'est question que de l'avenir. Au XIXᵉ siècle, les nations se battaient sur terre et en mer. Le XXᵉ siècle y a ajouté les airs. Au XXIᵉ siècle, les guerres vont de plus en plus se dérouler

---

9. La « loi Magnitsky », promulguée en décembre 2012, prévoit des sanctions financières et des interdictions de visa contre les fonctionnaires russes suspectés d'être impliqués dans le décès de l'avocat Sergueï Magnitski, qui avait révélé une fraude fiscale à grande échelle impliquant de hauts responsables russes.

dans le cyber-espace. Pourtant, notre président est trop fier, trop faible ou trop myope pour regarder en face cette menace. Au cours de notre histoire récente, aucune puissance étrangère ne nous a attaqués avec un tel degré d'impunité, et cela nous met tous en danger.

Je ne dis pas cela en tant que démocrate ou ancienne candidate. Je le dis comme quelqu'un qui aime son pays et sera toujours reconnaissante de ce que l'Amérique lui a apporté, ainsi qu'au reste du monde. Je suis inquiète. Inquiète, pour notre démocratie, des mensonges et de la corruption menaçant le fondement même de nos valeurs, de nos institutions et de l'État de droit. Et je suis inquiète pour l'avenir de la démocratie à travers le monde. Des dirigeants éclairés de part et d'autre de l'Atlantique se sont unis pour bâtir un nouvel ordre progressiste sur le champ de ruines de la Seconde Guerre mondiale. Ils se sont battus pour les droits de l'homme, ont défié le totalitarisme et ont construit un monde de paix, de prospérité et de liberté inédit. En tant qu'Américains, c'est notre héritage. Nous devrions en être fiers et le protéger. Mais aujourd'hui, entre Trump et Poutine, tout cela est menacé.

En juin 2017, on a demandé à Jim Clapper de comparer le Watergate au scandale russe. « J'ai vécu le Watergate. J'étais alors en service dans l'Air Force. J'étais jeune officier. C'était une époque terrifiante, a-t-il répondu. Cependant, je pense que le Watergate semble vraiment bien pâle comparé à ce à quoi nous sommes confrontés aujourd'hui. »

J'ai aussi vécu le Watergate. J'étais une jeune avocate travaillant pour la Commission judiciaire des représentants lors de la procédure d'*impeachment* visant Richard Nixon. J'ai écouté les enregistrements. J'ai passé au crible toutes les preuves des crimes de Nixon. Et je suis d'accord avec Jim Clapper. Ce à quoi nous sommes confrontés aujourd'hui – l'attaque de notre démocratie par notre principal adversaire étranger, peut-être avec l'appui et les encouragements de la propre équipe de notre président – est beaucoup plus grave.

Je peux résumer tout ce que
J'ai appris de la vie en deux mots : elle continue.

Robert Frost

Soir d'élection

Le 8 novembre 2016, j'ai commencé la soirée en cavalant derrière ma petite-fille, faisant chaque fois mine de manquer de l'attraper. Charlotte jubilait et criait : « Encore ! » et je m'exécutais. Cela a duré un bon moment. Et a presque suffi à détourner mon attention de la télévision.

Ma famille et mes plus proches collaborateurs s'étaient rassemblés au Peninsula Hotel à New York pour regarder les résultats. J'ai toujours redouté les soirées électorales. Il n'y a plus rien à faire, sinon attendre.

Quelques heures auparavant, dans la pénombre qui précède l'aube, nous avions achevé un ultime marathon de campagne qui m'avait menée de Pittsburgh à Grand Rapids dans le Michigan, à un immense meeting à Philadelphie avec les Obama et Bruce Springsteen ; puis à un autre rassemblement à Raleigh en Caroline du Nord, couronné par un duo tardif et enlevé entre Jon Bon Jovi et Lady Gaga ; et enfin de retour à Wetchester, où une foule de supporters galvanisés nous a retrouvés sur le tarmac bien qu'il fût près de 4 heures du matin.

J'étais épuisée mais heureuse et particulièrement fière de mon équipe. Me tenir debout aux côtés de Bill, Chelsea, Barack et Michelle face à des dizaines de milliers de personnes dans l'Independence Hall de Philadelphie a été l'un des moments les plus forts de toute la campagne. Le président m'a prise dans ses bras et il m'a chuchoté à l'oreille : « Ça t'appartient. Je suis très fier de toi. »

Après un rapide détour par la maison pour se doucher et se changer, Bill et moi avons voté dans une école élémentaire de Chappaqua. Les gens ont dégainé leur téléphone portable pour envoyer des textos à leurs amis ou discrètement me prendre en photo tandis que je me préparais à voter. J'ai rejoint la table tenue par des bénévoles consciencieux et j'ai signé la liste électorale. Nous avons plaisanté : avais-je une pièce d'identité pour prouver que j'étais bien moi ? (Ils ne m'ont pas demandé d'en présenter une avec photo, mais de nombreux Américains allaient devoir le faire, et un trop grand nombre allaient être refoulés ce jour-là.)

Les campagnes électorales sont pleines de désagréments mineurs et de frustrations majeures, mais, au bout du compte, c'est l'enthousiasme de contempler notre démocratie en marche qui l'emporte. Lorsque tous les débats sont clos, tous les rassemblements terminés et tous les spots de campagne diffusés, cela se résume à des gens ordinaires faisant la queue pour exprimer leur voix. J'ai toujours adoré ce bon mot de Winston Churchill selon lequel la démocratie est le pire des régimes – à l'exception de tous les autres. Je continue de le penser, même lorsque notre système perd totalement la boule. (Collège électoral, je te vois !)

Ce n'est pas rien de voir son nom sur un bulletin de vote. Après vingt mois, douze débats et un nombre incalculable de discours et de réunions publiques, voilà à quoi tout cela se résume. À travers tout le pays, 136 millions d'individus allaient regarder mon nom et celui de Donald Trump, et prendre une décision qui allait façonner l'avenir de notre pays et du monde.

Avant que je n'aie pu remplir mon bulletin de vote, une femme s'est avancée et m'a demandé si elle pouvait prendre un selfie avec moi. (L'obsession du selfie ne connaît aucune limite – pas même le caractère sacré du vote !) Je lui ai dit que j'en serais ravie dès que j'aurais fini de voter. Après avoir rempli mon bulletin et m'être approchée du scanneur, je l'y ai glissé et l'ai regardé disparaître.

J'ai ressenti de la fierté, de l'humilité et de la nervosité. De la fierté parce que je savais que nous avions tout donné. De l'humilité, car je savais que la campagne était la partie la plus facile ; gouverner en ces temps conflictuels serait difficile. Et de la nervosité parce que les résultats d'une élection sont toujours imprévisibles. La plupart des sondages et des analyses semblaient aller dans le bon sens. La veille, Joel Benenson, responsable des sondages au sein de mon équipe, m'avait communiqué des chiffres encourageants. Je devançais Trump de 5 points dans un face-à-face direct, et de 4 points lorsqu'on tenait compte des petits partis. « Tu vas passer », m'a dit Joel. Cependant, je savais que notre campagne affrontait de redoutables vents contraires grâce à Comey et aux Russes. Tout était possible.

Voter s'est révélé être le moment fort de la journée.

Lorsque nous sommes arrivés au Peninsula Hotel en fin d'après-midi, la tendance était : « Ça se présente bien. » Les rues étaient bloquées par des agents de police et du Secret Service. Notre hôtel n'était qu'à un pâté de maisons de la Trump Tower. Les deux candidats seraient à un jet de pierre l'un de l'autre lorsque les résultats tomberaient.

J'essayais de garder la tête froide. Contrairement à mon mari, qui dévore tous les sondages effectués à la sortie des bureaux de vote et les moindres anecdotes qui traînent les jours d'élection, je ne voulais pas en entendre parler. Je ne suis pas convaincue que le flot continuel de ces informations-là soit fiable. Et pourquoi s'angoisser à propos d'une chose sur laquelle vous n'avez plus aucune prise ? Dans quelques heures, nous connaîtrions tous l'issue finale.

Pendant des semaines, j'avais trimballé de lourds classeurs remplis de notes relatives à la transition et aux premières décisions que j'aurais à prendre en tant que présidente élue. Il y avait des ministres à choisir, une équipe à former à la Maison-Blanche et un calendrier législatif sur lequel il fallait commencer à travailler avec le Congrès. J'adorais me plonger dans les détails de l'action gouvernementale, mais, dans la dernière ligne droite de la campagne, il était dur de se concentrer sur les lendemains de l'élection. Tard le soir, je me gardais du temps avant de me coucher pour lire une note sur la transition ou pour examiner quelques CV. Parfois, je m'endormais au milieu d'une page. D'autres fois, gonflée à bloc, j'appelais mon équipe pour lui faire part d'une idée ou d'un plan à mettre en œuvre dès le premier jour de mon mandat.

Le jour de l'élection, la campagne quasiment terminée, c'était l'occasion pour moi de songer sérieusement au travail à accomplir. C'était excitant. Les centaines de propositions détaillées que nous avions présentées au cours des vingt mois passés n'avaient pas reçu l'attention qu'elles méritaient de la part de la presse, mais fournissaient une base solide pour se mettre au travail et s'attaquer aux problèmes de la nation. J'ai décidé que notre première mesure consisterait en un ambitieux programme concernant les infrastructures afin de créer des emplois tout en améliorant nos routes, notre réseau ferroviaire, nos aéroports, nos ports, nos transports urbains et nos réseaux haut débit. Les démocrates avaient de bonnes chances de reprendre le Sénat, mais je m'attendais à faire face à une majorité républicaine hostile à la Chambre. En théorie, les problèmes d'infrastructures auraient dû dépasser le clivage partisan, mais nous avions appris que le sectarisme pouvait tout emporter. Il était donc impératif de leur tendre la main dès le départ.

Le défi dépassait de beaucoup le seul fait de rallier assez de voix républicaines pour faire passer un plan pour les infrastructures. L'élection avait encore accentué la division de notre pays. La confiance à l'égard du gouvernement et de nos concitoyens était historiquement basse. On se hurlait dessus les uns les autres, séparés par de profonds clivages de classe, de race, de genre, de territoire et de parti. Ce serait mon boulot d'essayer de jeter des ponts pour rassembler le pays. Aucun président ne pourrait le faire seul, et il serait fondamental d'envoyer les bons signaux dès le départ. Et je savais que la presse jugerait la transition et mes cent premiers jours sur ma capacité à tendre la main aux électeurs mécontents de Trump.

Mon premier test – et ma première chance – serait le discours la nuit de l'élection, qui serait regardé par des dizaines de millions d'Américains. Ce serait mon ultime geste de candidate et le premier comme présidente élue. Mon équipe d'éclaireurs, dirigée par Greg Hale, avait mis en place un incroyable dispositif au Javits Center dans le centre de Manhattan. J'allais sortir à pied sous un plafond de verre et me tenir sur une scène ayant la forme de l'Amérique. Le podium serait juste au-dessus du Texas. Une fois le décompte des voix terminé, nous espérions que le plafond de verre symbolique serait brisé à jamais. Depuis quelques semaines, je pensais à ce que je voulais dire. Dan Schwerin et Megan Rooney, mes plumes, travaillaient avec Jake Sullivan et Jennifer Palmieri sur un premier jet. Je savais qu'il y avait aussi une ébauche de discours de défaite, mais je préférais ne pas trop penser à cela.

Une fois installée dans notre suite au dernier étage du Peninsula, j'ai demandé à Dan et Megan de monter. Rejoints par Bill et Jake, nous nous sommes installés dans un petit bureau pour relire la dernière mouture. L'un des défis consistait à trouver un équilibre entre le besoin de tendre la main aux électeurs de Trump et de se réconcilier, tout en offrant à mes supporters une célébration triomphale bien méritée. Il fallait aussi prendre en compte l'Histoire. Si tout se déroulait comme nous l'espérions, je prononcerais ce discours en tant que première femme présidente élue. Nous devions trouver un moyen de marquer l'importance du moment sans le laisser submerger tout le reste.

Plus que tout, je voulais rassurer les Américains sur la force de notre démocratie. L'élection avait de bien des manières mis à l'épreuve notre foi. Trump avait transgressé toutes les règles, allant jusqu'à prévenir qu'il pourrait ne pas accepter les résultats s'ils lui étaient défavorables. Les Russes avaient interféré dans le processus électoral. Tout comme le directeur du FBI, contrevenant à l'attitude traditionnelle du département de la Justice. Et les médias avaient transformé toute l'affaire en un cirque absurde. De nombreux Américains se demandaient ce que tout cela signifiait pour notre avenir. Je voulais répondre à ces peurs par une victoire franche, une transition en douceur et une présidence efficace qui offrirait de vrais résultats. Gagner avec une vaste coalition aiderait à s'opposer à l'idée que notre pays était irrémédiablement divisé. J'allais affirmer que, malgré nos différences, une grande majorité d'Américains s'étaient rassemblés pour défendre nos valeurs fondamentales.

Nous avons travaillé sur une introduction de ce discours qui exprimerait cette confiance. L'élection, allais-je dire, avait montré que « nous ne serons pas seulement définis par nos différences. Nous ne serons pas un pays "nous contre eux". Le rêve américain est assez grand pour tout le monde ». J'allais promettre d'être la présidente de *tous* les Américains, pas simplement de ceux qui avaient voté pour moi, et j'allais dire combien j'en avais appris au cours de la campagne en écoutant les gens partager leurs frustrations. Je ne cacherais pas la difficulté que j'avais éprouvée à répondre à la colère animant nombre d'entre eux et à quel point il était douloureux de voir notre pays si fracturé. Mais, allais-je déclarer, le résultat montrait que, « si vous creusez assez profondément à travers la gadoue de la politique, vous finissez par atteindre quelque chose de dur et authentique : un socle de valeurs fondamentales qui nous unit en tant qu'Américains ».

Je voulais achever le discours sur une note personnelle. Tout au long de la campagne, l'histoire de ma mère m'avait portée. Sa persévérance faisait écho à la persévérance dont avait besoin notre pays pour surmonter ses épreuves, mais aussi à la longue lutte pour le droit des femmes. Avec l'aide de la poétesse Jorie Graham, nous avions rédigé une fin pour le discours qui me tirait une larme chaque fois que je lisais ce passage. Je voudrais ici le partager parce que, comme vous le savez, je n'ai jamais eu l'occasion de le faire cette nuit-là :

Cet été, un écrivain m'a demandé : si je pouvais remonter le temps et raconter à une personne disparue cet événement majeur, alors à qui le raconterais-je ? La réponse était évidente : Dorothy, ma mère. Vous m'avez peut-être entendue raconter son enfance difficile. Elle a été abandonnée par ses parents alors qu'elle avait à peine 8 ans. Ils l'ont mise dans un train pour la Californie, où elle a été maltraitée par ses grands-parents et a fini par se débrouiller toute seule, travaillant comme domestique. Pourtant, elle a trouvé le moyen de m'offrir l'amour et le soutien sans bornes qu'elle n'avait elle-même jamais reçus...

Je pense à ma mère tous les jours. Parfois, je pense à elle dans ce train. J'aimerais pouvoir remonter l'allée et trouver le banc en bois où elle s'est assise, serrant fort sa sœur plus petite encore, seule, terrifiée. Elle ne sait pas encore combien elle va souffrir. Elle ne sait pas encore qu'elle trouvera la force d'échapper à cette souffrance – ce chemin est encore long. Elle ignore tout de son futur tandis qu'elle fixe par la fenêtre l'immense pays qui défile sous ses yeux. Je rêve que j'arrive à son niveau et que je m'installe à côté d'elle, la prends dans mes bras et lui dis :« Regarde-moi. Écoute-moi. Tu vas survivre. Tu vas fonder une belle famille et auras trois enfants. Et si difficile que cela puisse être à imaginer, ta fille va grandir et deviendra présidente des États-Unis. »

S'il y a bien une chose dont je suis absolument certaine, c'est celle-ci : l'Amérique est le plus grand pays du monde. Et, dès ce soir, ensemble, nous allons faire de l'Amérique une nation plus grande encore qu'elle ne l'a jamais été – pour chacun de nous, sans exception.

Mes rédacteurs se sont retirés pour effectuer d'ultimes corrections, et je suis retournée à mon attente. Les bureaux de vote commençaient à fermer sur la Côte est et les résultats à tomber.

Le premier avertissement est venu de Caroline du Nord. Le président Obama y était arrivé en tête en 2008, mais avait perdu d'une courte tête en 2012. Nous y avions mené une campagne très dynamique. Mais, là, ça s'annonçait mal. Il était encore tôt, mais la participation des Noirs et des Latinos n'était pas aussi élevée que nous l'aurions espéré, les circonscriptions de la classe ouvrière blanche soutenant probablement Trump semblaient s'être mobilisées. Il se passait la même chose en Floride, le « swing state » qui, en 2000, avait décidé du résultat final de l'élection. Nous espérions que cette fois-ci, la Floride casserait l'élan républicain et nous permettrait d'atteindre notre objectif de 270 grands électeurs. Les évolutions démographiques de cet État, et particulièrement l'essor de la population portoricaine autour d'Orlando, de même que les chiffres des votes par anticipation, semblaient nous être favorables. Mais, lorsque mon directeur de campagne, Robby Mook, est arrivé dans notre suite avec les derniers chiffres, j'ai vu qu'il était tendu. Robby étant l'une des personnes les plus optimistes au monde, j'ai tout de suite compris qu'il y avait un problème.

Bien vite, la même histoire s'est répétée dans d'autres États clés. Dans l'Ohio, l'État qui avait décidé du résultat de la présidentielle de 2004, les choses s'annonçaient franchement mal. Mais l'on s'y attendait. Je me disais que nous n'avions pas à l'emporter partout. Il fallait juste que nous arrivions à 270 grands électeurs. Robby et John Podesta nous tenaient informés, Bill et moi, mais il n'y avait pas grand-chose à dire. La seule chose à faire, c'était regarder et attendre.

Bill débordait d'une énergie nerveuse, mâchouillant un cigare non allumé, appelant toutes les dix minutes notre vieil ami le gouverneur de Virginie Terry McAuliffe, s'imprégnant frénétiquement de toutes les infos qu'avait à partager Robbie. Chelsea et Marc étaient une présence apaisante, mais eux aussi étaient tendus. Comment ne pas l'être ? L'attente était insoutenable. J'ai décidé de faire la chose la plus improbable : une sieste. Avec un peu de chance, quand je me réveillerais, le tableau se serait amélioré. J'étais si exténuée que, malgré tout ce stress, j'ai réussi à fermer les yeux et à m'endormir sur-le-champ.

Lorsque je me suis réveillée, l'ambiance à l'hôtel s'était considérablement assombrie. Robby et John avaient l'air ébranlés. De vieux amis s'étaient rassemblés. Maggie Williams, Cheryl Mills et Capricia Marshall étaient là. Mes frères et leurs familles étaient aussi dans les parages. Quelqu'un a demandé du whisky. Un autre a trouvé des glaces – tous les parfums qu'offrait la cuisine de l'hôtel.

Je l'avais emporté en Virginie et dans le Colorado, mais la Floride, la Caroline du Nord, l'Ohio et l'Iowa étaient perdus depuis longtemps. Désormais, tous les yeux étaient braqués sur le Michigan, la Pennsylvanie et le Wisconsin, des États sur lesquels nous comptions et où les démocrates l'avaient emporté lors de toutes les élections présidentielles depuis 1992. Nous nous faisions laminer dans les zones ouvrières, périurbaines, rurales, à forte majorité blanche. Pour compenser, nous devions bénéficier d'une bonne marge dans les villes, et surtout Philadelphie, Pittsburgh, Detroit et Milwaukee. Tout se jouerait alors dans les banlieues. Au fil des heures, les chiffres ont empiré. Certaines circonscriptions urbaines tardaient à communiquer leurs résultats, mais il devenait de plus en plus difficile de voir comment nous allions obtenir assez de voix pour l'emporter.

Comment cela était-il arrivé ? Assurément, nous avions affronté une myriade de problèmes tout au long de la campagne. La lettre de Jim Comey onze jours plus tôt nous avait fait l'effet d'une douche froide. Mais je pensais que nous avions récupéré. Les choses s'étaient bien passées sur la route. L'énergie et l'enthousiasme avaient été électriques. Et toutes nos projections – ainsi que tous les sondages et autres prévisions – nous donnaient une excellente chance de victoire. Qui désormais s'éclipsait. J'étais abasourdie. Je ne m'étais absolument pas préparée à ça mentalement. Aucun scénario apocalyptique ne m'avait traversé l'esprit dans les derniers jours, et je n'avais pas songé à ce que je pourrais dire en cas de défaite. Je n'y pensais simplement pas. Mais c'était maintenant on ne peut plus réel, et je luttais pour l'envisager. C'était comme si tout l'air de la pièce avait été aspiré, et j'arrivais à peine à respirer.

Peu après minuit, Associated Press a rapporté que je l'avais emporté dans le Nevada, ce qui était un soulagement, et j'avais une bonne chance d'en faire de même dans le New Hampshire, mais cela ne suffirait pas sans le Michigan, le Wisconsin et la Pennsylvanie. Les experts affirmaient que cela pourrait être si serré qu'on allait devoir recompter ou au moins disposer d'un jour de plus pour tout tirer au clair. Passé une heure du matin, j'ai demandé à John Podesta de se rendre au Javits Center pour demander à nos supporters de rentrer chez eux se reposer un peu. Victoire, défaite ou égalité, j'attendrais mercredi matin pour m'exprimer.

Au même moment, John et moi avons tous les deux reçu des messages de la Maison-Blanche. Le président Obama s'inquiétait du fait qu'étirer la procédure ne serait pas bon pour le pays. Après avoir tant souligné combien Trump minait notre démocratie en ne s'engageant pas à accepter les résultats, nous devions faire les choses bien. Si je devais perdre, le président souhaitait que je le reconnaisse rapidement et avec dignité. C'était difficile de réfléchir clairement, mais j'étais d'accord avec lui. C'était sûrement ce que j'aurais voulu si la chaussure avait choisi l'autre pied.

À 1 h 35 du matin, AP a annoncé que Trump l'emportait en Pennsylvanie. C'était quasiment la balle de match. Même avec le Wisconsin et le Michigan en suspens, il devenait impossible d'envisager la victoire.

Rapidement, des bruits ont circulé selon lesquels Trump s'apprêtait à rejoindre l'hôtel Hilton situé non loin pour fêter sa victoire. L'heure était venue. J'ai décidé de l'appeler.

« Donald, c'est Hillary. » Ce fut sans aucun doute l'un des moments les plus étranges de toute mon existence. J'ai félicité Trump et lui ai proposé de faire tout ce qui était en mon pouvoir pour s'assurer que la transition se ferait sans accroc. Il a eu quelques mots agréables sur ma famille et notre campagne. Il a peut-être dit quelque chose concernant la difficulté qu'avait dû représenter le fait de passer ce coup de fil, mais c'est aujourd'hui totalement flou, donc je ne peux l'affirmer avec certitude. Une conversation des plus courtoises et étrangement banale, comme lorsqu'on appelle un voisin pour le prévenir qu'on ne pourra pas venir à son barbecue. Cela a été d'une rapidité empreinte de clémence.

Puis j'ai appelé le président Obama. « Je suis désolée de te décevoir », lui ai-je dit. J'avais la gorge serrée. Le président a trouvé les mots justes. Il m'a dit que j'avais fait une campagne sérieuse, que j'avais accompli énormément pour notre pays, qu'il était fier de moi. Il a ajouté qu'il y avait une vie après la défaite et que Michelle et lui seraient là pour moi. J'ai raccroché et me suis assise en silence quelques instants. J'étais sonnée. C'était tellement bouleversant.

À 2 h 29, AP a annoncé que Trump l'avait emporté dans le Wisconsin, confirmant sa victoire à la présidentielle. Il est passé à la télé peu de temps après pour la proclamer.

Je me suis assise dans la salle à manger de ma suite, entourée de gens que j'aimais et en qui j'avais confiance. Ils étaient tous aussi peinés et choqués que moi. En un clin d'œil, tout ce à quoi nous avions travaillé s'était écroulé.

Il semblait que j'allais l'emporter au nombre de voix, et peut-être assez largement. Un fait somme toute réconfortant. Cela signifiait qu'une majorité d'Américains n'avaient pas adhéré à la campagne « nous contre eux » de Trump, et que, malgré toutes les difficultés, un plus grand nombre d'électeurs avait opté pour notre programme et notre vision de l'avenir. J'avais été rejetée – mais aussi plébiscitée. C'était surréaliste.

Je m'en voulais. Mes pires craintes concernant mes limites en tant que candidate étaient devenues réalité. J'avais tenté de tirer les leçons de 2008 de bien des manières, et j'avais cette fois-ci mené une meilleure campagne. Mais j'avais été incapable de traiter la profonde colère ressentie par tant d'Américains ou de vaincre l'idée selon laquelle j'étais la candidate du *statu quo*. Et regardez ce qu'ils m'avaient balancé. Je n'avais pas seulement affronté Donald Trump. Mais aussi l'appareil de renseignement russe, un directeur du FBI mal inspiré et maintenant un collège électoral sans repères. Oui, nous connaissions les règles. Nous savions dans quels États nous devions l'emporter. Cependant, c'était rageant que, pour la seconde fois en cinq élections, un démocrate l'emporte au nombre de voix populaires, mais soit volé par une incongruité de notre système constitutionnel aussi extraordinaire qu'archaïque. Je répétais depuis 2000 que le collège électoral donnait un pouvoir disproportionné à des États moins peuplés et était ainsi profondément antidémocratique. Cela tournait en dérision le principe d'« une personne, une voix ». Par un cruel coup du sort, les Pères fondateurs l'avaient aussi créé comme un rempart contre les ingérences étrangères au sein de notre démocratie – Alexander Hamilton invoquait la protection contre l'influence étrangère pour justifier le collège électoral dans l'article n° 68 de son ouvrage *Le Fédéraliste* – et maintenant ce dispositif offrait la victoire au candidat préféré de Vladimir Poutine.

Dans ma tête, j'entendais le slogan malveillant « Bouclez-la ! » qui avait raisonné pendant les meetings de Trump. Lors de notre deuxième débat, Trump avait affirmé que, s'il gagnait, il m'enverrait en prison. Désormais, il *avait* gagné. Je n'avais aucune idée de ce à quoi m'attendre.

Mes rédacteurs se sont approchés doucement avec une ébauche de discours de défaite. Je me demandais sincèrement pourquoi quelqu'un aurait encore eu envie de m'écouter.

Cette ébauche était trop agressive. Elle exprimait les peurs de millions d'Américains concernant ce nouveau président qui avait fait campagne sur le sectarisme et la rancœur. Elle leur disait qu'ils n'étaient pas seuls, que je continuerais de me battre pour eux, même maintenant, l'élection passée. Mais les gens souhaitaient-ils seulement que je me batte pour eux ? Y avait-il un quelconque intérêt à argumenter maintenant ? Peut-être devais-je être simplement digne, concéder ma défaite et me retirer.

Jake a rejeté l'idée. Oui, a-t-il dit, être digne est important. Mais si nous pensons ce que nous avons dit au cours des six derniers mois sur les dangers que ce type représente pour notre pays, alors tu ne peux pas te comporter comme si ce n'était soudain plus vrai. Les gens ont peur et craignent pour leur famille. Ils veulent t'entendre.

Il s'en est suivi une vive discussion. J'ai fini par demander à mes plumes de s'atteler à une autre ébauche plus courte et digne sans être édulcorée.

Bill était en train de regarder le discours de Trump à la télévision. Il n'arrivait pas à le croire. Pas plus que moi. Tout le monde a fini par partir, et il n'est plus resté que nous. Je n'avais pas encore pleuré, et je ne savais pas si j'allais le faire. Mais je me sentais profondément épuisée, comme si je n'avais pas dormi depuis dix ans. Nous nous sommes allongés sur le lit et nous avons fixé le plafond. Bill m'a pris la main, et nous sommes restés étendus là.

Le lendemain matin, la réalité a repris le dessus. Le 9 novembre se leva frais et pluvieux. J'ai essayé de boire un peu de jus d'orange, mais je n'avais pas le moindre appétit. J'avais un boulot à accomplir. C'est ce sur quoi je me concentrais. À la lueur du jour, j'ai vu plus clairement ce que je devais dire.

Mes rédacteurs sont revenus avec une nouvelle ébauche, et je leur ai dit que je souhaitais insister davantage sur le sens du mot démocratie. Oui, la passation pacifique du pouvoir était l'une de nos traditions les plus importantes – et le simple fait d'avoir reconnu ma défaite honorait cela. Mais il y avait aussi l'État de droit, l'égalité des chances et la liberté. Nous les respectons et chérissons aussi, et nous devions les défendre. « Donald Trump va être notre président, dirais-je. Nous devons avoir l'esprit ouvert et lui laisser sa chance. » Mais j'allais aussi mettre au défi mes partisans et tous les Américains de continuer de travailler à notre vision d'une Amérique meilleure, plus forte et plus juste. J'étais déterminée à ce que ma jeune équipe et mes supporters ne se découragent pas. « Cette défaite est doulou-reuse, allais-je leur dire. Mais s'il vous plaît, je vous en conjure, ne cessez jamais de penser que se battre pour ce qui est juste en vaut la peine. Cela en vaut toujours la peine. »

Enfin, je voulais m'adresser directement aux femmes et aux filles qui avaient placé leurs espoirs en moi et en ma campagne. Cela m'at-tristait de penser à ce qu'elles devaient ressentir. Au lieu de faire l'histoire et d'élire la première femme présidente, elles connaissaient un revers cinglant et devaient accepter que le pays venait de porter au pouvoir un individu qui traitait les femmes en choses et se vantait de harcèlement sexuel. Beaucoup de femmes – et d'hommes – se sont réveillés ce matin-là en se demandant si l'Amérique était encore le pays qu'ils connaissaient. Y aurait-il une place pour eux dans l'Amérique de Trump ? Y seraient-ils en sécurité ? Seraient-ils valorisés et respectés ?

J'ignorais la réponse à ces questions. Je me les posais moi-même. Mais je pouvais utiliser cet ultime moment sur la scène nationale pour leur dire combien j'avais été fière d'être leur championne. Je pouvais dire que, tandis que cette fois nous n'avions pas brisé le plus haut des plafonds de verre, « un jour viendra où quelqu'un s'en chargera – et avec un peu de chance plus rapidement que nous pouvons le penser à cet instant ». Et je pourrais dire à toutes les petites filles présentes là-bas, avec toute la conviction de mon être : « Ne doutez jamais que vous êtes précieuses et puissantes et que vous méritez toutes les chances et opportunités du monde. »

Je me suis habillée et j'ai rassemblé mes affaires. « Un jour, il faudra que tu me montres des photos de ce à quoi ressemblait la scène la nuit dernière, ai-je dit à Huma.

– Elle était extraordinaire, répliqua-t-elle, construite pour une présidente. »

Il était temps d'y aller. Le pays attendait, et repousser l'échéance ne rendrait pas l'exercice plus facile.

J'ai pensé à ma mère. Alors que je n'étais qu'une fillette, une petite frappe du voisinage s'est mise à me malmener. J'ai couru jusqu'à la maison pour me cacher, mais, à la porte de chez nous, je suis tombée sur ma mère. « Il n'y a pas de place pour les lâches dans cette maison, m'a-t-elle dit. Retournes-y. » La marche depuis le perron de notre maison jusqu'à la rue a été l'une des plus longues de mon existence. Mais j'y suis retournée. Maman avait raison, comme d'habitude.

J'ai rassemblé ma famille, inspiré un bon coup et passé la porte.

La victoire a cent pères, mais la défaite est orpheline.

John F. Kennedy

Pourquoi

Depuis le 8 novembre 2016, j'ai passé une bonne partie de mes journées à ressasser une seule question : pourquoi ai-je perdu ? J'ai parfois du mal à penser à autre chose.

Je passe en revue toutes mes faiblesses et les erreurs que nous avons commises. J'en assume l'entière responsabilité. On peut accuser les statistiques, le programme, tout ce qu'on veut. C'était moi la candidate. Et c'était ma campagne. Les décisions étaient les miennes.

Je pense aussi aux forts vents contraires que nous avons dû affronter, notamment la montée des politiques identitaires aux États-Unis et dans le monde, l'impatience d'un pays en quête de changement, la couverture médiatique excessive de mes e-mails, l'intervention tardive et inédite du directeur du FBI, la campagne de désinformation soigneusement élaborée par le Kremlin, et une avalanche de « fake news ». Ce ne sont pas des excuses, mais des faits qui se sont produits, qu'on le veuille ou non.

Je pense à tout cela, ainsi qu'à notre pays profondément divisé, à notre capacité à vivre, travailler et penser ensemble.

Et ce, avant même d'avoir terminé mon café du matin. Après, tout recommence.

Au printemps 2017, plusieurs journalistes prévenants tels que Nicholas Kristof, Christiane Amanpour, Rebecca Traister et Kara Swisher m'ont demandé de réfléchir aux événements de 2016 et aux leçons que les Américains – en particulier les démocrates – pouvaient tirer de ma défaite.

C'est une discussion importante que nous devons avoir. Elle ne concerne pas seulement le passé, loin de là. Après s'être immiscée avec succès dans une élection présidentielle, la Russie va certainement essayer de récidiver. Les démocrates, eux, sont actuellement engagés dans un débat vital concernant l'avenir de leur parti, qui implique de comprendre les problèmes survenus en 2016 pour pouvoir les régler.

Voici un exemple de question qu'on m'a posée :

« Est-ce que la campagne aurait pu être meilleure ? m'a demandé Christiane Amanpour. Sur quoi portait votre message ? Est-ce que vous assumez personnellement la défaite ?

– J'en assume pleinement la responsabilité, ai-je répondu. C'était moi la candidate. C'était moi qui me présentais au scrutin. »

Puis je lui ai expliqué que, même si nous n'avions pas mené une campagne parfaite, Nate Silver, le statisticien renommé dont les prévisions s'étaient révélées correctes dans 49 États en 2008 et dans les 50 États en 2012, nous annonçait gagnants, jusqu'à ce que la lettre de Jim Comey du 28 octobre ne fasse dévier notre course. On peut être d'accord ou non avec cette analyse, mais c'est ce que disent les statistiques de Silver.

Si je dis que mes interviews ont été assez mal accueillies, c'est encore un euphémisme.

« Chère Hillary Clinton, s'il vous plaît, arrêtez de parler de 2016 », a écrit un éditorialiste de *USA Today*. Sur CNN, toujours coincé dans la rhétorique du « tous pareils », on a pu entendre : « Clinton et Trump ne cessent d'énumérer leurs doléances de 2016. » Un éditorialiste du *New York Daily News* a quant à lui trouvé que la réaction la plus appropriée était la suivante : « Hé, Hillary Clinton, ferme ta g* et va-t'en enfin. » Sérieusement, c'est mot à mot ce que le journal a publié.

Je peux comprendre que certains n'aient pas envie d'entendre des propos qui peuvent donner l'impression de « rejouer » l'élection. Les gens sont fatigués. Certains traumatisés. D'autres préfèrent se borner à évoquer la Russie uniquement sur le plan de la sécurité nationale, sans y mêler la politique. Je comprends tout cela. Mais il est important de conprendre ce qui s'est réellement passé, car c'est le seul moyen d'empêcher que cela ne se reproduise.

Je comprends également pourquoi, dans certains milieux, on cherche absolument à me faire porter la responsabilité seule tout en me demandant d'arrêter d'évoquer Comey, les Russes, les « fake news », le sexisme et autres. Ils sont nombreux, dans le monde du journalisme politique, à refuser d'entendre que ces éléments-là ont été décisifs pendant les derniers jours de campagne. Ils prétendent que ce qui les gêne, c'est mon incapacité à assumer mes erreurs. Or, je les assume, notamment à travers ce livre. Le vrai problème, c'est qu'ils ne peuvent pas admettre le rôle qu'ils ont joué dans l'élection de Trump en lui fournissant des heures d'antenne gratuites et en donnant à mes e-mails une couverture médiatique trois fois plus importante qu'à tous les problèmes des citoyens américains cumulés.

D'autres candidats ayant perdu la course à la présidence ont pu prendre la parole – on les y a même encouragés – pour expliquer ce qui avait échoué et pourquoi. Après sa défaite en 2004, John Kerry a reconnu que la publication d'une cassette d'Oussama Ben Laden la veille de l'élection avait eu des conséquences non négligeables sur le scrutin. Les journalistes étaient intéressés par ce qu'il avait à dire. Moi, ils veulent que j'arrête de parler.

Si tout est de ma faute, alors les médias n'ont pas à faire leur examen de conscience. Les républicains peuvent dire que l'ingérence de Poutine a été sans conséquences. Les démocrates n'ont pas à remettre en question leurs préjugés ni leurs préceptes. Tout le monde peut tourner la page.

J'aimerais bien que ce soit aussi facile – mais ce n'est pas le cas. C'est pour cette raison que je vais essayer d'exposer ma version des événements, à la fois les interventions inattendues qui ont finalement fait basculer la course et les problèmes structurels qui l'avaient fragilisée dès le départ. Vous n'êtes pas obligés de partager mon point de vue, mais, dans ce cas, opposez-lui des preuves, de solides arguments. Nous devons comprendre la vérité.

Voici ma version.

Critiques fréquentes

L'élection s'est jouée à 77 744 voix sur un total de 136 millions. Si seulement 40 000 personnes dans le Wisconsin, le Michigan et la Pennsylvanie avaient changé d'avis, j'aurais gagné. Avec une marge aussi mince, tout le monde peut y aller de sa théorie pour expliquer ma défaite. Il est difficile d'exclure un facteur en particulier, mais chaque théorie doit être mesurée à la lumière du fait suivant : j'étais annoncée vainqueur jusqu'au 28 octobre, date où Jim Comey a relancé le sujet des e-mails.

On m'a notamment reproché de ne pas avoir suffisamment fait campagne dans le Midwest. Et il est possible que quelques déplacements supplémentaires à Saginaw ou quelques spots publicitaires de plus sur les ondes de Waukesha aient rapporté 1 000 ou 2 000 voix ici ou là.

Mais clarifions un point. Nous avons toujours su que le Midwest industriel était indispensable à notre victoire, comme c'est le cas pour les démocrates depuis des décennies et, contrairement à ce qu'on raconte, nous n'avons pas négligé ces États. En Pennsylvanie, où les instituts de sondages publics et privés ont montré que la compétition était aussi serrée qu'en 2012, nous avions près de 500 personnes sur le terrain, soit 120 de plus que l'équipe Obama quatre ans plus tôt. Nous avons dépensé 211 % de plus en spots publicitaires dans cet État. Et j'y ai tenu plus de vingt-cinq meetings de campagne pendant la course à la présidentielle. Nous avons également envoyé dans toute la Pennsylvanie des porte-parole de haut niveau, comme le président Obama et le vice-président Biden. Dans le Michigan, où les sondages nous donnaient en tête, mais pas avec autant d'avance que nous l'avions espéré, nous avions près de 140 personnes de plus sur le terrain par rapport à l'équipe Obama en 2012, et dépensé 166 % de plus en spots publicitaires. Je m'y suis rendue à sept reprises pendant la campagne. Nous avons perdu ces deux États, mais personne ne peut prétendre que nous n'avons pas fait notre possible pour nous battre et l'emporter.

S'il y a des résultats qui nous ont pris par surprise, ce sont ceux du Wisconsin. Les sondages nous donnaient une avance confortable, et ce jusqu'à la fin. Ils étaient également favorables au candidat démocrate en lice pour le Sénat, Russ Feingold. Nous avions 133 personnes sur le terrain et avons dépensé près de 3 millions de dollars en spots télévisés, mais, si nos statistiques (ou celles de quelqu'un d'autre) nous avaient indiqué le moindre danger, il est évident que nous aurions investi davantage. J'aurais modifié mon planning, qui était organisé en fonction des informations dont nous disposions, et campé sur place. En l'occurrence, même si je ne me suis pas rendue dans le Wisconsin à l'automne, Tim Kaine, Joe Biden, Bernie Sanders et d'autres porte-parole renommés l'ont fait. Alors que s'est-il passé ? Nous allons y venir. Mais rappelez-vous que Trump a rassemblé en gros le même nombre de voix dans le Wisconsin que Mitt Romney : il n'y a pas eu d'explosion de participation du côté des républicains. En revanche, un certain nombre d'électeurs ont changé d'avis, sont restés chez eux, ou ont opté pour un troisième candidat au cours de ces derniers jours qui m'ont coûté la victoire dans cet État.

Voici ce que je cherche à démontrer : malgré une campagne intense en Pennsylvanie assortie d'un travail de terrain acharné et d'une importante publicité, j'ai perdu à 44 000 voix près, chiffre supérieur à la marge cumulée du Wisconsin et du Michigan. On ne peut donc pas expliquer le résultat de ces États – et par conséquent de l'élection – en fonction des lieux où j'ai tenu des meetings.

L'autre explication simpliste qui ne tient pas la route si on y réfléchit est celle qui consiste à dire que j'ai perdu parce que je n'avais pas de programme économique. Joe Biden a déclaré qu'en 2016 le Parti démocrate « n'a pas parlé de ce pour quoi il s'est toujours battu, à savoir comment maintenir une classe moyenne florissante ». Il a ajouté : « Au cours de la dernière campagne, on n'a pas entendu une seule phrase au sujet de ce type qui travaille sur une chaîne de montage pour 60 000 dollars par an et sa femme qui gagne 32 000 dollars en tant que serveuse dans un restaurant. » Cette remarque est d'autant plus étonnante que Joe lui-même a fait campagne pour moi dans le Midwest et a amplement parlé de la classe moyenne.

Par ailleurs, ce n'est pas vrai. Pas du tout. *Vox* a publié une analyse de tous mes meetings de campagne qui révèle que les sujets que j'évoquais le plus étaient l'emploi, les travailleurs et l'économie. Comme l'a écrit l'*Atlantic* dans un article intitulé « Le mythe dangereux selon lequel Hillary Clinton aurait délaissé la classe ouvrière », j'ai proposé « le programme économique le plus complet et progressiste de toute l'histoire des candidats à la présidence ». De plus, j'ai davantage abordé le thème du travail dans mon discours à la convention démocrate que ne l'a fait Trump dans le sien – de même lors de notre premier débat qui a été suivi par 84 millions de téléspectateurs.

Fréquence des mots dans les discours de Clinton :

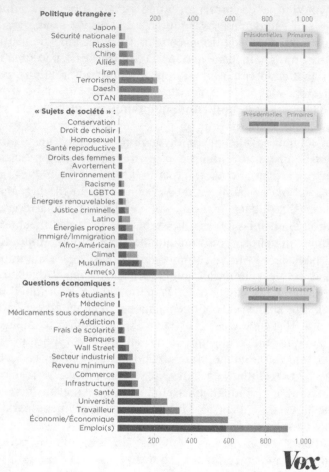

Durant la campagne, pour nos spots télévisés, nous avons toujours essayé de garder une attitude positive, expliquant les idées que je défendais ainsi que mon programme économique. Nous avons conservé cet état d'esprit même lorsque nous cherchions à souligner l'inaptitude de Trump à occuper la plus haute fonction de l'État. Nous avons d'ailleurs tourné un spot à Milwaukee, devant les bureaux de l'entreprise Johnson Controls, qui tentait de contourner le fisc américain en délocalisant son siège à l'étranger – une pratique qu'on appelle « l'inversion ». Il faisait tellement froid ce jour-là que je ne sentais presque plus mes pieds, mais j'ai insisté pour qu'on tourne ce spot parce que j'étais furieuse contre cette entreprise qui escroquait ses employés et le peuple américain. J'ai parlé du projet fiscal de Johnson Controls quasiment chaque jour pendant des mois. On peut donc débattre de l'efficacité ou non de mon message économique, mais on ne peut pas prétendre qu'il ait été inexistant.

Voici une anecdote qui explique pourquoi tout cela est si exaspérant. Le lendemain du jour où j'ai accepté mon investiture démocrate à Philadelphie, Bill et moi avons pris la route avec Tim Kaine et sa femme, Anne, pour une tournée en bus à travers les villes industrielles de Pennsylvanie et d'Ohio. Cela m'a rappelé notre exaltant voyage en bus en 1992, où Al et Tipper Gore nous accompagnaient. Ça avait été une des meilleures semaines de toute cette campagne. Nous avions rencontré des gens qui travaillaient dur, vu des paysages magnifiques où que nous allions, nous sentions l'énergie d'un pays prêt pour le changement. Vingt-quatre ans plus tard, je voulais revivre cela. Nous avons pris place dans notre gros bus bleu qui arborait le slogan « Stronger together », avant d'entamer un voyage de plus de 1000 kilomètres. À chaque étape, Tim et moi discutions de nos projets de création d'emplois, de hausse des salaires et d'aides aux familles de travailleurs. À Johnston, dans le comté rural de Cambria County en Pennsylvanie, nous avons partagé nos idées avec des ouvriers sidérurgistes d'une usine fabriquant du fil de fer pour l'industrie lourde. Peu après, un des ouvriers, un grutier, a déclaré à un journaliste du *Philadelphia Inquirer* qu'il ne votait habituellement pas aux présidentielles, mais qu'il allait peut-être changer d'avis cette fois-ci parce que nous l'avions convaincu. « J'aime bien l'idée de vouloir augmenter le salaire des ouvriers, a-t-il confié. On a besoin d'eux. » C'était exactement ce que j'avais envie d'entendre.

Mais vous n'avez probablement rien su de cette tournée en bus. En fait, vous avez peut-être même entendu dire que je n'ai pas fait campagne de cette façon-là ; que j'ai délaissé la Rust Belt, que je n'avais pas de message économique et que j'étais déconnectée des électeurs de la classe ouvrière. Pourquoi ce décalage ? Cette même semaine, pendant que Tim et moi parcourions la Pennsylvanie et l'Ohio, Donald Trump menait un combat très médiatisé contre les Khan, les parents endeuillés d'un héros de guerre américain et musulman mort au combat. Cet épisode a focalisé toute l'attention des médias, un désastre à court terme pour Trump, qui a fait chuter ses sondages. Mais, en même temps, l'incident ressemblait à beaucoup d'autres qui avaient toujours l'effet d'occulter mon programme économique, et de laisser Trump donner le tempo de la course.

Étais-je maudite dès le départ ?

Certains commentateurs ont également affirmé que ma campagne était vouée à l'échec, soit à cause de mes faiblesses en tant que candidate, soit parce que le pays était frappé par une vague historique de colère et de populisme étendue à l'échelle mondiale. C'est tout à fait possible. Mais n'oublions pas que j'ai emporté le vote populaire de presque trois millions de voix, quasiment la même marge que celle de George W. Bush quand il a battu John Kerry en 2004 ! J'ai du mal à croire que cela aurait pu se produire si j'avais été à ce point déconnectée du peuple américain.

Néanmoins, comme je l'ai exposé dans ce livre, il est vrai qu'il y avait un décalage entre mon approche politique et le message qu'une grande partie du pays avait envie d'entendre en 2016. J'ai appris que même les projets et les propositions les mieux préparés peuvent manquer leur cible quand les gens sont déçus par un système défaillant et dégoûtés par les politiques. Quand les gens sont en colère et cherchent un bouc émissaire, ils n'ont pas envie d'entendre votre programme en dix étapes pour créer des emplois et augmenter les salaires : ils veulent vous transmettre cette colère.

On voit cette même dynamique à l'œuvre à l'échelle des relations humaines. J'ai des amis qui, se sentant frustrés par leur époux ou leur épouse, essaient immédiatement de résoudre le problème, sans prendre le temps d'écouter l'autre vider son sac et compatir. C'est ce qui s'est passé entre de nombreux électeurs et moi : au lieu de les écouter, je suis passée directement à la résolution du problème.

Par ailleurs, j'ai fini par accepter que beaucoup de gens – plusieurs millions – avaient décrété qu'ils ne m'aimaient pas. On peut imaginer ce que ça fait : c'est douloureux. Et difficile à accepter. Mais c'est comme ça.

À chaque fonction que j'occupe, que ce soit celle de sénatrice ou de secrétaire d'État, on me félicite. Mais quand je me porte candidate pour un poste – celui de présidente –, tout change. Les gens se rappellent toutes les attaques partisanes dont j'ai fait l'objet au fil des années, me décrivant comme une femme malhonnête et indigne de confiance. Même lorsqu'elles sont démenties, ces accusations laissent une trace. J'ai toujours essayé de rester concentrée et de faire du bon travail en espérant être jugée sur mes résultats ; généralement, cela fonctionne, mais pas cette fois-ci.

Il paraît que de nombreux électeurs de Trump ont en réalité voté *contre* moi plutôt que *pour* lui (53 % contre 44 %, selon une étude du Pew Center Research, publiée en septembre). Lors des sondages de sortie des urnes, un nombre significatif d'électeurs avaient déclaré que Trump ne disposait pas des compétences ou de la personnalité nécessaires à un président… pourtant, ils ont voté pour lui. Parmi les 61 % d'électeurs le jugeant incompétent, 17 % lui ont tout de même donné leur voix. Des 63 % d'électeurs estimant qu'il n'avait pas la personnalité d'un président, 19 % ont pourtant voté pour lui. Selon les enquêtes à la sortie des urnes, 18 % des électeurs nous jugeaient, Trump et moi, de façon négative, mais ils se sont prononcés pour lui à 47 % contre 33. Leur antipathie à mon égard devait donc être plus forte que leurs doutes vis-à-vis de ses compétences ou de sa personnalité.

Ces résultats ne me surprennent pas. Gallup a établi un nuage de mots clés regroupant tout ce que les Américains ont lu, vu ou entendu à mon propos durant ces mois de campagne. Il était dominé par un seul et unique mot : « e-mail ». En plus petits, mais néanmoins bien visibles, il y avait les termes « lie » – mensonge – et « scandal ». Il est intéressant de noter que, chez Trump, « immigration » et « Mexico » ressortent davantage que « jobs » – emplois – ou « trade » – commerce. Je vais y revenir.

Je ne crois pas que les sentiments négatifs à mon égard aient été inévitables ; après tout, j'ai quitté le secrétariat d'État avec des sondages d'opinion très favorables. Ces sentiments ont été provoqués par les attaques politiques incessantes et une couverture médiatique négative, mais j'ai également conscience que c'était à moi de faire taire ces critiques pour convaincre le peuple américain de m'élire. Je n'en ai pas été capable.

Ce que les Américains
ont entendu ou lu au sujet
de Donald Trump.

Que vous rappelez-vous avoir lu, entendu
ou vu au sujet de Donald Trump ces deux
derniers jours ?

Gallup Daily Tracking
17 juillet – 18 septembre 2016

Ce que les Américains
ont entendu ou lu au sujet
de Hillary Clinton.

Que vous rappelez-vous avoir lu, entendu
ou vu au sujet de Hillary Clinton ces deux
derniers jours ?

Gallup Daily Tracking
17 juillet – 18 septembre 2016

Alors oui, en tant que candidate, j'ai eu mes faiblesses. Et oui, il y avait bel et bien un courant populiste généralisé, ainsi qu'une forte tradition anti troisième mandat dans le pays. Pourtant – et c'est important pour mettre le doigt sur l'élément décisif de cette élection – ces facteurs structurels ne sont pas apparus soudainement par surprise à la fin. Ils étaient présents tout au long de la campagne. Ces facteurs structurels ont rendu la course plus serrée qu'elle aurait dû l'être en regard de nos programmes et attitudes divergentes, de ma longue carrière au sein de l'État et des réalisations de l'administration Obama. Si ces facteurs s'étaient avérés décisifs, j'aurais quand même dû être distancée dès le départ. Or, malgré une opposition constante, quasiment tous les sondages publics ou privés m'ont, au cours de ces deux années, créditée d'une avance, voire d'une large avance.

Dans la dernière ligne droite, après deux conventions et trois débats suivis par un nombre record de téléspectateurs, je suis sortie clairement en tête. Dans *Vox*, Ezra Klein a affirmé qu'il s'agissait de « la série de débats la plus convaincante de l'histoire politique moderne ». J'étais en position de force, davantage que le président Obama quatre ans plus tôt. Soit toutes ces études se sont trompées pendant tout ce temps, soit quelque chose a changé au cours des derniers jours et a fait basculer suffisamment d'électeurs pour modifier le résultat du scrutin.

Est-ce que tous les sondages ont fait fausse route ? Nous savons aujourd'hui que certaines études n'étaient pas exactes, particulièrement dans le Wisconsin, vers la fin. Il est probable que certains électeurs de Trump ont refusé d'y participer, ce qui fait que leur avis n'a pas été recensé ; d'autres électeurs n'ont pas répondu avec sincérité. Mais, d'une façon générale, les sondages nationaux se sont révélés légèrement plus exacts en 2016 qu'ils ne l'étaient en 2012. Cette année-là, les derniers sondages avaient, en moyenne, sous-estimé de 3,1 points la victoire du président Obama. En 2016, d'après le site RealClearPolitics, la moyenne finale était exacte à seulement 1,2 point près. Dans une compétition aussi serrée, ce n'est pas rien – mais ce n'est pas non plus une grosse erreur.

Donc non, tous les sondages ne se sont pas trompés. Il est possible que mon avance pendant la course ait été légèrement surestimée – mais pas de façon significative. Il est donc raisonnable de conclure qu'un événement important et décisif s'est produit à la toute fin de la campagne.

Tout s'effondre

Un certain nombre d'éléments prouvent que les électeurs se sont tardivement éloignés de moi pour basculer vers Trump et les autres candidats. De nombreux électeurs m'ont choisie lors des votes anticipés à travers le pays et le résultat de ces votes correspondait en gros à nos estimations. Mais tout s'est effondré durant les derniers jours de campagne et le jour même de l'élection.

Sur le moment, il était difficile d'estimer à quel point notre position était fragile. Comme je l'ai évoqué, le sondage de Joel Benenson m'avait créditée d'une avance solide durant la dernière semaine. Notre équipe d'analystes interrogeait des milliers de gens chaque soir. « Nous avons vu nos marges se resserrer dans les États les plus disputés », a affirmé Elan Kriegel le 3 novembre. Mais, a-t-il ajouté, « dans les États les plus favorables, nous avons enregistré un score de +3 ces quatre derniers jours ». Nous étions crédités de +3 points dans le Michigan, le Wisconsin et la Pennsylvanie, d'après lui. Les campagnes démocrates pour le Sénat et les comités de partis affichaient des chiffres similaires, voire encore plus optimistes.

Les sondages de sortie des urnes ont montré que les électeurs qui ont hésité jusqu'au dernier jour ont massivement choisi Trump.

En Pennsylvanie, un État où le vote anticipé n'était pas autorisé, la marge parmi les indécis s'est avérée de 54-37. Dans le Wisconsin, où 72 % des gens ont voté le jour de l'élection, elle a été de 59 à 30, et de 50 à 39 dans le Michigan, où 73 % des gens ont voté le jour de l'élection ; *idem* à travers le Midwest. En Floride, les indécis ont choisi Trump à 55 contre 38. Cet élan final a suffi à lui faire remporter ces États.

Normalement, dans une campagne, on peut anticiper de quel côté les indécis vont pencher, en fonction de leurs choix dans les élections passées et de la démographie. Les études montrent que la plupart des électeurs qui disent considérer un troisième candidat vont finalement opter pour leur parti « traditionnel ». Au cours des derniers jours de la campagne 2016, les électeurs susceptibles de rallier le Parti républicain l'ont effectivement fait. Mais la même chose ne s'est pas produite pour nous : de nombreux électeurs à tendance démocrate tentés de voter pour un troisième candidat ont fini par donner leur voix à celui-ci. Et certains indécis qu'on pensait voir rallier nos rangs ont choisi Trump ou sont restés chez eux.

Parmi eux se trouvaient des électeurs modérés de banlieue qui avaient parfois voté républicain par le passé, mais qui, n'aimant pas Trump, ont cherché une alternative jusqu'au bout. Le jour de l'élection, un grand nombre d'entre eux ont voté pour lui malgré tout, en se bouchant le nez. Il est assez révélateur de comparer les résultats dans les banlieues de Denver et Las Vegas (villes situées dans des États que j'ai remportés), où la grande majorité vote par anticipation, avec les résultats des banlieues de Philadelphie, où quasiment tout le monde a voté le jour J. Le dernier sondage Franklin&Marshall en Pennsylvanie, basé sur des entretiens presque tous menés avant le 28 octobre, a montré que j'avais une avance de 36 points par rapport à Trump dans les quatre comtés de banlieue, soit 64 % contre 28. Le jour de l'élection, je n'ai battu Trump que de 13 points dans ces circonscriptions. La perte des banlieues pendant cette dernière semaine m'a empêchée de rattraper l'avance que Trump avait prise dans les zones rurales et j'ai fini par perdre l'État de justesse.

Les femmes blanches de la classe ouvrière ont elles aussi massivement changé d'avis au cours des derniers jours. Trump a fait la course en tête au sein de ce groupe pendant quasiment toute la campagne, mais, d'après un sondage NBC-*Wall Street Journal*, je n'étais plus qu'à 4 points d'écart durant les débats d'octobre. C'est au cours de la dernière semaine que la marge de Trump s'est creusée jusqu'à 24 points.

L'effet Comey

Que s'est-il passé pendant la dernière ligne droite pour que tant d'électeurs se détournent de moi ?

D'abord et avant tout, il y a eu l'intervention inédite du directeur du FBI de l'époque, Jim Comey.

Sa lettre du 28 octobre concernant l'enquête sur mes e-mails a donné lieu à une couverture médiatique unanimement négative pendant une semaine. Les jours suivants, cinq des plus grands journaux du pays ont, à eux seuls, publié cent articles évoquant cette controverse, dont près de la moitié en une. Entre le 29 octobre et le 4 novembre, cette annonce a ouvert les flashs info du pays six jours d'affilée. Trump a pris cela pour une validation de ses attaques contre celle qu'il avait baptisée « Crooked Hillary » par Comey, et les républicains ont dépensé au moins 17 millions de dollars pour des spots défendant Comey dans les États les plus disputés. Ça a marché.

Les 1er et 2 novembre, mon équipe de campagne a organisé des groupes de réflexion constitués d'électeurs indépendants et indécis à Philadelphie et à Tampa, en Floride. Les indécis n'étaient pas encore prêts à opter pour Trump, mais, rétrospectivement, tous les signaux étaient au rouge. « Je suis inquiet au sujet de cette histoire avec Weiner. Ça me dérange. Je penchais plutôt pour Hillary, mais maintenant je ne sais plus », a déclaré un électeur de Floride. « Je ne soutiens aucun des deux, mais cette histoire d'e-mails de Clinton m'a perturbé ces derniers jours. Est-ce qu'on va l'élire, puis déclencher une procédure d'*impeachment* ? Est-ce qu'elle a révélé des informations confidentielles ? » a demandé un autre.

En dehors de ces groupes, on recevait les mêmes échos. Des chercheurs qui travaillaient sur les sujets de conversation des consommateurs et établissaient une sorte d'inventaire du bouche-à-oreille ont relevé un « changement soudain », avec une chute de 17 points pour moi dans l'opinion et une hausse de 11 points pour Trump. D'après Brad Fay d'Engagement Labs, qui applique aux élections des études consommateurs éprouvées, « le changement dans les indicateurs du bouche-à-oreille était surprenant, et bien plus important que celui révélé par les sondages d'opinion traditionnels ».

Ces inquiétudes exprimées au sein des groupes de réflexion permettent d'expliquer l'effet dévastateur de la lettre de Comey. Depuis le début de cette élection, nous avions vu la bataille comme une confrontation entre la peur du risque chez les électeurs et leur désir de changement. Notre meilleure chance de maîtriser l'envie de changement généralisée après huit ans de présidence démocrate, c'était de convaincre les Américains que l'élection de Trump était une entreprise trop risquée. En termes démographiques, notre stratégie consistait à compenser la défection attendue de certains électeurs blancs de la classe ouvrière (une tendance qui s'accentuait depuis longtemps pour les démocrates) en séduisant les habitants de banlieue modérés et éduqués, soit les gens les plus susceptibles d'être sensibles à ce risque.

Avant le 28 octobre, nous avions toutes les raisons de penser que cette stratégie allait marcher. Les électeurs trouvaient Trump incompétent et son tempérament incompatible avec la fonction ; ils craignaient qu'il ne déclenche une guerre. Moi, ils me trouvaient stable, compétente et fiable. La lettre de Comey a inversé la vapeur. Les électeurs s'inquiétaient à présent que ma présidence soit entachée de nouvelles enquêtes, peut-être même d'une procédure d'*impeachment*. C'était « dérangeant », comme l'a dit cet électeur de Floride. Comme les deux candidats paraissaient désormais dangereux, le désir de changement s'est réaffirmé et les indécis se sont tournés vers Trump ou un troisième candidat.

Dans la semaine suivant la lettre de Comey, Nate Silver a relevé que mon avance dans les sondages nationaux avait perdu 3 points et que mes chances de remporter l'élection étaient passées de 81 % à 65. Dans les États les plus disputés, je n'avais plus qu'1,7 point d'avance – et le fait que les sondages étaient très peu nombreux à ce stade si avancé de la campagne dans des zones comme le Wisconsin montre que les dégâts auraient pu être bien plus importants.

Puis, le dimanche précédant l'élection, Comey a envoyé une autre lettre expliquant qu'en réalité il n'y avait pas de nouvelle preuve modifiant ses conclusions du mois de juillet ; mais, à ce moment-là, il était déjà trop tard. Dans la pire des hypothèses, cette deuxième lettre a peut-être galvanisé un peu plus les supporters de Trump en les convainquant de voter contre moi. Cela a également apporté deux jours supplémentaires de gros titres évoquant les e-mails et les enquêtes aux indécis.

Quelques heures après que la deuxième lettre de Comey avait fait la une, Trump a versé de l'huile sur le feu lors d'un meeting dans le Michigan : « Hillary Clinton est coupable. Elle le sait. Le FBI le sait. Le peuple le sait. Maintenant c'est au peuple américain de rendre justice aux urnes le 8 novembre. » La foule s'est mise à scander en retour : « Enfermez-la ! »

Corey Lewandowski, l'ancien directeur de campagne de Trump, a reconnu que Comey avait inversé la tendance en faveur de son candidat. « À onze jours de l'élection, quelque chose d'incroyable s'est produit », a-t-il annoncé. Dans son dernier livre, *Devil's Bargain : Steve Bannon, Donald Trump and the Storm of the Presidency*, Joshua Green, journaliste pour Bloomberg News, révèle que les analystes de la campagne de Trump ont qualifié de « charnières » les conséquences de cette lettre. Dans une note interne rédigée cinq jours avant l'élection, ils ont noté un « soutien déclinant pour Clinton se déplaçant en faveur de M. Trump » et prédit : « Cela pourrait bien avoir un impact majeur sur les résultats. » Hélas, ils avaient raison.

Silver, dont le modèle s'est avéré plus conservateur que les autres pendant la campagne, a conclu : « Clinton aurait presque certainement été élue si l'élection avait eu lieu le 27 octobre (la veille de la publication de la lettre de Comey). » Le professeur Sam Wang, qui dirige le Princeton Election Consortium, a qualifié cet épisode de « facteur décisif lors de la dernière ligne droite » et a noté un revirement de 4 points.

Voici une façon assez parlante d'en mesurer l'impact : même si Comey avait convaincu ne serait-ce que 0,6 % des électeurs de changer d'avis le jour J, et même si ce revirement s'était produit seulement dans la Rust Belt, cela aurait été suffisant pour faire basculer le collège électoral du côté de Trump.

C'est pourquoi Paul Krugman, l'économiste lauréat du prix Nobel et éditorialiste au *New York Times*, a commencé à tweeter ironiquement « Merci, Comey » chaque fois qu'un nouveau scandale émerge de la Maison-Blanche sous Trump. Comey a fait le choix de me discréditer publiquement au mois de juillet avant de rouvrir l'enquête de façon spectaculaire le 28 octobre – tout en refusant de dire quoi que ce soit au sujet de Trump et de la Russie. S'il n'avait pas pris ces décisions, tout aurait été différent. Il a lui-même avoué plus tard se sentir « légèrement écœuré » à l'idée d'avoir influencé le résultat du scrutin. Et moi, ça m'a rendue malade de l'entendre.

Malveillance russe

Le deuxième facteur majeur qui a causé cette dégringolade, c'est le complot russe qui visait à saboter ma campagne pour permettre d'élire Trump. Michael Morell, l'ancien directeur par intérim de la CIA, l'a décrit comme « l'équivalent politique du 11 Septembre ».

Grâce aux messages que la Russie a volés à John Podesta pour les transmettre à WikiLeaks, les mots « Clinton » et « e-mails » ont fait les gros titres avant même que Comey envoie sa lettre. À cela s'est ajouté le courant souterrain des « fake news ». Dans l'esprit des électeurs, toutes ces histoires ont fusionné pour former un brouillard aveuglant de scandale et de méfiance. Même s'il n'y avait pas de feu, il y avait suffisamment de fumée pour étouffer notre campagne.

Comme nous n'avons à l'heure qu'il est aucune preuve directe que le vote ait été truqué, certains prétendent que l'ingérence russe n'a eu aucun impact sur le résultat de l'élection. Cette affirmation est absurde. La guerre de l'information menée par le Kremlin était l'équivalent d'un super-PAC hostile lançant une grande campagne publicitaire, ou pire. Bien sûr, ça a eu un impact. (Et pour ceux que les votes réellement truqués intéressent, comme on ne cesse de découvrir de nouvelles intrusions russes dans nos systèmes électoraux, peut-être que c'est sur cela que l'administration et les secrétaires d'État du pays devraient enquêter, au lieu de se concentrer sur une prétendue épidémie inexistante de votes frauduleux.)

Le site Internet de Nate Silver, FiveThirtyEight.com, a étudié les recherches Google pour mesurer à quel point l'annonce de WikiLeaks avait influencé les électeurs. Il a découvert que – à part dans les moments qui ont immédiatement suivi la lettre de Comey le 28 octobre – il y avait eu davantage de recherches concernant WikiLeaks que le FBI pendant les dernières semaines. C'est assez logique. Comme les médias officiels ne parlaient que de Comey, il n'y avait aucun besoin de chercher d'autres informations là-dessus. Les annonces de WikiLeaks, en revanche, ont donné lieu à des recherches dans les recoins les plus reculés d'Internet.

Les recherches Google sur WikiLeaks ont été particulièrement élevées dans les « swing states », où les indécis étaient nombreux, comme le comté de Cambria en Pennsylvanie et Appleton, dans le Wisconsin. Autrement dit, avant d'aller voter, beaucoup de gens ont cherché sur Internet pour en savoir plus sur ces allégations ridicules et théories du complot. Trop souvent, ils n'y ont trouvé que davantage de désinformation et la propagande orchestrée par la Russie.

Cumulés, les effets de la lettre de Comey et des attaques russes ont créé un mélange dévastateur. Après l'élection, Silver a conclu que, sans ces deux facteurs majeurs de dernière minute, j'aurais probablement remporté la Floride, le Michigan, le Wisconsin et la Pennsylvanie d'environ 2 points. Au lieu de quoi je les ai perdus de moins d'un point en moyenne, et le Michigan de deux dixièmes de point.

Qu'est-ce qui explique le soutien dont bénéficie Trump ?

Tout cela est déprimant, exaspérant et, en définitive, insatisfaisant. Des influences extérieures expliquent peut-être pourquoi les électeurs ont été suffisamment nombreux à changer d'avis pour donner une majorité à Trump au collège électoral ; mais ça n'explique pas pourquoi la course était si serrée au départ, au point qu'un petit déplacement de voix de dernière minute dans quelques États a fait tout basculer. Ça n'explique pas non plus pourquoi soixante-deux millions de gens – dont beaucoup admettaient que Trump n'était pas qualifié pour le poste – aient pu voter pour un homme aussi manifestement inapte à gouverner. C'est peut-être la question la plus importante pour comprendre ce qui se passe dans notre pays en ce moment.

Commençons par les 13,3 millions de républicains qui ont voté pour Trump aux primaires. On peut affirmer sans se tromper qu'il s'agit de ses supporters les plus fidèles, ceux dont Trump parlait quand il a dit : « Je pourrais me tenir en plein milieu de la Cinquième Avenue et tirer sur quelqu'un, je ne perdrais pas d'électeur. » Treize millions de supporters, c'est beaucoup pour un homme que la majorité des Américains jugent incompétent et inapte, mais ils ne représentent que la moitié des électeurs républicains aux primaires et moins de 10 % de l'électorat général. C'est une erreur de donner à ces électeurs de la base plus de poids politique qu'ils ne le méritent. Il est plus intéressant et important d'analyser comment Trump a consolidé ses soutiens parmi le vaste groupe d'électeurs au-delà de cette base.

À part l'antipathie que je leur inspirais, la raison principale qui a poussé les sceptiques à se tourner vers Trump est probablement l'esprit de parti, tout simplement. Il y a un vieil adage qui dit : « Les démocrates votent par conviction, les républicains par intérêt. » Cela s'est révélé exact une nouvelle fois en 2016. J'ai remporté 89 % du vote démocrate. À l'exception de quelques courageux qui lui ont dit non, Trump a remporté 90 % du vote républicain. La plupart d'entre eux avaient choisi un autre candidat lors des primaires. Ils étaient sûrement nombreux à être dégoûtés par son attitude scandaleuse, notamment à l'égard des femmes ; pourtant, en définitive, le fait qu'il soit républicain l'a emporté sur le reste. Peut-être qu'ils avaient en tête les nominations à la Cour suprême, ou l'espoir qu'il finirait par appliquer le programme républicain au Congrès, en particulier concernant les grosses suppressions d'impôts pour les plus riches. Et peut-être cela révèle-t-il un aspect profondément partisan de notre vie politique.

Quoi qu'il en soit, c'est un contraste saisissant avec ce qui s'est passé pendant l'élection française de 2017, où conservateurs et socialistes confondus ont franchi les barrières partisanes pour se rallier à Emmanuel Macron et stopper l'extrémiste Marine Le Pen. En France, le patriotisme l'a emporté sur l'appartenance à un parti. Selon certains analystes, les Français ont vu ce qui s'était passé chez nous et ont tout fait pour que ça ne se produise pas chez eux. Tout comme les Néerlandais dans leurs propres élections, qui ont battu Geert Wilders, le nationaliste d'extrême droite. Bien sûr, c'est plus facile quand celui qui remporte les élections est le candidat qui avait obtenu le plus de voix. Quelle idée ! Si nos électeurs avaient su ce que Poutine faisait pour Trump, est-ce que cela aurait changé quoi que ce soit ? Tout ce que je peux dire, c'est que, selon moi, les Américains ne sont pas moins patriotes que les Français ou les Néerlandais.

L'appartenance à un parti est puissante, mais c'est loin d'être le seul facteur qui explique le soutien à Trump. Comme je l'ai évoqué plus haut, le désir de changement était très important. Les sondages de sortie des urnes ont révélé que, pour 39 % des électeurs, la qualité première d'un candidat était sa capacité à changer les choses et 82 % d'entre eux ont opté pour Trump. En comparaison, 22 % des électeurs ont confié qu'« une expérience adaptée » était ce qu'il y avait de plus important pour eux, et ils m'ont choisie à 90 % contre 7. Les 20 % qui ont choisi comme critère décisif « le discernement » m'ont soutenue à 65 % contre 25. Et les 15 % qui voulaient un candidat « qui se soucie de moi » m'ont choisie à 57 contre 34. Autrement dit, les électeurs « du changement » ont massivement voté pour Trump.

Le changement reflète des significations différentes selon les gens ; mais, comme je l'ai souligné, c'est un défi auquel j'ai été confrontée dès le début. L'histoire a montré à quel point il était difficile pour un parti de rester à la Maison-Blanche pendant trois mandats, même après des présidences réussies. J'ai dénoncé l'obstruction républicaine au Congrès et offert beaucoup de solutions pour rendre l'économie plus juste et assainir la vie politique, mais on m'a toujours cataloguée comme la candidate de la continuité, jamais du renouveau. Il est certain que les électeurs qui voulaient « faire bouger les choses » ou « faire tout exploser » étaient plus enclins à choisir Trump que moi. Ils n'avaient pas envie de se rappeler ce vieux dicton texan de Sam Rayburn, l'ancien président de la Chambre des représentants : « N'importe quel crétin peut détruire une grange. Mais seul un bon charpentier peut en construire une. »

Tout au long de la campagne, nous avons interrogé les électeurs pour savoir ce qu'ils pensaient du président Obama et s'ils voulaient que les choses continuent dans le même sens ou bien qu'elles prennent une direction radicalement différente. Nous pensions que les deux réponses étaient liées. Il en a été autrement, pourtant : même si les électeurs donnaient systématiquement de bonnes notes au président (en réalité, la popularité d'Obama n'a cessé d'augmenter pendant l'année 2016, en même temps que les prévisions économiques), ils ont affirmé sans ambages être prêts à prendre une nouvelle direction. Cela illustre peut-être à quel point ce désir de changement était puissant mais complexe. On pourrait se poser la question suivante : pourquoi les membres du Congrès ont-ils été réélus dans leur majorité ? Ceux qui étaient déjà en fonction bénéficiaient de certains avantages et le redécoupage des circonscriptions a assuré la place de beaucoup d'entre eux, mais, s'il y avait eu une réelle vague de ras-le-bol, nous en aurions vu les conséquences à ce niveau-là.

Certes, le désir de changement avait été un facteur important, mais, pour comprendre de quoi il s'agissait réellement, on doit approfondir la question.

Inquiétude économique ou sectarisme

La plupart des analyses post-électorales ont comparé deux théories différentes : l'inquiétude économique et le sectarisme. Un grand nombre d'éléments font pencher pour la deuxième, mais, au fond, il s'agit d'une fausse alternative qui ne rend pas compte de la complexité de la situation.

Commençons par ceci : l'idée que l'élection de 2016 était entièrement déterminée par l'inquiétude économique n'est confirmée par aucune preuve. On a l'impression que Trump était le porte-parole de la classe ouvrière, et moi, la candidate des élites. Il est vrai qu'il y avait un grand fossé entre les électeurs diplômés et les autres ; mais cela ne coïncide pas tout à fait avec le niveau des revenus. Parmi les classes moyenne et supérieure, nombreux sont ceux qui ne sont pas diplômés. Comme l'a expliqué le *Washington Post* dans un article intitulé « Il est temps de détruire un mythe : la plupart des électeurs de Trump n'étaient pas ouvriers », près de 60 % des supporters de Trump non diplômés se trouvaient dans la tranche de revenus supérieure. Le revenu moyen d'un électeur de Trump au moment des primaires était de 72 000 dollars, une somme plus élevée que n'en touche la majorité des Américains. Pendant la campagne à proprement parler, les électeurs dont les revenus étaient inférieurs à 50 000 dollars m'ont accordé leur préférence avec un écart de 12 points.

Il est vrai que de nombreux cols blancs de la Rust Belt n'appréciaient pas le discours économique de Trump. D'après les sondages de sortie des urnes, les électeurs convaincus que l'économie nationale était en mauvaise santé ont fortement soutenu Trump. Par contre, ce n'était pas forcément leur préoccupation numéro un. Les mêmes sondages ont révélé que les électeurs pour qui l'économie était le sujet le plus important (52 % à l'échelle du pays) m'ont choisie, avec une marge de 11 points. Cela s'est révélé exact même dans les zones les plus disputées. Dans le Michigan, ceux qui s'intéressaient avant tout à l'économie ont voté pour moi à 51 % contre 43. Dans le Wisconsin, à 53 % contre 42. En Pennsylvanie, à 50 % contre 46. Pour être honnête, il existe une autre façon d'analyser ces chiffres : beaucoup de soutiens de Trump ayant confié aux sondeurs qu'ils étaient davantage préoccupés par d'autres problèmes (comme le terrorisme et l'immigration) partageaient sans doute aussi son point de vue sur le plan économique. Par contre, cette préoccupation économique est bien plus nuancée que les analyses post-électorales veulent nous le faire croire.

Certains partisans de Bernie Sanders ont soutenu que, si j'avais penché plus à gauche et mené une campagne plus populiste, nous aurions obtenu de meilleurs scores dans la Rust Belt. Je ne le crois pas. Russ Feingold a conduit une campagne pour le Sénat passionnément populiste dans le Wisconsin et a perdu avec une marge bien plus importante que la mienne, tandis qu'un défenseur du libre-échange, le sénateur Rob Portman, a dépassé Trump dans l'Ohio. Scott Walker, le gouverneur de droite du Wisconsin, y a remporté le scrutin en brisant les syndicats et en alimentant le ressentiment des électeurs conservateurs des zones rurales – et non en dénonçant les accords de commerce et les corporations. Sanders lui-même a eu l'occasion de mettre son programme à l'épreuve pendant les primaires et a perdu contre moi de presque quatre millions de voix – y compris dans l'Ohio et en Pennsylvanie. Et ce, sans même devoir affronter la machine de guerre républicaine qui l'aurait réduit en morceaux au moment de la campagne présidentielle à proprement parler.

Cela dit, un nombre restreint mais significatif d'électeurs de gauche ont aussi contribué à élire Trump. Jill Stein, la candidate du Green Party, a affirmé que ma personne et mes idées étaient « plus effrayantes que Donald Trump », dont elle a loué la position pro-russe. Ce n'est pas surprenant, étant donné que Stein était présente aux côtés de Poutine et Michael Flynn lors de ce fameux dîner à Moscou en 2015, pour célébrer le réseau de propagande du Kremlin, RT ; elle a plus tard déclaré partager les opinions de Poutine « sur plusieurs sujets ». Il serait inutile d'évoquer Stein si elle n'avait pas remporté 31 000 voix dans le Wisconsin, où la marge de Trump était inférieure à 23 000. Dans le Michigan, elle a remporté 51 000 voix, alors que la marge de Trump dépassait tout juste les 10 000. En Pennsylvanie, elle a été créditée de presque 50 000 voix et la marge de Trump était d'environ 44 000. Dans chaque État, elle avait donc suffisamment d'électeurs pour faire basculer le résultat, comme Ralph Nader en Floride et dans le New Hampshire en 2000. Peut-être Stein pense-t-elle comme l'actrice Susan Sarandon que l'élection de Trump précipitera « la révolution ». Qui sait ? En comparaison, l'ancien gouverneur du Massachusetts Bill Weld, un républicain qui s'est porté candidat pour la vice-présidence sous la bannière des libertariens avec Gary Johnson, a annoncé à ses supporters vers la fin de la campagne que, s'ils vivaient dans des « swing states », ils devaient voter pour moi. Si davantage d'électeurs ayant opté pour un troisième candidat l'avaient écouté, Trump ne serait pas président aujourd'hui.

Si on surestime l'attrait du programme économique de Trump, que dire de son exploitation des inquiétudes raciales et culturelles ?

Depuis l'élection, toutes les études ont révélé que ces facteurs étaient essentiels pour comprendre ce qui s'était joué lors de ce scrutin.

En juin 2017, le Voter Study Group, un consortium d'universitaires, a publié une étude majeure pour laquelle ils ont suivi 8000 électeurs de 2012 à 2016. « Ce qui ressort le plus, a conclu le professeur John Sides de l'université George Washington, ce sont les attitudes vis-à-vis de l'immigration, les sentiments envers les Noirs et envers les musulmans. » Des données issues du test de référence American National Election Studies ont aussi révélé qu'il était plus facile de prédire les soutiens de Trump en se fondant sur le ressentiment envers ces groupes, plutôt que sur les préoccupations économiques. Et comme je l'ai dit plus haut, des sondages de sortie des urnes ont révélé que les électeurs qui ont élu Trump se souciaient avant tout de l'immigration et du terrorisme ; pourtant ils l'ont choisi lui, malgré son manque de connaissances total en matière de sécurité nationale et non pas moi, qui bénéficiais d'une longue expérience. C'est une façon polie de dire que beaucoup de ces électeurs craignaient que des gens de couleur – en particulier des Noirs, des Mexicains et des musulmans – ne menacent leur mode de vie. Ils pensaient que les élites politiques, économiques et culturelles se préoccupaient davantage de ces « gens-là » que d'eux.

Je ne suis pas en train de dire que tous les électeurs de Trump sont racistes et xénophobes. Il y a beaucoup de gens bienveillants qui sont mal à l'aise avec ce qu'ils perçoivent comme une rhétorique anti forces de l'ordre, les immigrés sans-papiers et le changement des normes établies concernant le genre et l'orientation sexuelle. Mais il faudrait être sourd pour avoir manqué le langage codé et les sous-entendus raciaux négatifs qui ont jalonné la campagne de Trump.

Quand j'ai dit : « On pourrait mettre la moitié des électeurs de Trump dans ce que j'appelle le panier des pitoyables », je parlais d'une réalité bien documentée. Par exemple, la General Social Survey conduite par l'université de Chicago a révélé que, en 2016, 55 % des républicains blancs croyaient que les Noirs étaient généralement plus pauvres qu'eux « parce que la plupart n'ont ni la motivation ni la volonté de se sortir de la pauvreté ». Dans la même étude, 42 % des républicains blancs décrivaient les Noirs comme plus fainéants que les Blancs et 26 % affirmaient qu'ils étaient moins intelligents. Dans tous les cas, le nombre de démocrates blancs affirmant la même chose était beaucoup plus bas (même s'il demeure toujours trop élevé).

Faire des généralisations sur un large groupe de gens est presque toujours malvenu – et je regrette d'avoir offert à Trump ce cadeau politique en parlant de « pitoyables ». Je sais que beaucoup de gens bienveillants se sont sentis insultés parce qu'ils ont cru que je critiquais tous les électeurs de Trump : j'en suis désolée.

Ses partisans les plus fervents, par contre, sont trop nombreux à avoir des opinions que je trouve – il n'y a pas d'autre mot – pitoyables. Même si je suis sûre que beaucoup d'électeurs de Trump l'ont choisi pour des motifs justes et légitimes, il demeure un fait inconfortable et incontournable : tous ceux qui ont voté pour lui, soit 62 984 825 personnes, ont choisi d'élire un homme qui s'est vanté de ses abus sexuels, a attaqué un juge fédéral parce qu'il était mexicain et les parents endeuillés d'un soldat parce qu'ils étaient musulmans, et qui a une longue histoire largement documentée de discrimination raciale dans ses entreprises. Cela ne signifie pas que tous les électeurs de Trump approuvent ces comportements, mais ils les ont au moins acceptés ou ont préféré fermer les yeux. Et ils l'ont fait sans même exiger de lui ce que les Américains demandent à tout candidat à la présidence, c'est-à-dire de publier sa déclaration d'impôts, de proposer un programme politique solide et de faire preuve d'un minimum de décence.

« Attendez une minute, me rétorquera-t-on, le président Obama a gagné deux fois. Comment est-ce que la couleur de peau pourrait être un facteur déterminant ? »

Il faut se rappeler que, sur les questions raciales, les attitudes ne sont pas figées et qu'elles ne surgissent pas de nulle part. Comme l'a expliqué Christopher Parker, professeur de science politique à l'université de Washington, les années Obama ont créé un violent contrecoup au sein de l'électorat blanc : « Dans ce pays, chaque période de progrès sur le plan racial est suivie d'une période de régression. C'est ce qui s'est passé avec l'élection de 2016. » C'est comme en physique : chaque action engendre une réaction égale et opposée.

Cornell Belcher, un sondeur démocrate respecté, a étudié en détail l'évolution des comportements sur la question raciale dans le pays et expliqué cette réaction dans son livre *A Black Man in the White House*. Il y explique que l'élection d'Obama a fait naître chez beaucoup d'Américains blancs un sentiment d'anxiété qui a augmenté avec le temps. « Après une lune de miel avec les républicains remarquablement brève en novembre 2008, l'aversion envers le président, fondée sur la couleur de sa peau, a crû rapidement et elle s'est maintenue à ce niveau jusqu'à octobre 2014, où elle a connu une nouvelle hausse jusqu'à un niveau jamais atteint auparavant. » Il n'est pas surprenant que ces deux pics aient eu lieu autour des élections de mi-mandat, à un moment où les candidats républicains mettaient les bouchées doubles pour diaboliser Obama qui, n'étant pas en lice, n'était pas entièrement engagé dans la bataille.

D'autres universitaires ont étudié un phénomène qu'ils nomment « l'amorçage et les stéréotypes raciaux ». Leurs recherches montrent que, quand on encourage des électeurs blancs à considérer le monde à travers un prisme racial en prenant davantage conscience de leur propre appartenance, ils agissent et votent de façon plus conservatrice. C'est exactement ce qui s'est passé en 2016. John McCain et Mitt Romney ont fait le choix moral de ne pas centrer leur campagne sur cette question. McCain notamment a tenu tête à un de ses électeurs dans une mairie en octobre 2008, pour assurer à la foule que les rumeurs sur les origines étrangères d'Obama étaient fausses. Donald Trump, lui, a affirmé haut et fort que le président Obama n'était pas né aux États-Unis, répandant ainsi ce mensonge raciste. Trump a lancé sa campagne en traitant les immigrés mexicains de violeurs et de criminels – et il a multiplié les sous-entendus racistes jusqu'au jour de l'élection. Tout ça s'est déroulé avec, en arrière-plan, les fusillades policières et les protestations de Black Lives Matter. Il est logique que, le jour de l'élection, les électeurs blancs aient eu davantage à l'esprit les questions de race et d'identité qu'en 2012, où on n'avait quasiment pas abordé ces sujets, d'un côté comme de l'autre.

Pour être honnête, il se peut que j'aie contribué à ce phénomène. J'ai dénoncé le sectarisme de Trump ainsi que ses appels du pied aux suprémacistes blancs et à l'alt-right. Dans un discours à Reno, Nevada, en août 2016, j'ai exposé en détail, preuves à l'appui, les discriminations raciales que pratiquait Trump dans ses entreprises et comment il utilisait une campagne fondée sur le préjugé et la paranoïa pour donner la parole aux groupes qui promouvaient la haine, et aider une frange radicale à prendre les commandes du Parti républicain. J'ai dénoncé sa décision d'engager Stephen Bannon, le directeur de Breitbart, comme directeur de campagne. Tout au long de celle-ci, j'ai parlé en termes positifs de justice raciale, d'immigration et des musulmans.

En conséquence, certains électeurs blancs en ont déduit que je n'étais pas de leur côté. Ma rencontre avec des activistes de Black Lives Matter et des supporters de Mothers of the Movement a par exemple été interprétée par certains policiers blancs comme une présomption de culpabilité envers eux, même si j'ai toujours milité pour une présence policière renforcée dans nos rues, défendu la police de proximité et les secouristes arrivés en premier sur les lieux du 11 Septembre. J'ai toujours dit qu'il nous fallait à la fois réformer la police *et* soutenir les policiers. Ça n'a pas paru avoir la moindre importance. C'est pourtant une question sur laquelle je n'ai aucun doute. Aucun parent ne devrait craindre pour la vie de son enfant quand il se promène dans les rues sans arme et sans commettre d'infraction ; il ne s'agit pas d'idéologie politique, il s'agit simplement de justice.

Mais revenons à la question qui nous préoccupe. Je trouve que les preuves sont accablantes. Toutefois, il me semble, en définitive, que le débat entre « inquiétude économique » et racisme ou « inquiétude culturelle » propose une fausse alternative. Si on écoute certains électeurs de Trump parler, on s'aperçoit que tous ces différents niveaux d'inquiétude et de ressentiment sont liés : le déclin des emplois industriels dans le Midwest qui avaient permis à des hommes blancs non diplômés d'offrir à leur famille un niveau de vie digne de la classe moyenne, le bouleversement des rôles traditionnels homme-femme, la colère envers les immigrés et d'autres minorités qui « resquilleraient » et « profiteraient du système », un malaise face à une culture plus diversifiée et cosmopolite, des inquiétudes liées aux musulmans et au terrorisme, et l'impression générale que les choses ne se passent pas comme elles le devraient et que la vie était meilleure, plus facile, pour les générations précédentes. Aux yeux des gens et dans leur vie quotidienne, les inquiétudes concernant l'économie, l'appartenance ethnique, sexuelle ou socioculturelle, sont mêlées.

Les universitaires partagent cette analyse. D'après le directeur du Voter Study Group qui a suivi des milliers d'électeurs de 2012 à 2016, « les électeurs ayant subi un stress économique accru ou continu étaient plus enclins à envisager l'immigration et le terrorisme de façon négative, ce qui prouve que les difficultés économiques coïncident avec les inquiétudes culturelles ».

Ce n'est pas nouveau. En 1984, Ronald Reagan a remporté une victoire écrasante en ralliant l'électorat ouvrier blanc traditionnellement démocrate. L'expression « démocrates de Reagan » a émergé de divers groupes de réflexion menés dans le comté de Macomb, dans le Michigan, par Stan Greenberg, qui allait devenir le sondeur d'opinion de Bill en 1992. Stan a découvert que de nombreux ouvriers « interprétaient les appels démocrates à davantage de justice économique comme un chèque en blanc à l'intention des Afro-Américains » et tenaient les Noirs pour responsables « de tout ce qui n'allait pas dans leur vie ». Après l'élection de 2016, Stan s'est rendu dans le comté de Macomb pour s'adresser aux « démocrates de Trump ». Il y a trouvé à peu près tout ce à quoi on pouvait s'attendre : une frustration envers les élites et un système politique truqué, un profond désir de changement, mais aussi une colère envers les immigrés qui prennent leurs emplois et ne parlent pas anglais, une peur des musulmans et un ressentiment envers les minorités qui vivent prétendument des aides sociales et profitent du système. Certains commentaires paraissaient tout droit sortis d'un des groupes de réflexion de 1984.

Stan accuse largement le président Obama d'avoir détourné l'électorat ouvrier du Parti démocrate en acceptant le libre-échange et « en annonçant le progrès économique et le renflouement des élites irresponsables, alors que les revenus des gens ordinaires s'effondraient et qu'ils continuaient de connaître des difficultés économiques ». Cela nous rappelle une fois de plus que, en dépit du travail remarquable accompli par le président Obama pour remettre notre économie sur les rails après la crise financière, beaucoup d'Américains n'ont pas ressenti cette amélioration dans leur vie quotidienne et n'en ont donc pas attribué le crédit aux démocrates. Stan considère aussi que ma campagne était trop optimiste sur le plan économique, trop libérale sur l'immigration, et pas assez affirmée sur le plan commercial. Il note pourtant que, à l'issue du troisième débat, j'étais en mesure de remporter davantage de suffrages qu'Obama en 2012 auprès des électrices blanches de la classe ouvrière, voire d'atteindre « des scores historiques », jusqu'à la dernière semaine où ces électrices se sont détournées pour rallier Trump.

D'après Stan, cela s'est produit parce que je n'ai pas « parlé d'économie et de changement ». Mais c'est faux. J'ai passé en revue mes discours prononcés lors des derniers meetings dans les États les plus disputés. La veille de l'élection, j'ai annoncé à la foule de Grand Rapids dans le Michigan : « Nous devons faire en sorte que l'économie fonctionne pour tout le monde, pas seulement pour les plus riches. Si vous croyez, comme moi, que l'Amérique prospère quand la classe moyenne se porte bien, alors votez demain ! » J'ai promis « le plus gros investissement en emplois bien rémunérés depuis la Seconde Guerre mondiale » en mettant l'accent sur les emplois dans les infrastructures qui ne peuvent pas être délocalisés, l'industrie de pointe bien rémunérée, des syndicats plus forts, un revenu minimum plus élevé, et l'égalité des salaires pour les femmes. J'ai dénoncé Trump qui avait acheté du métal et de l'aluminium chinois bon marché pour ses immeubles et voulait réduire les impôts des millionnaires, des milliardaires et des corporations. Je me suis adressée directement « aux gens qui dans notre pays ont l'impression d'avoir été anéantis sans que ça n'intéresse personne ». J'ai déclaré : « Si vous me faites l'honneur de faire de moi votre présidente, je ferai tout mon possible pour remettre ce pays et ses habitants sur pied. » Je ne dirais pas que je n'ai pas « parlé d'économie et de changement ».

Cela dit, je reste parfois éveillée la nuit à repenser à cette fin de campagne, à me demander si on aurait pu agir différemment et si ça aurait changé quelque chose. Il est vrai que, avant la lettre de Comey, j'avais prévu de clore ma campagne en rappelant avec force aux familles de travailleurs mon intention d'améliorer le pays et leur vie. Mais, après que l'intervention de Comey a fait dégringoler mes scores, mon équipe est convenue que la meilleure stratégie était de frapper fort contre Trump et de rappeler aux électeurs pourquoi il ne constituait pas un choix acceptable. Était-ce une erreur ? Peut-être. Mais nous devions affronter la couverture médiatique unanimement négative de mes e-mails tout en nous enlisant dans la vase des « fake news ».

C'est facile de critiquer après coup. C'est facile aussi d'écouter le commentaire le plus déplaisant issu des groupes de réflexion de Stan et de s'emporter. Mais j'essaie de rester fidèle à mon empathie. Je crois toujours ce que j'ai dit juste après mon commentaire malheureux au sujet du « panier des pitoyables », même si cela n'a guère retenu l'attention : beaucoup de supporters de Trump sont « des gens qui se sentent délaissés par le gouvernement, par la croissance économique, qui ont l'impression qu'on ne se soucie pas d'eux, de ce qui arrive dans leur vie, de leur avenir, et ils ont désespérément besoin de changement... Ce sont des gens que nous devons comprendre et avec qui nous devons également compatir ». C'étaient ces gens-là que j'avais l'intention d'aider.

« Voter suppression »

Tout cela a été sous-tendu par des facteurs structurels qui n'ont pas été suffisamment étudiés pendant la campagne. Le plus notable d'entre eux est l'impact du *voter suppression*, à travers des lois restrictives doublées d'efforts pour dissuader et faire baisser la participation à l'élection.

Un membre éminent de l'équipe de campagne de Trump, demeuré anonyme, s'est vanté dans la presse en octobre 2016 d'avoir « trois opérations majeures de *voter suppression* en cours », visant les libéraux blancs, les femmes jeunes et les Afro-Américains. Qu'ils n'aient même pas essayé de dissimuler leurs actions fait réfléchir. Une campagne consiste généralement à rassembler des voix pour l'emporter ; Trump, lui, a activement essayé de dissuader les gens d'aller voter. Ils ont utilisé les mêmes tactiques que les Russes, notamment le trafic de « fake news », et les attaques dissimulées sur Facebook – des pratiques méprisables. Après l'élection, Trump a même remercié les Afro-Américains de ne pas s'être déplacés dans les urnes.

Mais ce que manigançait Trump ne représentait que la dernière étape d'une stratégie républicaine à long terme qui visait à dissuader les électeurs à tendance démocrate et à les priver de leur droit de vote.

La Cour suprême présidée par John Roberts a ouvert les vannes en 2013 en détricotant le Voting Rights Act. Quand j'étais au Sénat, nous avons voté pour réautoriser la loi à 98 contre 0 et le président George W. Bush l'a signée. Mais le président de la Cour a argumenté qu'au fond le racisme appartenait au passé et que, par conséquent, le pays n'avait plus besoin de la protection essentielle du Voting Rights Act. C'est l'une des plus mauvaises décisions jamais prises par la Cour. En 2016, quatorze États possédaient de nouvelles restrictions sur le vote, notamment l'exigence contraignante de produire une pièce d'identité afin d'éliminer les étudiants, les pauvres, les personnes âgées et les gens de couleur. Dans de nombreux États, les républicains ont également limité le nombre et les horaires des bureaux de vote, restreint les votes par anticipation et la procédure consistant à s'inscrire sur les listes et à voter le même jour, ils ont éliminé l'assistance linguistique pour les non-anglophones et radié de nombreux électeurs des listes, parfois par erreur. L'Ohio a, à lui seul, supprimé jusqu'à deux millions d'électeurs depuis 2011. Une grande partie de ce processus a été coordonnée par Kris Kobach, secrétaire d'État du Kansas, qui est à la tête d'un mouvement de suppression baptisé Interstate Voter Registration Crosscheck Program.

Kobach est le plus ardent défenseur du *voter suppression* dans le pays et a récemment reçu une amende pour avoir trompé un tribunal fédéral. Il est aussi vice-président de la commission créée par Trump pour lutter contre l'épidémie fantôme de votes frauduleux. Des études ont montré que, sur plus d'un milliard de votes effectués aux États-Unis entre 2000 et 2014, seuls 31 cas de fraude ont été relevés.

Pourtant, Trump a affirmé que des millions de gens avaient voté de façon illégale en 2016. Une étude du *Washington Post* a relevé seulement quatre occurrences de vote frauduleux sur les 136 millions de votes effectués en 2016 – dont une femme de l'Iowa ayant voté deux fois pour Trump. Comme les avocats de Trump lui-même l'ont affirmé devant un tribunal du Michigan : « Toutes les preuves dont nous disposons indiquent que l'élection présidentielle de 2016 n'a pas été entachée de fraude ni d'erreurs. » Néanmoins, Kobach et des républicains à travers tout le pays continuent de multiplier les allégations mensongères pour justifier la suppression du droit de vote.

Depuis l'élection, des études ont montré l'impact que ces suppressions ont eu sur le résultat du scrutin. Des États ayant passé ces nouvelles lois restrictives, comme le Wisconsin, ont vu la participation baisser de 1,7 point, contre une augmentation de 1,3 point dans les États où la loi n'avait pas changé. La baisse a été particulièrement sensible parmi les électeurs noirs. La participation a baissé de 5 points dans les comtés à forte population afro-américaine des États exigeant désormais une pièce d'identité, mais de seulement 2,2 points dans des comtés similaires où ces lois n'étaient pas en vigueur.

Dans le Wisconsin, où j'ai perdu à seulement 22 748 voix près, une étude de Priorities USA a estimé que la nouvelle loi avait contribué à réduire la participation de 200 000 voix, particulièrement dans les zones à faible niveau de vie peuplées par des minorités. Nous savons avec certitude que, dans la ville de Milwaukee, la participation a chuté de 13 %. En comparaison, dans le Minnesota voisin, qui a une démographie semblable, mais n'a pas imposé de restrictions contraignantes sur le vote, la participation dans les comtés à forte population afro-américaine a beaucoup moins diminué et la participation générale est demeurée globalement stable. Dans l'Illinois, où l'État a mis en place de nouvelles mesures afin de faciliter le vote et non le dissuader, la participation a augmenté de 5 % en tout ; et chez les Afro-Américains, elle a dépassé de 14 points la participation du Wisconsin. Ceux qui vivaient avec un gouverneur pro-Trump extrêmement impopulaire ont peut-être décidé de se rendre aux urnes pour refuser un président du même acabit mais encore plus déplaisant. En bref, les lois sur le vote ne sont pas sans importance. Loin de là. Avant l'élection, un élu républicain de la Chambre des représentants avait prédit que ce nouveau texte allait permettre à Trump de remporter l'État. Il avait raison.

L'Associated Press a fait le portrait de plusieurs habitants du Wisconsin à qui l'accès au bureau de vote a été refusé ou dont le vote n'a pas été comptabilisé parce qu'ils ne possédaient pas de pièce d'identité valide. En faisaient partie : un vétéran de la Navy avec un permis de conduire émis par un État différent, un jeune diplômé de l'université dont la carte d'étudiant n'évoquait pas de date d'expiration et une femme de 66 ans atteinte d'une maladie des poumons chronique qui avait perdu son permis de conduire la veille de l'élection. Elle a fourni ses cartes de sécurité sociale et de Medicare ainsi qu'un abonnement de bus délivré par le gouvernement pourvu d'une photo, mais son vote n'a pas été comptabilisé. L'AP a précisé que ces citoyens privés de leur droit de vote n'étaient « pas difficiles à trouver ».

Lire ces rapports fait à la fois ouvrir les yeux et enrager. Le droit de vote est le fondement de notre société libre et le protéger est capital pour renforcer notre démocratie. Pourtant, État après État, les républicains continuent. L'obsession du président Trump cherchant à débusquer une fraude électorale inexistante n'est qu'une couverture pour davantage de suppressions. Rien qu'en 2017, les États qui ont imposé des restrictions sur le vote sont déjà plus nombreux que lors des années 2015 et 2016 combinées. Près d'une centaine de lois ont été passées dans trente et un États. C'est un problème qui va s'étendre et devenir de plus en plus pressant dans les élections à venir.

Où va le Parti démocrate ?

Les républicains ont un autre avantage : une infrastructure politique puissante, permanente, notamment sur le web. Après la défaite de Mitt Romney en 2012 et les louanges quasi unanimes qu'avait reçues la technologie d'Obama pendant sa campagne, les républicains s'étaient juré de rattraper leur niveau. Entre 2013 et 2016, le Comité national républicain a investi plus de 100 millions de dollars en traitement des données. Des groupes extérieurs comme les Mercer et les frères Koch ont également apporté une contribution financière importante.

De son côté, le Comité national démocrate était dépassé. Tom Perez, son nouveau président, a déclaré : « Nous devons nous mettre à niveau sur le plan technologique. » Il a raison. Perez a promis de « construire de meilleurs programmes de traitement de données qui nous permettront non seulement de remporter les élections aujourd'hui, mais d'être à la pointe pour les décennies à venir ». C'est crucial.

Si nous voulons gagner à l'avenir, nous, les démocrates, nous devons rattraper notre retard et faire un grand bond en avant. Et ce, pas uniquement sur le plan des données. Il nous faut un réseau de distribution de contenu permanent capable de rivaliser avec celui de la droite. C'est-à-dire un faisceau de pages Facebook connectées, de comptes Instagram, de feeds Twitter, de stories Snapchat et de communautés Reddit diffusant mèmes, graphiques et vidéos. Une collecte et une analyse de données plus sophistiquées peuvent nourrir et enrichir ce réseau. Je ne suis pas experte en la matière, mais je sais que la plupart des gens s'informent sur Internet et c'est pourquoi nous devons y être présents 24 h/24.

Il y a d'autres leçons que les démocrates vont, j'espère, tirer de 2016. Depuis l'élection, le parti se demande quelle est la meilleure position à adopter pour l'emporter à l'avenir, notamment lors des élections de mi-mandat de 2018. Je crois que les tensions entre le centre gauche et l'aile gauche du parti sur cette question sont largement surestimées. Nous sommes beaucoup plus proches les uns des autres qu'aucun de nous ne l'est de Trump et des républicains, qui deviennent de plus en plus extrêmes. Bernie Sanders et moi avons rédigé ensemble le programme de 2016, qu'il a lui-même qualifié comme étant le plus progressiste de l'histoire. Nous partageons de nombreuses valeurs communes et nos différences politiques sont, pour la plupart, relativement mineures comparées au fossé immense qui sépare les deux partis.

On aurait aussi du mal à trouver un démocrate qui ne convienne pas que nous devons continuer à étayer notre discours économique et faire un véritable travail afin de reconquérir les électeurs qui sont passés d'Obama à Trump. Nous devrons convaincre ces derniers que les démocrates vont les respecter, se soucier d'eux et s'attacher à rendre leur vie meilleure, pas seulement dans les grandes villes, mais aussi dans les communes plus petites et les zones rurales. Ce sera peut-être plus facile quand les électeurs verront Trump revenir sur ses promesses populistes et appliquer le programme républicain, qui avantage un peu plus les riches et les puissants aux dépens des familles de travailleurs. Jusqu'à maintenant, leur programme en matière de santé s'est limité à se demander s'ils allaient priver 22 millions d'Américains de leur assurance-maladie afin de financer les suppressions d'impôts des plus riches !

Donc, oui, nous devons être présents sur tous les fronts, et nous ne pouvons pas nous permettre de perdre un seul électeur ni un seul État. Mais nous ne sommes pas tous au même diapason, au sein du Parti démocrate. Nous entendons beaucoup de raisonnements erronés et d'analyses qui pourraient nous mener dans la mauvaise direction.

On débat notamment pour savoir si poursuivre l'enquête sur la Russie nous détournerait de notre message socio-économique. Il s'agit encore une fois d'une fausse alternative : évidemment, il ne faut pas que les candidats au Congrès se concentrent sur les questions de dépense, et la loi désastreuse des républicains sur la santé doit être à l'ordre du jour. Mais cela ne signifie pas que les démocrates déjà élus au Congrès doivent arrêter de faire leur travail. Ils devraient continuer à superviser rigoureusement les affaires et mettre l'administration Trump face à ses responsabilités. J'ai la conviction que les démocrates sont capables de mener deux projets de front. Par ailleurs, le scandale russe grandissant montre aux Américains que Trump est un menteur, et cela va nous aider à les convaincre qu'il ment aussi sur la santé et les emplois. La Russie est tout à fait capable d'avoir de nouveau recours à des opérations secrètes pour nuire à d'autres démocrates, si nous ne faisons pas attention. Ce torrent d'intox a contribué à occulter mon programme et à affaiblir mon message. Trump s'en est servi comme d'un écran de fumée pour esquiver ses propres problèmes. Tout cela peut se reproduire si nous n'agissons pas. Quant aux démocrates du Congrès qui n'osent pas frapper trop fort, qu'ils se demandent ce que feraient les républicains si les rôles étaient inversés.

Voici un autre argument trompeur. Parmi ceux qui attribuent mon échec à une absence de message économique, certains assurent aujourd'hui que, pour gagner à l'avenir, il suffit aux démocrates de parler d'emploi et, comme par magie, les électeurs de Trump reviendront vers nous. Le raisonnement tout comme la conclusion sont faux. Certes, nous devons parler le plus possible de la création d'emplois, de hausse des salaires et des moyens pour faciliter l'accès aux soins et à l'université. C'est exactement ce que j'ai fait pendant toute l'année 2016. Mais ce n'est pas la panacée et nous ne pouvons nous contenter de ces sujets-là.

Les démocrates doivent continuer à défendre les droits civiques, les droits humains et d'autres sujets qui nous feront avancer vers une société meilleure. Nous ne devrions pas sacrifier nos principes pour attirer un nombre réduit d'électeurs qui regardent vers l'arrière et non vers l'avant.

Ma défaite ne change pas le fait que l'avenir des démocrates est lié à celui de l'Amérique au sein d'un monde qui change vite, dans lequel notre capacité à progresser dépend d'un électorat de plus en plus diversifié, éduqué et jeune ; même quand les choses vont mal, on peut se réjouir de certaines tendances. J'étais la première démocrate depuis Franklin D. Roosevelt à remporter le comté d'Orange, en Californie. J'ai obtenu des scores historiques à Atlanta, Houston, Dallas et Charlotte, ainsi que dans d'autres régions républicaines de la Sun Belt. La participation des Latinos a fait un bond de 5 points en Floride et progressé dans d'autres zones clés.

Cela ne s'est pas avéré suffisant cette fois-ci, mais ces tendances sont déterminantes pour notre avenir. C'est la raison pour laquelle les républicains ont tant œuvré à tenir les jeunes et les personnes de couleur éloignés des urnes et à redécouper les circonscriptions qui protègent les élus en fonction. Les démocrates vont devoir se battre encore plus dur pour défendre le droit de vote, un redécoupage équitable, et une forte participation non seulement aux élections présidentielles, mais aussi lors des scrutins locaux ou fédéraux, où on élit les gens qui proposent les futures lois et dessinent les circonscriptions du Congrès.

Je sais que nous pouvons y arriver. Il y a suffisamment de sièges républicains en jeu dans des circonscriptions que j'ai remportées pour que les démocrates reprennent le contrôle de la Chambre en 2018, notamment dans les banlieues de la Sun Belt. Et si nous pouvons rafler quelques circonscriptions ouvrières du Midwest qui ont voté pour Trump, mais sont à présent déçues par sa prestation au sommet de l'État, c'est encore mieux. Nous avons besoin d'une stratégie qui nous permette de surfer sur la vague si celle-ci se présente, de combattre et de gagner dans tout le pays.

Je crois qu'il est possible de s'adresser à toutes les facettes de notre nation, si grande et diverse soit-elle. Nous devons mieux expliquer aux Américains en quoi une société qui inclut chaque citoyen et partage les richesses est une société meilleure et plus prospère pour tous. Les démocrates doivent défendre l'idée selon laquelle l'essor économique et le développement des droits et de la dignité de chacun sont deux concepts inséparables : c'est ce que j'ai essayé de faire en 2016. C'était ce que signifiait le slogan « Stronger together ». Et c'est pourquoi j'ai souligné mon engagement à créer des emplois dans chaque commune, dans les quartiers défavorisés comme dans les petites villes des Appalaches. Cette vision a remporté la faveur populaire de presque trois millions de voix (oui, je vais continuer de le répéter). Malheureusement, le ressentiment s'est révélé plus puissant que l'espérance, dans les régions qui en avaient pourtant le plus besoin. Mais ça ne signifie pas que nous baissons les bras. Cela signifie qu'il faut continuer à propager ces messages, soutenus par de nouvelles idées et un engagement renouvelé envers nos valeurs fondamentales.

Quant à moi, je suis sûre que je vais continuer encore longtemps à ressasser dans ma tête tout ce qui n'a pas fonctionné pendant cette élection. Comme je l'ai dit dans mon discours de défaite, ça va être douloureux pendant un bon moment. Les facteurs que j'ai mentionnés ici ne réduisent en rien la responsabilité que je ressens ni l'impression profonde d'avoir déçu tout le monde. Mais je ne vais pas bouder ou me cacher. Je vais faire tout mon possible pour soutenir les candidats démocrates aux quatre coins du pays. Si vous lisez ce livre, j'espère que vous participerez vous aussi à cet effort.

Si nos attentes, si nos prières et nos rêves les plus fervents ne se réalisent pas, alors nous devons tous garder à l'esprit que la plus grande gloire consiste non pas à ne jamais tomber, mais à se relever à chaque fois qu'on tombe.

Nelson Mandela

Résilience

Il y a trois choses importantes dans la vie. La première est d'être gentil.
La deuxième est d'être gentil. Et la troisième est d'être gentil.

Henry James

L'amour et la gentillesse

La politique a toujours été un milieu difficile. Thomas Jefferson et John Adams s'envoyaient des invectives qui feraient rougir les hommes politiques les plus virulents d'aujourd'hui. C'est la règle du jeu : chaque candidat cherche à se démarquer de ses opposants et les médias veulent couvrir le conflit. Ça ne devrait donc pas nous surprendre que nous n'entendions pas très souvent, dans nos éternelles joutes politiques, les mots « amour » et « gentillesse ». Pourtant, vous les avez entendus durant notre campagne.

Ça a commencé par quelque chose que j'ai évoqué de temps en temps à la fin de mes discours : notre pays a besoin de compassion et d'un esprit de communauté en ces temps divisés. C'est finalement devenu un cri de ralliement : « Love trumps hate ! » C'était en partie parce que la compétition avait pris une tournure détestable et que nous cherchions un antidote à cela. Mais c'était également parce que je crois depuis longtemps que notre pays devrait être plus bienveillant, et que nous devons tous nous reconnecter les uns aux autres. Ce n'est pas uniquement un vœu pieux ; pour moi, c'est très sérieux. Si j'avais remporté le scrutin, cela aurait représenté un projet discret mais essentiel de ma présidence.

Quelques semaines après l'élection, je suis tombée sur un exemplaire d'un sermon intitulé « Tu es accepté » de Paul Tillich, théologien chrétien du milieu du XXe siècle. Je me suis revue assise dans mon église de Park Ridge des dizaines d'années plus tôt tandis que le pasteur de notre groupe de prière pour jeunes nous lisait ce texte. « La grâce nous frappe quand nous sommes en proie à la douleur et à l'agitation… Parfois, à ce moment-là, un rayon de soleil pénètre notre nuit et c'est comme si une voix nous disait : "Tu es accepté." » Des années plus tard, quand mon couple traversait une crise, j'ai appelé Don. Lis Tillich, m'a-t-il conseillé. C'est ce que j'ai fait. Et ça m'a aidée.

Tillich dit, à propos de la grâce : « Elle se produit. Ou bien elle ne se produit pas. Et ce qui est sûr, c'est qu'elle ne se produit pas quand on essaie de se l'imposer de force. » Je n'ai jamais oublié ces mots. « La grâce se produit. » En d'autres termes, sois patient, sois fort, continue d'avancer et laisse la grâce se produire quand elle le voudra.

Voilà qu'à 69 ans j'ai relu Tillich. Je ne me rappelais pas que ce texte contenait tant de choses. D'après lui, le péché est une séparation et la grâce une réconciliation. Il s'agit d'être « capable de regarder autrui dans les yeux, franchement… de comprendre les paroles de l'autre… non seulement le sens littéral des mots, mais aussi ce qui se cache derrière eux, même quand ils sont durs et expriment la colère ». Après une élection clivante, ces phrases ont résonné de façon nouvelle. Beaucoup d'Américains étaient coupés les uns des autres. La réconciliation paraissait lointaine. Le pays entier était sous pression. Avant l'élection, c'était comme si la moitié de la population était pleine de colère et de ressentiment, alors que l'autre moitié demeurait résolument optimiste. À présent, à peu près tout le monde est en colère contre quelque chose.

Tillich a publié son sermon l'année suivant ma naissance. Les gens décrivent parfois l'après-guerre comme l'âge d'or de l'Amérique. Or, même à cette époque-là, il percevait un « sentiment de perte de sens, de vide, de doute et de cynisme – expressions d'un désespoir, d'un déracinement et d'une perte de sens existentielle ». Cela ressemble fort à l'Amérique de 2016. Combien de petites communes déclinantes et de villes vieillissantes ai-je visitées dans la Rust Belt ces deux dernières années, où les gens se sentaient abandonnés, non respectés, invisibles ? Combien de jeunes gens, hommes ou femmes de quartiers défavorisés, m'ont dit qu'ils se sentaient étrangers dans leur propre ville à cause de la couleur de leur peau ? Cette aliénation transcendait les ethnies, les classes, la géographie. En 1948, Tillich craignait que la technologie ne fasse tomber « les murs de la distance, du temps et de l'espace » tout en renforçant « les murs de l'isolement qui séparent un cœur d'un autre cœur ». Si seulement il avait pu voir Internet !

Comment pouvons-nous aimer nos voisins si nous nous sentons ainsi ? Comment pouvons-nous trouver la grâce qui, selon Tillich, vient avec la réconciliation et l'acceptation ? Comment bâtir la confiance qui unit une démocratie ?

Ses questions sont sous-tendues par d'autres que je me pose, sur lesquelles j'écris et dont je parle depuis des dizaines d'années.

Tout a commencé à l'université. Comme beaucoup d'autres jeunes, je me sentais étouffée par le conformisme conservateur et obsédé par l'argent de l'époque *Mad Men*. Cette scène du *Lauréat*, quand un homme d'un certain âge prend Dustin Hoffman à part et, avec le plus grand sérieux, lui transmet le secret de la vie, qui tient en un seul mot, « plastique », nous faisait tous horreur. Ce n'est pas étonnant que nous ayons été si nombreux à chercher du sens et un but là où nous pouvions les trouver. Comme je l'ai dit dans mon discours de fin d'études à Wellesley, nous cherchions « des modes de vie plus immédiats, excitants et transcendants ». (Oui, j'ai conscience que cela paraît bien idéaliste, mais c'était comme ça qu'on parlait !) Je ne savais pas exactement comment le formuler, mais ce que voulaient beaucoup d'entre nous, c'était une vie équilibrée entre famille, travail, service, et dimension spirituelle. Nous voulions avoir l'impression de participer à quelque chose qui nous dépassait – en tout cas, quelque chose qui dépassait largement la « plastique ».

Étonnamment, j'ai trouvé une partie de ce que je cherchais non pas dans un manifeste New Age, mais dans un très vieux livre.

Dans un de mes cours de science politique, j'ai lu *De la démocratie en Amérique*, d'Alexis de Tocqueville. Venu de France, il a parcouru les États-Unis dans les années 1830 pour essayer de comprendre ce qui faisait fonctionner notre jeune nation. Il a été impressionné par l'égalité sociale et économique, par la mobilité à l'œuvre ici – inconnue dans la France aristocratique – et par ce qu'il appelait nos « habitudes de cœur », les valeurs et usages quotidiens qui différenciaient les Américains du reste du monde. Il a décrit une nation de volontaires prêts à résoudre leurs problèmes et convaincus qu'il était dans leur propre intérêt d'aider les autres. Comme Benjamin Franklin, ils créaient des casernes de pompiers volontaires parce qu'ils avaient compris que, si la maison du voisin était en feu, c'était aussi leur problème. Des femmes de la classe moyenne – parmi lesquelles de nombreuses méthodistes – se rendaient dans les bidonvilles les plus dangereux de l'époque pour aider les enfants pauvres qui n'avaient personne d'autre. Ces premiers Américains se sont unis, inspirés par la foi religieuse, la vertu civique et la dignité, pour tendre la main à ceux qui étaient dans le besoin et améliorer leur vie. Ils ont rejoint des clubs et des congrégations, des organisations civiques et des partis politiques, toutes sortes de groupes qui permettent d'unir un pays très divers. Selon Tocqueville, c'était cet esprit qui rendait possible la grande expérience démocratique américaine.

Ces « habitudes du cœur » me paraissaient bien éloignées du tumulte des années 1960. Au lieu de contribuer à la construction d'une ferme ou à la confection d'un patchwork (ou au nettoyage d'un parc ou à la construction d'une école), les Américains paraissaient toujours trop occupés à se disputer. Et un manque de confiance grandissant minait cette démocratie que Tocqueville avait célébrée cent trente ans plus tôt. En lisant ses analyses, j'ai compris que ma génération n'avait pas besoin de réinventer complètement le pays pour régler les problèmes et trouver le sens que nous cherchions, il nous fallait simplement renouer avec les plus belles qualités de notre caractère national. Cela commençait, ai-je annoncé à mes camarades dans mon discours, par « un respect mutuel entre les gens », une autre expression un peu idéaliste, mais néanmoins un bon message.

Projetons-nous vingt ans plus tard, au début de l'année 1991. J'avais ce dont j'avais toujours rêvé, une famille aimante, une carrière épanouissante, une vie dévouée aux autres, et plus encore que ce que j'avais imaginé. J'étais première dame de l'Arkansas. Chaque mot de cette phrase aurait surpris l'étudiante que j'avais été. Mon mari songeait à se présenter aux élections présidentielles. Je ne savais pas s'il pouvait gagner – la cote de popularité de George H. W. Bush dépassait les 90 % après la victoire de la guerre du Golfe –, mais j'étais sûre que le pays avait besoin qu'il essaie. Les années Reagan avaient reconstruit la confiance de l'Amérique, mais vidé son âme. L'avidité était devenue une bonne chose. Au lieu d'une nation définie par « les habitudes du cœur », nous étions devenus le pays du « marche ou crève ». Bush avait eu de bonnes paroles, en appelant à un pays « plus gentil, plus bienveillant » et célébrant la générosité de notre société civile, qu'il avait comparée à « un millier de points lumineux ». Mais les conservateurs s'en étaient servis d'excuse pour réduire les aides aux plus démunis. C'est facile d'oublier à quoi cela ressemblait. Maintenant que le Parti républicain a viré vers l'extrême droite, les années 1980 nous apparaissent rétrospectivement très modérées. Et il est vrai que Reagan avait accordé l'amnistie à des immigrés sans-papiers, que Bush avait augmenté les impôts et signé l'American Disabilities Act[1]. Mais leurs politiques économiques, fondées sur la théorie du ruissellement, avaient creusé le déficit et affecté les familles des travailleurs. Je pensais qu'ils se trompaient sur à peu près tous les sujets, et je le pense toujours.

À l'époque, je lisais encore le magazine *Life* et, dans le numéro de février 1991, je suis tombée sur quelque chose qui m'a prise au dépourvu. C'était un article de Lee Atwater, la tête pensante des républicains qui avait contribué à l'élection de Reagan et Bush en menant des campagnes violentes jouant sur les pires instincts et les peurs les plus viscérales de la nation. Il était à l'origine de cette publicité restée tristement célèbre évoquant Willie Horton en 1988[2], et croyait que tous les moyens étaient bons pour gagner. Il était également atteint d'une tumeur au cerveau inopérable alors qu'il n'avait même pas 40 ans.

L'article d'Atwater dans *Life* résonnait comme la conversion d'un mourant. Le combattant politique sans pitié avait tout à coup des remords. Et alors même que ce texte émanait d'un homme avec qui j'étais en désaccord sur tout, j'ai eu l'impression de lire ma pensée imprimée sur la page. Voici ce qu'il a écrit, qui m'a fait une forte impression :

> *Bien avant d'être atteint par le cancer, j'ai senti que quelque chose agitait la société américaine. L'impression qu'il manquait un élément dans la vie des gens de ce pays – républicains et démocrates confondus –, un élément crucial. J'essayais de faire en sorte que le Parti républicain puisse en tirer profit. Mais je n'étais pas sûr de savoir de quoi exactement il s'agissait. Ma maladie m'a aidé à comprendre que ce qui manquait dans la société était également ce qui me faisait défaut, à moi. Un peu de cœur, beaucoup de fraternité.*
>
> *Dans les années 1980, ce qui comptait, c'était d'amasser de la fortune, du pouvoir, du prestige. Je sais de quoi je parle. J'ai acquis plus de fortune, de pouvoir et de*

---

1. La « loi sur les Américains avec handicap », votée en 1990, est une loi de grande envergure visant à protéger la population contre les discriminations liées au handicap.

2. Spot télévisé faisant référence à Willie Horton, un détenu noir condamné à perpétuité qui, bénéficiant d'une permission de sortie, avait agressé et violé une femme.

prestige que la plupart des gens. Mais vous pouvez accu-
muler tout ça et vous sentir toujours vide. Quel pouvoir
n'échangerais-je pas pour passer un peu plus de temps
avec ma famille ? Quel prix ne payerais-je pas pour une
soirée entre amis ? Il a fallu une maladie mortelle pour
que je regarde cette vérité en face, mais c'est une vérité
que le pays, accaparé par une ambition sans pitié et rongé
par le déclin moral, peut apprendre à mes dépens.

Je ne sais pas qui nous dirigera dans les années 1990,
mais il faudra qu'il prenne en compte ce vide spirituel
qui mine le pays, cette tumeur de l'âme.

C'était exactement ce que je ressentais ! Atwater abordait une question qui me tracassait depuis des années. Je me demandais pourquoi, dans le pays le plus riche et le plus puissant du monde, qui possédait la démocratie la plus ancienne et la plus réussie, pourquoi tant d'Américains avaient l'impression que leur vie individuelle comme celle de la nation manquaient de sens. Ce qui manquait selon moi, c'était le sentiment que notre existence participait d'un mouvement plus large, que nous étions tous connectés les uns aux autres et que chacun de nous avait une place et un but.

C'était en partie pour cela que j'étais favorable à ce que Bill se présente aux élections. Combler ce « vide spirituel » n'était pas la tâche du gouvernement, mais elle pouvait être encouragée par un leader fort et bienveillant. Bill commençait à réfléchir à une campagne dont les valeurs seraient l'opportunité, la responsabilité et la communauté. Il allait finir par appeler ça une « nouvelle alliance », un concept biblique. Il espérait pouvoir ainsi toucher le sentiment, si bien décrit par Atwater, qu'il manquait quelque chose d'important au cœur de la vie américaine.

J'ai découpé l'article de *Life* pour le montrer à Bill.

(Je me demande ce que Lee Atwater aurait dit de Donald Trump. Est-ce qu'il aurait admiré sa campagne culottée, qui a renoncé aux sous-entendus et affiché son sectarisme dans un anglais simplifié pour que tout le monde puisse le comprendre ? Ou est-ce qu'il considérerait Trump comme l'incarnation de tout ce qui le dégoûtait dans les années 1980 : une grosse tumeur de l'âme américaine ?)

Projetons-nous de nouveau, cette fois en avril 1993. Mon père, âgé de 82 ans, était dans le coma à l'hôpital St Vincent's de Little

Rock. Deux semaines plus tôt, il avait été terrassé par une attaque. Tout ce que j'avais envie de faire, c'était de rester assise à son chevet, lui tenir la main, lui caresser les cheveux et espérer qu'il ouvre les yeux et me serre les doigts. Mais personne ne savait combien de temps il resterait dans le coma et Chelsea devait retourner à l'école à Washington. Pour des raisons qui dépassent l'entendement, j'avais également un engagement que je devais honorer : un discours à prononcer devant 1 400 personnes à l'université du Texas d'Austin.

J'étais, pour utiliser un euphémisme, dans tous mes états. Dans l'avion pour Austin, j'ai feuilleté le petit carnet que je tiens, qui contient des citations, des extraits des Écritures et des poèmes, pour essayer de trouver quelque chose à dire. En tournant une page, je suis tombée sur l'article de Lee Atwater découpé dans *Life*. Il manque quelque chose dans nos vies, un vide spirituel : voilà de quoi j'allais parler. Ce ne serait pas le discours le plus élaboré ou cohérent de ma carrière, mais, au moins, il viendrait du cœur. Je me suis mise à rédiger un nouveau texte appelant au « respect mutuel » dont j'avais parlé dans mon discours de fin d'études à Wellesley, un retour aux « habitudes du cœur » de Tocqueville.

En arrivant au Texas, j'ai parlé de l'aliénation, du désespoir et de la désolation que je voyais poindre sous la surface de la société américaine. J'ai cité Atwater. Et à cette question : « Qui va nous sortir de ce vide spirituel ? », j'ai répondu : « Nous tous. » Il nous fallait améliorer notre gouvernement et renforcer nos institutions. C'était ce que la nouvelle administration Clinton tentait de faire, mais ça n'allait pas suffire. « Nous avons besoin d'une nouvelle politique du sens, ai-je déclaré, une nouvelle éthique de la responsabilité individuelle et du souci de l'autre. » Et chacun de nous allait devoir participer à bâtir « une société qui soit de nouveau comblée et nous donne l'impression de participer à quelque chose qui nous dépasse ». J'ai cité Tocqueville et mentionné l'importance des réseaux familiaux, amicaux et communautaires qui sont le ciment qui nous soude les uns aux autres.

Notre pays avait connu de nombreux changements, dont beaucoup étaient positifs, mais aussi profondément déroutants. Le soulèvement social et économique des années 1960 et 1970, suivi par les bouleversements économiques et technologiques des années 1980 et 1990, avec l'arrivée de l'automatisation, de l'inégalité salariale et de l'économie de l'information, tout cela semblait contribuer à nous vider de notre substance. « Le changement adviendra qu'on le veuille ou non, et nous devons nous en faire un ami, pas un ennemi », ai-je déclaré.

> *Les changements qui compteront le plus sont ceux qui, par millions, se produiront au niveau individuel, quand les gens rejetteront le cynisme ; quand ils seront prêts à prendre des risques pour relever les défis qui les entourent ; quand ils commenceront réellement à voir les autres comme ils veulent être vus et à les traiter comme ils veulent être traités ; quand nous franchirons tous les obstacles que nous avons placés autour de nous, qui nous séparent les uns des autres, créent la peur et nous empêchent de bâtir les ponts nécessaires ; quand nous comblerons ce vide spirituel dont parlait Lee Atwater.*

En politique habituellement, personne ne parle comme ça. Pas même les premières dames. J'ai vite compris pourquoi.

Le lendemain de mon discours, mon père est mort. En revenant à Washington, j'ai découvert dans la presse que beaucoup avaient détesté ma tentative de définir sans réserve ce qui, selon moi, allait mal dans notre pays. Le *New York Times Magazine* m'a mise en une avec un titre moqueur : « Sainte Hillary ». Le journaliste y qualifiait le discours d'Austin de « sermon simpliste et moralisateur emballé dans un jargon New Age creux et emberlificoté ».

J'ai retenu la leçon. Pendant les années qui ont suivi, je n'ai cessé d'avoir à l'esprit « une nouvelle éthique de la responsabilité individuelle et du souci de l'autre », mais je n'en ai pas beaucoup parlé. J'ai beaucoup lu, notamment un article de Bob Putnam, professeur à Harvard, qui est plus tard devenu un best-seller intitulé *Bowling Alone*. Putnam utilisait l'exemple de la baisse de fréquentation des ligues de bowling pour illustrer la crise de la société américaine et de son capital social. C'étaient exactement ces problèmes qui me travaillaient.

J'ai décidé moi aussi d'écrire un livre. Il aborderait ces questions sans les emballer dans le « jargon creux et emberlificoté » de mon discours texan et proposerait des solutions pragmatiques et quotidiennes pour y remédier. Il évoquerait la responsabilité qui était la nôtre de contribuer à créer une communauté saine et constructive pour nos enfants. J'allais l'intituler *Il faut tout un village*, en hommage à un proverbe africain qui exprimait une idée en laquelle je croyais depuis longtemps.

Dans ce livre, j'ai dit à quel point la vie était devenue effrénée et fragmentée pour beaucoup d'Américains, en particulier les parents soumis au stress. Le cercle familial au sens large n'apportait plus le même soutien qu'autrefois. Le crime demeurait un problème majeur pour beaucoup de communautés, si bien que les rues étaient devenues un lieu de danger et non d'échange, de solidarité. Nous passions de plus en plus de temps en voiture ou devant nos écrans de télévision et de moins en moins dans des associations, des lieux de culte, des syndicats, des partis politiques et, il est vrai, des ligues de bowling.

Je croyais qu'il nous fallait renouveler notre soutien les uns aux autres. « Il nous reste en revanche à trouver un consensus de valeurs et une vision commune de ce que nous pouvons faire aujourd'hui, individuellement et collectivement, pour bâtir des familles et des communautés fortes, ai-je écrit. Pour arriver à ce consensus dans une démocratie, il convient de considérer tous les points de vue, en résistant à l'illusion de la propagande extrémiste, et en pesant les droits et les libertés individuels face à notre responsabilité personnelle et à nos devoirs mutuels[3]. »

Une fois de plus, la réaction de certains a été brutale. Les républicains ont caricaturé mon idéal de familles et de communautés plus fortes, disant qu'il s'agissait d'un appel à davantage de libéralisme gouvernemental, voire un « crypto-totalitarisme », selon les termes d'un magazine. « On nous dit qu'il faut tout un village, une collectivité, c'est-à-dire un État, pour élever un enfant », a déclaré Bob Dole avec dédain lors de son discours d'investiture à la Convention nationale républicaine de 1996. « Je suis ici pour vous annoncer qu'il ne faut pas tout un village pour élever un enfant. Il faut une famille. » La foule l'a ovationné.

On pourrait penser que c'est un peu étrange pour le candidat d'un parti politique majeur de prendre le temps, lors du discours le plus important de la campagne, de démolir un livre sur les enfants écrit par la première dame... et on aurait raison.

La triste évidence m'est apparue : il n'y avait pas de place dans notre vie politique pour le genre de discussion que j'appelais de mes

---

3. Hillary Clinton, *Il faut tout un village pour élever un enfant*, trad. de Martine Leyris et de Natalie Zimmermann, Paris, Denoël, 1996, p. 19.

vœux. Ou peut-être n'étais-je pas le bon messager. Quoi qu'il en soit, cela ne fonctionnait pas.

J'ai trouvé un public plus réceptif à l'étranger. Dans un discours au Forum économique mondial de Davos, en Suisse, en 1998, j'ai essayé d'expliquer en quoi mon concept de « village » s'intégrait à un programme plus vaste de réforme politique et économique. J'ai utilisé la métaphore du tabouret à trois pieds, que j'allais reprendre à plusieurs reprises au cours des années suivantes. Le premier pied, c'était une économie ouverte et florissante. Le deuxième, un gouvernement démocratique stable et réactif. Et le troisième, trop souvent sous-estimé dans les discussions sérieuses de politique étrangère, c'était la société civile. « C'est la matière même de la vie, ai-je déclaré. C'est la famille, c'est la foi religieuse et la spiritualité qui nous guident. C'est l'association au sein de laquelle nous sommes bénévoles. L'art et la culture qui nous élèvent. »

Vingt années de plus se sont écoulées. Voilà que je me présentais à la présidence, dans une époque marquée par de profondes divisions et une intense colère. Les informations parlaient en permanence d'attaques terroristes et de tueries de masse. De jeunes Noirs se faisaient abattre par la police. Un candidat à la présidence traitait les immigrés mexicains de violeurs et incitait à la violence lors de ses meetings. Sur Internet, les femmes étaient fréquemment harcelées et il était impossible d'avoir une discussion politique sans essuyer un torrent d'invectives.

Fin mai 2015, j'étais en campagne à Columbia, en Caroline du Sud. Entre deux rendez-vous, nous avons fait une halte rapide à la boulangerie de la rue principale pour que je puisse prendre un cupcake et serrer quelques mains. Il n'y avait qu'un seul client, un Afro-Américain d'un certain âge, assis seul à la fenêtre, plongé dans un livre. Je ne voulais pas le déranger, mais nos regards se sont croisés. Je me suis approchée pour le saluer et lui demander ce qu'il lisait.

Il a levé les yeux et m'a dit : « Première épître aux Corinthiens, chapitre XIII. »

J'ai souri : « L'amour prend patience. L'amour rend service, ai-je cité. Il ne jalouse pas, il ne plastronne pas, il ne s'enfle pas d'orgueil. »

Il s'appelait Donnie Hunt, était pasteur à la First Calvary Baptist Church et se préparait pour l'étude biblique du jour. Il m'a invitée à m'asseoir.

Il m'a dit qu'il trouvait cela extrêmement réconfortant de relire ces lignes. « On apprend toujours quelque chose, a-t-il ajouté.

– Oui, c'est une parole vivante », ai-je répondu.

Nous sommes restés assis là à discuter longtemps de livres, de son église, des écoles du coin, des tensions ethniques dans la communauté, de son espoir de visiter un jour la Terre sainte. « C'est sur ma liste des choses à faire avant de mourir », m'a-t-il confié.

Quelques semaines plus tard, j'étais de retour en Caroline du Sud, cette fois-ci à Charleston. J'ai visité une université technologique et discuté avec des apprentis en espérant que leur formation les mènerait vers un bon emploi et une vie heureuse. C'était un groupe mixte, composé de Noirs, de Blancs, d'Hispaniques, d'Asiatiques, tous jeunes et pleins d'espoir. J'ai écouté leurs histoires et entendu la fierté dans leur voix.

Je me suis envolée pour le Nevada et n'ai entendu les nouvelles qu'en arrivant. Un jeune Blanc qui voulait se lancer dans une guerre raciale avait massacré neuf fidèles noirs lors d'une soirée d'étude biblique à la Mother Emanuel Church de Charleston. Emanuel signifie « Dieu avec nous », mais c'était difficile de ressentir cela après l'annonce de cette nouvelle. Neuf femmes et hommes pieux, qui avaient une famille, des amis et tellement de choses à accomplir dans leur vie, tués en pleine prière. Qu'est-ce qui ne va pas chez nous ? me suis-je demandé. Comment pouvions-nous laisser une chose pareille se produire dans notre pays ? Comment pouvions-nous encore donner des armes à des gens au cœur rempli de haine ?

Deux jours plus tard, la police a amené le coupable devant les tribunaux. Les uns après les autres, des parents, des frères, des sœurs endeuillés se sont levés pour croiser ce regard vide, ce jeune homme qui leur avait tant pris et ils ont dit : « Je te pardonne. » D'une certaine façon, leur miséricorde était plus surprenante que sa cruauté.

Un ami m'a envoyé un message : « Pense aux cœurs et aux valeurs de ces hommes et femmes de Mother Emanuel, m'a-t-il dit. Une dizaine de personnes réunies pour prier. Elles sont en communauté, dans l'intimité, et un étranger qui ne leur ressemble pas, qui ne s'habille pas comme elles, se joint à elles. Elles ne jugent pas. Elles ne posent pas de questions. Elles l'accueillent. S'il est là, c'est qu'il a besoin de quelque chose : de prière, d'amour, d'une communauté, quelque chose. Pendant leur dernière heure, neuf personnes de foi ont accueilli un inconnu dans la prière et la fraternité. »

Mon ami a ajouté que cela lui rappelait les paroles de Jésus dans l'Évangile selon saint Matthieu : « Car j'ai eu faim et vous m'avez donné à manger ; j'ai eu soif et vous m'avez donné à boire ; j'étais un étranger et vous m'avez recueilli. »

Dans un discours à San Francisco, j'ai lu à haute voix le message de mon ami. Puis j'ai levé les yeux et j'ai exprimé ce que je ressentais à ce moment-là : « Je sais que c'est inhabituel pour un candidat à la présidence de dire que ce qu'il nous faut, c'est davantage d'amour et de gentillesse. Mais c'est exactement ce dont nous avons besoin. »

« L'amour et la gentillesse » sont devenus des éléments constants de ma campagne. Ça n'a jamais constitué le cœur de mon message ni un réel appel à une « nouvelle politique du sens », mais c'était une idée à laquelle je revenais régulièrement et à laquelle le public adhérait presque toujours, comme s'il en avait besoin. Avec toutes les nouvelles atroces à la télévision et la négativité caractérisant la campagne, beaucoup de gens voulaient être rassurés quant à la bonté de notre pays et notre espoir en un avenir meilleur, plus bienveillant. Quand on s'est mis à utiliser le slogan « Love trumps hate », il s'est répandu comme une traînée de poudre parmi nos supporters. Parfois, j'entendais des foules très nombreuses scander ces mots et, un instant, je me sentais emportée par cette vague d'énergie positive et je pensais qu'elle pouvait tous nous mener jusqu'au bout.

Depuis l'élection, j'ai passé beaucoup de temps à me demander si nous aurions pu redoubler d'efforts pour nous faire entendre d'un électorat en colère en cette époque cynique. On a dit et écrit tant de choses sur les difficultés économiques et l'espérance de vie déclinante des ouvriers blancs qui ont soutenu Donald Trump. Mais pourquoi devraient-ils être plus en colère que les millions de Noirs et de Latinos qui sont plus pauvres, meurent plus jeunes et sont confrontés tous les jours à une discrimination bien enracinée ? Pourquoi des gens qui étaient enchantés par Barack Obama en 2008 sont-ils devenus aussi cyniques en 2016 après qu'il a sauvé l'économie et permis à des millions d'Américains qui en avaient besoin d'avoir accès à une couverture santé ?

J'ai repris Tocqueville. Après avoir étudié la Révolution française, il écrit que les révoltes naissent souvent non pas là où les conditions de vie sont les plus mauvaises, mais là où les attentes sont les plus déçues. Si on vous a élevé dans l'idée que votre vie va se dérouler d'une certaine façon – disons avec un emploi stable qui ne nécessite pas de diplôme, mais vous apporte un bon salaire de classe moyenne, avec une répartition homme/femme traditionnelle, dans un environnement où tout le monde parle anglais – et que les choses ne se passent pas comme prévu, alors vous ressentez de la colère. Vous avez un sentiment de perte. Vous avez l'impression que l'avenir va être plus difficile que ne l'était le passé. Au fond, je crois que le désespoir que nous avons vu si souvent à l'œuvre dans l'Amérique de 2016 est né des mêmes problèmes qui nous inquiétaient, Lee Atwater et moi, il y a vingt-cinq ans. Trop de gens sont des étrangers les uns aux autres et souffrent de ne pas se sentir à leur place ni investis d'un but. La colère et le ressentiment se logent dans ce vide et peuvent occulter tout le reste : la tolérance, les règles fondamentales de la décence, les faits et certainement le genre de solutions pratiques que j'ai défendues au cours de toute ma campagne.

Est-ce que je ressens de l'empathie pour les électeurs de Trump ? C'est une question que je me suis beaucoup posée. C'est compliqué. C'est relativement facile d'éprouver de l'empathie pour des gens travailleurs et chaleureux ayant décidé qu'ils ne pouvaient pas, en leur âme et conscience, voter pour moi après avoir lu cette lettre de Jim Comey... ou qui pensent qu'aucun parti ne devrait diriger la Maison-Blanche pendant plus de huit ans d'affilée... ou qui croient fermement en une intervention limitée du gouvernement, ou qui sont contre l'avortement pour des raisons morales. Je ressens de la compassion pour ceux qui ont cru aux promesses de Trump et craignent à présent qu'il ne supprime leur assurance-maladie au lieu de l'améliorer et qu'il exempte d'impôts les super-riches au lieu d'investir dans des infrastructures. Je les comprends. Mais je ne tolère pas l'intolérance. Sous aucun prétexte. La brutalité me répugne. Je regarde les gens présents aux meetings de Trump, applaudissant ses diatribes haineuses, et je me demande : où est leur empathie, leur compréhension ? Pourquoi ont-ils le droit, eux, de fermer leur cœur au père immigré qui traverse des difficultés, à la mère noire en deuil, ou à l'adolescent LGBT qui est harcelé à l'école et a des idées suicidaires ? Pourquoi est-ce que la presse n'écrit pas des articles de fond sur les électeurs de Trump pour essayer de comprendre les raisons qui ont poussé la majorité des Américains à rejeter *leur* candidat ? Pourquoi est-ce que la moitié du pays seulement devrait s'attacher à ouvrir son cœur ?

Et pourtant, nous n'avons pas d'autre choix que de nous y astreindre, sur le plan personnel et national. Au printemps 2017, le pape François a donné une conférence TED. Oui, une conférence TED. C'était incroyable. Le même pape que Donald Trump a attaqué sur Twitter pendant la campagne. Il a appelé à une « révolution de la tendresse ». Quelle phrase ! Il a déclaré : « Nous avons tous besoin les uns des autres, nul d'entre nous n'est une île, un "je" autonome et indépendant, séparé des autres, et on ne peut bâtir l'avenir qu'en s'unissant, en incluant tout le monde. » Il a ajouté que la tendresse « implique d'utiliser nos yeux pour voir l'autre, nos oreilles pour écouter l'autre, pour écouter les enfants, les pauvres, ceux qui ont peur de l'avenir ».

Lors de mes longues marches dans les bois et de mes journées tranquilles à la maison, quand je ne m'emporte pas sur un propos lu dans les journaux ou sur Twitter, voilà à quoi je pense. Je reviens à cette idée que ce dont nous avons le plus besoin en ce moment en Amérique, c'est ce qu'on pourrait appeler « une empathie radicale ».

Ce n'est pas très éloigné du « respect mutuel » que j'appelais de mes vœux à Wellesley il y a bien des années. Je suis plus âgée à présent. Je sais à quel point c'est difficile et à quel point le monde peut être cruel. Je ne me fais pas d'illusion : nous n'allons pas tomber d'accord sur tout ni arrêter de débattre férocement au sujet de l'avenir du pays – et je ne crois pas que nous devrions arrêter. Mais, si 2016 nous a enseigné une chose, c'est qu'il est urgent de retrouver le sentiment d'une humanité commune.

Nous devons tous essayer de nous mettre à la place de ceux qui ne partagent pas notre vision du monde. Le président Obama l'a très bien formulé dans son discours d'adieu ; il a déclaré que les Américains blancs devaient admettre « que les effets de l'esclavage et des lois Jim Crow n'ont pas soudainement disparu dans les années 1960 ; que quand les voix des groupes minoritaires se font entendre, ce n'est pas uniquement par un effet de racisme inversé ou par une sorte de politiquement correct ; que quand ils manifestent pacifiquement, ils ne réclament pas de traitement de faveur, mais l'égalité de traitement que nos Pères fondateurs avaient promis ». Et, pour les gens de couleur, cela signifie comprendre le point de vue d'un « homme blanc d'âge moyen qui, de l'extérieur, peut donner l'impression d'avoir tous les avantages, mais qui a vu son monde bouleversé par les changements économiques, culturels et technologiques ».

Mettre en pratique cette « empathie radicale » ne signifie pas seulement réduire le fossé entre les ethnies, les classes et les idées politiques pour construire des ponts *entre* les communautés. Nous devons combler le vide émotionnel et spirituel qui s'est creusé *au sein même* de nos communautés, de nos familles et en chacun de nous. C'est peut-être plus difficile, mais c'est essentiel. Ces relations humaines peuvent apporter tant de bienfaits. Des bienfaits, du sens ct cette impression indéfinissable de participer à quelque chose qui nous dépasse.

Je sais que ce n'est pas le langage de la politique, et que certains vont encore lever les yeux au ciel, comme ils l'ont toujours fait. Mais je crois fermement que c'est ce dont notre pays a besoin. C'est ce dont nous avons tous besoin en tant qu'êtres humains pour essayer de trouver notre voie dans cette période d'évolutions. Et c'est la seule voie que j'envisage pour moi-même. Je peux entretenir en moi l'amertume ou je peux, une fois de plus, ouvrir mon cœur à l'amour et à la gentillesse. C'est cette voie que je choisis.

Ne te concentre pas sur ce que tu as tenté et qui a échoué,
mais sur ce qu'il est encore possible de faire.

Pape Jean XXIII

Ensemble en avant

Un jour, quelques mois après l'élection, j'ai appelé des amis pour leur proposer un pèlerinage à Hyde Park, dans l'État de New York. Je tournais en rond et j'avais besoin d'un petit coup de pouce. Je me suis dit que ça me ferait du bien de visiter Val-Kill, le cottage d'Eleanor Roosevelt, qui cst l'un de mes sites historiques préférés. C'est là qu'Eleanor se rendait quand elle voulait réfléchir, écrire, recevoir des invités et élaborer des projets pour l'avenir. Peut-être que ça m'inspirerait. Au pire, ce serait toujours une bonne journée entre amis.

C'était un jour froid mais ensoleillé du mois de mars. Le cottage, simple et sans prétention, était tel que dans mes souvenirs : la véranda aménagée en chambrc avec son étroit lit une place, quelques-uns des livres préférés d'Eleanor, sa radio, le portrait de son mari qu'elle gardait toujours sur la cheminée. Un historien qui nous accompagnait pendant la visite a eu la gentillesse de nous lire quelques-unes de ses lettres. Entendre ce mélange de courrier de fans et d'attaques violentes nous a rappelé les virulentes passions auxquelles s'exposaient les femmes qui défiaient les attentes de la société en embrassant la vie publique.

J'avais beaucoup pensé à Eleanor ces derniers temps. Elle avait dû affronter son lot de méchanceté, mais l'avait toujours fait avec dignité et force. Les gens critiquaient sa voix et son apparence, l'argent qu'elle gagnait avec ses conférences et ses livres, son engagement pour les droits des femmes, les droits civiques et les droits humains. Un directeur du FBI extrêmement zélé avait monté un dossier de 3000 pages à son sujet. Dans un journal national, un éditorialiste très sévère l'avait qualifiée d'« impudente, présomptueuse et conspirationniste », en ajoutant que « son retrait de la vie publique dès aujourd'hui serait un grand service rendu à l'intérêt général ». Ça vous rappelle quelque chose ?

Il y avait beaucoup de gens qui, eux aussi, espéraient que j'allais disparaître. Mais je suis toujours là. Comme le dit Bill, à notre âge, la plus grande partie du chemin est derrière nous. Il est hors de question que je gâche le temps qu'il me reste. Je sais qu'il y a encore de bonnes choses à accomplir, des gens à aider et beaucoup de travail à mener.

Je ne peux qu'espérer m'approcher de l'exemple incarné par Eleanor. Après la mort de son mari et son départ de la Maison-Blanche en 1945, elle s'est faite encore plus présente. Elle est devenue femme d'État sur la scène internationale, prenant la tête du mouvement mondial visant à rédiger et adopter la Déclaration universelle des droits de l'homme. En même temps, elle était active chez les démocrates au niveau local et national, défendant l'âme de son parti dans un après-guerre marqué par la peur et la démagogie. À sa mort en 1962, la notice nécrologique du *New York Times* a estimé qu'elle avait dépassé les moqueries et l'amertume pour finir par devenir « l'objet d'un respect presque universel ».

Ses amis et ses supporters l'ont poussée à se présenter comme sénatrice, gouverneur et présidente, mais elle a décidé de consacrer son énergie à essayer de faire élire les autres. Son candidat de prédilection était Adlai Stevenson, le gouverneur de l'Illinois qui s'est présenté à la présidentielle sans succès en 1952 et 1956. Ses défaites l'ont blessée. « Même si l'on peut douter de la sagesse d'un peuple, a-t-elle écrit dans les colonnes d'un journal après la deuxième défaite face à Dwight Eisenhower, mieux vaut toujours croire qu'avec le temps la sagesse de la majorité sera plus grande et plus solide ; ceux qui sont dans la minorité doivent accepter leur défaite avec grâce. » Elle avait raison, bien entendu. J'aurais tout de même aimé entendre sa réaction si Adlai avait remporté le vote populaire, mais pas le collège électoral. Elle aurait trouvé les bons mots pour exprimer l'absurdité de tout cela.

En visitant le cottage, j'ai essayé de m'imaginer Eleanor écrivant dans son fauteuil ou recevant ses invités à table, entourée d'amis et de frères d'armes. Elle est demeurée, jusqu'à la fin, indépendante, malgré les exigences et les contraintes du monde extérieur, fidèle à elle-même et à ses valeurs. C'est une chose rare et précieuse.

En 1946, alors qu'elle envisageait son avenir après la mort de son mari, elle a dit quelque chose qui résonne en moi aujourd'hui plus que jamais. « Pendant ma longue vie, j'ai toujours fait ce qu'il me revenait de faire, pour une raison ou une autre, sans me demander si je le souhaitais ou non. Cela ne semble plus nécessaire à présent et pour les quelques années qu'il me reste, j'espère être libre ! »

C'est l'avenir que je souhaite, moi aussi. Comme l'a montré Eleanor, il suffit de le saisir.

« Qu'est-ce qu'on fait maintenant ? » C'est la question que m'ont posée de nombreux démocrates dans les premiers mois qui ont suivi l'élection de Trump et son investiture. Parmi mon équipe de campagne, mes donateurs et les bénévoles, beaucoup étaient désireux – voire avides – de trouver de nouveaux moyens pour continuer à défendre les valeurs progressistes que nous partagions tous. Les gens m'abordaient dans les restaurants, les aéroports, les théâtres, pour me demander conseil. Ils voulaient aider, mais ne savaient pas comment. Est-ce qu'ils devaient faire des dons à l'American Civil Liberties Union ou d'autres organismes pour essayer de suspendre l'interdiction de voyager émise par Trump ? Se lancer dans les quelques élections spéciales destinées à remplir certains sièges vacants de la Chambre en 2017 ? Ou encore déployer de nouveaux efforts pour combattre le redécoupage des circonscriptions et le *voter suppression* ? Devaient-ils eux-mêmes se porter candidats à la présidentielle ? Il y avait tellement de causes, de groupes et de candidats en quête de soutien que c'était difficile de savoir par où commencer. Franchement, je me posais les mêmes questions.

Au départ, j'avais l'intention de me faire relativement discrète. Les ex-présidents et ex-candidats essaient généralement de se tenir à distance de la vie politique, au moins pendant un moment. J'ai toujours admiré la façon dont George H. W. Bush, puis George W. Bush évitaient de critiquer Bill et Barack, et la collaboration entre Bill et George H. W. Bush au moment du tsunami en Asie, puis après Katrina, sur la côte du Golfe, sans oublier celle entre George W. Bush et Bill en Haïti après le tremblement de terre de 2011. C'est comme ça que c'est censé fonctionner. Mais la période n'était pas ordinaire et Trump n'était pas un président comme les autres.

Le scandale russe devenait de jour en jour plus inquiétant. Des sondages révélaient que, partout dans le monde, le respect pour les États-Unis diminuait. L'administration Trump, en sous-effectif et trop politisée, était consumée par des crises internes, et je frissonnais en pensant à la façon dont ils allaient gérer une véritable urgence, que ce soit un clash avec la Corée du Nord désormais détentrice de l'arme nucléaire, une attaque terroriste majeure, une catastrophe naturelle comme l'ouragan Katrina ou une cyber-attaque dans une centrale nucléaire. Au lieu d'investir dans les infrastructures et les emplois du pays, la nouvelle administration s'attachait à faire reculer la protection des droits civiques, des droits des travailleurs et de l'environnement. J'ai observé avec horreur les républicains du Congrès détricoter méthodiquement l'Affordable Care Act, privant ainsi dix millions d'Américains de leur couverture maladie. Il est vite devenu évident que leur cible était bien plus large que l'Obamacare. Ils voulaient aussi détruire Medicaid. Je ne doutais pas un seul instant que Medicare et la sécurité sociale étaient les prochains sur la liste. C'était une violente attaque idéologique de l'héritage laissé par la Grande Société et le New Deal. Ils ne voulaient pas rayer seulement Barack Obama des livres d'histoire. Ils s'en prenaient également à Lyndon B. Johnson et Franklin D. Roosevelt. Les familles de travailleurs que j'avais rencontrées à travers tout le pays allaient en faire les frais. Alors qu'ils avaient besoin d'aide pour avancer, on les poignardait dans le dos. En voyant tout cela se dérouler pendant les premiers mois de la présidence Trump, j'ai su que je n'allais pas pouvoir rester dans les coulisses.

Peu après ma visite à Val-Kill, je réfléchissais à un discours que je devais prononcer lors d'une conférence de femmes d'affaires en Californie et j'ai formulé une phrase un peu bête, mais qui sonnait juste : « Résiste, insiste, persiste, milite. » C'est devenu une sorte de mantra pour moi au cours des mois qui ont suivi.

Depuis la Marche des femmes en janvier, le terme « résistance » était devenu la devise de ceux qui s'opposaient à Trump dans toutes les manifestations, quelle que soit leur taille, se multipliant dans le pays. Mitch McConnell avait sans le vouloir fait la même chose avec le verbe « persister » quand il avait tenté de justifier sa scandaleuse intimidation d'Elizabeth Warren au Sénat en disant : « On l'a prévenue. On lui a donné des explications. Néanmoins, elle a persisté. » Cette dernière phrase apparaissait désormais sur des panneaux, des tee-shirts et sous forme de hashtags. Chelsea a même décidé d'écrire un livre pour enfants sur treize femmes inspirantes ayant façonné l'histoire américaine et l'a intitulé : *Elle a persisté*.

Mon nouveau mantra célébrait cette énergie et cet activisme, mais le mot le plus important à mes yeux était le dernier : « milite ». Si les gens ne restent pas engagés et ne trouvent pas les moyens de traduire la protestation en action politique, nous n'arrêterons pas les projets de Trump et ne gagnerons pas de futures élections. Pour ce faire, nous devons investir dans l'infrastructure politique : reconstruire le Parti démocrate, former de nouveaux candidats et cadres, améliorer notre traitement des données et nos opérations sur les réseaux sociaux, contrer les offensives sur le droit de vote, et plus encore.

Je sais qu'il y a beaucoup de gens – y compris parmi les démocrates – qui n'ont pas très envie de me voir prendre la tête de ce mouvement. Ils sont découragés par ma défaite, fatigués de me défendre contre les attaques incessantes de la droite et prêts à voir de nouveaux leaders émerger. Ce sentiment est, en partie, tout à fait compréhensible. Moi aussi, j'ai hâte que de nouveaux leaders et de nouvelles idées redynamisent notre parti. Mais si Al Gore, John Kerry, John McCain et Mitt Romney peuvent trouver des façons positives de se rendre utiles après leur propre défaite électorale, alors moi aussi. Ça ne veut pas dire que je me représenterai à l'élection présidentielle (même si j'ai été amusée et surprise par la spéculation brève mais intense concernant ma candidature à la mairie de New York). Ça signifie que je vais prendre la parole pour défendre les causes qui me tiennent à cœur, que je ferai campagne pour d'autres démocrates et que je ferai tout mon possible pour créer les conditions nécessaires à notre réussite.

Toutes ces pensées ont cristallisé au printemps 2017, lors d'une série de conversations avec Howard Dean, l'ancien gouverneur du Vermont. Quand il était candidat à la présidentielle en 2004, Howard avait chapeauté de nombreuses opérations de levée de fonds et de coordination en ligne qui allaient permettre plus tard d'élire Barack Obama. En tant que président du Comité national démocrate, il a mené une « stratégie des cinquante États », incluant dans cette initiative des États républicains négligés depuis trop longtemps. Cette expérience faisait de lui l'interlocuteur privilégié pour parler du travail que les démocrates avaient besoin d'accomplir et de la façon dont je pouvais les y aider.

Howard partageait mon enthousiasme à soutenir la prochaine génération de cadres du parti, et il m'a parlé du nombre croissant de groupes qui naissaient sur le terrain depuis l'élection. Laisser un millier de fleurs s'épanouir, c'est très bien, m'a-t-il dit, mais il est important d'aider les groupes les plus prometteurs à trouver un financement et une ligne directrice. J'étais d'accord, et nous avons décidé de fonder une organisation pour identifier et soutenir les groupes et leaders émergents qui n'auraient pas pu obtenir autrement les ressources qu'ils méritaient. Après avoir recruté quelques collègues partageant notre vision, nous nous sommes mis au travail.

Nous avons fait beaucoup de recherches et rencontré de nombreux jeunes leaders, ce qui était en soi amusant et fascinant. J'écoutais leurs exposés et les bombardais de questions : qu'est-ce qui vous a poussés à créer cette organisation ? Quels sont vos objectifs stratégiques ? Citez-moi une chose que vous aimeriez faire si vous en aviez les moyens ? Ils donnaient des réponses intelligentes, réfléchies. Je suis ressortie de ces entretiens avec un espoir et un optimisme que je n'avais pas ressentis depuis des années.

Après une difficile délibération, nous avons choisi, pour commencer, cinq groupes à qui apporter notre soutien financier et nos conseils. Certains étaient déjà à pied d'œuvre pour canaliser l'énergie de citoyens déterminés à empêcher Trump de supprimer l'Obamacare, et ils leur donnaient des conseils pratiques pour faire porter leur voix jusqu'à Capitol Hill. D'autres mobilisaient des volontaires des swing districts dans le but de reprendre la Chambre en 2018 et recruter pour les former de jeunes démocrates, hommes et femmes de talent, afin qu'ils se présentent et l'emportent.

Le nom provisoire de notre organisation parapluie était Our American Future. Nous avons créé un logo, un site Internet, et nous sommes préparés à la lancer sur la scène médiatique. Heureusement, un de mes amis m'a fait remarquer que l'acronyme serait OAF[1]. J'imaginais les titres des journaux : « Hillary Clinton sort du bois : voici l'OAF. » Il nous fallait un nouveau nom sur-le-champ ! Après une rapide réflexion, nous avons trouvé une meilleure option qui combinait mon slogan de campagne « Stronger together » et « Onward ! », « en avant ! », l'exhortation que j'utilisais depuis des années pour clore mes notes de travail. (Que voulez-vous, je suis

---

1. En anglais, « oaf » signifie lourdaud, nigaud.

sentimentale.) Le logo et le site ont été refaçonnés et nous avons lancé OnwardTogether.

J'espère que vous allez vous joindre à notre effort. Vous pouvez visiter le site OnwardTogether.org. Devenez membre, aidez-nous à soutenir ces groupes fantastiques et le renouvellement populaire du Parti démocrate.

Il existe beaucoup de moyens pour résister, insister, persister et militer. S'inscrire sur les listes électorales. Inciter ses amis et sa famille à en faire autant. Voter à chaque élection, pas seulement aux présidentielles. C'est important. D'abord parce que votre vote est protégé ou affaibli par les représentants locaux ou d'États qui supervisent et conduisent ces élections. Allez aux urnes et allez-y nombreux.

Impliquez-vous dans une cause qui vous tient à cœur. Les droits des femmes, des LGBT, des travailleurs, le droit de vote, l'environnement, la santé, la réforme du financement des campagnes, l'éducation publique : elles méritent toutes de l'attention. Ne vous contentez pas d'y penser ou d'en parler. Mettez votre argent, votre temps, vos compétences au service d'une cause. Trouvez une association qui lutte pour une cause à laquelle vous croyez. Cela peut être une association qui existe depuis longtemps ou une nouvelle, à plus petite échelle. Si elle n'existe pas, créez-la.

Les problèmes locaux sont tout aussi importants que les questions nationales et internationales. S'il y a dans votre communauté une question à régler ou une injustice à corriger et que vous vous dites : « Quelqu'un devrait faire quelque chose », devinez quoi ? Ce quelqu'un pourrait très bien être vous. Participez à une réunion du conseil municipal ou du conseil de l'école et suggérez une solution. Si un problème vous affecte, il affecte sans doute quelqu'un d'autre aussi ; et cette personne sera peut-être disposée à vous rejoindre.

Essayez de connaître vos élus à tous les niveaux ainsi que leurs prises de position. Si vous n'êtes pas d'accord avec eux, dites-le-leur. Renseignez-vous sur la date du prochain conseil municipal et allez-y. N'oubliez pas de soutenir et d'apporter votre contribution à ceux qui défendent vos valeurs et vos intérêts. Mieux encore, présentez-vous aux élections.

Si vous avez l'habitude de garder vos opinions pour vous, essayez de prendre la parole, que ce soit sur les réseaux sociaux, dans une lettre à un rédacteur en chef ou dans une conversation avec des amis, de la famille, des voisins. Votre opinion est aussi précieuse que celle d'un autre. Vous serez surpris de constater à quel point c'est satisfaisant de s'exprimer. Et il y a des chances pour que quand vous prendrez la parole, vous ne restiez pas seul très longtemps. Si rien de tout ça ne fonctionne, fabriquez un panneau et participez à une manifestation.

L'une de mes électrices, Katy de Bellevue, Washington, m'a envoyé un projet en cinq étapes qui représente, me semble-t-il, une très bonne feuille de route pour tous ceux qui cherchent à faire une différence :

1. J'ai établi une contribution mensuelle à l'American Civil Liberties Union et je vais m'y tenir, prête à intervenir quand il le faut.

2. J'ai hâte d'être en 2018. Je sais que ça va être difficile pour les démocrates et qu'ils ont beaucoup de sièges à défendre, mais je suis prête à commencer dès maintenant. Je vais devenir plus active au sein du parti démocrate local.

3. Je vais m'engager auprès d'une église ou d'une synagogue (j'ai été élevée chez les méthodistes et mon mari est juif) afin de rendre service et donner à mes fils le sentiment d'appartenir à une communauté plus large.

4. Je suis enseignante d'histoire au collège, mais, comme mon fils aîné est autiste et qu'il nécessite beaucoup de soins, j'ai pris une année de congé. Pendant cette année, je vais faire du bénévolat dans l'école locale quelques heures par semaine afin de continuer à éduquer la génération future.

5. Je vais enseigner à mes enfants à aimer tout le monde. Nous allons parler de racisme et de misogynie. Je vais les aider à mesurer la chance qu'ils ont et leur faire comprendre que ce privilège les rend responsables pour les autres.

Il y a un proverbe africain que j'ai toujours aimé : « Si tu veux aller vite, va seul. Si tu veux aller loin, allons-y ensemble. » S'il y a un moment où il faut appliquer cet esprit, c'est maintenant. Le chemin est encore long et nous ne pouvons le parcourir qu'en restant soudés.

Au printemps 2017, j'ai reçu une lettre d'un groupe baptisé Wellesley Women for Hillary. Des milliers d'étudiantes ou anciennes étudiantes de mon université avaient milité pendant la campagne. Elles ont été anéanties par le résultat, mais elles sont restées soudées, se sont soutenues et encouragées. À présent, elles me demandaient conseil pour la suite.

À peu près au même moment, j'ai été invitée par la nouvelle présidente de Wellesley, Dr Paula A. Johnson, à prononcer un discours lors de la cérémonie de remise des diplômes, en mai. C'était la troisième fois que, à un moment charnière de ma vie, j'allais prendre la parole devant cette institution. Il s'était écoulé près d'un demi-siècle depuis la première fois – c'était lors de ma propre remise de diplôme en 1969 – et me prêter de nouveau à l'exercice en 2017, au cours de cette longue et étrange année caractérisée par le regret et la résistance, paraissait approprié. Je pouvais essayer de répondre à la question posée par le groupe Wellesley Women for Hillary : « Que fait-on maintenant ? » pour les étudiants, pour le pays, pour moi-même.

J'adore retourner sur le campus. Il y a plus de bâtiments qu'à l'époque, mais il reste beau et plein de souvenirs : les baignades dans le lac Waban… les veillées tard le soir à débattre de la guerre et des droits civiques… entendre ma prof de français me dire : « *Mademoiselle*, vos talents sont ailleurs »… passer un coup de téléphone en PCV, paniquée, à Park Ridge, parce que je pensais ne pas être assez intelligente ou sophistiquée pour réussir à Wellesley et entendre mon père me dire : « D'accord, reviens à la maison », et ma mère répliquer : « Dans la famille, on ne baisse pas les bras. »

Au fil des années, j'ai eu l'occasion de côtoyer plusieurs générations d'étudiantes de Wellesley, et c'est toujours revigorant. Elles sont tellement intelligentes, engagées et désireuses de changer le monde. Cela me donne de l'énergie et me rappelle cette ambition fervente que j'avais à l'époque.

Au cours des jours étourdissants et déprimants qui ont suivi ma défaite, c'était exactement ce qu'il me fallait. J'avais besoin de me rappeler qui j'étais, d'où je venais, en quoi je croyais et pourquoi je me battais si dur depuis si longtemps. Wellesley m'avait aidée à me trouver quand j'étais une jeune femme. Peut-être que cette institution pouvait de nouveau m'indiquer la direction à suivre.

La deuxième fois que je me suis adressée aux étudiants de l'université lors de la remise des diplômes, c'était en 1992, alors que la première campagne présidentielle de Bill battait son plein. J'essayais de m'habituer aux feux de la rampe (qui étaient bien souvent trop brûlants), je n'étais pas encore tout à fait remise du tollé engendré par ma remarque sur les « biscuits et le thé », et j'étais aussi grisée par la passion et l'optimisme de notre campagne. Ça avait été l'une des plus belles années de ma vie et j'avais eu envie de partager avec les étudiantes ce que j'avais appris et ce que je ressentais. Dans mon allocution, j'ai enjoint à la promotion de 92 de devenir des femmes fortes et indépendantes, faire tomber les barrières, défier les attentes qui se dressaient devant elles, s'épanouir individuellement en trouvant leur propre équilibre entre la famille, le travail et le service. Je leur ai rappelé la devise latine de Wellesley, « *Non ministrari sed ministrare* », qui signifie « ne pas être gouverné mais gouverner ». En bonne méthodiste, j'avais toujours été sensible à cette idée et elle résonnait d'autant plus que Bill et moi avions passé l'année à sillonner le pays pour parler d'une renaissance de la responsabilité, de l'opportunité et de la communauté.

Comme je m'adressais à un public d'universitaires, je me suis appuyée sur une source de sagesse reconnue afin de donner à mon propos un peu de hauteur : Václav Havel, le dramaturge et activiste dissident tchèque qui était récemment devenu le premier président de son pays librement élu. Plus tard, en tant que première dame, j'allais le rencontrer et il allait m'emmener faire une merveilleuse promenade au clair de lune dans le vieux Prague. Mais, en 1992, je ne le connaissais qu'à travers son écriture, qui était expressive et puissante : « Qu'il se lance chaque fois qu'il le peut dans le tumulte du monde, dans l'intention de faire entendre sa voix. C'est ainsi qu'il est un véritable être humain[2]. » C'est ce que je voulais faire comprendre à ces jeunes diplômées. Nous vivions une période d'espoir et de changement et elles étaient les fers de lance de cette nouvelle génération.

L'année 2017 était bien différente... L'espoir que nous étions nombreux à ressentir en 1992 avait disparu, remplacé par une appréhension sourde. Chaque jour, la nouvelle administration Trump faisait honte à notre pays, affaiblissait l'état de droit et racontait des mensonges tellement énormes qu'elle paraissait n'avoir vraiment honte de rien. (D'après le *New York Times*, Trump a menti ou dissimulé au moins une fois par jour les quarante premiers jours de sa présidence. Le *Washington Post* a recensé 623 déclarations erronées ou trompeuses énoncées durant ses 137 premiers jours.)

---

2. Václav Havel, *Lettres à Olga*, trad. de Jan Rubeš, Paris, Éditions de l'Aube, 1990, p. 268.

En 1969, mes camarades et moi nous inquiétions de la perte de confiance envers nos leaders et nos institutions. Ces peurs revenaient à toute allure, amplifiées par l'ère Internet, à une époque où il était si facile de vivre dans sa tour d'ivoire, indifférent aux avis contraires et aux vérités dérangeantes. Aujourd'hui, nos dirigeants disposent d'outils pour exploiter la peur, le cynisme et le ressentiment, qui étaient inimaginables en 1969.

Quant à moi, je m'étais jetée « dans le tumulte du monde » et en étais ressortie meurtrie, le souffle coupé. Que pouvais-je bien dire à la promotion de 2017 dans un moment pareil ?

J'ai pensé à Václav Havel. Il avait persévéré dans des périodes bien plus sombres. Lui, et le reste de l'Europe de l'Est dominée par les Soviétiques, avaient vécu pendant des décennies sous le règne de ce qu'il appelait « la camisole de la vie dans le mensonge ». Avec d'autres dissidents, ils avaient réussi à combattre ces mensonges pour finalement renverser les régimes autoritaires qui les propageaient. J'ai relu un de ses essais, *Le Pouvoir des sans-pouvoir*, qui explique comment les individus peuvent utiliser la vérité comme une arme, même quand ils n'ont aucune influence politique. Havel savait que le pouvoir autoritaire qui s'appuie sur le mensonge pour contrôler le peuple n'est pas fondamentalement différent de la brute qui tyrannise son entourage. Ils sont plus fragiles qu'ils n'en ont l'air. Il écrit : « Mais dès l'instant où quelqu'un troue cette camisole à un seul endroit, où un seul individu s'écrie : "Le roi est nu !", dès l'instant où un seul joueur viole les règles du jeu et dénonce le jeu en tant que tel, alors tout apparaît sous un autre jour[3]. »

Cela me paraissait être le bon message pour 2017. Je pouvais mettre en garde les étudiantes de Wellesley en leur rappelant que, en ce moment où elles devenaient adultes, la vérité et la raison subissaient des attaques de plein fouet, en particulier de la part d'une Maison-Blanche spécialisée dans les « faits alternatifs ». Je pouvais expliquer en quoi les tentatives du gouvernement pour déformer la réalité étaient une insulte aux valeurs des Lumières sur lesquelles était bâti notre pays, notamment l'idée que des citoyens informés et la liberté de débat constituent les fondements d'une démocratie en bonne santé. Mais les mots de Václav Havel donnaient de l'espoir. Chacun d'entre nous a un rôle à jouer dans la défense de

---

3. Václav Havel, *Le Pouvoir des sans-pouvoir*, in *Essais politiques*, Paris, Calmann-Lévy, 1989, p. 91.

la démocratie et de la raison. Je pouvais répéter aux étudiantes ce que j'avais dit dans mon discours de défaite : qu'elles avaient de l'importance et du pouvoir, et que les compétences et les valeurs apprises à Wellesley leur avaient donné tous les outils nécessaires pour se battre.

Cela me rendait folle que, depuis l'élection, des commentateurs aient tellement caricaturé les supporters de Trump qu'ils considéraient désormais que tous les diplômés vivant sur la côte étaient à côté de la plaque et loin des réalités. Je voulais assurer aux étudiantes de Wellesley que c'était faux. Leur esprit critique, leur engagement envers une société juste et plurielle, leur décision morale de rendre service aux autres – voilà ce qu'il nous fallait dans l'Amérique de 2017. Mon conseil serait simple : ne vous laissez pas abattre par des salauds. Restez fidèle à vous-même et à vos valeurs. Et surtout, continuez d'avancer.

Je me suis réveillée tôt le 26 mai. J'avais passé la soirée précédente avec Bill et quelques membres de mon ancienne équipe de campagne à manger des plats thaï, boire du vin blanc et travailler sur mon discours. Je voulais qu'il soit bon. Ce serait ma première grande prise de parole depuis ma défaite et je savais que beaucoup de mes supporters, à travers le pays, avaient hâte de m'entendre. Nombre d'entre eux avaient peur, étaient en colère et avaient soif d'inspiration. Par ailleurs, les diplômées méritaient que ce jour soit mémorable.

Il pleuvait à Chappaqua et, d'après la météo, il bruinait également à Boston. J'avais de la peine pour les familles qui, à Wellesley, avaient sans doute espéré une journée parfaite. Ma remise de diplôme s'était déroulée sous un ciel radieux de Nouvelle-Angleterre. Qu'importe… certains disent que les mariages pluvieux font des mariages heureux. Il en va peut-être de même pour les remises de diplômes.

Je me suis habillée en bleu, la couleur de Wellesley, j'ai bu un café et j'ai trouvé un petit mot gentil de Bill. Il était resté debout jusqu'à point d'heure pour lire la dernière version de mon discours et avait griffonné sur la page : « H., j'aime ce discours. J'espère que mes suggestions peuvent aider à l'améliorer. Réveille-moi et on les passera en revue. Je t'aime. » Je me suis répété pour la énième fois que j'étais heureuse d'avoir épousé mon meilleur ami et mon supporter le plus enthousiaste. Eh oui, comme d'habitude, ses corrections amélioraient mon discours.

Tout en me préparant, j'ai allumé les informations et je l'ai vite regretté. Pendant la nuit, un candidat républicain au Congrès dans le Montana qui avait fait une prise de catch à un journaliste après que celui-ci avait posé une question délicate sur l'assurance-maladie, avait remporté l'élection spéciale. Au sommet de l'OTAN, de l'autre côté de l'Atlantique, Donald Trump avait poussé le Premier ministre du Montenegro pour avoir une meilleure place sur la photo de groupe. J'ai regardé la vidéo plusieurs fois, comme un curieux qui observe un accident de la route. C'était difficile de ne pas faire le lien entre les deux événements, symboles de la dégradation de notre vie publique sous Trump. J'ai soupiré, éteint la télévision, rassemblé mes affaires, pris la direction de l'aéroport et me suis envolée pour le Massachusetts.

Même sous la pluie, voir les vieux bâtiments en brique rouge de Wellesley m'a fait du bien. Le campus était en proie à cette agitation toute particulière qui caractérise le rituel de la remise de diplômes. Parents et grands-parents s'affairaient autour de leurs enfants embarrassés. Les petits frères et sœurs admiraient le spectacle en imaginant que ce serait leur tour un jour. Certaines étudiantes avaient décoré leur toque de couronnes de fleurs et de drapeaux arc-en-ciel. D'autres portaient des autocollants « Je suis avec elle » et des pins « Love Trumps Hate », ce qui m'a fait sourire. La tradition veut qu'on attribue à chaque promotion une couleur. Il se trouve que les promotions de 1969 et 2017 avaient toutes les deux pour couleur le vert. Le campus ressemblait un peu à une fête de la Saint-Patrick.

La présidente, que je connaissais et dont j'admirais le travail dans le domaine de la médecine et de la santé publique, m'a accueillie pour me conduire dans le bien nommé « Green Hall », une magnifique bâtisse gothique. J'y ai trouvé mon habit universitaire et ma toque à pompon. D'habitude, je ne porte pas de chapeaux ridicules en public, mais j'ai fait une exception. J'ai décidé de prendre les choses à la légère.

Pour mon plus grand plaisir, avant le début de la cérémonie, j'ai pu passer quelques minutes avec un vieil ami. Quand j'étais étudiante à Wellesley, le révérend Paul Santmire était le chapelain de l'université et il est devenu un mentor pour moi. Dans mon discours de 1969, je l'avais cité comme modèle d'intégrité à une époque où nous nous méfiions des figures de l'autorité et de tous ceux qui avaient plus de 30 ans. À présent, à 80 ans passés, Paul était aussi lucide et humain qu'avant. Nous nous sommes pris dans les bras et il m'a dit qu'il avait voyagé jusque dans le New Hampshire à l'automne pour faire du porte-à-porte dans le cadre de ma campagne. Nous nous sommes remémoré le bon vieux temps, quand j'étais une étudiante engagée et curieuse, et il m'a rappelé ma citation préférée de John Wesley, cet appel à « faire tout le bien que l'on peut ». Je l'ai assuré que cela me tenait plus à cœur que jamais et que je m'étais appuyée sur ma foi pendant cette période où tout allait à vau-l'eau.

J'ai également eu l'occasion d'échanger brièvement avec une jeune femme qui s'appelait Lauren, présidente du club des républicains de Wellesley – poste que j'avais moi-même occupé à l'époque avant de comprendre que mes idées et mes valeurs avaient changé de direction. Lauren semblait traverser une phase de questionnement identique. À Wellesley, on se sentait assez seul quand on était conservateur, mais elle m'a confié que ses camarades étaient ouvertes à la discussion. N'étant pas une fan de Trump, elle se demandait que faire après son élection. Les républicains de Wellesley lui avaient retiré son soutien. Mais, comme la plupart des gens, Lauren avait pensé que Trump allait perdre et que les choses rentreraient dans l'ordre. À présent, elle peinait à trouver du sens à tout cela. Bienvenue au club, ai-je songé. (Ou plutôt : quittez le club ! Sérieusement, si certains envisagent de quitter le Parti républicain, c'est le bon moment.)

Il me restait encore une personne à voir. Tala Nashawati avait été choisie par ses camarades pour prononcer le discours en leur nom, comme moi en 1969. Américaine, fille d'immigrés syriens vivant dans l'Ohio, elle était gracieuse et posée, avec un joli sourire. Comme tant d'étudiantes de Wellesley, Tala était bourrée de talents : elle avait étudié les civilisations du Moyen-Orient, donnait des cours de kick-boxing et s'apprêtait à entrer en médecine. La veille de mon discours de fin d'études en 1969, j'avais passé la nuit à écrire, faire les cent pas et réfléchir ; le lendemain matin, j'avais du mal à contrôler mon stress. Mais Tala avait l'air calme. Elle s'était couchée tard pour pouvoir peaufiner son discours, mais elle savait depuis longtemps ce qu'elle voulait dire. À présent, elle était prête.

Elle avait apporté une photo pour que je la signe. Elle datait de 1969. J'étais debout sur le podium, légèrement penchée vers le micro, les cheveux attachés en chignon (je trouvais que ça faisait adulte, je m'en souviens), de grosses lunettes sur le nez. J'étais si jeune. Derrière moi, il y avait une rangée de professeurs et d'administrateurs de l'université aux cheveux gris, l'air très sérieux. Certains devaient certainement se demander pourquoi la présidente Ruth Adams avait autorisé une étudiante à prendre la parole à la remise des diplômes, chose inédite. Ou peut-être qu'ils avaient du mal à suivre mes remarques passionnées mais quelque peu incohérentes. En bas de la photo, une citation de mon discours était imprimée : « Le défi maintenant est de pratiquer la politique comme l'art de rendre possible ce qui paraît impossible. »

J'avais emprunté cette phrase à un poème écrit par un ami. Elle exprimait l'idéalisme que nous étions si nombreux à ressentir, malgré la guerre, les assassinats et l'agitation qui nous entouraient. Nous croyions vraiment pouvoir changer le monde. Quarante-sept ans plus tard, j'avais prévu de réutiliser cette phrase dans le discours de victoire que j'avais espéré prononcer le jour de l'élection. « Je suis plus âgée à présent. Je suis mère et grand-mère, aurais-je dit. Mais je continue de croire du fond du cœur que nous pouvons rendre possible l'impossible. Regardez ce que nous célébrons ce soir. »

Mais, en définitive, il n'y avait rien eu à célébrer. Le plafond de verre avait résisté. L'impossible était demeuré impossible. J'ai regardé Tala. Nous ne nous étions jamais rencontrées auparavant, mais, d'une certaine façon, j'avais l'impression de m'être battue pour elle et des millions d'autres comme elle pendant toute ma carrière. Et je les avais tous déçus.

Pourtant elle était là, les yeux brillants, pleine d'enthousiasme, et elle me demandait de signer cette photo en noir et blanc. C'était important pour elle. Et ces mots aussi. Malgré ma défaite, je croyais toujours pouvoir rendre possible l'impossible.

C'était le moment d'y aller. Il fallait traverser les couloirs labyrinthiques de la vieille faculté pour déboucher sous la tente où se tenait la cérémonie. La présidente et moi nous sommes postées derrière les administrateurs et la procession a commencé.

Après avoir bifurqué dans un couloir, nous avons découvert des jeunes femmes en robe noire alignées de part et d'autre. Elles se sont mises à applaudir et à pousser des cris de joie. Après un nouveau virage, de nouvelles étudiantes. Et ce tout le long des couloirs, des centaines d'étudiantes de dernière année, alignées comme pour former une haie d'honneur. Leurs cris étaient assourdissants. On aurait dit qu'elles laissaient s'exprimer des émotions contenues depuis des mois – tout l'espoir et toute la douleur qu'elles avaient ressentis depuis novembre ou peut-être même bien avant. Je me suis sentie aimée et emportée, transportée par une vague d'émotion.

Nous avons fini par déboucher à l'extérieur, où attendaient les parents et les caméras avec toute la pompe et le sérieux d'une cérémonie de ce genre. Assise sur la scène, j'ai essayé de retrouver mes esprits, mais mon cœur battait vite. Peu après, Tala a pris le micro, comme moi sur cette photo. Elle était magnifique, et son discours, très beau et sincère.

Le vert étant la couleur de 2017, elle a comparé ses camarades à des émeraudes. « Comme nous, les émeraudes sont précieuses, rares, et assez résistantes. Mais elles sont aussi réputées pour leurs défauts. Je sais que c'est dur à admettre, surtout pour des étudiantes de Wellesley, mais nous avons beaucoup de défauts. Nous sommes incomplètes, écorchées par endroits, édentées sur les bords. »

J'ai tendu l'oreille, curieuse. Ce n'était pas ce à quoi je m'attendais.

« Ces émeraudes ont parfois même plus de valeur que celles qui sont parfaites, parce que leurs défauts révèlent leur authenticité et leur caractère. »

Voilà que ce mot revenait une fois de plus : « authenticité ». Mais elle l'employait comme un baume et non comme une matraque. « Des défauts ». Combien de fois avais-je entendu ce mot au cours des deux dernières années. « Hillary et ses défauts ». À présent, Tala se réappropriait le terme pour souligner la beauté et la force de l'imperfection.

Ses camarades étaient attentives elles aussi. Elles n'ont pas applaudi, mais ont claqué des doigts tandis que Tala s'apprêtait à conclure.

« Comme l'a dit la secrétaire d'État Clinton, ne doutez jamais de votre valeur, de votre pouvoir, parce que vous méritez de saisir toutes les occasions dans la vie pour accomplir vos rêves. Vous êtes rares et uniques. Autorisez-vous des défauts. Avancez dans le monde avec fierté et confiance, brillez de toutes vos nuances, montrez à tous qui commande et brisez tous les plafonds de verre qui résistent encore. »

À ce moment-là, la foule a poussé des cris de joie. Moi la première. Je me suis levée et j'ai applaudi, gagnée par l'espoir et la fierté. Si c'était ça, l'avenir, alors tout ce que j'avais fait avait valu la peine.

Les choses vont être difficiles pendant longtemps. Mais nous allons nous en sortir. Nous tous.

La pluie cessait. C'était à mon tour de prendre la parole.

« Que fait-on maintenant ? » ai-je demandé. Il n'y avait qu'une seule réponse : « On continue à avancer. »

Remerciements

Je dédie ce livre à l'équipe qui a été à mes côtés en 2016.

Je serai toujours reconnaissante à Barack et Michelle Obama et à leurs équipes pour leur soutien avant, pendant et après la campagne ; à Tim Kaine, Anne Holton et leur famille ; à chacun de ceux qui ont passé des journées et des nuits à travailler à notre QG de campagne à Brooklyn ; aux directeurs de campagne de chaque État et à leurs équipes, aux équipes de terrain, à l'équipe de coordination de la campagne, aux volontaires, aux stagiaires et membres dans chacun des cinquante États ; à nos consultants, prestataires et fournisseurs ; à l'équipe du Comité national démocrate ; à nos avocats du cabinet Perkins Coie ; aux députés et sénateurs démocrates, aux gouverneurs, aux maires, et à leurs équipes ; et à tous les amis qui ont mis tout leur cœur dans notre campagne. J'aurais aimé pouvoir remercier chacun de vous individuellement. En fait, j'ai demandé à mon éditeur s'il était possible de mentionner ici tous vos noms – plus de 6500 –, mais on m'a répondu que cela doublerait le nombre de pages du livre. Sachez cependant que vos noms sont gravés dans mon cœur aujourd'hui et pour toujours.

Ça s'est passé comme ça ne se serait jamais passé comme ça sans l'aide et le soutien d'une autre grande équipe. Ce projet a été profondément personnel, mais jamais je n'aurais pu le réaliser seule. Je remercie toutes les personnes qui, d'une manière ou d'une autre, m'ont tendu la main. Cela prouve, une nouvelle fois, qu'ensemble nous sommes plus forts.

Au départ, il y a Dan Schwerin, Megan Rooney et Tony Carrk, qui ont passé des heures avec moi, assis autour de ma table de cuisine à Chappaqua, à faire remonter les souvenirs, m'aidant ainsi à découvrir ce que serait ce livre.

Dan est entré comme jeune membre du personnel dans mon bureau au Sénat il y a une douzaine d'années, et il est resté à mes côtés depuis cette époque. Il m'a aidée pour mon dernier livre, *Le Temps des décisions*, a dirigé l'équipe de rédacteurs de mes discours en 2016, et a récidivé pour ce livre. Je n'aurais pu faire aboutir ce projet, et beaucoup d'autres d'ailleurs, sans son aide. Il a une vivacité intellectuelle et des compétences d'organisation hors pair. Il est venu à bout de tonnes de données et d'argumentations pour m'aider à plaider ma cause. Il est calme, sa présence au milieu de la tempête a été rassurante, et il est de très bonne compagnie le reste du temps.

Megan Rooney faisait partie de mon équipe au département d'État, et elle m'a rejointe comme rédactrice de mes discours pour la campagne. Elle a plongé dans les rigueurs de ce livre avec intelligence, gentillesse et humour, et a fait preuve de compétences très aiguisées pour la conduite du récit, ce qui, pris ensemble, a donné un résultat bien meilleur que si j'avais été seule. Elle a été ma partenaire dans nos échanges à propos du féminisme et a apporté sa bonne humeur, son sourire malicieux et ses clins d'œil durant nos nombreuses et longues nuits, quand nous avions tous besoin d'un remontant.

Elle et Dan ont poursuivi leur long partenariat en écriture et j'adorais les observer, assis côte à côte sur mon canapé, leur ordinateur sur les genoux, travaillant sur une partie du texte, sans parler, mais se comprenant l'un l'autre – et ce qu'ils étaient en train d'écrire –, parfaitement.

Tony Carrk m'a rejointe lors de ma campagne de 2008 comme chercheur, et en 2016 il a dirigé cette équipe critique. Malgré une pression intense et des journées stressantes, il a été l'homme de la situation, ayant la réponse à toutes nos questions. Son implication et sa discrétion sont connues de tous. Et tout cela, alors qu'il allait devenir père d'une petite fille, Celia, durant la campagne, et d'un petit garçon, Diego, durant l'écriture de ce livre.

Huma Abedin, Nick Merrill, Cheryl Mills, Philippe Reines, Heather Samuelson et Jake Sullivan sont à mes côtés depuis des années, à travers les joies et les peines. Comme ils l'ont fait de nombreuses fois auparavant, ils m'ont soutenue, moi et ce projet, de leurs conseils avisés.

Je suis redevable à tous ceux qui ont partagé leurs souvenirs et leurs points de vue, qui m'ont offert leurs conseils, m'ont aidée à vérifier le contenu de ces pages et les faits qui y sont exposés, et m'ont soutenue, moi et mon travail, durant toute l'écriture de ce livre, parmi lesquels Emily Aden, John Anzalone, Charlier Baker, Kris Balderston, De'Ara Balenger, Shannon Beckham, Daniel Benaim, Joel Benenson, Jonathan Berkon, David Binder, Allida Black, Sid Blumenthal, Susie Buell, Glen Caplin, Dennis Cheng, Corey Ciorciari, Brian Cookstra, Brynne Craig, Jon Davidson, Howard Dean, Karen Dunn, Marc Elias, YJ Fischer, Oren Fliegelman, Oscar Flores, Tina Flournoy, Danielle Friedman, Ethan Gelber, Teddy Goff, Jorie Graham, Shane Hable, Tyler Hagenbuch, Maya Harris, Trevor Houser, Jill Iscol, Jay Jacobs, Beth Jones, Elizabeth Kanick, Grady Keefe, Ron Klain, Jen Klein, Harold Koh, Elan Kriegel, Amy Kuhn, David Levine, Jenna Lowenstein, Bari Lurie, Moj Mahdara, Jim Margolis, Capricia Marshall, Marlon Marshall, Garry Mauro, Michael McFaul, Judith McHale, Kelly Mehlenbacher, Craig Minassian, Robby Mook, Minyon Moore, Lissa Muscatine, Navin Nayak, Kevin O'Keefe, Ann O'Leary, Jennifer Palmieri, Maura Pally, Adam Parkhomenko, Matt Paul, Lauren Peterson, John Podesta, Jacob Priley, Amy Rao, Ed Rendell, Mary Kate Rooney, Emmy Ruiz, Rob Russo, Sheryl Sandberg, Marina Santos, Kristina Schake, Oren Schur, Ella Serrano, Meredith Shepherd, Bill Shillady, David Shimer, Anne-Marie Slaughter, Craig Smith, Burns Strider, Donna Tartt, Mario Testino, Opal Vadhan, Lona Valmoro, Jon Vein, Melanne Verveer, Mike Vlacich, Rachel Vogelstein, Diane von Fürstenberg, Don Walker et la Harry Walker Agency, Maggie Williams, Graham Wilson, Theresa Vargas Wyatt et Julie Zuckerbrod.

Merci également à tous les experts et universitaires qui m'ont aidée à mettre au point les projets politiques mentionnés dans ce livre et bien d'autres qui ont constitué le programme démocrate le plus progressiste de l'histoire. Ces projets constituent une feuille de route pour la construction d'un avenir meilleur. Et vous pouvez en apprendre davantage sur le site www.hillaryclinton.com/issues.

Je n'aurais pu traverser l'élection et ses suites sans mes amis. Ils m'ont empêchée de perdre la raison, m'ont emmenée au théâtre, m'ont rendu visite, m'ont accompagnée en balade, m'ont fait rire, ont nourri mon esprit, et supporté quelques emportements. J'espère pouvoir passer dans l'avenir plus de temps avec chacun d'eux.

Je suis redevable à Simon & Schuster, et particulièrement à sa directrice générale, Carolyn Reidy, et à mes éditeurs Jonathan Karp et Priscilla Painton, qui tous ont passé de nombreuses heures à me conseiller et à corriger mes copies successives. Merci à leurs équipes : Tamara Arellano, Phil Bashe, Eloy Bleifuss, Alice Dalrymple, Amar Deol, Lisa Erwin, Jonathan Evans, Tiffany Frarey, Megan Gerrity, Cary Goldstein, Megan Hogan, John Paul Jones, Ruth Lee-Mui, Kristen Lemire, Dominick Montalto, Laura Ogar, Anne Tate Pearce, Emily Remes, Richard Rhorer, Jackie Seow, Elisa Shokoff, Laura Tatham et Dana Trocker.

Merci à mes avocats : Bob Barnett, mon sparring-partner pour préparer les débats et un sage en matière de publication ; David Kendall, qui a vécu avec moi la folie de ces e-mails ; et leur équipe chez Williams and Connolly – Tanya Abrams, Tom Hentoff, Deneen Howell, Michael O'Connor, Adam Perlman, Ana Reyes, Amy Saharia, Katherine Turner et Steve Wohlgemuth.

Aux hommes et aux femmes du Secret Service des États-Unis, merci d'avoir toujours assuré ma protection. Votre professionnalisme et votre courage sont une source d'inspiration.

Et aux 65 844 610 Américains qui ont voté pour moi, merci pour votre fidélité et votre confiance. Nous n'avons pas réussi cette fois, mais j'espère que vous ne perdrez jamais confiance en la vision que nous partageons pour une Amérique meilleure.

Le poète Max Ehrmann a écrit : « Quels que soient tes peines et tes rêves, garde dans le désarroi bruyant de la vie la paix de ton âme. » La paix de mon âme n'est possible que grâce à l'amour et au soutien de Bill, Chelsea, Marc, Charlotte, Aidan, et de toute notre famille. Merci à vous d'être les plus grands éditeurs, guérisseurs d'angoisses et pourvoyeurs de joie au monde. Et merci d'être enthousiastes à l'idée que je sois beaucoup plus présente auprès de vous ces temps-ci.

*

* *

L'éditeur tient à remercier Selin Olivia Turhangil pour sa contribution à l'édition de cet ouvrage.

Table des matières

Frustration

Résilience

Crédits

Page 46 : « Still I Rise », *in* Maya Angelou, *And Still I Rise : A Book of Poems.* © Maya Angelou, 1978. Reproduit avec l'autorisation de Random House, une marque de Penguin Random House LLC. Tous droits réservés.

Page 47 : « Hallelujah », de Leonard Cohen, *in Stranger Music : Selected Poems and Songs.* © 1993, Leonard Cohen and Cohen Stranger Music, Inc. Reproduit avec l'autorisation de The Wylie Agency LLC.

Pages 48 et 49 : Bill Shillady, *Strong for a Moment Like This.* Extrait comprenant des commentaires publiés pour la première fois dans un blog du pasteur Matt Deuel. © Abingdon Press, 2017. Tous droits réservés.

Page 49 et 50 : Henri Nouwen, *The Return of the Prodigal Son : A Story of Homecoming.* © Henri J. M. Nouwen, 1992. Reproduit avec l'autorisation de Doubleday Religion, une marque de Crown Publishing Group, une filiale de Penguin Random House LLC. Tous droits réservés. (Trad. fr. *Le Retour de l'enfant prodigue*, trad. par Rolande Bastien, Montréal, Bellarmin, 1995.)

Page 72 : « East Coker », *in* T. S. Eliot, *Four Quartets.* © Set Copyrights Limited et réimprimés avec l'autorisation de Faber & Faber. (Trad. fr. « East Coker », « Quatre quatuors », *Poésie*, trad. par Pierre Leyris, Paris, Seuil, 1969.)

Page 147 : « The Room Where It Happens », *in* Lin-Manuel Miranda, *Hamilton.* Reproduit avec l'autorisation de l'auteur.

Page 176 : Mary Ann Shaffer et Annie Barrows, *The Guernsey Literary and Potato Peel Pie Society : A Novel.* © The Trust Estate of Mary Ann Shaffer & Annie Barrows, 2008. Reproduit avec l'autorisation de The Dial Press, une marque de Random House, filiale de Penguin Random House LLC. Tous droits réservés. (Trad. fr. *Le Cercle littéraire des amateurs d'épluchures de patates*, trad. par Aline Azoulay, Paris, NiL, 2009.)

Page 190 : « Giving and Receiving Consolation », *in* Henri J. M. Nouwen, *Bread For The Journey : A Daybook of Wisdom and Faith.* © Henri J. M. Nouwen, 1997. Réimprimé avec l'autorisation de HarperCollins Publishers.

Page 210 : « To be of use », *in* Marge Piercy, *Circles on the Water.* © Middlemarsh, 1982, Inc. Reproduit avec l'autorisation de Alfred A. Knopf, une marque de Knopf Doubleday Publishing Group, filiale de Penguin Random House LLC. Tous droits réservés.

Page 404 : Copyright Vox Media, créé par Javier Zarracina pour David Roberts, *The most common words in Hillary Clinton's speeches, in one chart*, publié le 16 décembre 2016 ; https://www.vox.com/policy-and-politics/2016/12/16/13972394/most-common-wordshillary-clinton-speech.

Page 408 : Gallup, sur la base de recherches effectuées en collaboration avec l'université de Georgetown et l'université du Michigan.

Composition et mise en pages
Nord Compo à Villeneuve-d'Ascq

MARQUIS
Québec, Canada